LES MEUBLES ANCIENS
DU CANADA FRANÇAIS

JEAN PALARDY

René Villeneuve
Charlesbourg
juillet 1976

les meubles anciens
DU CANADA FRANÇAIS

Pierre Tisseyre Montréal
8955 boulevard Saint-Laurent. Montréal 354

Dépôt légal, 4e trimestre de 1971
Bibliothèque nationale du Québec

PRÉFACES

L'ouvrage de Jean Palardy sur le mobilier canadien, dont je tiens à reconnaître ici la qualité magistrale, est la première étude complète publiée à ce sujet. A ce titre, cette étude constitue un précieux apport parmi celles qui ont déjà paru sur les différents arts et métiers du Canada français.

Artiste peintre tout d'abord, Jean Palardy pratiquait en été son art dans la région de la Baie-Saint-Paul, sur la côte nord du Saint-Laurent, à soixante milles en bas de Québec. Je le connus en 1932 lorsque je faisais pour le Musée National des recherches de folklore. Son intelligence et son pouvoir d'observation me frappèrent et je l'invitai un peu plus tard à devenir mon assistant dans une enquête sur les arts et métiers de cette région si pittoresque, du comté de Charlevoix. J'y recueillais en même temps des chansons et des légendes, comme je le faisais depuis 1916.

Ensemble nous allions par les villages, de porte en porte, de grenier en grenier, de grange en grange, de fournil en fournil, examinant toutes les vieilleries qu'on avait mises au rancart : rouets, dévidoirs, ourdissoirs, métiers à tisser, meubles rustiques, commodes, chaises, bancs, coffres, tapis au crochet, couvertures « boutonnues », catalognes, peignes à filasse, vieux habits d'étoffe du pays, coiffes, jouets, poterie rustique. Dans les étables et les « bâtiments » nous trouvions charrues de bois, herses, rouleaux, charrettes, traîneaux, carrioles et cabarouets. Ici et là se dressaient encore quelques moulins à vent ou à eau et des roues penchées pour actionner les batteuses à grain.

Dans un pays où l'on prise la nouveauté plus que l'antiquité, il était urgent de poursuivre cette enquête, car la démolition et l'incendie ne cessaient de faire partout leurs ravages.

Notre collaboration, qui pourrait s'appeler apprentissage, une fois terminée, Jean Palardy continua à observer son entourage et à collectionner les meilleures pièces qui se présentaient à lui et qu'il assemblait dans sa maison de la Petite-Rivière-Saint-François. Il devint collectionneur d'objets anciens et plusieurs de ses amis furent initiés par lui à la joie de posséder des armoires, des chaises, des commodes anciennes et même des statues.

Pendant la dernière guerre et dans la suite, il réalisa un grand nombre de films documentaires, dont quelques-uns sur les arts du Canada français.

Le goût de ramasser des curiosités, souvent exquises, se répandit à vue d'œil. Aujourd'hui, la mode est de fouiller les recoins du passé et de rescaper les vieux meubles. Et les antiquaires parcourent les campagnes tout le long du fleuve, en quête du butin que convoitent leurs clients.

Un résultat heureux fut que Jean Palardy, de sa propre initiative et avec l'aide du Conseil des Arts et du Ministère des Affaires Culturelles de la Province de Québec, entreprit une enquête sur la fine fleur du mobilier canadien. Mais il ne se contenta pas de ce répertoire qu'on pourrait dire

7

anonyme ; il eut le talent de pénétrer sous la surface, de s'enquérir des sources régionales, de retracer le nom des ouvriers et d'identifier les bois usités.

Il parcourut les provinces de France, berceaux des anciens Canadiens, découvrant ici et là des ressemblances et des identités entre les vieux meubles français et leurs apparentés du Saint-Laurent. Il consulta les folkloristes et les experts français, tels que M. Rivière, directeur du Musée des Arts et Traditions Populaires, Suzanne Tardieu de la même institution, M. Delafosse, directeur des Archives de la Charente-Maritime à La Rochelle et bien d'autres encore qui l'accueillirent à bras ouverts.

Le livre que voici est le fruit des recherches passionnées et de l'admirable effort de leur auteur. Je lui souhaite le grand succès qu'il mérite, autant en France qu'au Canada. Il contribuera au regain d'une saine appréciation des arts et métiers folkloriques qui depuis longtemps périclitent, tout comme la chanson, le conte et la légende.

Qui sait si bientôt nous ne verrons pas une Régie de l'Etat (à Québec et à Ottawa) s'établir pour la conservation de ces ressources culturelles incomparables, qui nous sont venues de la France royale ? En collaboration avec le Musée National et le Musée de la Province de Québec, des chercheurs comme Jean Palardy pourraient faire profiter cette Régie de leurs précieuses connaissances et lui donner un élan de bon aloi, sous l'égide de la fleur de lys.

MARIUS BARBEAU,
DOCTEUR ÈS LETTRES *Honoris Causa*
DE L'UNIVERSITÉ D'OXFORD.

Marius Barbeau, mon vieil ami, a dit les mérites de l'ouvrage tant attendu, du grand ouvrage de Jean Palardy. Je tenterai d'exprimer, pour ma part, ce que cette histoire du mobilier canadien traditionnel affirme de traits communs, révèle de ressemblances véritablement fraternelles, au-delà des nuances, avec toute l'histoire du mobilier traditionnel des pays de France.

Le premier « atteignit son apogée entre les années 1785 et 1820 » : c'est sensiblement durant la même période que le second a connu le sien. C'est une fois détaché de l'arbre français que le rameau canadien, chose émouvante, a donné sa plus fine fleur française.

Des deux côtés, née de la paix, l'aisance d'une paysannerie a permis cet essor. Mais l'aisance, au Canada, a davantage rapproché la paysannerie de la bourgeoisie qu'elle ne l'a fait en France. Le mobilier du paysan canadien s'en ressent. Ainsi, à la différence de ce qui s'est passé en France dans le mobilier correspondant, par l'assimilation plus rapide de la chaise et de la commode, ou par l'adoption de l'encoignure : types de meubles particulièrement caractéristiques des classes supérieures, durant la période envisagée.

Si le poêle, au Canada, s'est si vite substitué au feu d'âtre, cela tient au fait que les hivers sont plus rigoureux dans ce pays qu'ils ne le sont en France. Si l'horloge à gaine « violon » est ignorée du paysan canadien, alors que la faveur en a été si grande chez le paysan français, la raison en est peut-être que ce dernier n'en a adopté le type que vers la fin du XVIIIe siècle.

A quelques différences près du genre de celles qu'on vient de signaler, le répertoire du mobilier paysan canadien reproduit celui de son congénère français.

L'archaïque coffre y a pris place, durant un temps, au pied du lit, l'armoire y conserve la vedette, elle figure dans la dot, la structure en reste semblable, l'aspect en rappelle celui qu'elle offre dans les régions qui ont constitué essentiellement la source du peuplement français du Canada ; notamment à l'ouest de l'hexagone, entre Nantes et Bordeaux. L'armoire-placard y apparaît. Le buffet à deux corps y est aussi répandu qu'en France : dans sa forme pleine, familière à la France, dans sa forme vitrée aussi, négligée il est vrai de la France paysanne, mais que le Canada paysan doit sans doute à l'influence anglaise ou néerlandaise. Le dressoir y est comme en France musée de la plus belle vaisselle domestique. Fait curieux dont il conviendrait de rechercher la source (cela tiendrait-il au plan de l'habitation ?) la table pliante, dont certaines de nos provinces, telle la Bourgogne, offrent d'ailleurs l'exemple, y est sensiblement préférée au Canada à la table longue, toute favorable que soit cette dernière au protocole familial du placement. Escabeaux et bancs s'y manifestent. Le lit à quenouilles y règne. Le fauteuil du maître y trône. Le pétrin y est signe, comme chez nous, de la panification domestique. Le rouet y poursuit un développement semblable : du rouet à grande roue au rouet à pédale, du rouet que la ménagère actionne debout à celui qu'elle actionne assise. Le groupe des ustensiles du foyer y est le même.

Frappante est l'analogie dans la succession des styles : Louis XIII avec ses pointes de diamant, Régence et Louis XV avec leurs rocailles et chantournements. Vagues qui se produisent à retardement, au Canada comme en France, par rapport aux dates des modèles savants. Styles dont le mélange, de part et d'autre, n'exclut pas l'élan créateur. Deux nuances pourtant, dont la seconde s'annonce d'explication plus facile que la première : au début, moindre faveur du décor géométrique populaire (dont on nous souligne toutefois la présence sur des coffrets de fabrication domestique et sur des berceaux), à la fin, influence marquée des styles anglais.

Le chêne y est, à l'origine, le matériau préféré des beaux meubles, comme il l'a été — plus longtemps et pour cause — en France. Adapté à la flore locale, la vogue des bois clairs y est la même que dans le mobilier français traditionnel des dernières périodes.

La fabrication des meubles, au Canada comme en France, relève surtout des menuisiers. Ces derniers, au Canada, affirment des qualités bien françaises. On constate de part et d'autre l'existence de menuisiers itinérants. La corporation de métier et le compagnonnage ne sont pas attestés au Canada : faits qu'explique la formule libérale de ses structures sociales. Mais, signe d'une foi chrétienne partagée avec nos artisans d'ancien régime, on y retrouve la confrérie.

Il n'est pas jusqu'à la « post-histoire » des deux mobiliers qui n'en illustre les analogies dans ses phases successives : en France comme au Canada, désaffection, vandalisme, vogue d'un rustique de mauvais goût, efforts de fervents experts pour révéler l'histoire et imposer le respect de ces patrimoines, nécessité sans cesse plus urgente d'en préserver dans des musées centraux les meilleurs témoins.

L'œuvre d'un Marius Barbeau, naguère, avait sauvé de l'oubli l'admirable trésor des chants populaires du Canada français. L'œuvre d'un Jean Palardy le fait pour un autre domaine de l'héritage non moins digne d'être connu et apprécié. Toutes deux illustrent, sur nos deux terres fraternelles, le rayonnement d'une commune culture.

GEORGES HENRI RIVIÈRE,

CONSERVATEUR EN CHEF
DU MUSÉE DES ARTS ET TRADITIONS POPULAIRES.
DIRECTEUR DU CONSEIL INTERNATIONAL DES MUSÉES.

AVANT-PROPOS

Aucune étude sérieuse n'a été entreprise jusqu'ici sur le mobilier régional ou traditionnel du Canada français. A l'exception de quelques brèves remarques dans les récits d'anciens voyageurs ou de quelques récents articles de revue, personne ne s'était jamais préoccupé de décrire le style de ce mobilier ou de populariser son goût. M. Marius Barbeau fut le premier qui, vers 1925, commença d'étudier, d'inventorier, de collectionner notre mobilier d'église. En même temps, certains Américains et quelques rares Canadiens anglais manifestaient de la curiosité et commençaient à collectionner nos meubles anciens. Il est dommage que personne, dans la Province de Québec, ne se soit intéressé plus tôt à cette part de notre patrimoine national. On peut donc affirmer que notre mobilier avait été complètement ignoré avant 1925.

Cette ignorance ou ce manque d'intérêt ont des circonstances atténuantes, si l'on considère que les quatre cinquièmes des meubles de nos ancêtres ont péri, par suite d'incendies, ou par vandalisme. En commençant cet ouvrage, je ne disposais donc d'aucune documentation de base, d'aucune monographie à consulter. Tout était à créer. Comment, dès lors, étudier un tel sujet et en tirer des conclusions ?

Quatre méthodes d'observation sont essentielles à l'analyse du mobilier traditionnel, tel que le préconise M. Georges Henri Rivière, conservateur en chef du Musée des Arts et Traditions Populaires de France :

La méthode *directe* ou étude des meubles dans leur état actuel, quel que soit l'endroit où ils se trouvent. Il s'agit d'une étude descriptive et d'une analyse des formes; examen des techniques, des décors et des ornements;

La méthode qu'on pourrait appeler *socio-ethnographique*, qui consiste à étudier le mobilier par rapport à son milieu social. Or, le milieu paysan, plus que tout autre, a survécu aux bouleversements sociaux qui ont marqué l'évolution du Canada français;

La méthode *technologique*, par laquelle on se documente sur les techniques anciennes et les connaissances traditionnelles des artisans qui en sont encore détenteurs. Ces observations, surtout chez les menuisiers, dont le « métier » est souvent transmis de père en fils depuis plusieurs générations, me furent toujours d'un précieux secours, car elles expliquaient pourquoi, à une époque déterminée, tel meuble était exécuté de telle façon, avec tel bois de préférence à l'autre;

La méthode *historique* enfin qui concerne l'examen des archives : inventaires après décès, contrats de mariage, brevets d'apprentissage, contrats de construction, livres de comptes des paroisses, des artisans, annales, livres des recettes et dépenses des monastères, livres de raison des séminaires, mémoires des intendants, correspondances, etc. Qu'on ne soit pas surpris de lire tout au long de cet ouvrage les citations puisées dans les archives, rapportées telles quelles, c'est-à-dire avec tous leurs archaïsmes et dans l'orthographe phonétique des XVIIe et XVIIIe siècles. Je me suis toujours efforcé de respecter les textes originaux sans y rien retrancher ni ajouter.

L'étude des meubles sur place, dans le milieu rural, est extrêmement précieuse, en dépit de leurs fréquents déplacements et de leurs modifications. L'étude des meubles dans leurs détails, leurs structures, leurs styles, leurs procédés de fabrication est également d'une grande utilité, mais la méthode historique reste, malgré tout, fondamentale et complète les trois autres. Cependant, malgré nos recherches et observations, nos connaissances restent limitées. Il subsiste beaucoup de points d'interrogation pour une raison bien simple : l'évolution de notre mobilier traditionnel a été lente, alors que fut extrêmement variée la gamme de styles qui apparurent dans

11

le milieu paysan, avec beaucoup de retard, parfois un siècle après leur création dans la métropole. Souvent, le menuisier de village apercevait chez le seigneur un meuble venu de France et cherchait ensuite, de mémoire, à en reproduire les proportions et les motifs. Dans la plupart des cas, il est donc difficile, voire impossible, de fixer exactement une date d'origine pour les meubles illustrés dans cet ouvrage. Je me suis gardé de toute fausse précision d'autant plus que nos menuisiers ne signaient pas leurs œuvres, à l'inverse des ébénistes parisiens de l'époque et de certains menuisiers de province. Dans des cas très rares les archives nous révèlent simultanément le nom du menuisier et la date de paiement de son meuble. On ne peut pas être absolu; selon mes recherches, je propose des dates approximatives : fin XVIIᵉ, début XVIIIᵉ, milieu XVIIIᵉ siècle, etc.

J'ai donc essayé de mettre de l'ordre dans cette partie de notre patrimoine. Si, toutefois, je me suis limité au mobilier de menuiserie traditionnel d'inspiration française du XVIIᵉ, XVIIIᵉ et du début du XIXᵉ siècle, c'est qu'il a cessé d'exister pour nous après cette époque.

Mon ambition a été de réunir dans cet ouvrage les types les plus représentatifs de meubles du Canada français, témoins de la vie de nos ancêtres. Je crois avoir choisi les modèles les plus caractéristiques qui ont survécu à la destruction et à l'incendie. J'y ai même adjoint quelques meubles curieux, d'un certain intérêt à cause des mélanges de styles qu'ils présentent. Et j'ai désigné ces meubles comme étant d'influence anglaise, hollandaise, Nouvelle-Angleterre ou américaine. Je ne mentionne pas la Nouvelle-Écosse, dont l'influence a dû pénétrer aussi au Canada français parce que je n'ai pu faire de distinction entre son mobilier et ceux de l'Angleterre et de la Nouvelle-Angleterre, leurs caractéristiques étant extrêmement parentes. D'autres meubles, d'une époque plus récente, méritaient une place dans cet ouvrage, car ils sont charmants et nous émeuvent par leurs formes et leurs dessins naïfs. Si quelques types de meubles manquent à l'appel, tels certains types de garde-manger, des lits en tombeau, des lits et sièges pliants, des châlits d'enfants, des caqueteuses, des fauteuils bergères, tous des XVIIᵉ et XVIIIᵉ siècles, c'est que je n'ai pu en retrouver la trace, bien que les archives mentionnent leur existence.

On trouvera dans le Catalogue Raisonné une description et une étude comparée de chaque meuble. L'on pourra se renseigner sur les ornements, les décors, les sources d'inspiration des provinces françaises, les emprunts, les influences étrangères, anglaises, américaines, hollandaises et même indiennes du Canada. L'on y découvrira aussi les caractéristiques, les transpositions et les interprétations canadiennes, ainsi que quelques notes historiques lorsqu'il s'agit de meubles cités dans les archives ou de meubles dont l'origine aurait été transmise par la tradition orale. La provenance du meuble, l'endroit où il a été trouvé, fournissent de précieux renseignements quant à certaines caractéristiques régionales, quoique dans bien des cas, il ait été trouvé très loin de son lieu d'origine. Enfin l'on y apprendra l'époque où il fut exécuté, son état actuel, les restaurations, les bois utilisés, ses dimensions et le nom du propriétaire.

J'ai pris beaucoup de temps à composer ce livre car je désirais mettre la somme de mes recherches au service de tous les connaisseurs, des amateurs d'art décoratif ancien et de tous les amis du folklore de notre pays. Je sais combien il est passionnant, lorsqu'on intègre un meuble à sa vie quotidienne, de connaître son origine, son histoire, l'évolution dont il est l'aboutissement. J'espère que mes recherches les aideront, quoique je n'aie pas la prétention d'apporter une réponse à toutes leurs questions.

Je souhaite sincèrement que cet ouvrage éclaire tous ceux qui s'intéressent depuis quelques années à notre patrimoine et à la formation de la civilisation canadienne dont nous sommes fiers. C'est aujourd'hui un phénomène universel qu'en prenant conscience des forces de son passé, l'homme apprend à se mieux connaître, à faire face à l'avenir, à créer du nouveau et à enrichir les autres. Un peuple qui ne fait pas l'inventaire de son patrimoine perd son caractère propre. Il perd sa dignité et sa raison de vivre. Les civilisations qui ont survécu ne sont-elles pas justement celles qui ont puisé aux sources vives de leurs traditions et qui ont reconnu avec fierté la noblesse de leur passé ?

J.P.

REMERCIEMENTS

Mes remerciements s'adressent en premier lieu au Ministère des Affaires Culturelles de la Province de Québec et au Conseil des Arts du Canada, dont les généreuses subventions respectives ont permis de mener à bonne fin le présent ouvrage. Je désire aussi exprimer ma gratitude à toutes les personnes qui ont contribué, de quelque manière que ce soit, à sa réalisation, et principalement à M. Marius Barbeau, célèbre ethnologue et folkloriste, attaché au Musée National du Canada, pionnier de la recherche des arts et traditions populaires canadiens français et indiens, qui m'a initié à notre folklore et m'en a fait découvrir les beautés. Pendant deux saisons, j'ai eu le grand privilège de recueillir avec lui chansons, contes, témoignages oraux sur les métiers anciens, les coutumes rituelles et tout ce qui se rattache à notre culture populaire. Les contacts que j'ai eus depuis lors avec M. Barbeau m'ont toujours enrichi.

Je suis particulièrement honoré de l'intérêt bienveillant que Son Excellence Georges P. Vanier, Gouverneur Général du Canada, a manifesté pour cet ouvrage.

J'ai été vivement touché du geste de M. Georges-Émile Lapalme, premier titulaire du Ministère des Affaires Culturelles de la Province de Québec. Il a compris le besoin de faire connaître au Canada qu'à l'étranger, cet aspect de la culture du Canada français.

Je tiens également à témoigner ma gratitude à Mme Richard R. Costello, à Mme Howard W. Pillow et à M. Charles W. Palmer non seulement pour leurs contributions respectives mais aussi pour leurs constants et amicaux encouragements.

En outre, j'ai été soutenu dans mes efforts, par MM. Guy Frégault, sous-ministre du Ministère des Affaires Culturelles de la Province de Québec; Jean Octeau, secrétaire exécutif attaché au Ministère des Affaires Culturelles de la Province de Québec; René Arthur, chef adjoint du Cabinet du Premier Ministre de la Province de Québec; Robert Élie, conseiller culturel près la Délégation du Québec à Paris; le Très Révérend Père Georges-Henri Lévesque, O.P., vice-président, et Eugène Bussière, directeur associé du Conseil des Arts du Canada; Cleveland Morgan †, président honoraire du Musée des Beaux-Arts de Montréal; René Garneau, ministre-conseiller auprès de l'Ambassade du Canada à Paris; Gérard Morisset, conservateur du Musée de la Province de Québec; Luc Lacourcière, directeur des Archives de Folklore de l'Université Laval; Jacques Rousseau, professeur à l'Université Laval et professeur associé à la Sorbonne; F. St. George Spendlove †, conservateur des collections Canadiana du Royal Ontario Museum de Toronto; Louis Carrier †, conservateur du Château de Ramezay à Montréal; E.P. Richardson, conservateur du Art Institute de Détroit, et maintenant directeur du Henry Francis Du Pont Winterthur Museum; Scott Symons, assistant conservateur des collections Canadiana du Royal Ontario Museum; Jean-Paul Lemieux, artiste-peintre, et Hugh MacLennan, écrivain canadien.

Sincères remerciements à Évariste Desparois, photographe de grand talent, qui a subi avec patience les exigences de l'auteur; à Eric McLean, critique musical du « Montreal Star » et amateur ardent de la culture du Canada français, pour l'élégante et précise traduction qu'il a faite de mon texte, et à Francis J.B. Watson, directeur de la Collection Wallace de Londres pour ses remarques judicieuses concernant la terminologie anglaise.

De plus, il me faut exprimer mes sentiments très reconnaissants aux personnes suivantes qui ont pris intérêt à mon travail en mettant librement à ma disposition archives, documents, collections, etc., et dont les renseignements m'ont été utiles : Mme May Cole, Mme Claude Bertrand, Mme Colette P. Loranger, Mlle Barbara Richardson et le Dr Herbert Schwarz, tous collectionneurs passionnés; Mme George V. Ferguson; Mme Constance Garneau; Gerald Budner; Antoine Roy, archiviste de la Province de Québec; Robert-Lionel Séguin, archiviste attaché à l'Inventaire des Œuvres d'Art; Mlle Marie Baboyant, bibliothécaire à la Collection Gagnon de la ville de Montréal; Olivier Le Fuel, expert à Paris; Henri Paul et Louis Jaques, photographes; les religieuses archivistes de nombreux couvents; Hubert Plomer, ébéniste; Georges Dionne, contremaître général de la Compagnie E.J. Maxwell de Montréal; Mme Nettie Sharpe, MM. Bertrand Baron, Roger Burger, Nathan Davies, Antoine Prévost et John L. Russell, ces derniers antiquaires.

Je suis très obligé envers MM. S. Breitman et M. E. Booth, antiquaires à Montréal, qui m'ont aidé à déterminer la provenance de nombreux meubles reproduits dans ce livre. Enfin, ma plus profonde gratitude aux musées, aux communautés religieuses et à tous les collectionneurs qui m'ont ouvert toutes grandes leurs portes.

Je me souviens avec plaisir de l'accueil reçu en France auprès des conservateurs des musées de province, et en particulier de M. Stany Gauthier, conservateur du Musée d'Art Populaire de Nantes; de M. Pierre Quarré, conservateur du Musée des Beaux-Arts de Dijon, ainsi que de M. Jean Lapeyre, conservateur des Musées de Dieppe et de Fécamp.

Je rends ici spécialement hommage à M. Georges-Henri Rivière, conservateur en chef du Musée des Arts et Traditions Populaires de France et directeur du Conseil International des Musées, ainsi qu'à son assistante, Mlle Suzanne Tardieu, qui a bien voulu relire mon texte. Ils ont consacré un temps précieux à me faire mieux connaître les meubles régionaux de France et ont manifesté un vif intérêt pour cette étude sur le mobilier d'une lointaine province française, témoignage des traditions artisanales de l'ancienne mère patrie.

✳

INTRODUCTION

" *Une tradition venue, montee du
plus profond de la race, une histoire,
un absolu, un honneur, voulait que
ce bâton de chaise fût bien fait...* "
                                    PÉGUY.

VERS LA GRANDE AVENTURE

Dès le début du XVIIe siècle, les premiers colons français arrivèrent au Canada. Ils venaient avec l'intention de se fixer définitivement en Nouvelle-France. Des artisans ne manquaient jamais d'accompagner les pionniers de ces temps héroïques.

Marc Lescarbot, avocat, poète et colon, qui arriva en 1606 avec l'expédition de MM. de Monts, Champlain et Poutrincourt, témoigne du besoin que la nouvelle colonie avait d'artisans : « Il suffit que nous avions nombre de menuisiers, charpentiers, massons, tailleurs de pierre, serruriers, taillandiers, couturiers, scieurs d'ais, matelots, etc., qui faisaient leurs exercices en quoy faisant ils estoient fort humainement traitez. » [1].

Ce sont les hommes de métier venus avec cette expédition qui construisirent les premières habitations du Canada : celles de l'île Sainte-Croix et de Port-Royal.

Deux ans plus tard, en 1608, Champlain, débarquant à Québec, fit construire la première habitation au bord du « Grand Fleuve de Saint-Laurent ». Il nous a laissé une description assez fidèle de ce que fut cette première maison au pied du Cap au Diamant, mais il ne signale pas comment les pièces étaient meublées. A l'époque des découvertes, on ne semblait pas attacher beaucoup d'importance au mobilier qui était très rudimentaire et fonctionnel. Bancs, tables et coffres furent fabriqués sur place.

Les préoccupations des premiers Français au Canada étaient causées, avant toute chose, par les dangers naturels que présentait leur nouveau pays : le froid, les attaques possibles des sauvages. Il était donc primordial de construire, dans le plus bref délai, un fort avec fossé et pont-levis, et des maisons bien chaudes.

Quoique la France et l'Angleterre fussent en paix, les frères Kerkt profitèrent du siège de La Rochelle pour assiéger Québec. La prise de la ville, en 1629, suspendit pour un temps l'établissement de nouveaux colons. Ce n'est qu'après le traité de Saint-Germain-en-Laye, en 1632, que Champlain revint définitivement au Canada avec des colons. Il demanda au roi que les Français ne vinssent pas tous dans la colonie pour la traite des fourrures, mais qu'il y eût aussi, parmi eux, des laboureurs et des artisans, de façon à subvenir aux besoins du pays. A partir de ce moment, la colonisation du Canada ne cessera plus, malgré les conflits que provoquèrent les compagnies de traite de fourrures.

(1) Lescarbot, Marc. *Histoire de la Nouvelle-France*. Paris, 1618, p. 546.

Il est intéressant de savoir ce que représentait une traversée de l'Atlantique au XVIIᵉ siècle. Des ports de Honfleur, de Rouen, de Dieppe, de La Rochelle et de Bordeaux, nos ancêtres s'embarquaient dans des bâtiments à voile, guère plus importants que les goélettes qui sillonnent aujourd'hui le Saint-Laurent. Là-dedans s'entassaient une foule de gens, outre une cargaison considérable. Gens d'Église, militaires, fonctionnaires occupaient généralement les cabines du pont. Les colons s'installaient dans la cale, entourés d'outils, d'instruments aratoires, de ferraille, de barriques, de sacs et de bagages de toutes sortes, de provisions et, plus tard, de bétail.

Ils emportaient avec eux un coffre ou un bahut contenant leur hardes, parfois une paillasse, leurs objets personnels, et des sacs contenant des outils, quelques ustensiles de cuisine et des graines de semence. La traversée durait parfois de deux à trois mois. Souvent, un mois après leur départ, la tempête les rejetait sur les côtes d'Espagne et tout était à recommencer. S'ils réussissaient la traversée, ils devaient encore affronter, avant les côtes du Canada, la brume, les glaces et les banquises des bancs de Terre-Neuve et du golfe Saint-Laurent. N'étant jamais certains d'atteindre la terre promise, ils imploraient le Ciel à tout moment de les préserver des dangers qui surgissaient chaque jour...

Une fois rendus à Tadoussac, les voyageurs attendaient parfois deux ou trois semaines un vent de nord-est qui leur permît d'atteindre Québec.

La terre promise? C'était d'abord des forêts noires et menaçantes, des sauvages embusqués derrière les arbres, prêts à les massacrer dans les champs ou, la nuit, dans leurs précaires demeures. Non, on ne peut concevoir aujourd'hui ce qu'une telle équipée signifiait dans les conditions dangereuses et pleines de hasard de l'époque.

Quels types d'hommes et de femmes étaient ces colons assez audacieux pour venir s'établir dans les grands bois de la Nouvelle-France ? D'une part, c'était sûrement des gens en bonne santé, puisqu'ils avaient gaillardement survécu aux guerres, aux famines, voire aux épidémies du vieux continent, sans compter les fatigues du voyage. D'autre part, ils devaient être propres à travailler comme charpentiers, forgerons, maçons, laboureurs, etc., et les femmes, assez fortes pour élever de grandes familles, en secondant leurs époux dans les travaux de la terre.

Ces hommes et femmes laissaient derrière eux un climat tempéré pour s'adapter à un climat où l'hiver est très long et très froid, où le printemps n'est souvent qu'un prolongement de l'hiver et où l'été, bien que limité à deux mois, s'avère presque torride. A l'automne, une gelée précoce pouvait détruire, en une nuit, le travail d'une année.

Ces hommes et ces femmes courageux venaient de différentes provinces de France. Ils étaient choisis par un seigneur à qui le roi avait octroyé un domaine en Nouvelle-France. A son tour, ce seigneur leur concédait une partie de ses terres en jouissance. Ils devaient, en échange, s'acquitter de certaines obligations : rentes seigneuriales, dîme sur le grain moulu au moulin banal et port des armes en cas de guerre; régime beaucoup plus souple d'ailleurs que le régime en vigueur en France à la même époque.

J'ai connu, il n'y a pas très longtemps, trois familles, apparentées, habitant un petit « rang » à l'écart, dans les montagnes du comté de Charlevoix et qui vivaient comme leurs ancêtres du XVIIIᵉ siècle. Ces gens se nourrissaient de laitage, de gibier et de lard, de poissons, de concombres, de citrouilles et de pain cuit dans le four près de la maison. Leur pain était de farine de blé et de seigle de leurs champs. Ils n'avaient pas d'argent, ne vivaient que de troc, échangeant des cordes de bois ou de la gomme d'épinette pour le thé, du sucre, du sel, de la mélasse, des épices, provisions qu'ils ne produisaient pas eux-mêmes. Les femmes tissaient la flanelle de la laine de leurs moutons, pour leurs vêtements et leurs couvertures de lit. Elles confectionnaient aussi les souliers et « bottes canadiennes » du cuir de leur bétail; et cela pour une famille qui parfois comptait dix enfants et plus. Leurs maisons étaient d'une extrême propreté. Les planchers de bois peint orangé étaient couverts de *catalognes* à stries multicolores, tissées à la maison, et de tapis *crochetés* à dessins et sujets originaux. Les meubles traditionnels étaient rustiques peut-être, mais solides, fonctionnels et beaux. C'étaient des gens simples, honnêtes et « créendieu », chantant tout le jour au travail. On peut imaginer que se déroulait ainsi la vie quotidienne des premiers colons.

Ces premiers colons, nous l'avons vu, n'apportèrent que des hardes dans un coffre. Il était impossible, sauf pour les personnages de condition, d'apporter les meubles qu'ils possédaient en France. Par contre, les gouverneurs, les gens d'Église, les hauts fonctionnaires et les dames fondatrices d'hôpitaux et de couvents apportèrent des meubles, tels ces bahuts et ces objets du culte qu'on ne pouvait fabriquer sur place, faute de main-d'œuvre ou parce que les menuisiers étaient trop occupés à construire des maisons.

Certains de ces meubles furent expédiés de La Rochelle sur le navire le *Saint-Jean* pour le voyage de la Nouvelle-France, en l'an 1634. Ce navire essuya une tempête en mer, nous ne savons à quelle distance, et fut forcé de retourner à La Rochelle, à cause d'avaries sérieuses produites par l'eau qui envahissait la cale. En janvier 1635, la première allusion à des meubles expédiés au Canada se trouve dans un inventaire de « l'état des marchandises ».

BAHUS — L'article 51 contenant deux lest de bahus couverts de cuir rouge et peints en deux balles — qui n'ont été désemballées et se présupposent qu'il n'y a point de dépérissement — cy ils avaient cousté 46 livres.

CHOSE POUR LES CAPU33IN3 — L'article 61 contenant ung tabernacle et 6 chandelliers avecq une caisse à mettre le tout pour les Capussins qui se trouve sans dépérission cy mis au prix qu'il avait cousté la somme de 33''12. [1]

D'autres meubles ont été apportés de France en 1639 par leurs propriétaires, les premières religieuses hospitalières, fondatrices de l'Hôtel-Dieu de Québec, les Mères Marie de Saint-Ignace, Anne de Saint-Bernard, Marie de Saint-Bonaventure. Elles avaient dû remonter le fleuve de Tadoussac à Québec en barque et leur mobilier était resté à bord du vaisseau : « ... nous trouvâmes quatre belles chambres et deux cabinets, mais pour tous meubles, il n'y avait qu'une espèce de table, ou plutôt un bout de planche soûtenû par quatre batons et deux bancs de la même façon; encore estimions-nous cela beaucoup... nous n'étions pas mieux fournies de lits, ayant laissé dans le vaisseau tout notre équipage. Nous priames donc un bon ecclésiastique d'avoir la bonté de nous faire apporter quelques branches d'arbre pour nous coucher, ce qu'il fit fort volontiers; mais elles se trouvèrent si remplies de chenilles que nous en étions toutes couvertes »[2].

En 1644 et 1645, Mlle Jeanne Mance, fondatrice de l'Hôtel-Dieu de Montréal, reçut à différentes reprises, par les bons soins de MM. les Associés de Montréal, des objets du culte et des meubles.

En 1639, Mme de La Peltrie, fondatrice des Ursulines de Québec, s'embarque à Dieppe pour la Nouvelle-France, accompagnée de Mère Marie de l'Incarnation, Mère Marie de Saint-Joseph, Mère Sainte-Croix et Mlle Charlotte Barré, sa servante, et « ... n'ayant pu trouver place pour le bagage de sa petite colonie, sur les navires qui devaient partir au printemps, en ayant parlé trop tard, elle fit fréter un vaisseau à ses propres frais, le chargeant de provisions, de meubles et autres choses nécessaires, au montant de 8 000 livres » [3].

Plus tard, à la mort de Mlle Jeanne Mance, on retrouvera dans l'inventaire de ses biens des meubles venus de France « ... un cabinet Façon debene a deux guichets, avec Un Tiroir, au dessus, & un dessus fermante, a serrure... » [4] et dans un autre inventaire : « ... dans la chambre de la dite demoiselle veuve St Helaine... un Cabinet Fason desbaine estime cinquante-huit livres... » [5] Il s'agit de ces petits cabinets traités dans le style Renaissance italienne et qui sans doute ont été apportés de France.

On trouvera par la suite dans les inventaires quelques rares mentions de meubles français : « Une armoire à quatre panneaux de Noyer de France... » [6]. Ou ces meubles appartenant à M. de Lamothe Cadillac, fondateur de la ville de Détroit, apportés par lui sans doute par la voie des

(1) B5654 N° 102. — Archives de la Charente-Maritime, communication de M. Marcel Delafosse, archiviste.
(2) Juchereau de Saint-Ignace, Mère. *Les Annales de l'Hôtel-Dieu de Québec*. Québec, 1939, p. 19.
(3) *Les Ursulines de Québec depuis leur établissement jusqu'à nos jours*. Québec, 1863, p. 15.
(4) A J M, I O A. — Inventaire des biens meubles, titres et Enseignemens de deffunte Damoiselle Jeanne Mance vivante administratrice de l'hospital de Montréal 19e juin 1673. Greffe Basset.
(5) A J M, I O A. — Inventaire des biens de la succession de feu jacques Le Moyne, Escuyer Sieur de Ste Helene, 1691. Greffe Basset.
(6) A J M, I O A. — Invantaire a la Requeste de jacque Millet des biens de Feu Charles Rinville et De Louise Lesueur Sa femme. Le 22e 9bre 1757, à Chambly, Greffe Grisé.

canots, de Montréal au Détroit : « Deux petites crédances de noyer de France fermant à tourniquet » et « un hautel de bois de noyer de France avec ses gradins et un marchepied à deux marches, un tabernacle fermant à clef. »[1] Vers la fin du XVIIe siècle, il ne fut plus nécessaire d'importer ces objets, à mesure que les artisans arrivaient pour exercer leur métier et que les colons s'établissaient d'une façon stable et construisaient leurs maisons.

LA MAISON CANADIENNE

Les toutes premières maisons construites par le défricheur, au cœur même de la forêt, ne furent que des abris rudimentaires et provisoires. Bâties en peu de jours, d'épinettes ou de cèdres équarris à la hache, et montées pièce sur pièce, ces maisons furent vite remplacées, à mesure que la forêt était défrichée, par des maisons plus spacieuses et plus solides, construites avec les pierres que les colons trouvèrent dans les champs, à portée de la main.

Les maisons, en général, seront construites les unes près des autres. Dès le début de la colonie on avait adopté un système de partage des terres où les habitants s'établissaient sur des terres de trois arpents de largeur par 60 à 90 arpents de profondeur. Les trois arpents de largeur côtoyaient le plus souvent le fleuve. Dans ce pays aux grandes étendues, les colons se sentaient moins isolés, vivant à proximité les uns des autres, et pouvant se réunir en nombre lorsqu'ils étaient attaqués par les Iroquois, leurs plus grands ennemis, qui ne cessèrent de les harceler pendant plus de soixante ans. Des clôtures de bois de cèdre divisaient les planches de leurs champs. Ces clôtures avaient deux buts, d'une part, empêcher la neige d'être emportée par le vent, et la retenir en dedans de chaque planche, la neige fondant au printemps étant un excellent amendement pour la terre; d'autre part, empêcher les animaux de la ferme d'aller paître chez des voisins ou de piller les champs de grain.

En 1644, la Vénérable Mère Marie de l'Incarnation décrit les maisons autour de Québec dont la population ne dépassait pas 200 âmes : « Celles des Habitans, excepté de deux ou trois, sont de colombage pierrotté »[2]. Ces maisons étaient de type normand, à colombage, à pans de bois apparents, avec des pierres recouvertes de crépi entre les pièces, comme celles conservées dans le vieux Rouen. Ce type de maison ne semble pas s'être répandu dans le pays car notre climat hâte rapidement la désintégration du mortier à l'extérieur, et l'on s'est vite aperçu que cela exigeait de trop fréquentes réfections de maçonnerie.

La maison canadienne, construite en pierre, a des murs de deux à quatre pieds d'épaisseur. A l'extérieur, ces murs sont revêtus de pierre des champs ou de « pierres de grève » liées par un mortier abondant et enduites de crépi qu'on blanchissait à la chaux deux fois par an. A l'intérieur des murs, les moellons sont mélangés au mortier.

Ses pignons sont très élancés et rappellent ceux des maisons de Bretagne, de Normandie et des provinces de l'Ouest de la France. La porte d'entrée principale est rarement centrée et de nombreuses fenêtres sont percées tout autour de la maison, dont une ou deux fenêtres sur les côtés au rez-de-chaussée et deux plus petites pour éclairer le grenier.

Au début de la colonie, la toiture était faite de planches chevauchées ou de chaume. Elle céda la place assez vite à la toiture en bardeaux de cèdre. Ces maisons avaient soit une cheminée double au centre, soit une cheminée à chaque extrémité du toit. Les encadrements de fenêtre, à l'extérieur, étaient en pierre taillée ou en bois et les châssis étaient encastrés dans la pierre.

La porte de façade donnait dans la salle commune dont les murs et les cheminées étaient revêtus de crépi. Le plancher était assemblé de larges planches d'épinette ou de pin. Les cloisons des chambres à coucher étaient faites de planches verticales, assemblées à rainure et à languette. Une porte à panneaux ou à moitié vitrée, séparait les pièces.

Le plafond, *le plancher d'haut*, était supporté par des poutres équarries. Le long d'un mur, un petit escalier étroit et sans rampe donnait accès au grenier, fermé par une trappe.

(1) B R H. — Inventaire des meubles et immeubles et autres effaits appartenant à M. de Lamothe Cadillac, gouverneur de la Louisiane, laissés entre les mains du Sr Pierre Roy, habitant de Détroit (25 aoust 1711), 1918, p. 21.
(2) *Lettres de la vénérable Marie de l'Incarnation*, Paris, 1681, p. 384.

Région de Québec. XVIIe s.

Région de Québec. Toiture en pavillon. XVIIe s.

Région de Montréal. Toit moins élancé. XVIIIe s.

Région de Québec. Maison à étage avec véranda. Fin XVIIIe et XIXe s.

Fig. 1. - *QUATRE TYPES DE MAISONS CANADIENNES. - Toutes les activités de la famille avaient lieu dans la salle commune. Au début de la colonie, elle occupait tout le rez-de-chaussée de la maison. Plus tard, à la fin du XVIIe siècle, 'sont venues s'ajouter les chambres à coucher, isolées par des cloisons de bois de pin, et, vers la fin du XVIIIe et au XIXe siècle, le salon, que l'on voit en bas à gauche, occupa une partie de la salle commune.*

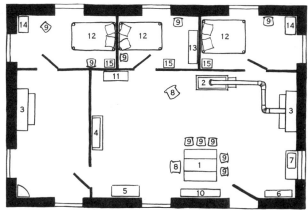

Fig. 2. - *LA SALLE COMMUNE ET LES CHAMBRES, MILIEU XVIIIe ET XIXe SIÈCLE. -* 1. *Table pliante ;* 2. *Poêle ;* 3. *Cheminées ;* 4. *Buffet deux-corps ;* 5. *Buffet bas ;* 6. *Banc à seaux ;* 7. *Evier ;* 8. *Fauteuils ;* 9. *Chaises ;* 10. *Banc ;* 11. *Coffre ;* 12. *Lits ;* 13. *Armoire ;* 14. *Commodes ;* 15. *Tables de toilette (lave-mains).*

19

LE CADRE DE LA VIE QUOTIDIENNE

Après avoir assuré leur établissement, les colons songèrent à recréer autour d'eux le cadre de vie quotidienne qu'ils avaient connu en France, car ils n'apportaient pas que de pauvres hardes et beaucoup de courage, mais, dans leur esprit, continuaient de vivre les puissantes traditions de leur pays d'origine. Même les objets utilitaires rappelaient ceux dont l'usage leur était déjà familier. C'est ainsi que, tout en s'inspirant des styles distinctifs de leurs provinces d'origine, ils en arrivèrent à créer un type d'architecture particulier au Canada, à trouver une solution adaptée au climat et aux matériaux dont ils disposaient. Ce phénomène apparaît de façon probante dans leur conception du mobilier.

Les colons venaient, pour la plupart, de la Normandie, de la Picardie, du Perche, de l'Ile-de-France, de la Gascogne, du Massif central, de la Bourgogne, et des provinces de l'Ouest : la Haute-Bretagne; les pays de Rennes et de Nantes; la Vendée, la Touraine, l'Anjou, la Beauce, le Poitou, la Saintonge et l'Aunis. L'influence de ces régions est bien représentée au Canada partout où les Français et leurs descendants se sont établis : en Acadie, sur les deux rives du fleuve Saint-Laurent, au Détroit, aux Illinois et dans la vallée du Mississippi jusqu'en Louisiane.

Leur mobilier donne l'impression d'une architecture massive, qu'il s'agisse de buffet bas à losanges ou à pointes de diamant, d'armoires à vantaux chantournés, à corniches saillantes ou cintrées, de tables à piètement tourné, de fauteuils rustiques, etc. La charpente de ces meubles, taillés et ornementés en plein bois, est d'une facture robuste, car on ne ménageait pas

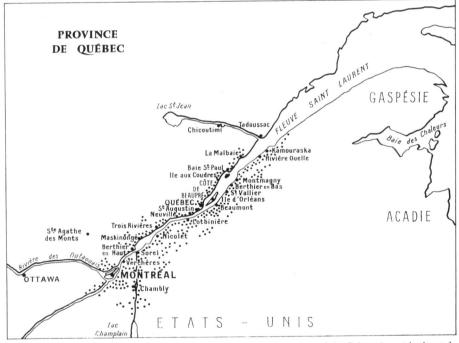

Fig. 3. - *VALLÉE DU SAINT-LAURENT. Les petits points indiquent les endroits d'où proviennent la plupart des meubles illustrés dans cet ouvrage.*

le bois en Nouvelle-France comme on le faisait dans le vieux pays; mais c'est surtout dans les détails et non dans la structure qu'un accent de terroir canadien se dégage.

En France, on rencontre beaucoup de meubles d'inspiration provinciale : normande, bretonne ou autres, dont les modèles sont très appréciés des amateurs. Au Canada, ils sont en général plus simples. Par exemple, la corbeille de fleurs, en haut relief, qui orne presque toujours la traverse supérieure des armoires de mariage normandes n'a pas connu de vogue ici.

On signalera plus loin une foule de caractéristiques qui rattachent à d'autres provinces françaises le mobilier du Canada français. Qu'il s'agisse d'une table Louis XIII, d'un fauteuil paysan, d'une commode Louis XV, on éprouve du plaisir à étudier la pureté des lignes, à repérer les transpositions, les interprétations et simplifications qui les différencient des meubles français, car ils en sont rarement la parfaite reproduction.

Des styles se sont créés, que certains spécialistes pourraient qualifier de « bâtards ». Je dirai plutôt que ces styles renferment certaines gaucheries, certaines naïvetés charmantes qui leur donnent un caractère canadien. L'artisan de notre pays a donné à son mobilier un accent personnel qui n'enlève rien à ses qualités bien françaises. A la mesure, à l'élégance et même au déséquilibre des proportions, à l'aspect robuste aussi bien qu'à la douceur des lignes, au goût simple, vient s'ajouter une imagination fantaisiste et un peu candide qui ne manque pas de pittoresque.

Ces normes constituent le « fait canadien » et cela nous semble très important. Par ailleurs, d'autres influences étrangères à la France ont concouru à la formation de ces nouveaux styles : celles, à la fin du XVIIIe siècle et au début du XIXe siècle, de l'Angleterre et des États-Unis.

LE MOBILIER TRADITIONNEL

Avant de pousser plus avant, il serait bon de définir le mobilier traditionnel ou régional, puisque c'est ce mobilier qui nous intéresse. Nos recherches ont porté sur l'origine des différents types de meubles que l'on trouve dans certaines habitations, et plus particulièrement dans les maisons paysannes. Les meubles anciens que nous retrouvons au Canada sont des meubles d'usage courant. Ils ne présentent en aucune façon l'élégance raffinée, le luxe, que l'on recherchait à Paris ou à Versailles dans le mobilier de l'aristocratie ou de la riche bourgeoisie des XVIIe et XVIIIe siècles. Point de bois exotiques, de marbre, d'or moulu, de bronze finement ciselé, ornements inimaginables dans les chaumières primitives des défricheurs de nos grandes forêts canadiennes. Nos meubles sont des meubles régionaux, d'une autre région de France, d'une autre province, plus rustiques, peut-être, mais d'un charme égal.

Nous examinerons donc les meubles modestes fabriqués avec des bois du pays par des menuisiers d'origine paysanne, qui exprimeront dans le domaine du mobilier le caractère, les goûts et les aspirations de la classe paysanne. Le mobilier traditionnel se distingue nettement du mobilier de style, quoiqu'il lui soit apparenté et qu'il en emprunte souvent les innovations techniques et artistiques. C'est un mobilier de menuiserie, c'est-à-dire en bois solide, massif, plutôt qu'un mobilier d'ébénisterie, où la marqueterie et le placage sont de règle.

Nous ne parlerons donc au cours de cet ouvrage que de meubles de menuiserie. Le mobilier régional en France comme au Canada n'est qu'un mobilier de menuiserie, et l'artisan qui exécute ces meubles est un menuisier et non un ébéniste.

Diderot et d'Alembert dans leur « Grande Encyclopédie » font une distinction marquée entre le charpentier, celui qui exécute la charpente d'une maison, le menuisier en bâtiments, celui qui exécute les lambris, les plafonds, les croisées, les portes, les plinthes, etc., le menuisier en meubles qui ne fabrique que des meubles de menuiserie et l'ébéniste qui ne travaille que le meuble de marqueterie ou de placage.

Sur les milliers de meubles que j'ai eu l'occasion d'examiner, je n'ai vu que trois ou quatre exemples où, dans des meubles de menuiserie, il entrait une faible part de marqueterie et ces quelques meubles furent fabriqués vers la fin du XVIIIe siècle et au début du XIXe. On peut voir dans le petit musée de l'Hôpital-Général des Sœurs Grises à Montréal une commode à tiroirs, de type arbalète, et à piètement en griffes et en boules, dont les côtés sont ornés d'un Union Jack en marqueterie.

Nous nous rendrons compte tout au long de cet ouvrage, que nos menuisiers devaient réunir tous les métiers cités plus haut, sauf celui d'ébéniste, et même savoir sculpter le bois, étant donné la demande sans cesse grandissante de construction de maisons et d'églises, dans ce nouveau pays qui se développait à un rythme précipité.

Le mobilier traditionnel français est orné de motifs dont l'inspiration prend racine dans les dessins folkloriques et dont l'origine se situe dans la plupart des pays d'Europe. Art d'importation plutôt qu'indigène, à décor anthropomorphique (humain), zoomorphique (animal) et phytomorphique (végétal), on trouve ces dessins géométriques de la Méditerranée à la Scandinavie, dessins stylisés représentant des fleurs, des feuilles, des arbres, des étoiles, des croix de toutes formes, des rouelles, des rosaces à pétales, des roues dentées ou à rayons, des losanges, des disques, des coquilles, des cœurs, des figures humaines, etc. Selon certains chercheurs, presque tous ces motifs furent créés au bout du compas de l'artisan.

Au Canada, on retrouve aussi sur les meubles ces motifs qu'on pourrait appeler internationaux, quoique la gamme ne soit pas aussi riche qu'en Europe. Le plus souvent, nous rencontrons des interprétations plus naïves de ces dessins, comme d'ailleurs dans les meubles de la fin du XVIIIe siècle, décorés d'ornements classiques, mais interprétés d'une façon fruste. C'est pourquoi il est parfois difficile de reconnaître ces ornement tellement ils ont été métamorphosés, à moins qu'ils aient été inventés de toutes pièces.

Il est donc nécessaire pour nous de classer dès maintenant les meubles traditionnels canadiens. Nous nous inspirons du classement morphologique fonctionnel du meuble traditionnel de France, tel qu'établi par M. Georges Henri Rivière, en partant du principe que chaque meuble correspond à un besoin et qu'aucun meuble n'est superflu. Tout meuble n'ayant pas trouvé son usage au Canada est éliminé de ce classement. Par contre, je me suis permis d'y ajouter des objets usuels ou décoratifs qui m'ont semblé apporter un complément intéressant au mobilier canadien.

En partant de cette classification, il sera plus facile de comprendre la suite de cette étude.

1. MEUBLES SERVANT A CONTENIR LE LINGE, LES VÊTEMENTS, LES OBJETS PRÉCIEUX :
Coffres, bahuts;
Armoire à une porte;
Armoire à deux portes;
Armoire à quatre portes.

2. MEUBLES SERVANT A CONTENIR LA VAISSELLE ET AUSSI DES ALIMENTS, DES PROVISIONS :
Buffets hauts à deux corps;
Buffets hauts
   à quatre portes sans tiroir,
      avec un tiroir,
      avec deux tiroirs.
Buffets bas à un corps;
   à deux portes sans tiroir,
      avec 2 tiroirs,
      avec 3 tiroirs.
Vaisseliers,
   avec corps de buffet,
   étagères.
   bancs à seaux.
Buffets vitrés.

3. MEUBLES SERVANT A LA PRÉPARATION ET A LA CONSERVATION DES ALIMENTS :
Huches, pétrins, garde-manger.

4. LITS
Cabanes (lits clos canadiens);
Berceaux.

5. SIÈGES
Tabourets;
Escabeaux;
Bancs;
Chaises;
Fauteuils;
Berceuses.

6. TABLES.
Tables de toilette (lave-mains).
Consoles.

7. BUREAUX, SECRÉTAIRES.

8. COMMODES.

9. PORTES, PORTES D'ARMOIRES ET DE PLACARDS.

10. HORLOGES, ROUETS, LUSTRES.

11. OBJETS USUELS ET DÉCORATIFS, MANTEAUX DE CHEMINÉE.

SOURCES DOCUMENTAIRES

Quels meubles et quels styles de meubles trouvions-nous dans la maison rurale du Canada français, aux XVIIe et XVIIIe siècles? C'est une question que l'on s'est posée très souvent. Les meubles du XVIIe siècle sont extrêmement rares, il nous en reste toutefois quelques-uns en dépit des nombreux incendies et des actes de vandalisme qu'on pourrait également qualifier de vieilles coutumes canadiennes . S'il fallait écrire une monographie sur les incendies et les actes de vandalisme qui ont ravagé notre pays depuis le début de la colonie jusqu'à nos jours, la liste de ces méfaits remplirait à elle seule un fort volume. Sait-on que dans toute la ville de Québec, le feu n'a épargné qu'une seule bâtisse du XVIIe siècle? Encore est-elle à ce point transformée qu'on n'y reconnaît plus le caractère de l'époque. Depuis la fondation de Québec, Trois-Rivières et Montréal, ce fut une suite ininterrompue d'incendies où des villes entières furent rasées, souvent à quelques mois d'intervalle. Quant à la campagne, le nombre de maisons, de collèges, de couvents et d'églises ayant péri par les flammes est astronomique. Il est agréable de constater que, malgré tous ces sinistres, les livres de comptes des paroisses, des couvents, des séminaires, et les archives judiciaires ont été en grande partie sauvés. Les greffes de notaires ont été des plus précieux pour nos recherches et constituent une mine de renseignements sur notre milieu matériel et la civilisation canadienne ancienne.

Selon la coutume française, immédiatement après le décès de l'un des conjoints mariés en communauté de biens, l'on procédait devant notaire à un inventaire détaillé des biens et meubles du défunt pour ensuite les partager entre ses héritiers. Dans bien des cas, l'inventaire avait lieu alors que le défunt était encore *sur les planches*. Ces inventaires sont tellement précis et détaillés que le moindre objet, tel ce « meschant coffre vissié » ou cette « meschante chaise auquel manque un pied et le dos», sont indiqués. La description de l'objet, dans bien des cas, et la date de l'inventaire suffisent à situer la forme du meuble et son style. Exemple : « six chaises merisier à pieds tournés garnies de point de Hongrie avec franges vertes... » ou « ... un buffet en noyer tendre en deux parties à quatre guichets et ses deux tiroirs, fiches et ferrures ».

Le menuisier ne signait jamais son ouvrage, mais la mention de son nom peut être retrouvée soit dans les contrats, soit dans les livres de comptes. La plupart du temps, on indiquait seulement « payé au menuisier la somme de tant pour tel meuble ». Lorsqu'il s'agit de meubles d'église : autels, retables, chaires, argenterie, etc., les livres de comptes des fabriques paroissiales mentionnent souvent le nom de l'artisan, la description et le coût de l'objet.

Les meubles qu'on exécutait pour les couvents n'étaient pas très ornementés, car on était pauvre à l'époque et, si l'on avait besoin d'un garde-manger ou de tables, on les faisait exécuter par le menuisier de la maison. La plupart des beaux meubles qu'on trouve dans les couvents et, aujourd'hui, dans leurs musées (on ne fait que commencer à s'intéresser aux souvenirs du passé), ont été légués par des évêques ou des gouverneurs, protecteurs de la maison et qui souvent y résidaient; par des prêtres qui s'y retiraient dans leur vieil âge ou par des dames, des veuves de la petite noblesse de la colonie qui allaient y finir leurs jours. Ces pensionnaires apportaient avec eux les meubles qui leur étaient les plus chers.

Il existe dans les couvents et chez les paysans une tradition orale, mais les chercheurs sérieux s'en méfient. Il arrive cependant que les renseignements soient véridiques et contrôlables. Ainsi l'histoire de cette horloge ayant appartenu à Mme de La Peltrie et qui fut trouvée, il y a quelques années, chez un habitant de Cap-Rouge qui habite encore la terre de son ancêtre. Cet ancêtre l'avait acquise de Mme de La Peltrie, en échange d'un bœuf pour nourrir les religieuses ursulines et leurs élèves lors d'une année de famine. Dans le milieu paysan de la région de Québec, où il y a eu moins de changements qu'ailleurs, il arrive assez souvent que le propriétaire actuel de la terre soit le descendant en ligne directe de l'ancêtre du même nom venu s'établir à cet endroit au XVIIe s. Dans ces milieux, on a conservé, plus que dans les villes, certaines traditions orales transmises de père en fils. Malheureusement, la plupart de ces informations sont plutôt vagues et incomplètes et on est forcé d'en rejeter un grand nombre.

A PROPOS DE STYLES

Les inventaires et les livres de comptes sont des plus convaincants. A la lumière des renseignements qu'ils fournissent, nous sommes en mesure d'affirmer que le mobilier au Canada français, des années 1650 à 1750, était un mobilier qui s'inspirait largement du style Louis XIII. A partir de 1750, d'autres influences se sont fait sentir et les styles se sont transformés.

Comme en France, à la même époque, le style Louis XIII influence grandement le mobilier régional, avec ses lignes droites, ses grandes surfaces, ses frontons, ses portes d'armoires, ses façades de coffres aux multiples panneaux, ses losanges, ses pointes de diamant aplaties ou en relief, ses bois tournés, etc. L'influence de ce style se prolongera jusqu'au début du xixe siècle. Après 1750, les styles Régence et Louis XV se répandent largement. Des styles d'inspiration anglaise et américaine, après 1780, exercèrent une influence marquée sur le mobilier traditionnel canadien français. Il en résulta des mélanges originaux de motifs, que l'on retrouve surtout dans les armoires, les commodes et les sièges. Les styles, on le verra, évoluent très lentement dans le milieu paysan et leur influence se fait toujours sentir à retardement. Il n'en allait pas alors comme aujourd'hui où un style est démodé presque aussitôt qu'il est lancé sur le marché. De nos jours tout vieillit si rapidement que l'on a peine à croire que les objets pour lesquels on s'est enthousiasmé il y a peu de temps soient déjà périmés. Ceci s'applique aussi bien au mobilier qu'à l'architecture ! En revanche, bien des styles d'autrefois, quoique démodés, ont survécu et font encore l'admiration des connaisseurs et des amateurs cultivés non seulement dans les musées mais aussi dans les demeures.

Certains styles ont pénétré profondément dans les milieux ruraux et ont influencé le mobilier traditionnel au Canada comme en France alors que d'autres en étaient pour ainsi dire exclus. Ainsi on s'est très peu inspiré du style Louis XIV. Peut-être était-il trop chargé, trop ornementé et, par conséquent, difficile à fabriquer ? A Paris et à Versailles, il semblait mieux se marier à l'architecture brillante, souvent surchargée de l'époque, et s'acclimater avec le faste et le luxe de l'aristocratie. Les deux grands styles qui ont succédé au style Louis XIV ont exercé une plus profonde influence en province, quoique toujours avec quelque retard.

Déjà à la fin de l'époque Louis XIV, les ornements perdent leur symétrie, la structure rectiligne des styles antérieurs s'efface, les feuilles d'acanthe et les coquilles vont s'intégrer au style Régence. Avec celui-ci, les lignes s'assouplissent et nous assistons à une profusion d'ornements plus chantournés dont les courbes présagent toute l'exubérance des formes galbées du style Louis XV.

Le « rocaille », genre inspiré des grottes, des rochers, des coquillages en vogue dans les jardins de l'époque, dont le motif principal est la crossette entremêlée de feuillage, permettant une grande liberté d'imagination et de fantaisie, débutera vers 1725, s'épanouira avec le style Louis XV, atteindra son apogée vers 1750 et aura des répercussions dans toute l'Europe.

Donc, après le style Louis XIII, le style Louis XV exercera une influence durable sur le mobilier régional, mais cette influence ne se fera sentir en province française que vers la fin du xviiie siècle et au début du xixe siècle. Au Canada français, le même phénomène se manifestera à un niveau plus humble, l'exubérance conservera une allure plus rustique, phénomène compréhensible lorsque l'on songe que tout lien commercial ou culturel avec la France fut rompu dès la conquête anglaise. Malgré cette rupture qui dura plusieurs années, quelques artisans canadiens allèrent puiser aux sources de l'ancienne mère patrie, vers la fin du xviiie siècle. Le menuisier-sculpteur François Baillairgé, le peintre François Malépart de Beaucourt, l'orfèvre Laurent Amiot y étudièrent quelque temps et rapportèrent au Canada des traités professionnels, des cahiers dans lesquels ils avaient noté les styles pratiqués à cette époque.

François Baillairgé avait étudié à Paris, pendant trois ans, la peinture et l'architecture à l'Académie Royale, la sculpture à l'atelier de Jean-Baptiste Stouf, avant de rentrer au Canada en 1781 [1]. Au même moment, avec l'arrivée des menuisiers et ébénistes anglais et écossais, l'influence

(1) Morisset, Gérard. — *Coup d'œil sur les arts en Nouvelle-France*, Québec, 1941, p. 29.

anglaise commença de se faire sentir à Québec et à Montréal. On retrouve leurs noms et les annonces qu'ils publièrent dans les gazettes, les almanachs et les annuaires, à partir de 1780.

Ces ébénistes furent les premiers à se servir du bois des Iles, de l'acajou, du « mahogany », comme on l'appelait alors au Canada français. Ils apportaient la connaissance des styles Queen Anne, Chippendale, plus tard Sheraton et Adam, et offrirent à leur clientèle des meubles en « mahogany », noyer, bois de rose, etc., « dans le dernier goût ». Ils conquirent tout de suite l'élite du Canada français : les seigneurs, les militaires, les fonctionnaires, toutes gens qui s'adaptèrent sans difficulté au nouveau régime. Les meubles d'inspiration française furent vite remplacés par ces meubles « art nouveau », malgré quelques rares pénétrations des styles Directoire et Empire. En 1787, des chaisiers anglais fabriquaient à Montréal et à Québec des chaises et fauteuils de type Windsor en merisier, mais on les peignait d'un ton vert pâle[1]. Cette couleur fut une convention qui dura longtemps et, même, subsiste de nos jours.

Déjà en 1806, dans les inventaires des familles de condition, on trouve de nombreux meubles en « mahogany », tels ceux décrits à l'inventaire des biens de la baronne de Longueuil et de son défunt mari, David-Alexandre Grant, dans leur manoir de l'île Sainte-Hélène. Dans un inventaire de la famille Hertel de Rouville, au manoir de Chambly, on en retrouve aussi plusieurs qui furent partagés entre les Hertel de Rouville et les de Salaberry, leurs cousins. Ces nouveaux meubles ne semblent pas avoir pénétré dans les milieux paysans, quoique les styles anglais influencèrent beaucoup les menuisiers canadiens-français. Les commodes, les armoires, les chaises, prirent une allure anglaise. Les styles Queen Anne, Chippendale, Adam et Regency furent les plus populaires. A ceux-ci, on pourrait ajouter quelques influences américaines venant de la Nouvelle-Angleterre. Quelques rares buffets bas et commodes sont inspirés d'un style particulier à une famille de menuisiers du New Hampshire, les Dunlap; des berceaux avec abris ou têtière nous viennent des Mennonites de Pennsylvanie ou du New Jersey, et des tables à bascule, de Pennsylvanie. Plus tard, au XIXe siècle, l'influence Hepplewhite américaine sera très fréquente ainsi que les sièges du type Regency, populaires aux États-Unis.

Ainsi, la mode des meubles anglais et américains se répandit rapidement au Canada français. Un antiquaire me racontait qu'avant de rechercher des meubles traditionnels canadiens, il n'achetait que des fauteuils et chaises Chippendale et Sheraton ou des tables Duncan Phyfe, pour ses clients de Boston. Dans le seul comté de Montmagny, presque toutes les maisons contenaient de ces meubles, fabriqués par des menuisiers canadiens ou américains.

A mesure que nous étudierons les divers meubles nous noterons les caractéristiques, les emprunts, les interprétations des différents styles.

Dans l'intérêt des lecteurs qui ne sont peut-être pas familiers avec les styles américains, on pourra consulter à la page suivante un petit tableau des styles français, anglais et américains et de l'époque où ils ont eu cours. Il ne faut pas oublier que les styles, en se succédant, se prolongent et se contaminent les uns les autres.

(1) Lambert, John. — *Travels through Canada and the United States of North America in the years* 1806, 1807 *and* 1808, London 1814, vol. 1, pp. 316-317.

PETIT TABLEAU COMPARATIF DES STYLES FRANÇAIS, ANGLAIS ET AMÉRICAINS

ANNÉES	FRANCE		ANGLETERRE		AMÉRIQUE
	RÈGNES	STYLES	RÈGNES	STYLES	STYLES
1500	Louis XII-Henri III 1498-1589	RENAISSANCE	Henri VII-Elizabeth Iʳᵉ 1485-1603	TUDOR ELIZABETHAN	
1600 1625	Henri IV 1589-1610	LOUIS XIII	Les Stuart & le Commonwealth 1603-1688	JACOBEAN & CROMWELLIAN	
1650	Louis XIII 1610-1643				
1675	Louis XIV 1643-1715	LOUIS XIV	William et Mary 1689-1702	WILLIAM & MARY	WILLIAM & MARY 1700-1725
1700 1725 1730	Régence 1715-1722	RÉGENCE	Anne 1702-1714	QUEEN ANNE	QUEEN ANNE 1725-1750
1750	Louis XV 1722-1774	LOUIS XV	Début Georgian 1714-1760		
1775	Louis XVI 1774-1792	LOUIS XVI	Fin Georgian 1760-1830	CHIPPENDALE C. 1749-1779	CHIPPENDALE 1760-1790
	Directoire 1795-1799	DIRECTOIRE		ADAM C. 1760-1792 HEPPLEWHITE	HEPPLEWHITE 1790-1810
1800	Consulat & Empire 1799-1814	PREMIER EMPIRE		C. 1785-1790 SHERATON	
1825	Louis XVIII 1815-1824	RESTAURATION		C. 1785-1806	SHERATON 1790-1818
	Charles X 1824-1830			REGENCY 1795-1837	REGENCY 1820-1840
	Louis-Philippe 1830-1848	LOUIS-PHILIPPE	Victoria 1837-1901	DÉBUT VICTORIAN C. 1837	
1850	Napoléon III 1852-1870	DEUXIÈME EMPIRE		FIN VICTORIAN C. 1851	

HISTOIRE DU MOBILIER ET CATALOGUE RAISONNÉ

COFFRES

Avant le XVIe siècle, le mobilier, partout en Europe, était extrêmement simple et réduit, même dans les châteaux féodaux. On n'y trouvait que des coffres ou bahuts, des tables massives, des dressoirs, des bancs, des escabeaux et des lits. Dans les coffres, les riches rangeaient leurs vêtements, leur argenterie et leurs bijoux. Ils les emportaient aussi en voyage. Les paysans à leur tour adoptèrent le coffre pour ranger leurs vêtements et leurs victuailles. Ces coffres ou bahuts furent les premiers meubles qui pénétrèrent en Nouvelle-France.

Le coffre était parfois appelé bahut ou *coffre-bahut*. Toutefois, le coffre a un couvercle plat, tandis que le bahut a un couvercle bombé; celui-ci a toujours été considéré comme une espèce de malle et il est bien l'ancêtre de nos malles de voyage, à couvercle bombé.

Voici les premières allusions au coffre que l'on trouve dans nos archives : « vieil coffre de bois avec plusieurs nippes 13 livres, 10 sols [1] » ou ce « bahut de maroquin de Levant Rouge ferment à Clef de moyenne grandeur... » [2]. Il s'agit sans doute de deux meubles apportés de France par leurs propriétaires.

On trouve ces coffres ou bahuts dans toutes les maisons; ils étaient aussi communs que les tables ou les bancs. Au XVIIe siècle, le coffre était apporté par la mariée, en trousseau. Elle y range son linge, ses vêtements, ses dentelles, ses bijoux. « Plus un Coffre que Lad marie Ivonne Couillard a dit estre Celluy que Pierre Couillard son père Luy a donné Lors de son mariage Dans lequel sont Les hardes que son père Luy a baillées Lors de son mariage avec led feu david... » [3]. Au XVIIIe siècle, lorsque l'armoire remplacera le coffre, la mariée apportera en dot une armoire; au XIXe siècle, un lit, et, aujourd'hui, un « set » de chambre !

Les coffres que l'on trouve de nos jours dans les greniers du Canada français sont en général très simples, mais robustes. Ils sont exécutés avec des planches de bois de pin, jointes à rainures et à languettes, assemblées à tenons et mortaises et chevillées. Le couvercle est généralement fixé par de fortes pentures et se ferme sur le devant grâce à une robuste serrure, car tous ferment à clef. Certains de ces coffres sont assemblés à clous ou à queues-d'aronde : « deux grands Coffre Vieux En Queux desronde Et Laustre à Cloud avec Leurs Fairure Clée et Sairure » [4]. D'autres comprennent plusieurs panneaux séparés par des montants. D'autres encore sont surélevés, c'est-à-dire qu'ils reposent sur une petite table à piètement tourné ou en torsade, d'esprit Louis XIII. « Un coffre bahut avec son pied destail fermant à Clef... » [5], comme ce coffre ayant appar-

(1) A J M, I O A. — Inventaire de Ventes des Meubles de Deffunt Jean Boudeau du 14e May 1651. Greffe de Sainct-Père.
(2) A J M, I O A. — Inventaire des biens de defft le Sr Lambert Closse, 8 février 1662. Greffe Basset.
(3) A J M. — Inventaire des biens de feu Claude David, 20e et 22e Xbre 1684, de la Rivière St-Michel. Greffe Adhémar.
(4) A J M, I O A. — Invantaire à La Requeste de françois Et Julien Rochon du 3e mars 1727. Greffe Coron.
(5) A J M, I O A. — Inventaire des biens et meubles de deffunt Jacques Testard Sr de la forest 18 juin 1663. Greffe Basset.

tenu à la Mère d'Youville, fondatrice des Sœurs Grises et qui, selon la tradition, contenait ses parchemins et ses livres de comptes. C'est ce coffre que l'on emporte lorsque l'on part en voyage. Il y a aussi des coffres ornementés de dessins géométriques : losanges, pointes de diamant, cœurs, symboles de l'amour ou du mariage, plis de serviette, vestiges du Moyen Age, mais interprétés à la canadienne. Une autre interprétation canadienne, quoique moins fréquente, est évidente dans ce coffre aux panneaux chantournés d'inspiration Louis XV, que l'on rencontre rarement en France. Enfin il existe des bahuts ronds pour le voyage, cités dans l'inventaire de 1673 : « Un petit bahut rond, fermant à clef... Un coffre bahut rond, sain et entier deux livres »[1]. Plusieurs coffres ou bahuts, couverts de peau de veau ou de marsouin fourré, sont fréquemment mentionnés dans les inventaires. Il n'en reste que quelques-uns dans les couvents.

Les coffres étaient généralement placés à côté ou au pied du lit. Ils servaient à ranger le linge, mais on les utilisait aussi comme marche-pied pour monter dans le lit. Parfois, ils étaient rangés près du mur de la salle commune et servaient de sièges pendant les veillées d'hiver, comme il est dit dans la chanson : *La Destinée, la Rose au Bois...*

> *Les garçons en visite,*
> *assis sur le coffre comme c'est bien la façon,*
> *pour jouer de la musique*
> *et aussi du violon...*

Vers 1725, la terminologie a changé, on ne rencontre plus le mot bahut; il a cédé la place au mot coffre dans les inventaires. Plus tard, il subira l'influence du style Louis XV. Il s'ornera de panneaux chantournés et d'un piètement galbé. Certains coffres, avec leurs pieds en console, témoigneront d'une influence anglaise. D'autres, précurseurs de la commode, se compléteront d'un tiroir dans le bas de la façade.

1. COFFRE A PANNEAUX INSPIRÉS DES PLIS DE SERVIETTE. XVIIᵉ SIÈCLE.

Coffre à huit panneaux inspirés des plis de serviette du Moyen Age, mais interprétés dans un esprit plus naïf. Les pieds sont refaits. Un des plus beaux coffres canadiens. Fin XVIIᵉ siècle.

L. 4' 1" H. 2' 1¾" P. 1' 10¼"
124 cm   65 cm   57 cm

BOIS : pin
PROVENANCE : Saint-Grégoire de Nicolet, Qué.

(Coll. de l'auteur, Montréal).

2. COFFRE A PANNEAUX, D'ESPRIT LOUIS XIII. XVIIIᵉ SIÈCLE.

Coffre à onze panneaux dont un panneau central à losange. Le couvercle et la moulure inférieure ont été remplacés.

L. 3' 7¼" H. 1' 5" P. 1' 7¼"
95 cm   43 cm   49 cm

BOIS : pin PROVENANCE : Québec

(Coll. Musée du Monastère des Ursulines, Québec).

3. COFFRE-BAHUT, DANS L'ESPRIT DE LA FIN DU XVIᵉ SIÈCLE. FIN XVIIᵉ SIÈCLE.

Coffre-bahut, de la fin du XVIᵉ siècle. Coffre-bahut typique de cette époque; les premiers colons en apportèrent de France. Celui-ci est assemblé à queues-d'aronde. Couleur originale : vert. Fin XVIIᵉ siècle.

L. 1' 11¼" H. 1' 11¾" P. 1' 2½"
59 cm   60 cm   37 cm

BOIS : pin PROVENANCE : Beauport

(Coll. M. et Mme Jean-Paul Lemieux, Sillery, Qué.).

4. BAHUT ROND. XVIIᵉ SIÈCLE.

Bahut rond du XVIIᵉ siècle, mentionné très fréquemment dans les inventaires de l'époque. Genre de petit bahut que l'on portait sous le bras avec soi, en voyage.

L. 2'   H. 11"
61 cm   29 cm

BOIS : noyer tendre PROVENANCE : Lotbinière

(Coll. M. et Mme Georges-Etienne Gagné, Neuville, Qué.).

5. COFFRE A HUIT PANNEAUX. DÉBUT XIXᵉ SIÈCLE.

Coffre à huit panneaux. Ce meuble ressemble beaucoup à un coffre qui se trouve au Musée de la Province. Noter la place de la serrure au centre des panneaux asymétriques. Le dos porte une inscription peinte en noir : « 1806, le 2 octobre ». Le coffre du Musée de la Province porte aussi une inscription : « 1805, appartient à Pierre... » (mot illisible). Couleur originale : ocre rouge. Début XIXᵉ siècle.

L. 3' 4" H. 2' 2" P. 1' 8¾"
102 cm   66 cm   53 cm

BOIS : pin PROVENANCE : Sainte-Foye, Qué.

(Coll. de l'auteur, Montréal).

---

(1) A J M, I O A. — Inventaire des biens meubles de la communauté d'entre Mathurin Langevin et Deffunt Marie Regnaud sa feme, 27 octobre 1673. Greffe Basset.

6. COFFRE A POINTES DE DIAMANT. XVIIIᵉ SIÈCLE.

Coffre à quatre panneaux ornés de pointes de diamant, d'esprit Louis XIII. XVIIIᵉ siècle.

L. 3' 9½''   H. 1' 10¼''   P. 1' 7½''
116 cm   57 cm   50 cm
BOIS : pin
(Coll. Musée des Beaux-Arts de Montréal).

7. COFFRE ORNÉ DE DESSINS GÉOMÉTRIQUES. XVIIIᵉ SIÈCLE.

Coffre à quatre panneaux ornés de dessins géométriques primitifs. XVIIIᵉ siècle.

L. 3' 5''   H. 1' 7¾''   P. 1' 6½''
104 cm   50 cm   47 cm
BOIS : pin   PROVENANCE : Ile d'Orléans
(Coll. M. et Mme F.M. Hutchins, Pembroke, Ont.).

8. BAHUT DE MARIAGE. FIN XVIIᵉ SIÈCLE.

Bahut de mariage, sur table à piètement torse, orné de deux tiroirs. Meuble rare. Celui-ci a appartenu à Mme Marguerite d'Youville, fondatrice des Sœurs Grises. Il lui servait à ranger ses archives et son argenterie. A l'intérieur, inscription à la plume : « 15 fourchettes - 16 cuillers... une grande écuelle d'argent, 11 petites cuillers ». Le petit bahut assemblé à queues-d'aronde est placé sur le plateau de la table, à l'intérieur d'un encadrement mouluré. Il est facilement transportable. Voir (p. 28). Fin XVIIᵉ siècle.

L. 2' 2¾''   H. 2' 8½''   P. 1' 4¼''
68 cm   82 cm   42 cm
BOIS : BAHUT, pin; TABLE, merisier
PROVENANCE : Montréal
(Coll. Hôpital général des Sœurs Grises, Montréal, Qué.).

9. COFFRE A PANNEAUX ORNÉS DE CROIX DE SAINT-ANDRÉ. XVIIIᵉ SIÈCLE.

Coffre à panneaux ornés de croix de Saint-André ou de *pointes de gâteaux* sur la façade et les côtés. Facture rustique. XVIIIᵉ siècle.

L. 4' 2¾''   H. 2'   P. 2' 1''
129 cm   61 cm   64 cm
BOIS : pin
(Coll. Detroit Institute of Arts, Detroit, Mich. E. U.).

10. COFFRE A PANNEAUX ORNÉS DE LOSANGES. XVIIIᵉ SIÈCLE.

Coffre orné de losanges sur les panneaux de façade et sur les panneaux latéraux. Les montants et les traverses sont chanfreinés. D'esprit Louis XIII. XVIIIᵉ siècle.

L. 2' 8¾''   H. 1' 9½''   P. 1' 5¾''
83 cm   55 cm   45 cm
BOIS : pin
(Coll. Mlle Karen Bulow, Préville, Qué.).

11. COFFRE A CAISSONS. XVIIIᵉ SIÈCLE.

Coffre à dix panneaux sur la façade et à quatre panneaux sur chaque côté. Tous ces panneaux forment caissons. D'esprit Louis XIII. XVIIIᵉ siècle.

L. 3' 8''   H. 2' 1¾''   P. 1' 9½''
112 cm   65 cm   55 cm
BOIS : pin
(Coll. Musée Provencher, Cap Rouge, Qué.).

12. COFFRE A DEUX PANNEAUX. XVIIIᵉ SIÈCLE.

Coffre à deux panneaux de façade et deux panneaux latéraux. D'esprit Louis XIII. XVIIIᵉ siècle.

L. 1' 2''   H. 1' 8½''   P. 1' 9''
36 cm   52 cm   53 cm
BOIS : pin   PROVENANCE : Les Eboulements, Qué.
(Coll. M. et Mme J.N. Cole, Montréal),

13. PETIT COFFRE RUSTIQUE ORNÉ DE DESSINS GÉOMÉTRIQUES. XVIIIᵉ SIÈCLE.

Petit coffre rustique dont la couleur originale est bleu vert, orné de dessins géométriques. On y sent une « main fruste ». Agréables proportions. XVIIIᵉ siècle.

L. 1' 5''   H. 1' 2''   P. 10''
43 cm   36 cm   25 cm
BOIS : pin
(Coll. M. et Mme J.N. Cole, Montréal).

14. PETIT COFFRE RUSTIQUE ORNÉ DE DESSINS GÉOMÉTRIQUES. DÉBUT XIXᵉ SIÈCLE.

Petit coffre rustique orné de dessins géométriques très primitifs, rappelant des coquillages et un violon. Début XIXᵉ siècle.

L. 2' 2¼''   H. 1' 7¼''   P. 1' 4¼''
67 cm   49 cm   42 cm
BOIS : pin
(Coll. Mme E. Thornley-Hart, Sainte-Agathe des Monts, Qué.).

15. PETIT COFFRE DE MARIAGE A BASE CHANTOURNÉE. DÉBUT XIXᵉ SIÈCLE.

Petit coffre de mariage dont le soubassement, d'influence anglaise ou américaine, est chantourné et orné de spirales et de cœurs. Début XIXᵉ siècle.

L. 2'   H. 1' 6''   P. 1'
61 cm   46 cm   31 cm
BOIS : pin
PROVENANCE : Saint-Augustin de Portneuf, Qué.
(Coll. Dr et Mme Herbert T. Schwarz, Montréal).

16. COFFRE A PANNEAUX CHANTOURNÉS, D'ESPRIT LOUIS XV. XVIIIᵉ SIÈCLE.

Coffre à structure d'esprit Louis XIII, mais à panneaux chantournés d'esprit Louis XV. Rare en France et rare au Canada. XVIIIᵉ siècle.

L. 3' 6"   H. 2'   P. 1' 10"
107 cm   61 cm   56 cm
BOIS : pin   PROVENANCE : Cap Saint-Ignace, Qué.
(Coll. M. et Mme Hugh McMillan, Jr., Salisbury, Conn. E.U.).

17. COFFRE A PIEDS GALBÉS. FIN XVIIIᵉ SIÈCLE.
Coffre à pieds-de-biche galbés et rustiques. Très rare. Fin du XVIIIᵉ ou début XIXᵉ siècle.
L. 3' 2"   H. 1' 11"   P. 1' 7"
97 cm   58 cm   48 cm
BOIS : pin; MONTANTS : merisier
(Coll. Musée de la Province, Québec).

18. PETIT COFFRE A FAÇADE SCULPTÉE. XIXᵉ SIÈCLE.
Petit coffre dont la façade est ornée d'un cartouche sculpté à motifs de cœurs et de coquille. Petit coffre de mariage sans doute, à cause des cœurs, symboles de l'amour. XIXᵉ siècle.
L. 2' 2"   H. 1' 3½"   P. 1' 1"
66 cm   39 cm   33 cm
BOIS : pin
PROVENANCE : Saint-Charles-sur-Richelieu, Qué.
(Coll. Mme Nettie Sharpe, Saint-Lambert, Qué.).

19. PETIT COFFRE A L'ANCIENNE. FIN XVIIᵉ SIÈCLE.
Petit coffre à couvercle plat, ressemblant au bahut. (Voir nᵒ 3). Dans l'esprit de la fin du XVIᵉ siècle. Fin XVIIᵉ siècle.
L. 1' 11½"   H. 1' 4¼"   P. 1' 2¾"
60 cm   42 cm   37 cm
BOIS : pin   PROVENANCE : Région de Québec
(Coll. M. et Mme J.N. Cole, Montréal).

20. COFFRE A PANNEAUX. FIN XVIIIᵉ SIÈCLE.
Coffre orné d'un panneau de façade à découpe géométrique et de deux panneaux latéraux. Fin XVIIIᵉ siècle.
L. 3' 5½"   H. 1' 11¼"   P. 1' 10½"
105 cm   59 cm   57 cm
BOIS : pin; PANNEAUX : frêne
(Coll. Mme Richard R. Costello, Sainte-Agathe des Monts, Qué.).

21. COFFRE D'ESPRIT REGENCY. XIXᵉ SIÈCLE.
Coffre à dix-sept panneaux. Les montants antérieurs sont ornés aux angles de colonnes cannelées rappelant les montants des horloges de style Regency. XIXᵉ siècle.
L. 3' 10"   H. 2' 2½"   P. 1' 10"
117 cm   67 cm   56 cm
BOIS : pin   PROVENANCE : Charlesbourg, Qué.
(Coll. Mlle Barbara Richardson, Sainte-Agathe des Monts, Qué.).

22. COFFRE-BAHUT A SEPT TIROIRS, DONT QUATRE NE SONT QU'APPARENTS. DÉBUT XIXᵉ SIÈCLE.
Coffre-bahut à couvercle. Il compte sept tiroirs; les quatre du haut, factices, ne servent que de parure. La partie inférieure forme une commode posée sur une base en console, d'influence anglaise ou américaine. Combinaison d'un bahut de mariage et d'une commode. Début XIXᵉ siècle.
L. 4' 1   H. 4' ¾"   P. 1' 10½"
125 cm   124 cm   57 cm
BOIS : pin   PROVENANCE : Beaumont, Qué.
(Coll. M. Paul Gouin, Montréal).

23. COFFRE ORNÉ DE DEUX TIROIRS A LA BASE. DÉBUT XIXᵉ SIÈCLE.
Coffre assemblé à queues-d'aronde, orné de deux tiroirs à la base et de poignées sur les côtés, rappelant les coffres que les militaires transportaient avec eux. Influence anglaise. Début XIXᵉ siècle.
L. 2' 7½"   H. 2' 5"   P. 1' 10½"
80 cm   74 cm   57 cm
BOIS : pin
(Coll. Brigadier et Mme G.V. Whitehead, Dorval, Qué.).

COFFRE ORNÉ DE LOSANGES. COULEURS D'ORIGINE. DÉBUT XIXᵉ SIÈCLE.

1. COFFRE A PANNEAUX INSPIRÉS DES PLIS DE SERVIETTE. XVIIᵉ S.
PANELLED CHEST, WITH SIMPLIFIED LINEN-FOLD PATTERN. 17th C.

4. BAHUT ROND, XVIIᵉ S.
ROUND-TOP CHEST.   17th C.

5. COFFRE A HUIT PANNEAUX.
DÉBUT XIXᵉ S.
CHEST,   WITH   EIGHT   PANELS.
EARLY 19th C.

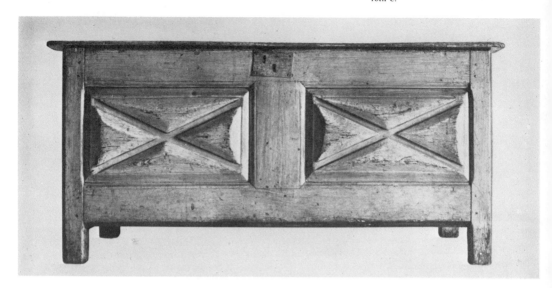

6. COFFRE A POINTES DE DIAMANT. XVIIIᵉ S.
CHEST, WITH DIAMOND-POINT CARVING.
18th C.

7. COFFRE ORNÉ DE DESSINS GÉOMÉTRIQUES.
XVIIIᵉ S.
CHEST, CARVED WITH GEOMETRIC DESIGNS.
18th C.

8. BAHUT DE MARIAGE. FIN XVIIᵉ S.
DOWER CHEST. LATE 17th C.

9. COFFRE A PANNEAUX ORNÉS DE
CROIX DE SAINT-ANDRÉ. XVIIIᵉ S.
CHEST, DECORATED WITH THE CROSS
OF ST ANDREW. 18th C.

12. COFFRE A DEUX PANNEAUX. XVIIIᵉ S.
CHEST, WITH TWO PANELS.   18th C.

13. PETIT COFFRE RUSTIQUE ORNÉ DE DESSINS   SMALL RUSTIC CHEST, CARVED WITH GEO-
GÉOMÉTRIQUES. XVIIIᵉ S.   METRIC DESIGNS.   18th C.

16. COFFRE A PANNEAUX CHANTOUR-
NÉS, D'ESPRIT LOUIS XV. XVIIIe S.
CHEST WITH SHAPED PANELS, IN THE
LOUIS XV STYLE. 18th C.

17. COFFRE A PIEDS GALBÉS. FIN XVIIIe S.
CHEST, WITH CURVED FEET. LATE 18th C.

18. PETIT COFFRE A FA-
ÇADE SCULPTÉE. XIXᵉ S.
SMALL CHEST, WITH CAR-
VED FAÇADE. 19th C.

19. PETIT COFFRE A L'AN-
CIENNE. FIN XVIIᵉ S.
SMALL CHEST, IN A VERY
OLD STYLE. LATE 17th C.

20. COFFRE A PANNEAUX.
FIN XVIIIᵉ S.
PANELLED CHEST. LATE
18th C.

21. COFFRE D'ESPRIT RE-
GENCY. XIXᵉ S.
CHEST, IN THE REGENCY
MANNER. 19th C.

22. COFFRE-BAHUT A SEPT TIROIRS, DONT QUATRE NE SONT
QU'APPARENTS. DÉBUT XIXᵉ S.
DOME-TOP CHEST, WITH FOUR FALSE DRAWERS. EARLY 19th C.

23. COFFRE ORNÉ DE DEUX TIROIRS A LA BASE. DÉBUT XIXᵉ S.
CHEST, WITH TWO DRAWERS IN THE BASE. EARLY 19th C.

ARMOIRES,
BUFFETS DEUX-CORPS, BUFFETS BAS

Ces meubles sont les plus intéressants et les plus soignés de la demeure paysanne. A cause de leur volume important, ils se prêtent à diverses transformations de structure et à une richesse de motifs qui va en s'épanouissant tout au long du XVIIIᵉ et au début du XIXᵉ siècle.

De 1650 à 1750, les menuisiers canadiens s'inspirèrent des styles Renaissance et Louis XIII. Ces mêmes styles étaient alors en vogue dans les provinces françaises et nos premiers menuisiers avaient trouvé leur inspiration en France. Par la suite, ils ont interprété les styles qui succédèrent au style Louis XIII, mais d'une façon primitive et instinctive.

ARMOIRES

Les buffets et les armoires dérivent du coffre. Le couvercle horizontal du coffre a été remplacé par des vantaux verticaux : la façade s'est ainsi prolongée en hauteur et s'est couronnée d'une corniche. D'où la forme de l'armoire. C'est un meuble tout d'une venue, à un seul corps. Il peut être orné d'une porte (bonnetière, garde-robe) de deux et même de quatre portes, comme dans l'armoire *à l'ancienne*. « Une armoire à deux guichets, de bois de pin ferment à Clef... »[1] ou « ... une grande Armoire a deux panaux Les dits panaux de Bois de merisier avec sa ferrure et serrure et Le Reste Bois de pin tres vielle »[2].

Le type le plus courant est l'armoire à deux portes. Les plus anciennes ont des portes dont les panneaux sont simples, ou ornés de losanges, au milieu d'un double encadrement de moulures saillantes et, plus tard, de pointes de diamant multiformes, en haut relief.

Plusieurs antiquaires et collectionneurs confondent souvent les losanges avec les pointes de diamant. Les losanges ont un faible relief dû à l'entaille pratiquée à même le panneau. Les pointes de diamant, sculptées dans un panneau plus épais, présentent un relief plus accusé et font penser aux multiples facettes d'un diamant. Les losanges sont apparus dès le XVIIᵉ siècle et ce n'est que plus tard, au XVIIIᵉ siècle, qu'ils se sont transformés en pointes de diamant. L'évolution s'esquissa d'abord dans un losange plus profond orné d'un chanfrein sur chacun de ses côtés, après quoi les pointes de diamant en haut relief ne tardèrent pas à faire leur apparition. Cette transformation eut lieu d'abord en France et se produisit ensuite en Nouvelle-France.

Tout au long du XVIIIᵉ siècle, une gamme très variée d'armoires fera son apparition. Ce seront des meubles à décors et à motifs variés, telles ces armoires ornées de galettes ou de disques moulurés à multiples couronnes, inspirées de la côte ouest de la France, de la Haute-Bretagne au pays Basque. Elles s'ornent également de pointes de diamant décorées de motifs géométriques ou voisinant des disques. D'autres armoires, de transition, viendront s'ajouter à la liste, armoires à vantaux chantournés, d'esprit Louis XV, où s'encadrent des pointes de diamant.

Enfin, vient l'époque féerique des armoires canadiennes, époque coïncidant avec l'ère de prospérité qui succéda à la guerre de Sept Ans. On voit alors surgir une abondance d'ornements d'esprit Louis XV, interprétés à la canadienne, avec des dormants sculptés de rinceaux, des vantaux chantournés, des panneaux et des traverses inférieures ornés de multiples spirales, de rosettes et de coquilles. Plus tard, les panneaux, les dormants, les montants et les traverses déborderont de feuillage, d'algues marines, de cœurs, de soleils, de rubans, de cannelures et de stries juxtaposées, ces dernières faisant songer à la céramique iroquoise ou huronne, mais rappelant, il est vrai, les décors qu'on trouve dans certaines armoires de la Bresse bourguignonne.

(1) A J M, I O A. — Inventaire des Biens Meubles et Immeubles dellaissez après le Decedz de Deffunte Marie Remy Jadis femme de Pierre Desautels 25ᵉ novembre 1676. Greffe Basset.
(2) A J M, I O A. — Inventaire des biens de Pierre Buisson et de Françoise Levasseur, sa femme, 30 septembre 1732. Greffe Saint-Romain.

Des armoires élégantes, à la fois d'esprit Louis XVI et de style anglais Adam, voient le jour. Les frères Adam, selon certains auteurs, furent les premiers à retourner à l'antique et leur style semble avoir influencé davantage l'artisan canadien. Ces armoires, ainsi que de rares buffets deux-corps, au fronton cintré et au galbe proéminent, très proche du baroque hollandais ou autrichien, nous sont parvenus. Parmi ceux-ci on compte un buffet deux-corps attribué à François Baillairgé.

Enfin, les armoires et les commodes de style rococo canadien, dérivation à retardement du rocaille Louis XV, feront leur apparition à la fin du XVIIIe siècle et au début du XIXe siècle, dans la région de Montréal, dans les ateliers des menuisiers-sculpteurs d'église : les Liébert, les Quevillon, les Pépin et leurs apprentis.

L'armoire canadienne manque souvent d'équilibre à cause de la lourdeur de ses traverses supérieures et inférieures, lourdeur que l'on ne rencontre pas dans les armoires françaises, sauf dans certaines armoires lorraines. On distingue deux autres caractéristiques propres à l'armoire et au buffet deux-corps canadiens dans les corniches et les moulures des montants et traverses des vantaux. Les corniches sont généralement saillantes et ornées de multiples moulurations et bandelettes avec, souvent, des mélanges d'ornements. Les vantaux, quoique s'inspirant des modèles courants français, renferment de curieuses combinaisons de moulures.

Ces armoires, malgré leurs gaucheries, présentent tout de même un cachet primitif savoureux. J'aimerais rapporter ici ce que me disait un grand expert du mobilier traditionnel français, M. Stany Gauthier, conservateur du Musée d'Art Populaire de Nantes, logé dans le château médiéval des ducs de Bretagne : « Les formes générales, l'ossature et la structure des armoires canadiennes sont bien françaises... Ça ne ment pas... C'est le type prédominant entre Nantes et Bordeaux qui influence le plus l'artisan canadien; mais c'est dans les détails que l'on distingue la marque d'une autre province de France. »

L'armoire, meuble monumental et le plus intéressant de notre répertoire, dont presque toutes les pièces sont assemblées à tenons et à mortaises, sans colle, mais tenues par des chevilles de bois (comme tous les autres meubles traditionnels) est facilement démontable. Il suffit d'enlever les chevilles pour détacher chaque pièce. Parfois, il est nécessaire de la démonter pour la faire passer d'un étage à l'autre, par un escalier coudé ou trop étroit. Le menuisier Jean Gagnée, en 1740, est payé huit livres « pour avoir démonté les armoires qui étaient à l'évêché et les avoir remonté dans la chambre du Séminaire » [1].

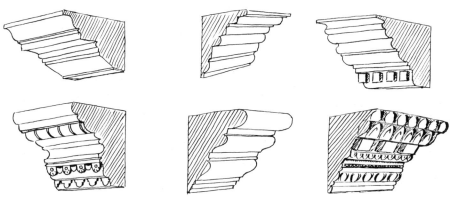

Fig. 4 - *Profils de corniches d'armoires.*

(1) États des ouvrages que j'ai faits au Séminaire de cette ville dans les appartements que Mgr l'Évêque y a occupés et suivant les ordres de Mr André, procureur dudit Séminaire, à Québec, le trente et un aoust 1740.
Quinsonas, Comte de. *Monseigneur de Laubérivière 1711-1740* Paris, 1936, p. 175.

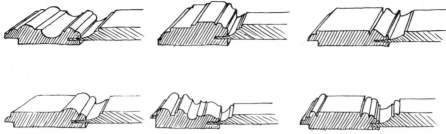

Fig. 5 - *Moulures de vantaux.*

24. ARMOIRE « A L'ANCIENNE », D'ESPRIT LOUIS XIII. FIN XVIIᵉ SIÈCLE.

Armoire «à l'ancienne», à quatre vantaux décorés de losanges et ceinturés de fortes moulures comme les buffets deux-corps. A l'inverse du buffet deux-corps, le bâti de cette armoire est tout d'une pièce; c'est pourquoi on l'appelle armoire « à l'ancienne » (mentionnée fréquemment dans les inventaires de la fin du XVIIᵉ siècle). En outre, la structure de ce meuble est celle de plusieurs coffres superposés. Meuble de transition : évolution du coffre vers l'armoire. On a pratiqué des portes dans la façade et éliminé le couvercle. Les taquets ont été ajoutés après la disparition des serrures. Ferrures d'époque. Fin XVIIᵉ siècle.

L. 4' 4''   H. 6' 7½''   P. 1' 9''
132 cm   202 cm   53 cm
BOIS : pin   PROVENANCE : Québec

(Coll. Musée des Beaux-Arts, Montréal).

25. DÉTAIL.

26. DÉTAIL.

27. ARMOIRE ORNÉE DE MULTIPLES SPIRALES ET DE COQUILLES. FIN XVIIIᵉ SIÈCLE.

Armoire à deux vantaux dont les panneaux chantournés sont ornés de multiples spirales et dont la traverse inférieure chantournée est décorée de spirales creusées à la gouge, de fleurs et de coquilles sculptées. Le câble et les cannelures de la corniche sont inspirés du style Adam ou Louis XVI. Armoire à caractère très canadien en raison de la profusion des chantournements et des spirales, caractéristiques qu'on ne trouve pas dans les armoires françaises. Le dessin des coquilles de la traverse inférieure est aussi typiquement canadien. Fiches d'époque. Couleur originale : bleu-vert foncé. Un des meubles les plus intéressants du répertoire canadien. Fin XVIIIᵉ s.

L. 4' 9¾''   H. 6' 6¾''   P. 1' 6½''
147 cm   200 cm   47 cm
BOIS : pin   PROVENANCE : Région de Québec

(Coll. Detroit Institute of Arts, Détroit, Mich. E.U.).

28. ARMOIRE A MULTIPLES PANNEAUX, D'ESPRIT ADAM. FIN XVIIIᵉ SIÈCLE.

Armoire ornée de vingt-six panneaux de façade. Les panneaux, le dormant et la traverse supérieure, sont décorés de cannelures d'inspiration Adam, mais la forme générale du meuble reste française. Une des belles armoires canadiennes. Une autre armoire, presque identique et exécutée par le même artisan, se trouve au Musée de la Province de Québec. Fin XVIIIᵉ siècle.

L. 4'3⅜''   H. 6'   P. 1'3¾''
131 cm   183 cm   40 cm
BOIS : pin   PROVENANCE : Sorel, Qué.

(Coll. Canada Steamship Lines, Tadoussac, Qué.).

29. ARMOIRE DE LA RIVIÈRE OUELLE, A MULTIPLES DÉCORS. FIN XVIIIᵉ SIÈCLE.

Armoire à deux vantaux. Panneaux chantournés d'inspiration Louis XV, dormant décoré de feuilles d'eau et d'algues sortant d'un vase. Les traverses décorées de rosettes, de poissons, de feuilles d'eau, d'un caribou, d'une sirène et d'un coq à la cime d'un sapin, ou d'un mai, sont naïvement sculptées. Les panneaux latéraux sont inspirés du style Adam ou Louis XVI. Fiches queues-de-rat d'époque. Le cordon gras de la traverse inférieure, au chantournement très profond, est typiquement canadien. La réunion de motifs anthropomorphiques, zoomorphiques et phytomorphiques fait de cette armoire un meuble des plus savoureux. Une autre armoire du même menuisier, et provenant également de la Rivière Ouelle, se trouve au Musée National du Canada, mais elle n'est pas aussi intéressante que celle-ci : seul le dormant est décoré. Fin XVIIIᵉ siècle.

L. 4'2''   H. 6' 8¾''   P. 1' 3''
127 cm   205 cm   38 cm
BOIS : pin   PROVENANCE : Rivière Ouelle, Qué.

(Coll. M. et Mme Edgar Davidson, Montréal).

30. DÉTAIL.

31. DÉTAIL.

32. ARMOIRE, D'INSPIRATION LOUIS XVI ET ADAM. FIN XVIIIᵉ SIÈCLE.

Armoire à deux vantaux dont les panneaux, le dormant, les montants et les traverses sont ornés de cannelures, de dents de loup, de fleurs et de feuillage stylisés, de rais de cœur et de dessins géométriques. La corniche est décorée de câbles et de denticules, de rais de cœur et de canaux et la traverse inférieure du soubassement, d'inspiration anglaise, est festonnée et agrémentée d'un motif central à stries. Les entrées de serrure manquent mais les fiches à queues-de-rat sont d'époque. Armoire canadienne exceptionnelle et bien proportionnée. Fin XVIIIᵉ siècle.

L. 5' ½''   H. 6' 10½''   P. 1'9''
154 cm   210 cm   53 cm
BOIS : pin   PROVENANCE : Berthier-en-Haut, Qué.

(Coll. Canada Steamship Lines, Tadoussac, Qué.).

33. DÉTAIL

34. PETITE ARMOIRE RUSTIQUE A UN VANTAIL. FIN XVIIIᵉ SIÈCLE.

Petite armoire rustique à un vantail dont le panneau chantourné est orné de spirales et d'une coquille. Le bouton a été ajouté et la corniche restaurée. Fiches à queues-de-rat d'époque. Petite armoire garde-manger aux proportions plaisantes. Fin XVIIIᵉ siècle.

L. 2' 3½''   H. 4' 11½''   P. 1' 3½''
70 cm   151 cm   39 cm
BOIS : pin   PROVENANCE : Vaudreuil, Qué.

(Coll. Musée National du Canada, Ottawa, Ont.).

35. ARMOIRE DE TRANSITION, D'INSPIRATION LOUIS XIII ET LOUIS XV. MILIEU XVIIIᵉ SIÈCLE.

Armoire de transition à deux vantaux dont les panneaux sont ornés de pointes de diamant d'esprit Louis XIII et de chantournements d'esprit Louis XV. On y voit un motif géométrique qui est peut-être une ébauche de coquille. C'est une armoire de transition car elle combine le style Louis XIII au style Louis XV. Elle fut probablement fabriquée par un artisan qui venait à peine de se familiariser avec les nouveaux styles Régence et Louis XV qui firent leur apparition timidement, vers le milieu du XVIIIᵉ siècle. La corniche et la base ont été remplacées. Fiches d'époque. Milieu XVIIIᵉ siècle.

L. 4' 5¼''   H. 6' 6¼''   P. 1' 5¼''
136 cm   199 cm   44 cm
BOIS : pin

(Coll. M. et Mme Pierre Gouin, Saint-Sulpice, Qué.).

36. PETITE ARMOIRE RUSTIQUE A UN VANTAIL. DÉBUT XIXᵉ SIÈCLE.

Petite armoire garde-manger rustique à un vantail dont les panneaux sont ornés de cannelures et d'éventails d'esprit Adam. La traverse inférieure chantournée, décorée de spirales et d'une coquille simplifiée, est naïve. La forme de ce meuble rappelle certaines petites armoires du Massif Central. Meuble de facture paysanne. Début XIXᵉ siècle.

L. 3'   H. 5'   P. 1' 4¾''
91 cm   152 cm   42 cm
BOIS : pin   PROVENANCE : Saint-Barthélémy, Qué.

(Coll. Canada Steamship Lines, Tadoussac, Qué.).

37. PETITE ARMOIRE RUSTIQUE, D'INSPIRATION ADAM. DÉBUT XIXᵉ SIÈCLE.

Petite armoire rustique. Corniche ornée de denticules, traverse inférieure chantournée, et porte décorée de motifs d'éventails ou d'ailes de chauve-souris, d'inspiration Adam. Targettes et fiches queues-de-rat d'époque. Traverse inférieure restaurée. Petit meuble paysan. Début XIXᵉ siècle.

L. 3' 6¾''   H. 4' 8¾''   P. 1' 5⅝''
108 cm   144 cm   45 cm
BOIS : pin

(Coll. M. et Mme J.W. McConnell, Saint-Sauveur des Monts, Qué.).

38. ARMOIRE DE BERTHIER-EN-HAUT, D'INSPIRATION LOUIS XV ET LOUIS XVI. FIN XVIIIᵉ SIÈCLE.

Armoire à deux vantaux dont les panneaux chantournés et la traverse inférieure sont décorés de spirales, de rosettes et de coquilles. Les ornements qui décorent la corniche et la traverse supérieure sont des frettes et des festons. Des entrelacs d'esprit Louis XVI parent la traverse inférieure. Les pieds ébauchent un galbe. Fiches et entrées de serrure d'époque. Ses proportions et le mélange de coquilles et de rosettes en font un meuble très séduisant. Fin XVIIIᵉ siècle.

L. 4' 5⅝''   H. 5' 6¼''   P. 1' 6''
136 cm   168 cm   46 cm
BOIS : pin   PROVENANCE : Berthier-en-Haut, Qué.

(Coll. M. Gilles Corbeil, Saint-Hilaire, Qué.).

39. ARMOIRE DÉCORÉE DE DISQUES OU DE « GALETTES ». MILIEU XVIIIᵉ SIÈCLE.

Armoire à deux portes ornées de disques ou de *galettes* à multiples couronnes. Les panneaux latéraux sont également ornés de disques. Le dormant à panneaux rectangulaires et étroits est agrémenté de petits disques. C'est une armoire très répandue le long de la côte ouest de la France. On la trouve de la Bretagne aux Pyrénées, région d'où sont venus un grand nombre des ancêtres des Canadiens. Le plus souvent, les disques ou les *galettes* voisinent avec des losanges ou des pointes de diamant. Noter les montants énormes, la moulure encadrant le meuble et l'absence de corniche. Meuble d'influence régionale française mais très canadien dans le dessin des galettes. Intéressant et rare. Milieu XVIIIᵉ siècle.

L. 5' 1¼''   H. 6' 5''   P. 1' 10''
156 cm   196 cm   56 cm

BOIS : pin   PROVENANCE : Beaumont, Qué.
(Coll. Canada Steamship Lines, Tadoussac, Qué.).

**40. ARMOIRE A POINTES DE DIAMANT, D'ESPRIT LOUIS XIII.
MILIEU XVIIIᵉ SIÈCLE.**

Armoire à deux portes avec doubles moulures saillantes, ornées de petits losanges et de rectangles taillés en pointes de diamant. Les panneaux latéraux sont aussi ornés de petits losanges. Corniche très saillante. Fiches et entrées de serrure d'époque. Armoire massive aux belles proportions. Milieu XVIIIᵉ siècle.

L. 4' 6''   H. 6' 6½''   P. 1' 9½''
137 cm   199 cm   55 cm
BOIS : pin   PROVENANCE : Région de Montréal.
(Coll. M. L.V. Randall, Montréal).

**41. PETITE ARMOIRE A POINTES DE DIAMANT, D'ESPRIT
LOUIS XIII. MILIEU XVIIIᵉ SIÈCLE.**

Petite armoire à deux vantaux ornés de pointes de diamant encadrées de fortes moulures. La traverse inférieure est chantournée. Fiches d'époque. Taquet ajouté. Milieu XVIIIᵉ siècle.

L. 3' 2''   H. 2' 9''   P. 1' 5¾''
97 cm   84 cm   45 cm
BOIS : pin   PROVENANCE : Région de Montréal.
(Coll. M. et Mme A.F. Culver, Montréal).

**42. ARMOIRE DÉCORÉE DE LOSANGES ET DE « GALETTES ».
MILIEU XVIIIᵉ SIÈCLE.**

Armoire à deux portes dont les panneaux sont ornés de losanges et de *galettes*. Des losanges ornent aussi les panneaux latéraux. Ces armoires dont le décor est un mélange de losanges et de *galettes* sont très répandues de Nantes à Bordeaux et même jusqu'au pays Basque. Noter le ressaut du cadre de la porte. Fiches et entrées de serrure d'époque. Le taquet dépare ce meuble, qui est mutilé et désaxé. Il mériterait d'être restauré. Une partie de la moulure de la base manque, ainsi que les pieds. Milieu XVIIIᵉ siècle.

L. 4' 11''   H. 6' 8¾''   P. 1' 11''
150 cm   205 cm   58 cm
BOIS : pin
(Coll. Musée de la Province, Québec).

**43. ARMOIRE A POINTES DE DIAMANT, D'ESPRIT LOUIS XIII.
FIN XVIIIᵉ SIÈCLE.**

Armoire dont les panneaux ornés de petites pointes de diamant ont été ajoutés à une époque plus tardive. La moulure encadrant le bâti rappelle certains types d'armoires françaises. Fiches d'époque, taquet ajouté. Dormant, traverses et montants lourds. Meuble agréable. Fin XVIIIᵉ siècle.

L. 4' 3¼''   H. 5' 2½''   P. 1' 4½''
130 cm   159 cm   42 cm

BOIS : pin   PROVENANCE : Région de Montréal.
(Coll. M. et Mme Jean Raymond, Westmount, Qué.).

**44. ARMOIRE A LOSANGES, A CORNICHE ORNÉE DE
DEUX TIROIRS. DÉBUT XIXᵉ SIÈCLE.**

Armoire à deux portes décorées de losanges. La corniche est ornée de deux tiroirs et surmontée d'une double rangée de denticules. Ce genre de corniche à doucine n'existe pas en France, on la trouve dans les meubles anglais de style William & Mary. Meuble intéressant. Taquet ajouté. Début XIXᵉ SIÈCLE.

L. 4' 7⅝''   H. 5' 6½''   P. 1' 8
141 cm   169 cm   51 cm
BOIS : pin   PROVENANCE : Saint-Cyrille de l'Islet.
(Coll. Canada Steamship Lines, Tadoussac, Qué.).

**45. ARMOIRE A LOSANGES, D'INFLUENCE HAUTE-BRE-
TAGNE. XVIIIᵉ SIÈCLE.**

Armoire à losanges, ornée d'une corniche à denticules et d'une traverse inférieure au chantournement naïf. Armoire dont le type est très répandu en Haute-Bretagne, plus particulièrement à Guérande. Le dessin des losanges biseautés des panneaux est également typique de ce pays. XVIIIᵉ siècle.

L. 4' 11''   H. 5' 1¼''   P. 1' 4''
150 cm   156 cm   41 cm
BOIS : pin   PROVENANCE : Région de Montréal.
(Coll. Musée de la Province, Québec).

**46. ARMOIRE A POINTES DE DIAMANT ORNÉES DE
DESSINS GÉOMÉTRIQUES. XVIIIᵉ SIÈCLE.**

Petite armoire d'esprit Louis XIII, à deux portes ornées de panneaux à pointes de diamant et de dessins géométriques. Il est extrêmement rare de trouver, en France comme au Canada, des motifs géométriques sur des pointes de diamant. Les panneaux latéraux sont à plis de serviette simplifiés et le panneau supérieur est orné d'une énorme rosette à pétales au centre de laquelle il y a un dessin géométrique. Fiches et entrées de serrure d'époque. Armoire bien faite et sobre. XVIIIᵉ s. Photo : C.S.L.

BOIS : pin   PROVENANCE : Yamachiche, Qué.
(Coll. Canada Steamship Lines, Tadoussac, Qué.).

**47. ARMOIRE DE TRANSITION, A POINTES DE DIAMANT.
MILIEU XVIIIᵉ SIÈCLE.**

Armoire à deux portes et à tiroir unique, ornés de doubles moulures et de panneaux en forme de losanges et de croisillons, mais taillés en pointes de diamant. La mouluration, Fin Louis XIV, des deux panneaux du haut est postérieure au style Louis XIII. Meuble de transition. Un des rares meubles canadiens pourvus d'un faux-dormant. Meuble dont la structure se rapproche des armoires à pointes de diamant du Jura et de la Franche-Comté. Fiches, entrées de serrure et poignées d'époque. Meuble imposant et bien construit. Milieu XVIIIᵉ siècle.

L. 4' 4''   H. 7' 4½''   P. 1' 9⅝''
132 cm   225 cm   55 cm
BOIS : pin   PROVENANCE : Verchères, Qué.

(Coll. Canada Steamship Lines, Tadoussac, Qué.).

48. DÉTAIL.

49. ARMOIRE DE TRANSITION, A LOSANGES. FIN XVIIIᵉ SIÈCLE.

Armoire à deux portes cintrées, dont les panneaux sont ornés de losanges avec chantournement d'esprit Louis XV aux panneaux supérieurs. Le cintre des portes est d'esprit Louis XIV. Armoire dite de transition à cause de la rupture de la ligne géométrique et de l'introduction de la ligne incurvée. La corniche a été remplacée. Fin XVIIIᵉ siècle.

L. 4' 4''   H. 6' 8½''   P. 1' 7''
132 cm   203 cm   48 cm
BOIS : pin   PROVENANCE : Région de Québec.

(Coll. Donnacona Paper Co. Ltd, prêtée au Musée de la Province, Québec).

50. ARMOIRE ORNÉE DE PLIS DE SERVIETTE SIMPLIFIÉS. FIN XVIIᵉ SIÈCLE.

Armoire à deux portes. Le corps inférieur vient probablement d'un buffet deux-corps à cause de la bordure festonnée du plateau. Meuble de transition, le coffre se transformant en buffet. Les panneaux sont ornés de plis de serviette simplifiés, d'inspiration médiévale. Des fiches queues-de-rat ont remplacé les fiches originales, l'entrée de serrure manque et un taquet a été posé. Meuble d'allure gothique et attrayant. Fin XVIIIᵉ siècle.

L. 4'   H. 4' 6½''   P. 1' 11¼''
122 cm   138 cm   59 cm
BOIS : pin
PROVENANCE : Saint-Louis de Lotbinière, Qué.
(Coll. M. L.V. Randall, Montréal).

51. ARMOIRE RUSTIQUE, A DÉCOR DE STRIES. DÉBUT XIXᵉ SIÈCLE.

Armoire rustique à deux portes ornées de panneaux aux plis de serviette simplifiés et de stries gravées sur presque toute la façade. Charnières originales. Fabrication paysanne; saveur de terroir. Début XIXᵉ siècle.

L. 4'   H. 5' 8½''   P. 1' 5½''
122 cm   174 cm   44 cm
BOIS : pin   PROVENANCE : Saint-Romuald, Qué.

(Coll. Musée de la Province, Québec).

52. ARMOIRETTE RUSTIQUE A UN VANTAIL. FIN XVIIIᵉ S.

Armoirette rustique à un vantail orné de deux panneaux chantournés. Pentures apparentes de fer

forgé d'époque. Taquet ajouté. Petit meuble paysan. Fin XVIIIᵉ siècle.

L. 2' 10¼''   H. 3' 3¼''   P. 1' 7¾''
87 cm   100 cm   50 cm
BOIS : pin   PROVENANCE : Château-Richer, Qué.

(Coll. Canada Steamship Lines, Tadoussac, Qué.).

53. ARMOIRETTE D'ENFANT A DEUX VANTAUX. FIN XVIIIᵉ SIÈCLE.

Armoirette d'enfant à deux vantaux, aux panneaux simples. Pieds en console. Fiches queues-de-rat d'époque. Fin XVIIIᵉ siècle.

L. 1' 6¾''   H. 1' 7''   P. 6 ¼''
47 cm   48 cm   16 cm
BOIS : noyer tendre.

(Coll. M. Jean Dubuc, Québec).

54. ARMOIRETTE A UN VANTAIL. MILIEU XVIIIᵉ SIÈCLE.

Armoirette à un vantail orné d'un panneau simple. Probablement un petit meuble de chevet ou fabriqué pour un enfant. Fiches et entrée de serrure d'époque. Milieu XVIIIᵉ siècle.

L. 1' 3½''   H. 1' 8½''   P. 8½''
39 cm   52 cm   22 cm
BOIS : pin

(Coll. Mlle Barbara Richardson, Sainte-Agathe des Monts, Qué.).

55. ARMOIRETTE A DEUX VANTAUX. MILIEU XVIIIᵉ SIÈCLE.

Armoirette à deux vantaux dont l'encadrement des panneaux est chanfreiné. Les panneaux en relief sont décorés d'un petit motif cintré, d'esprit Louis XIII. Fiches d'époque; chevilles remplacées; pieds rognés. Beau petit garde-manger archaïque. Milieu XVIIIᵉ siècle.

L. 1' 7¼''   H. 2' 3¼''   P. 9¾''
49 cm   69 cm   25 cm
BOIS : pin   PROVENANCE : L'Assomption, Qué.

(Coll. M. Léonard Larin, Montréal).

56. ARMOIRE RUSTIQUE A DEUX PORTES. MILIEU XVIIIᵉ SIÈCLE.

Armoire rustique à deux portes dont les panneaux supérieurs sont chantournés et ornés de petites coquilles et de plis de serviette simplifiés. La traverse inférieure, décorée d'une petite coquille, et la traverse supérieure sont toutes deux très lourdes. Fiches d'époque. Taquet ajouté. Meuble rustique aux proportions naïves. Milieu XVIIIᵉ siècle.

L. 4' 1''   H. 5' 1''   P. 1' 4½''
124 cm   155 cm   42 cm
BOIS : pin
PROVENANCE : Saint-Augustin de Portneuf, Qué.

(Coll. Canada Steamship Lines, Tadoussac, Qué.).

57. ARMOIRE A MULTIPLES PANNEAUX, D'INFLUENCE LOUIS XIII ET LOUIS XV. FIN XVIIIᵉ SIÈCLE.

Armoire à deux vantaux dont les panneaux supérieurs sont chantournés, les autres, carrés et rectangulaires. Le dormant est aussi orné de panneaux rectangulaires, et la corniche est décorée d'oves et de rais-de-cœur naïfs. La corniche a été restaurée, les taquets ont été rajoutés et les fiches sont d'époque. Armoire robuste. Fin XVIIIe siècle.

L. 4' 8''   P. 6' 4¼''   P. 1' 7''
142 cm   194 cm   48 cm
BOIS : pin

(Coll. Canada Steamship Lines, Tadoussac, Qué.).

58. ARMOIRE A DEUX PORTES CINTRÉES, D'ESPRIT LOUIS XIV. MILIEU XVIIIe SIÈCLE.

Armoire à deux portes cintrées et ornées de six panneaux, d'esprit Louis XIV. Les panneaux imitent timidement aux angles les plis de serviette simplifiés. Traverse inférieure et base en console insolites, peut-être modifiées postérieurement. Montants massifs, moulures de la base restaurées. Fiches et entrées de serrure d'époque. Milieu XVIIIe siècle.

L. 4' 5''   H. 6' 11⅝''   P. 1' 7''
135 cm   212 cm   48 cm
BOIS : pin   PROVENANCE : région de Québec

(Coll. Dr et Mme Wilfrid Caron, Cap Rouge, Qué.).

59. ARMOIRE GALBÉE DE SAINT-LOUIS, MISSOURI, D'ESPRIT LOUIS XIV. FIN XVIIIe SIÈCLE.

Armoire galbée (dite Armoire Chouteau de Saint-Louis, Missouri, E.U.) à deux vantaux cintrés dont les panneaux et la traverse supérieure sont ornés de fleur de lys et de fleurs stylisées. Traverse inférieure chantournée, ornée d'une coquille centrale. Montants ornés d'étoiles et de pieds à griffes et à boules d'inspiration Chippendale américain; la seule armoire que je connaisse ayant ce piètement, particulier à certaines commodes du Canada. Fiches et entrées de serrure d'époque. Un des rares meubles d'inspiration française provenant de la vallée du Mississipi. Selon la tradition orale elle aurait été fabriquée vers la fin du XVIIIe siècle, à Saint-Louis, Missouri, par un menuisier d'origine canadienne pour la famille Chouteau. Corniche remplacée. Armoire intéressante du Mississipi. Fin XVIIIe siècle.

L. 5' 3''   H. 8'   P. 1' 1''
160 cm   244 cm   33 cm
BOIS : noyer du pays

PROVENANCE : Saint-Louis, Missouri, E.-U.

(Coll. Missouri Historical Society, Saint-Louis, Missouri, E-U).

60. ARMOIRE A DÉCORS RUSTIQUES. FIN XVIIIe SIÈCLE.

Armoire à deux portes dont les panneaux et les frises de la traverse supérieure sont décorés de motifs guillochés. Des coquilles minuscules ornent les traverses supérieures des portes et la traverse inférieure. Des dents de loup agrémentent les angles des montants et les pieds ébauchent un galbe. Fiches d'époque; corniche remplacée. Fin XVIIIe siècle.

L. 4' 5''   H. 6' 8''   P. 1' 4''
135 cm   203 cm   41 cm
BOIS : noyer tendre et pin

(Coll. Canadair Limitée, Saint-Laurent de Montréal).

61. PETITE ARMOIRE RUSTIQUE A MULTIPLES SPIRALES. FIN XVIIIe SIÈCLE.

Petite armoire rustique aux portes chantournées et décorées de multiples spirales. Le prolongement des moulurations du dormant à l'intérieur des traverses, est une caractéristique canadienne. Dormant et traverses massifs. Petite corniche ornée de denticules. Fiches et entrée de serrure d'époque. Meuble naïf et spécifiquement canadien. Fin XVIIIe siècle.

L. 4'   H. 5' 1''   P. 1' 4''
122 cm   155 cm   41 cm
BOIS : pin   PROVENANCE : Saint-Hilaire, Qué.

(Coll. M. et Mme Jean Raymond, Westmount, Qué.)

62. ARMOIRE ORNÉE DE RINCEAUX, D'ESPRIT LOUIS XV. FIN XVIIIe SIÈCLE.

Armoire à deux vantaux dont les panneaux sont chantournés et ornés de rinceaux. Les rinceaux sont inspirés de la crossette à feuillage de style rocaille mais interprétés de façon plus rustique. Le dormant est décoré d'une feuille d'acanthe surmontée d'une palmette et la corniche, au profil très saillant, est largement moulurée. La sculpture rappelle la manière des ateliers Liébert, Pépin, Quévillon. Les pieds manquent et la base en console, ajoutée plus tard, jure avec le style de l'armoire. Fin XVIIIe siècle.

L. 3' 11''   H. 6' 8¼''   P. 1' 4¾''
119 cm   204 cm   42 cm
BOIS : pin   PROVENANCE : Région de Montréal.

(Coll. M. et Mme A.F. Murphy, Westmount, Qué.).

63. ARMOIRE CANADIENNE « A LA BOURGUIGNONNE ». FIN XVIIIe OU DÉBUT XIXe SIÈCLE.

Armoire à deux vantaux dont les panneaux sont chantournés et décorés de plis de serviette simplifiés, ornée d'une corniche, d'une frise horizontale à la traverse supérieure et, à la base, d'une moulure d'inspiration Renaissance. Cette armoire est typiquement bourguignonne; l'artisan qui l'a fabriquée a sans doute copié servilement une armoire bourguignonne ou la représentation gravée de cette armoire. En Bourgogne, les pieds en balustre aplati sont appelés *miches* ou *flamusses*. Fiches et entrée de serrure d'époque. Bel exemple d'une armoire exécutée par une main de métier, probablement l'œuvre d'un de nos maîtres menuisiers-sculpteurs d'église. Les spirales ornées de feuillage rappellent les œuvres des ateliers Liébert et Quévillon. Fin XVIIIe ou début XIXe siècle.

L. 4' 9½''   H. 7' 3½''   P. 1' 7¾''
146 cm   222 cm   50 cm
BOIS : pin

(Coll. Royal Ontario Museum, Toronto, Ont.).

64. ARMOIRE DÉCORÉE DE MOTIFS FLORAUX. FIN XVIIIᵉ SIÈCLE.

Armoire à deux vantaux dont les panneaux chantournés, les traverses et les dormants sont décorés de motifs floraux, de vases et de coquilles d'inspiration Régence et Louis XV. Les fleurs stylisées sont celles qu'on trouve partout dans le mobilier traditionnel, plus particulièrement en Haute-Bretagne, en Touraine et en Lorraine. La fleur à doubles rangées de pétales ornant les panneaux rappelle le zinnia. Corniche à denticules; ébauche d'un galbe aux pieds. Entrée de serrure à la flamme, fiches queues-de-rat d'époque. Meuble canadien, au décor peut-être un peu trop chargé, mais très séduisant. Fin XVIIIᵉ s.

L. 4' 3''   H. 6' 10¼''   P. 1' 6½''
130 cm   209 cm   47 cm
BOIS : pin
PROVENANCE : Saint-Jean-Baptiste de Rouville, Qué.
(Coll. Mme Nettie Sharpe, Saint-Lambert, Qué.).

65. DÉTAIL.

66. DÉTAIL.

67. ARMOIRE EXCEPTIONNELLE DE BATISCAN. FIN XVIIIᵉ SIÈCLE.

Armoire exceptionnelle de Batiscan, à vantaux ornés de panneaux chantournés avec spirales, et à traverse inférieure au motif appliqué « os de mouton », décoré de rouelles géométriques et de feuillage. Le chantournement de la traverse supérieure appliquée, suggère aussi les courbes « os de mouton ». Elle est décorée de feuillage et d'un cœur au centre, renfermant trois rouelles géométriques. Les montants sont aussi ornés de rinceaux sortant de vases. Fiches et entrées de serrure d'époque. Une des plus belles armoires du répertoire canadien à cause de ses belles proportions et de ses nombreuses qualités. Fin XVIIIᵉ s.

L. 4' 9''   H. 7' 8½''   P. 1' 9½''
145 cm   235 cm   55 cm
BOIS : pin   PROVENANCE : Batiscan, Qué.
(Coll. Canada Steamship Lines, Tadoussac, Qué.).

68. PETITE ARMOIRE RUSTIQUE A UN VANTAIL CINTRÉ. FIN XVIIIᵉ SIÈCLE.
Petite armoire rustique ornée d'un vantail cintré et de panneaux latéraux rectangulaires. Le soubassement en console a été rajouté. Fin XVIIIᵉ siècle.

L. 1' 10''   H. 2' 9''   P. 1' 10''
56 cm   84 cm   56 cm
BOIS : pin
(Coll. Canadair Limitée, Saint-Laurent de Montréal, Qué.).

69. PETITE ARMOIRE RUSTIQUE A UN VANTAIL. FIN XVIIIᵉ SIÈCLE.
Petite armoire rustique à un vantail. Les panneaux et les traverses inférieures sont chantournés. L'entrée

de serrure manque, le taquet a sans doute été ajouté quand la serrure a fait défaut. Fiches queues-de-rat d'époque. Fin XVIIIᵉ siècle.

L. 1' 11¼''   H. 2' 6½''   P. 1' 4½''
59 cm   77 cm   42 cm
BOIS : pin   PROVENANCE : région de Québec
(Coll. M. L.V. Randall, Montréal).

70. PETITE ARMOIRE GALBÉE A UN VANTAIL, D'ESPRIT LOUIS XV. FIN XVIIIᵉ SIÈCLE.
Petite armoire galbée à un vantail d'esprit Louis XV, dont le panneau est chantourné avec spirales et la ceinture ornée d'une coquille renversée, de fleurs, de feuillage, de spirales et d'une petite palmette. Les pieds cambrés, à doubles volutes, sont décorés de feuilles d'acanthe. Galbe à doucine des côtés. Fiches et entrée de serrure d'époque. Certains détails de la sculpture se rapprochent beaucoup de la facture de certaines commodes, les nᵒˢ 477, 503, 504. Les volutes des pieds ont été refaites. Petit meuble séduisant. Fin XVIIIᵉ siècle.

L. avant 2' 4''   H. 3' 3⅜''   P. 1' 6¾''
71 cm   100 cm   47 cm
L. arr. 2' 10¾''
88 cm
BOIS : noyer tendre   PROVENANCE : L'Acadie, Qué.
(Coll. M. et Mme David G. Mc Connell, Dorval, Qué.).

71. PETITE ARMOIRE GALBÉE A UN VANTAIL. FIN XVIIIᵉ SIÈCLE.
Petite armoire galbée à un vantail, ornée d'un panneau chantourné avec spirales, d'une coquille à la traverse inférieure et de pieds à doubles volutes surmontés de feuilles d'acanthe. Les côtés sont légèrement galbés et à doucine. L'entrée de serrure est absente et un taquet a été ajouté. Fiches queues-de-rat d'époque. Vantail désaxé, mutilé et mal restauré. Nos musées ne se soucient guère de présenter leurs meubles canadiens propres et bien restaurés; ces meubles précieux mériteraient au moins d'être « maintenus dans la propreté et l'harmonie ». Ce petit meuble est très rare et très recherché par les collectionneurs et avec raison. Celui-ci faisait partie d'une paire, le chantournement du panneau n'étant pas centré. Nous avons d'ailleurs retrouvé son pendant, mais il était encore plus mutilé que celui que nous décrivons ici. Fin XVIIIᵉ siècle.

L. 2' 4''   H. 3' 1½''   P. 1' 6½''
71 cm   95 cm   47 cm
BOIS : pin   PROVENANCE : Ancienne Lorette, Qué.
(Coll. Musée des Beaux-Arts, Montréal).

72. ARMOIRE RUSTIQUE, D'ESPRIT LOUIS XV. FIN XVIIIᵉ SIÈCLE.
Armoire rustique à deux vantaux dont les panneaux sont chantournés (écho du style Louis XV). La traverse inférieure et l'ébauche d'un galbe dans les

pieds révèlent une certaine naïveté d'interprétation, ainsi que la lourdeur de la traverse supérieure avec ses curieuses frises horizontales. Corniche largement moulurée. Fiches et entrée de serrure d'époque. Armoire haute sur pieds, aux proportions très canadiennes, mais agréable. Fin XVIII⁰ siècle.

L. 4' 2⅝''   H. 6' 10''   P. 1' 6½''
129 cm   208 cm   47 cm
BOIS : pin   PROVENANCE : Saint-Jude, Qué.

(Coll. M. et Mme Fred Mulligan, Pleasant Valley, Henrysburg, Qué.).

73. ARMOIRE RUSTIQUE DE LONGUEUIL. FIN XVIII⁰ SIÈCLE.

Armoire rustique à deux vantaux dont les panneaux, corruption de panneaux chantournés, sont sculptés en plein bois, dans l'unique planche de la porte. De fabrication extrêmement primitive quant à la facture et aux proportions. Traverses, dormant, et montants massifs. Le taquet a été rajouté. Fiches queues-de-rat d'époque. Rare exemple d'un vantail fait d'une planche entière et sculptée. Armoire lourde, de main fruste, mais savoureuse. Fin XVIII⁰ siècle.

L. 3' 6''   H. 5' 5''   P. 1' 5''
107 cm   165 cm   43 cm
BOIS : pin   PROVENANCE : Longueuil, Qué.

(Coll. M. et Mme F.M. Hutchins, Pembroke, Ont.).

74. DÉTAIL.

75. DÉTAIL.

76. ARMOIRE DÉCORÉE DE DESSINS GÉOMÉTRIQUES. DÉBUT XIX⁰ SIÈCLE.

Armoire à deux vantaux, décorée de stries parallèles et opposées, de rouelles solaires, de dents de loup, de losanges, de canaux, de marguerites, de croisillons, de coups d'ongle, d'étoiles, etc. Les moulures des panneaux sont appliquées. Armoire canadienne rare et exceptionnelle dont les décors rappellent les décors géométriques de tous les pays d'Europe, les stries gravées de certains meubles bressans, et même des dessins qu'on retrouve dans la céramique huronne et iroquoise. Fiches et entrée de serrure d'époque. Ce meuble excite le plus vif intérêt. Début XIX⁰ siècle.

L. 4' 1''   H. 5' 6''   P. 1' 4''
124 cm   168 cm   41 cm
BOIS : pin   PROVENANCE : région de Montréal
(Coll. M. L.V. Randall, Montréal).

77. PETITE ARMOIRE A TIROIRS ORNÉS DE LOSANGES. FIN XVIII⁰ SIÈCLE.

Petite armoire à deux vantaux ornés de panneaux et d'une traverse inférieure chantournés, d'esprit Louis XV, et de deux tiroirs décorés de losanges, d'esprit Louis XIII. Frises et disques sculptés dans les montants; ébauche d'un galbe aux pieds. Fiches, targette et anneaux d'époque. Agréable petit meuble

qui mélange finement deux styles. Fin XVIII⁰ siècle.

L. 4' ⅝''   H. 4' 1''   P. 1' 6¼''
123 cm   124 cm   47 cm
BOIS : noyer tendre
PROVENANCE : région de Montréal

(Coll. M. et Mme Thomas Caverhill, Montréal).

78. ARMOIRE DÉCORÉE DE MULTIPLES SPIRALES, D'ESPRIT LOUIS XV. FIN XVIII⁰ SIÈCLE.

Armoire à deux portes dont les traverses chantournées sont décorées de multiples spirales. La traverse inférieure, au chantournement élégant, gagnerait à être restaurée, une spirale étant absente. Noter une caractéristique canadienne : le prolongement des panneaux du dormant à l'intérieur des traverses. Fiches et entrée de serrure d'époque. Meuble très canadien. Fin XVIII⁰ siècle.

L. 4' 4''   H. 6'   P. 1' 6¾''
132 cm   183 cm   48 cm
BOIS : pin   PROVENANCE : Ste-Marie-Salomé, Qué.

(Coll. M. et Mme Pierre Gouin, Saint-Sulpice, Qué.).

79. PETITE ARMOIRE, D'ESPRIT LOUIS XIII ET LOUIS XV. MILIEU XVIII⁰ SIÈCLE.

Petite armoire à deux vantaux dont les panneaux sont chantournés, d'esprit Louis XV, et le bâti inspiré des formes rectilignes, de style Louis XIII. Fiches d'époque. Milieu XVIII⁰ siècle.

L. 3' 5⅜''   H. 4' ½''   P. 1' 1½''
105 cm   123 cm   34 cm
BOIS : pin   PROVENANCE : Saint-Vallier, Qué.

(Coll. Mlle Barbara Richardson, Sainte-Agathe des Monts, Qué.).

80. ARMOIRE, D'ESPRIT LOUIS XV. FIN XVIII⁰ SIÈCLE.

Armoire à deux vantaux à chantournements ornés de coquilles et à belles moulurations, d'esprit Régence et Louis XV. Des spirales de la traverse inférieure ont sauté. Les montants, aux angles arrondis, sont interrompus au centre comme des montants chanfreinés. La corniche saillante, décorée de rais-de-cœur et de denticules, a été restaurée à l'extrême gauche. Fiches d'époque. L'entrée de serrure manque et un taquet a été ajouté. Peinte en gris avec de l'alumine. Meuble classique. Fin XVIII⁰ siècle.

L. 4' 2¼''   H. 6' 2¾''   P. 1' 5''
128 cm   190 cm   43 cm
BOIS : pin   PROVENANCE : Sainte-Adèle, Qué.

(Coll. M. et Mme Victor M. Drury, Lac Anne, Qué.).

81. DÉTAIL.

82. DÉTAIL.

83. ARMOIRE TRÈS ORNEMENTÉE. FIN XVIII⁰ SIÈCLE.
Armoire dont la façade est décorée d'une profusion de motifs floraux et végétaux. En France, les pan-

neaux ne sont généralement pas décorés, sauf en Haute-Bretagne, dans le pays de Rennes et en Lorraine. Celle-ci est due au menuisier qui a exécuté l'armoire n° 64 mais elle présente un plus grand nombre d'ornements couvrant toute la façade : panneaux chantournés décorés de spirales, de feuilles d'olivier ou de saule; montants où courent des rinceaux de feuillage; dormant où grimpent des entrelacs ornés du même feuillage que sur les panneaux; rinceaux et fleurs stylisés des traverses; câbles, rais-de-cœur, denticules, perles et oves de la corniche. Fiches d'époque, entrées de serrure Louis XV ajoutées. Étonnante exubérance du décor. Armoire surchargée peut-être, mais très intéressante. Fin XVIIIe siècle.

L. 4' 8½'' H. 7' P. 1' 7''
144 cm 213 cm 48 cm
BOIS : pin PROVENANCE : Châteauguay, Qué.

(Coll. Canadair Limitée, Saint Laurent de Montréal, Qué.).

· 84. DÉTAIL.

85. ARMOIRE A PANNEAUX ORNÉS DE RINCEAUX. FIN XVIIIe SIÈCLE.

Armoire à deux portes dont les panneaux sont chantournés et décorés de rinceaux. Traverse massive, chantournée et ornée d'une petite fleur stylisée. Le feuillage et les fleurs sont sculptés dans une espèce de cartouche à fond picoté. L'armoire a été décapée, sauf les rinceaux. Quoique d'influence française, cette armoire est typiquement canadienne en raison de ses proportions et de ses détails ornementaux. Meuble agréable. Fin XVIIIe siècle.

L. 5' 1'' H. 6' 9½'' P. 1' 3¾''
155 cm 207 cm 40 cm
BOIS : pin PROVENANCE : Saint-Lin, Qué.

(Coll. Canada Steamship Lines, Tadoussac, Qué.).

86. DÉTAIL.

87. ARMOIRE A DÉCOR DE ROCAILLE. FIN XVIIIe SIÈCLE.

Armoire à deux portes avec panneaux chantournés. Les panneaux supérieurs sont ornés de marguerites, de feuilles, de grappes de raisin et de motifs dérivés du rocaille. Décor naïf et appliqué avec des clous forgés. Le bâti est d'esprit Louis XIII et les pieds sont comme des torches. Fiches queues-de-rat et entrées de serrure d'époque. Meuble singulier, spécifiquement canadien. Fin XVIIIe siècle.

L. 4' 3¼'' H. 6' 2⅝'' P. 1' 5½''
130 cm 189 cm 45 cm
BOIS : pin

(Coll. Mlle Barbara Richardson, Sainte-Agathe des Monts, Qué.).

88. PETITE ARMOIRE RUSTIQUE LÉGÈREMENT CINTRÉE. MILIEU XVIIIe SIÈCLE.

Petite armoire rustique légèrement cintrée, à deux vantaux dont les panneaux sont chantournés, avec un tiroir et une ceinture festonnée. Les montants aux angles arrondis rappellent les montants de commode. Tiroir et traverse inférieure restaurés. Fiches d'époque. Fin XVIIIe siècle.

L. 2' 8¾'' H. 2' 7¾'' P. 1' 6⅝''
83 cm 80 cm 47 cm
BOIS : pin
PROVENANCE : Laprairie de la Madeleine, Qué.

(Coll. Mlle Barbara Richardson, Sainte-Agathe des Monts, Qué.).

89. ARMOIRE A PANNEAUX D'INSPIRATION FLAMANDE. FIN XVIIIe SIÈCLE.

Armoire à deux portes, ornée de panneaux rappelant les panneaux des meubles flamands et hollandais. Soubassement en console, d'influence anglaise. Fiches et entrées de serrure d'époque. Fin XVIIIe siècle.

L. 4' 8'' H. 4' 5¼'' P. 1' 8''
142 cm 136 cm 51 cm
BOIS : pin PROVENANCE : Hôpital-Général, Québec

(Coll. M. et Mme J.N. Cole, Montréal).

90. ARMOIRE DÉCORÉE DE RINCEAUX, DE SAINT-HILAIRE. FIN XVIIIe SIÈCLE.

Armoire à deux portes dont les panneaux supérieurs sont chantournés, d'esprit Louis XV, et dont le dormant et la traverse inférieure sont ornés de rinceaux de feuillage et de fleurs stylisées. Corniche à denticules. La sculpture de la traverse inférieure et du dormant est comparable à celle qu'on trouve dans les armoires du pays de Rennes. Cette armoire, quoique d'influence Haute-Bretagne, revêt un caractère très canadien. Fiches d'époque. Une de nos belles et charmantes armoires canadiennes. Fin XVIIIe siècle.

L. 4' 4¼'' H. 5' 7¼'' P. 1' 8''
133 cm 171 cm 51 cm
BOIS : pin PROVENANCE : Saint-Hilaire, Qué.

(Coll. M. et Mme Jean Raymond, Westmount, Qué.).

91. ARMOIRE ORNÉE DE RINCEAUX, DE L'ASSOMPTION. FIN XVIIIe SIÈCLE.

Armoire à deux portes aux panneaux chantournés avec spirales ornées de rinceaux. Le rinceau du dormant est un enroulement de petites crosses entremêlées de feuillage inspiré du style rocaille. La forme rectiligne de l'armoire est d'esprit Louis XIII. Fiches et entrées de serrure d'époque. Petite armoire attrayante. Fin XVIIIe siècle.

L. 4' 3¾'' H. 6' 3¾'' P. 1' 7''
131 cm 192 cm 48 cm
BOIS : pin PROVENANCE : l'Assomption, Qué.

(Coll. M. et Mme A.M. Laurie, Longueuil, Qué.).

92. BONNETIÈRE AYANT APPARTENU A Mme D'YOUVILLE. FIN XVIIIe SIÈCLE.

Bonnetière provenant de la chambre à coucher

de Mme d'Youville, fondatrice des Sœurs Grises. Cette armoire, ornée d'une porte, servait d'armoire-lavabo. A l'intérieur, sur une tablette, étaient placés une cuvette, un porte-savon et de menus objets de toilette. Le revers de la porte était orné d'un miroir. Ce meuble austère (comme certains meubles conventuels) fut conservé pieusement par les religieuses, tel que l'a laissé Mme d'Youville. Au Canada il servait surtout de garde-robe, rarement de bonnetière comme en France. Soubassement en console d'influence anglaise. Corniche saillante. Fiches genre queues-de-rat et entrée de serrure d'époque. Le taquet fut rajouté. Couleur : brun foncé. Fin XVIIIe siècle.

L. 2' 3''	H. 6' 6''	P. 1' 2¾''
69 cm	198 cm	37 cm

BOIS : pin   PROVENANCE : Montréal

(Coll. Hôpital-Général des Sœurs Grises, Montréal).

93. BONNETIÈRE OU GARDE-ROBE A DÉCOR RENAISSANCE. DÉBUT XIXe SIÈCLE.
Bonnetière ou garde-robe à un vantail, ornée de deux panneaux à motifs Renaissance. Pentures de fer forgé décorées de fleurs de lys, et targette d'époque. Le montant gauche de la porte a été remplacé. Meuble à décor inhabituel. Début XIXe siècle.

L. 1' 11¾''	H. 4' 3⅝''	P. 1' 7½''
60 cm	131 cm	50 cm

BOIS : pin

(Coll. M. et Mme Dean P. Stockwell, Ville Mont-Royal, Qué.).

94. ARMOIRE A DEUX PORTES, INSPIRÉE DU STYLE ADAM. FIN XVIIIe SIÈCLE.
Armoire dont les panneaux, au décor appliqué, sont directement inspirés du style Adam. La moulure saillante de la traverse inférieure rappelle l'influence du style Louis XIII. L'ébauche d'un galbe aux pieds est inspirée du Louis XV. Deux bandeaux festonnés ceinturent le corniche, laquelle est aussi ornée d'un câble. Fiches d'époque. Restauration des moulures de la base et de la corniche. Meuble canadien aux belles proportions. Fin XVIIIe siècle.

L. 4' 2''	H. 6' ¾''	P. 1' 5½''
127 cm	185 cm	44 cm

BOIS : pin

(Coll. Royal Ontario Museum, Toronto, Ontario).

95. DÉTAIL.

96. ARMOIRE DÉCORÉE DE COQUILLES ET DE SPIRALES. FIN XVIIIe SIÈCLE.
Armoire dont les panneaux et la traverse inférieure sont chantournés et abondamment ornés de coquilles et de spirales. La corniche est ornée d'un double bandeau de canaux ou de coups d'ongle. La profusion des coquilles et des spirales en font un meuble spécifiquement canadien. Belle armoire robuste. Fin XVIIIe siècle.

L. 4' 4''	H. 6' 4''	P. 1' 5''
132 cm	193 cm	43 cm

BOIS : pin   PROVENANCE : Saint-Barthélémy, Qué.

(Coll. M. et Mme Edgar Davidson, Montréal).

97. ARMOIRE A PANNEAUX CHANTOURNÉS, D'ESPRIT LOUIS XV. FIN XVIIIe SIÈCLE.
Armoire dont les panneaux sont chantournés avec profusion. La traverse inférieure rappelle la ceinture de certaines armoires vendéennes et bressanes. Le dormant à trois panneaux rectangulaires chantournés est décoré d'une rouelle géométrique, de deux ancres et d'une crossette avec feuillage. La traverse supérieure, divisée en deux frises rectangulaires, à fond guilloché, est ornée, au centre, d'un disque. Angles arrondis des montants. La corniche manque. Fiches et entrées de serrure d'époque. Armoire robuste, aux lignes bien françaises. Fin XVIIIe siècle.

L. 4' 6''	H. 6' 7¼''	P. 1' 9½''
137 cm	202 cm	55 cm

BOIS : pin   PROVENANCE : Saint-Marc-sur-Richelieu

(Coll. M. et Mme Antoine Dubuc, Chicoutimi, Qué.).

98. ARMOIRE DE SAINT-MARC-SUR-RICHELIEU. FIN XVIIIe SIÈCLE.
Armoire dont les panneaux sont chantournés. La découpe de la traverse inférieure, réminiscence des armoires vendéennes et bressanes, ressemble beaucoup à la précédente, le no 97. Comme elle fut trouvée dans le même village, on peut en conclure qu'elle fut exécutée par le même artisan. Noter les coups de rabot encore visibles sur la surface des panneaux. Fiches et entrées de serrure d'époque. Couleur originale : ocre rouge. Fin XVIIIe siècle.

L. 4' 11''	H. 7' 5''	P. 1' 7''
150 cm	226 cm	48 cm

BOIS : pin   PROVENANCE : Saint-Marc-sur-Richelieu

(Coll. Mlle Barbara Richardson, Sainte-Agathe des Monts, Qué.).

99. ARMOIRE ORNÉE DE MARQUETERIE ET DE MOTIFS ROCAILLE. DÉBUT XIXe SIÈCLE.
Armoire à deux portes aux panneaux chantournés, ornés de rinceaux, de feuillage, de fleurs et de motifs rocaille. Un entrelacs de marqueterie court le long du dormant. Les montants et les portes sont aussi incrustés de marqueterie. La traverse inférieure, chantournée et ajourée, est ornée de feuillage et de crossettes inspirés du style Rocaille. Pieds trapus galbés. Les portes, autrefois à battement, sont maintenant rentrées à vif. Les charnières ont remplacé les fiches, et le bandeau à denticules de la corniche

53

manque. Meuble très ouvré et exécuté par un menuisier-sculpteur d'église de l'école de Liébert ou de Quevillon. La sculpture rappelle la main d'Amable Gauthier qui exécuta plusieurs œuvres pour l'église de Saint-Isidore de Laprairie, au début du XIXe siècle. Cette armoire fut trouvée dans ce village. Un des rares meubles canadiens ornés de marqueterie et typiques du style rococo canadien. Début XIXe siècle.

L. 4' 2½''   H. 7' 9½''   P. 1' 7''
128 cm   237 cm   49 cm

BOIS : noyer tendre

PROVENANCE : Saint-Isidore de Laprairie, Qué.

(Coll. Dr et Mme Herbert T. Schwarz, Montréal).

100. ARMOIRE, D'INSPIRATION ADAM ET LOUIS XVI. DÉBUT XIXe SIÈCLE.

Armoire à deux portes entrées à vif dans le bâti, et dont les six panneaux sont décorés de moulures appliquées, de soleils gravés et de cannelures de style Adam et Louis XVI. Un câble orne les angles des montants, lesquels sont décorés de stries parallèles. A la base, les stries forment des chevrons. Un bandeau festonné est surmonté d'une corniche moulurée, ornée d'un câble, de stries verticales et parallèles et de petits soleils gravés au burin dans le bois. La traverse inférieure, trop simple, dépare ce meuble. Le style Adam domine. Charnières et entrée de serrure d'époque. Meuble délicat, au décor sobre. Début XIXe siècle.

L. 4' 8''   H. 6' 6½''   P. 1' 7''
142 cm   199 cm   48 cm

BOIS : pin

(Coll. Ecole des Arts Appliqués, Montréal).

101. ARMOIRE, ORNÉE D'UN TIROIR, D'INSPIRATION LOUIS XV. FIN XVIIIe SIÈCLE.

Armoire à deux vantaux à panneaux chantournés d'esprit Louis XV. Les tiroirs et moulures de la base sont d'inspiration Louis XIII. Montants robustes ornés de caissons. Corniche saillante. Déséquilibre des panneaux et de la base; traverses inférieures massives. Les anneaux à pétales, les fiches et entrées de serrure sont d'époque. Meuble aux proportions singulières, mais intéressant. Fin XVIIIe siècle.

L. 4' 5⅝''   H. 7' 7¾''   P. 1' 9⅜''
136 cm   233 cm   54 cm

BOIS : pin   PROVENANCE : région de Québec

(Coll. Mlle Barbara Richardson, Sainte-Agathe des Monts, Qué.).

102. ARMOIRE A MULTIPLES PANNEAUX. XIXe SIÈCLE.

Armoire à deux vantaux ornés de vingt-deux panneaux de différentes grandeurs. Montants cannelés, bandeaux de la corniche ondulés. Soubassement en console, d'influence anglaise. XIXe siècle.

L. 4' 9''   H. 6' 9¼''   P. 1' 6''
145 cm   207 cm   46 cm

BOIS : pin   PROVENANCE : région de Sherbrooke

(Coll. M. et Mme Eric Reford, Magog, Qué.).

ARMOIRE A POINTES DE DIAMANT MULTIFORMES. COULEURS D'ORIGINE. MILIEU XVIIIe SIÈCLE.

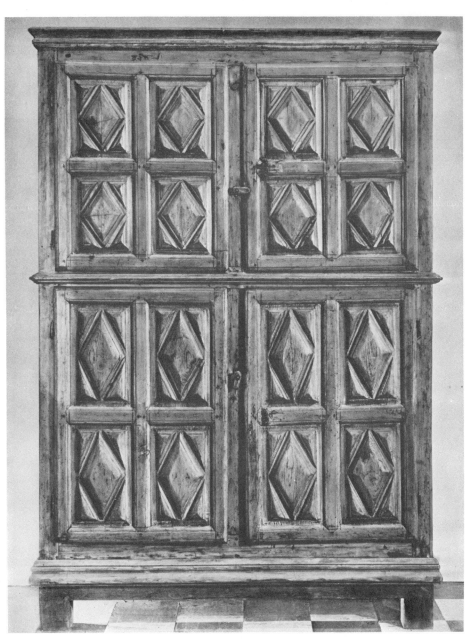

24. ARMOIRE « A L'ANCIENNE », D'ESPRIT LOUIS XIII. FIN XVIIᵉ S.
ARMOIRE " A L'ANCIENNE ", IN THE LOUIS XIII MANNER.   LATE
17th C.

25-26. DÉTAIL.
DETAIL.

27. ARMOIRE, ORNÉE DE MULTIPLES SPIRALES ET DE CO-
QUILLES. FIN XVIIIᵉ S.
TWO-DOOR ARMOIRE, CARVED WITH MULTIPLE SPIRALS
AND SHELLS. LATE 18th C.

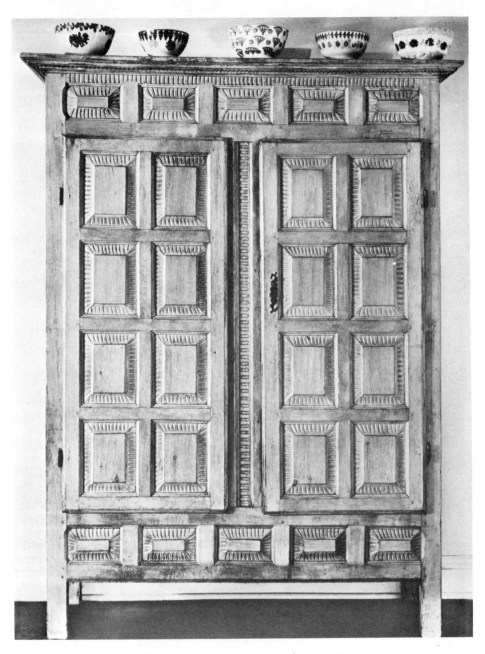

28. ARMOIRE A MULTIPLES PANNEAUX, D'ESPRIT ADAM.
FIN XVIIIe S.
ARMOIRE, WITH MULTIPLE PANELS, IN THE ADAM STYLE.
LATE 18th C.

29. ARMOIRE DE LA RIVIÈRE OUELLE, A MULTIPLES
DÉCORS. FIN XVIIIᵉ S.
ARMOIRE FROM RIVIÈRE OUELLE, CARVED WITH VARIOUS
MOTIFS. LATE 18th C.

30-31. DÉTAIL.
DETAIL.

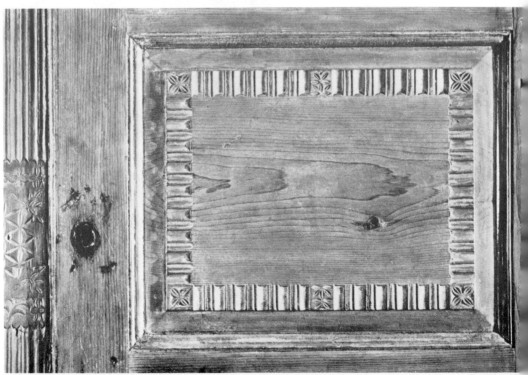

32. ARMOIRE, D'INSPIRATION LOUIS XVI ET ADAM. FIN
XVIIIᵉ S.
ARMOIRE, DERIVING FROM THE LOUIS XVI AND ADAM
STYLES.   LATE 18th C.

33. DÉTAIL.
DETAIL.

34. PETITE ARMOIRE RUSTIQUE A UN VAN-
TAIL. FIN XVIIIe S.
SMALL RUSTIC ARMOIRE, WITH ONE DOOR.
LATE 18th C.

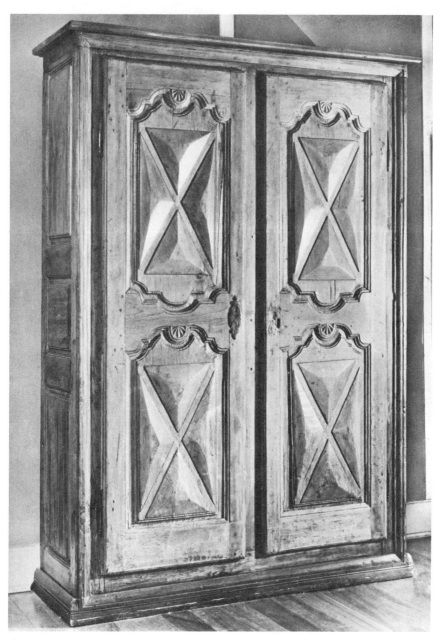

35. ARMOIRE DE TRANSITION, D'INSPIRATION LOUIS XIII
ET LOUIS XV. MILIEU XVIIIe S.
ARMOIRE, WITH MOTIFS DERIVING FROM BOTH LOUIS XIII
AND LOUIS XV STYLES. MID 18th C.

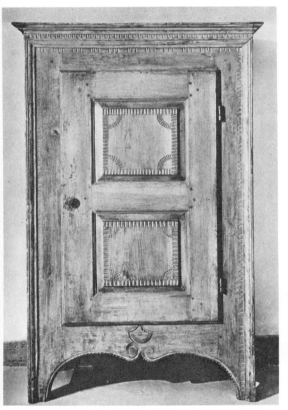

36. PETITE ARMOIRE RUSTIQUE A UN VANTAIL. DÉBUT
XIXe S.
SMALL RUSTIC ARMOIRE, WITH ONE DOOR. EARLY
19th C.

37. PETITE ARMOIRE RUSTIQUE, D'INSPIRATION ADAM.
DÉBUT XIXe S.
SMALL RUSTIC ARMOIRE, DERIVED FROM THE ADAM STYLE.
EARLY 19th C.

38. ARMOIRE DE BERTHIER-EN-HAUT, D'INSPIRATION
LOUIS XV ET LOUIS XVI. FIN XVIIIe S.
ARMOIRE FROM BERTHIER-EN-HAUT, IN THE LOUIS XV
AND LOUIS XVI STYLES. LATE 18th C.

39. ARMOIRE DÉCORÉE DE DISQUES OU DE « GALETTES ».
MILIEU XVIIIᵉ S.
ARMOIRE, CARVED WITH DISCS OR "GALETTES". MID
18th C.

40. ARMOIRE A POINTES DE DIAMANT, D'ESPRIT LOUIS XIII.
MILIEU XVIIIᵉ S.
ARMOIRE, CARVED WITH DIAMOND-POINTS, IN LOUIS XIII
STYLE. MID 18th C.

41. PETITE ARMOIRE A POINTES DE DIAMANT, D'ESPRIT LOUIS XIII. MILIEU XVIIIᵉ S. SMALL ARMOIRE, WITH DIAMOND POINT CARVING, IN THE LOUIS XIII STYLE. MID 18th C.

42. ARMOIRE DÉCORÉE DE LOSANGES ET DE « GALETTES ». MILIEU XVIIIᵉ S.
TWO-DOOR ARMOIRE, DECORATED WITH LOZENGES AND DISCS OR " GALETTES ". MID 18th C.

43. ARMOIRE A POINTES DE DIAMANT, D'ESPRIT LOUIS
XIII. FIN XVIIIe S.
ARMOIRE, CARVED WITH DIAMOND POINTS, IN THE LOUIS
XIII MANNER. LATE 18th C.

44. ARMOIRE A LOSANGES, A CORNICHE ORNÉE
DE DEUX TIROIRS. DÉBUT XIXe S.
ARMOIRE, CARVED WITH LOZENGES, WITH TWO
DRAWERS IN THE CORNICE. EARLY 19th C.

45. ARMOIRE A LOSANGES, D'INFLUEN-
CE HAUTE-BRETAGNE. XVIIIe S.
ARMOIRE, CARVED WITH LOZENGES,
UNDER HAUTE-BRETAGNE INFLUENCE.
18th C.

46. ARMOIRE A POINTES DE DIAMANT
ORNÉES DE DESSINS GÉOMÉTRIQUES.
XVIIIe S.
ARMOIRE, CARVED WITH DIAMOND
POINTS DECORATED WITH GEOMETRIC
DESIGNS. 18th C.

47. ARMOIRE DE TRANSITION, A POIN-
TES DE DIAMANT. MILIEU XVIIIᵉ S.
TRANSITIONAL ARMOIRE, WITH DIA-
MOND-POINT CARVING. MID 18th C.

48. DÉTAIL.
DETAIL.

49. ARMOIRE DE TRANSITION, A LOSANGES. FIN XVIIIe S.
TRANSITIONAL ARMOIRE, CARVED WITH LOZENGES. LATE 18th C.

50. ARMOIRE ORNÉE DE PLIS DE SERVIETTE SIMPLIFIES. FIN XVIIe S.
ARMOIRE, WITH SIMPLIFIED LINEN-FOLD ORNAMENTATION. LATE 17th C.

51. ARMOIRE RUSTIQUE, A DÉCOR DE STRIES. DÉBUT XIXᵉ S.
RUSTIC ARMOIRE, WITH REEDED DESIGNS.   EARLY 19th C.

52. ARMOIRETTE RUSTIQUE A UN VANTAIL. FIN XVIIIᵉ S. RUSTIC ARMOIRETTE, WITH ONE DOOR. LATE 18th C.

53. ARMOIRETTE D'ENFANT A DEUX VANTAUX. FIN XVIIIᵉ S. CHILD'S ARMOIRETTE, WITH TWO DOORS. LATE 18th C.

54. ARMOIRETTE A UN VANTAIL. MILIEU XVIIIᵉ S. ARMOIRETTE, WITH ONE DOOR. MID 18th C.

55. ARMOIRETTE A DEUX VANTAUX. MILIEU XVIIIᵉ S. ARMOIRETTE, WITH TWO DOORS. MID 18th C.

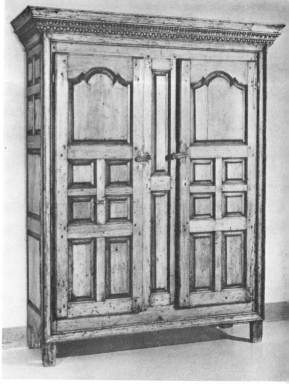

56. ARMOIRE RUSTIQUE A DEUX PORTES. MILIEU XVIIIᵉ S.
RUSTIC ARMOIRE, WITH TWO DOORS. MID 18th C.

57. ARMOIRE A MULTIPLES PANNEAUX, D'INFLUENCE
LOUIS XIII ET LOUIS XV. FIN XVIIIᵉ S.
MULTI-PANELLED ARMOIRE, UNDER LOUIS XIII AND
LOUIS XV INFLUENCE. LATE 18th C.

58. ARMOIRE A DEUX PORTES CINTRÉES, D'ESPRIT
LOUIS XIV. MILIEU XVIIIᵉ S.
ARMOIRE WITH ARCHED DOORS, IN THE LOUIS XIV
MANNER. MID 18th C.

59. ARMOIRE GALBEE DE SAINT-LOUIS, MISSOURI
D'ESPRIT LOUIS XIV. FIN XVIIIᵉ S.
SERPENTINE-SHAPED ARMOIRE, FROM ST LOUIS
MISSOURI, IN THE LOUIS XIV MANNER. LATE 18th C

60. ARMOIRE A DÉCORS RUSTIQUES. FIN XVIIIe S.
ARMOIRE, DECORATED IN A RUSTIC MANNER.
LATE 18th C.

61. PETITE ARMOIRE RUSTIQUE A MULTIPLES SPI-
RALES. FIN XVIIIe S.
SMALL RUSTIC ARMOIRE, CARVED WITH MULTIPLE
SPIRALS. LATE 18th C.

62. ARMOIRE ORNÉE DE RINCEAUX, D'ESPRIT LOUIS XV.
FIN XVIIIᵉ S.
ARMOIRE, DECORATED WITH FOLIATED SCROLLS, IN THE
LOUIS XV MANNER. LATE 18th C.

63. ARMOIRE CANADIENNE « A LA BOURGUIGNONNE ».
FIN XVIIIᵉ OU DÉBUT XIXᵉ S.
CANADIAN ARMOIRE " A LA BOURGUIGNONNE ". LATE
18th OR EARLY 19th C.

64. ARMOIRE DÉCORÉE DE MOTIFS FLORAUX. FIN XVIIIe S.
ARMOIRE, CARVED WITH FLORAL MOTIFS.   LATE 18th C.

65-66. DÉTAIL.
DETAIL.

67. ARMOIRE EXCEPTIONNELLE DE BATISCAN. FIN XVIIIᵉ S.
UNUSUAL ARMOIRE, FROM BATISCAN.   LATE 18th C.

68. PETITE ARMOIRE RUSTIQUE A UN VANTAIL CINTRÉ. FIN XVIIIᵉ S.
SMALL RUSTIC ARMOIRE, WITH ONE ARCHED DOOR. LATE 18th C.

69. PETITE ARMOIRE RUSTIQUE A UN VANTAIL. FIN XVIIIᵉ S.
SMALL RUSTIC ARMOIRE, WITH ONE DOOR. LATE 18th C.

70. PETITE ARMOIRE GALBÉE A UN VANTAIL, D'ESPRIT LOUIS XV.
FIN XVIIIᵉ S.
SMALL SERPENTINE-SHAPED ARMOIRE WITH ONE **DOOR**, IN THE
LOUIS XV MANNER. LATE 18th C.

71. PETITE ARMOIRE GALBÉE A UN VANTAIL. FIN XVIIIᵉ S.
SMALL SERPENTINE-SHAPED ARMOIRE, WITH ONE DOOR. LATE
18th C.

72. ARMOIRE RUSTIQUE, D'ESPRIT LOUIS XV. FIN XVIIIe S.
RUSTIC ARMOIRE, IN THE LOUIS XV MANNER. LATE 18th c.

73. ARMOIRE RUSTIQUE DE LONGUEUIL. FIN XVIIIe S.
RUSTIC ARMOIRE, FROM LONGUEUIL. LATE 18th c.

74-75. DÉTAIL.
DETAIL.

76. ARMOIRE DÉCORÉE DE DESSINS GÉOMÉTRIQUES. DÉBUT XIXᵉ S.
TWO-DOOR ARMOIRE, PROFUSELY DECORATED WITH GEOMETRIC DESIGNS. EARLY 19th C.

77. PETITE ARMOIRE A TIROIRS ORNÉS DE LOSANGES. FIN XVIIIᵉ S.
SMALL ARMOIRE, CARVED WITH LOZENGES ON THE DRAWERS. LATE 18th C.

78. ARMOIRE DÉCORÉE DE MULTIPLES SPIRALES, D'ESPRIT LOUIS XV. FIN XVIIIᵉ S.
ARMOIRE, CARVED WITH MULTIPLE SPIRALS, IN THE LOUIS XV MANNER. LATE 18th C.

79. PETITE ARMOIRE, D'ESPRIT LOUIS XIII ET LOUIS XV. MILIEU XVIIIᵉ S.
SMALL ARMOIRE, IN THE LOUIS XIII AND LOUIS XV MANNERS. MID 18th c.

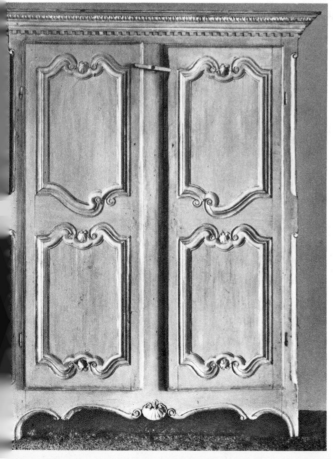

80. ARMOIRE D'ESPRIT LOUIS XV. FIN XVIIIᵉ S.
ARMOIRE, IN THE LOUIS XV MANNER. LATE 18th c.

81-82. DÉTAIL.
DETAIL.

83. ARMOIRE TRÈS ORNEMENTÉE. FIN XVIIIᵉ S.
RICHLY DECORATED ARMOIRE.   LATE 18th C.

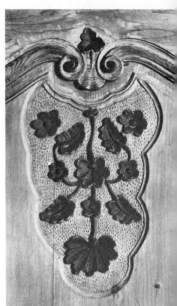

85. ARMOIRE A PANNEAUX ORNÉS DE RINCE
FIN XVIIIᵉ S.
ARMOIRE, WITH PANELS DECORATED
FOLIATED SCROLLS. LATE 18th C.

...ÉTAIL.
...AIL.

...RMOIRE A DÉCOR DE ROCAILLE. FIN
...S.
...RE, DECORATED WITH APPLIQUÉ " RO-
... ". LATE 18th c.

88. PETITE ARMOIRE RUSTIQUE LÉGÈREMENT
TRÉE. MILIEU XVIIIe S.
SMALL RUSTIC ARMOIRE, WITH A SHALLOW BOW FR
MID 18th C.

89. ARMOIRE A PANNEAUX
D'INSPIRATION FLAMANDE. FIN
XVIIIe S.
ARMOIRE, WITH PANELS IN THE
FLEMISH MANNER. LATE 18th C.

90. ARMOIRE DÉCORÉE DE RINCEAUX, DE SAINT-HILAIRE.
FIN XVIIIᵉ S.
ARMOIRE, DECORATED WITH FOLIATED SCROLLS, FROM
ST HILAIRE.   LATE 18th C.

91. ARMOIRE ORNÉE DE RINCEAUX, DE L'ASSOMPTION.
FIN XVIIIe S.
ARMOIRE, CARVED WITH FOLIATED SCROLLS, FROM
L'ASSOMPTION. LATE 18th C.

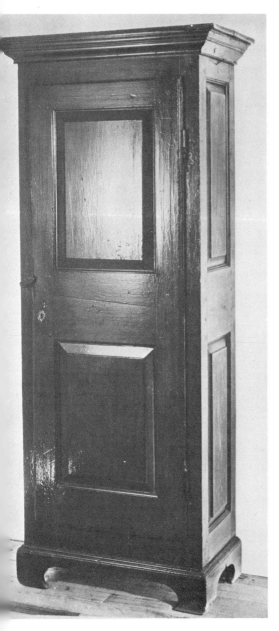

92. BONNETIÈRE AYANT APPARTENU A MADAME D'YOU-
VILLE. FIN XVIIIᵉ S.
BONNETIÈRE, FORMERLY IN THE POSSESSION OF MADAME
D'YOUVILLE. LATE 18th C.

93. BONNETIÈRE OU GARDE-ROBE A DÉCOR RENAIS-
SANCE. XIXᵉ S.
BONNETIÈRE OR WARDROBE, DECORATED WITH RENAIS-
SANCE MOTIFS. 19th C.

94. ARMOIRE A DEUX PORTES, INSPIRÉE DU STYLE ADAM.
FIN XVIIIᵉ S.
ARMOIRE, IN THE ADAM MANNER. LATE 18th C.

96 ARMOIRE DÉCORÉE DE COQUILLES
ET DE SPIRALES. FIN XVIIIe S.
ARMOIRE, DECORATED WITH SHELLS
AND SPIRALS. LATE 18th C.

97. ARMOIRE A PANNEAUX CHANTOURNÉS, D'ESPRIT
LOUIS XV. FIN XVIIIᵉ S.
ARMOIRE WITH SHAPED PANELS, IN THE LOUIS XV
MANNER. LATE 18th C.

98. ARMOIRE DE SAINT-MARC-SUR-RICHELIEU. FIN XVIIIe S.
ARMOIRE, FROM ST-MARC-SUR-RICHELIEU.   LATE 18th C.

99. ARMOIRE ORNÉE DE MARQUETERIE ET DE MOTIFS
ROCAILLE. DÉBUT XIXᵉ S.
ARMOIRE, IN THE "ROCAILLE" MANNER, DECORATED
WITH MARQUETRY.   EARLY 19th C.

100. ARMOIRE, D'INSPIRATION ADAM ET LOUIS XVI.
DÉBUT XIXᵉ S.
ARMOIRE, IN THE ADAM AND LOUIS XVI MANNERS.
EARLY 19th C.

101. ARMOIRE, ORNÉE D'UN TIROIR, D'INSPIRATION
LOUIS XV. FIN XVIIIᵉ S.
ARMOIRE, WITH DRAWER, IN THE LOUIS XV MANNER.
LATE 18th C.

102. ARMOIRE A MULTIPLES PANNEAUX. XIXᵉ S.
MULTI-PANELLED ARMOIRE.   19th C.

ARMOIRE A PANNEAUX SUPÉRIEURS CHANTOURNÉS. COULEURS D'ORIGINE. FIN XVIIIᵉ SIÈCLE.

BUFFETS DEUX-CORPS

Au XVIIe et au XVIIIe siècle, le buffet deux-corps est très répandu. On le signale dans les inventaires sous les noms suivants : *paire d'armoires, armoires, buffets :* « Une paire d'armoires de bois de Noyer du pais a deux Corps avec deux Tiroirs & quatre portes fermant a Clef Estime a la somme de 80 L » [1], ou encore : « Une armoire de Bois de pin en deut Corps ouvrant à quatre panneaux avec quatre tablettes garnie la ditte armoire de fer Clefs et Serrures laquelle a six pieds de hault sur Quatre pieds ou environ de long prisee et Estimée à la Somme de dix Livres » [2], et enfin : « Deux buffets ajustez l'un sur l'autre » [3].

Ce sont des meubles à deux corps superposés et fabriqués en bois de merisier, de pin ou de noyer tendre.

Très peu de ces grands meubles ont été conservés. Leurs vantaux ont un double encadrement de moulures saillantes et les panneaux sont ornés de losanges minces, précurseurs des pointes de diamant. Parfois, la corniche, toujours très saillante et fort moulurée, est agrémentée d'un fronton dans l'esprit de la Renaissance italienne.

Le buffet deux-corps est une des plus belles pièces que nous aient laissées le XVIIe et le début du XVIIIe siècle. Il s'apparente au meuble français traditionnel de la même famille, et n'en diffère que par certains détails. Ce meuble avait de nombreuses fonctions : il servait à ranger le linge, la vaiselle, etc. Voici la description d'un buffet deux-corps et de son contenu dans l'inventaire des biens de Jeanne Mance, à Montréal en 1673 : « Ung Buffet de bois de Merisier d'Assemblage, a quatre guichets, a deux tiroirs ferment a deux clefs, et Iceluy ouvert avec Les clefs, qui nous ont esté baillées par lad[e] Demoiselle Dupuy et led Bailly, avons trouvé les choses cy apres.

Premièrement. Dix paires de draps de Toile de brin tels quels.
Item, Vingt six chemises, Neufves et Vielles
Item, Une Tavoyelle de point Couppé, telle quelle
Item, Six dousaines Serviettes ouvrées & huict Serviettes de lin
Item, huict Nappes de grosse Toile
Item, Trois grandes nappes ouvrées
Item, Une Camisolle de Bazin
Item, dans les guichets d'en haut dud Buffet, quatre Sallieres, Une esguiere, quatre assiette, Une Cueillere a pot et deux flambeaux, et Un pied d'Un aut[e]. Flambeau le tout destin, *Item* dans Une Serviette, environ Une livre et demye de Cassonade, *Item*, dans Un petit Sac de Toile environ demye Livre d'amidon, Une livre & demye ris et environ demye livre de poivre en grain dans les boistes de bois ».

Dans la plupart des maisons rurales, le buffet deux-corps était placé dans la salle commune.

---

103. BUFFET DEUX-CORPS A LOSANGES, D'INSPIRATION RENAISSANCE. FIN XVIIe SIÈCLE.

Buffet deux-corps à deux tiroirs et quatre portes à doubles moulures saillantes, ornées de losanges. Panneaux latéraux carrés. Pieds en toupies écrasées. La moulure de la base manque. Anneaux, fiches, entrées de serrure d'époque. Ces buffets deux-corps à losanges étaient fort répandus au XVIIe siècle. Celui-ci ressemble au n° 104 mais avec quelques petites variantes. Fin XVIIe siècle.

L. 5' 4''	H. 7' ½''	P. 2' ½''
163 cm	215 cm	62 cm
4' 10½''		1' 9¾''
149 cm		54 cm

BOIS : merisier

PROVENANCE : Hôpital-Général de Québec.

(Coll. Detroit Institute of Arts, Détroit, Mich. Etats-Unis).

---

(1) A J M, A P Q. — Inventaire des biens de la Com[te] du s[r] Martel & boucher sa femme 3e & 4 may 1703. Greffe Adhémar.

(2) A J Q, A P Q. — Inventaire de Feue Damoiselle Pinault, Québec 1746.

(3) A J M, I O A. — Inventaire et Description des Effets de la Communauté dentre Joseph Duquet d. Desrochers et Deffunte françoise bourdeaux sa seconde femme, 22e février 1754, Montréal. Greffe Desmarest.

104. BUFFET DEUX-CORPS A LOSANGES, D'INSPIRATION RENAISSANCE. FIN XVIIe SIÈCLE.

Buffet deux-corps à deux tiroirs. Les quatre portes, à doubles encadrements de moulures, sont ornées de losanges. Panneaux latéraux à croisillons; corniche saillante décorée de denticules. Anneaux et fiches d'époque; les taquets de bois furent ajoutés plus tard pour remplacer les serrures; moulure de la base absente. Meuble robuste et massif, de tradition Renaissance italienne et d'esprit Louis XIII. C'est le plus ancien de nos buffets deux-corps; il précéda l'armoire. Se rappeler que les losanges sont précurseurs des pointes de diamant. Fin XVIIe siècle.

L. 4' 7½''	H. 6' 4''	P. 1' 10¼''
141 cm	193 cm	56 cm
4' 3¼''		1' 8''
130 cm		51 cm

BOIS : merisier PROVENANCE : Yamachiche, Qué.
(Coll. Canada Steamship Lines, Tadoussac, Qué.).

105. BUFFET A DEUX CORPS APPARENTS, MAIS BATI D'UNE SEULE PIÈCE, D'ESPRIT LOUIS XIII. DÉBUT XVIIIe SIÈCLE.

Buffet à deux corps apparents mais fabriqué tout d'une pièce, comme une armoire, alors qu'il aurait dû être exécuté en deux parties. Ce meuble est orné de deux tiroirs et de quatre portes à doubles moulures saillantes, garnies d'une bande ondulée. Les panneaux du corps supérieur sont décorés de losanges et ceux du corps inférieur de croix de Saint-André (pointes de gâteaux). La corniche proéminente est aussi garnie d'une bande ondulée. Noter les montants très robustes de ce meuble. Anneaux, fiches, entrées de serrure d'époque. Taquet ajouté. Début XVIIIe siècle.

| L. 4' 7½'' | H. 6' 7'' | P. 2' |
| 141 cm | 201 cm | 61 cm |

BOIS : merisier PROVENANCE : Baie Saint-Paul, Qué.
(Coll. Musée des Beaux-Arts, Montréal).

106. BUFFET DEUX-CORPS ORNÉ DE POINTES DE DIAMANT. DÉBUT XVIIIe SIÈCLE.

Buffet deux-corps, à deux tiroirs et quatre portes à doubles moulures dont les panneaux sont ornés de pointes de diamant. Petits panneaux rectangulaires décorés d'une bande ondulée comme dans le buffet deux-corps précédent, probablement fabriqué par le même artisan. Il est à noter que ces deux meubles proviennent du même endroit et que le corps supérieur de celui-ci devrait être en retrait puisqu'il n'est pas relié au corps inférieur comme dans le meuble no 105. Corniche très saillante, typique de certaines armoires canadiennes. Ce buffet d'esprit Louis XIII est postérieur au buffet à losanges, les pointes de diamant en relief ayant apparu au début du XVIIIe siècle. Les moulures latérales qui ceinturent le corps inférieur, sous les tiroirs, manquent. Anneaux, entrées de serrure en forme de flamme et fiches d'époque. Début XVIIIe siècle.

| L. 4' 2⅝'' | H. 6' 8¾'' | P. 1' 9'' |
| 129 cm | 206 cm | 54 cm |

BOIS : merisier PROVENANCE : Baie Saint-Paul, Qué.
(Coll. M. Jean Dubuc, Québec).

107. BUFFET DEUX-CORPS A FRONTON BRISÉ, D'INSPIRATION RENAISSANCE. FIN XVIIe - DÉBUT XVIIIe SIÈCLE.

Buffet deux-corps à deux tiroirs dans le corps inférieur et quatre portes aux doubles moulures saillantes et ornées de losanges (amorce timide de pointes de diamant) dans les panneaux du corps supérieur. Le fronton brisé au-dessus de la corniche est nettement d'inspiration Renaissance. Anneaux, entrées de serrure et fiches d'époque. Buffet deux-corps robuste et bien proportionné. Fin XVIIe début XVIIIe siècle.

L. 4' 2⅜''	H. 6' 10⅜''	P. 1' 8''
128 cm	209 cm	51 cm
3' 8⅝''		1' 5''
113 cm		43 cm

BOIS : noyer tendre; MOULURES DES TIROIRS : pin
PROVENANCE : Saint-Nicolas, Qué.

(Coll. M. et Mme Cleveland Morgan, Senneville, Qué.).

108. BUFFET DEUX-CORPS A FRONTON BRISÉ, D'ESPRIT RENAISSANCE ET LOUIS XIII. DÉBUT XVIIIe SIÈCLE.

Buffet deux-corps. Fronton brisé d'esprit Renaissance et Louis XIII, à deux tiroirs et quatre portes ornées de doubles moulures et de panneaux à pointes de diamant. Les deux grands panneaux latéraux sont à losanges. Anneaux et fiches d'époque. Meuble bien proportionné. Début XVIIIe siècle.

L. 4' 8''	H. 7' 1''	P. 1' 10¼''
142 cm	216 cm	57 cm
4' 3''		1' 8½''
130 cm		52 cm

BOIS : pin PROVENANCE : Deschambeault, Qué.
(Coll. Musée des Beaux-Arts, Montréal).

109. ARMOIRE IMITANT UN BUFFET DEUX-CORPS. FIN XVIIIe SIÈCLE.

Armoire à deux tiroirs et quatre vantaux dont les panneaux sont chantournés, d'inspiration Louis XV. Frises rectangulaires guillochées à la traverse supérieure. Les pieds manquent. Fiches, targettes et boutons de fer forgé d'époque. Intéressante à cause de la curieuse combinaison des chantournements. Panneaux supérieurs d'inspiration Queen Anne. Fin XVIIIe siècle.

| L. 4' 4¾'' | H. 6' 3¼'' | P. 1' 8'' |
| 134 cm | 191 cm | 51 cm |

BOIS : pin
PROVENANCE : Saint-Rémi de Napierville, Qué.

(Coll. Mme Richard R. Costello, Sainte-Agathe des Monts, Qué.).

110. BUFFET TROIS-CORPS. DÉBUT XVIIIe SIÈCLE.

Buffet trois-corps orné de deux tiroirs et de six portes à panneaux simples. Le corps supérieur constitue probablement un ajout plus tardif. Anneaux, fiches et entrées de serrure d'époque. Buffet rustique aux lignes simples. Début XVIIIe siècle.

L. 4' 1⅜''   H.7' 4¾''   P. 1' 8¼''
125 cm   225 cm   52 cm
3' 8⅝''   1' 6½''
113 cm   47 cm
3' 5''   1' 4¾''
104 cm   43 cm
BOIS : pin   PROVENANCE : Batiscan, Qué.

(Coll. Canada Steamship Lines, Tadoussac, Qué.).

111. BUFFET DEUX-CORPS A FRONTON CINTRÉ ET A DÉCORATION FRUITIÈRE. FIN XVIIIe SIÈCLE.

Buffet deux-corps. Fronton cintré, deux tiroirs et quatre portes ornées de panneaux chantournés. Deux de ces panneaux sont décorés d'une corbeille de fruits. La corbeille de fruits, assez fréquente en France, est rare au Canada; voici le seul exemple que nous connaissions. Buffet de « main de métier » avec moulures multiples et bien ouvrées. Se rapproche du buffet suivant, provenant de la même région. La corbeille est ornée d'un cœur, ce qui en ferait probablement une armoire de mariage. Dormants moulurés, boutons de bois fixés dans un cercle creusé à la gouge, comme dans le meuble précédent. Fiches et entrées de serrure d'époque. Très beau buffet deux-corps canadien. Fin XVIIIe siècle.

L. 4' 9''   H. 8' 3''   P. 2' 1''
145 cm   251 cm   64 cm
5'
152 cm
BOIS : pin   PROVENANCE : Lotbinière, Qué.

(Coll. Musée des Beaux-Arts, Montréal).

112. BUFFET DEUX-CORPS, D'ESPRIT LOUIS XV. FIN XVIIIe SIÈCLE.

Buffet deux-corps, orné de deux tiroirs et de quatre portes à panneaux chantournés et décorés d'une couronne et d'une rosette. Panneaux latéraux à losanges creusés à la gouge et renfermant un cercle. Dormants moulurés. Boutons de bois des tiroirs, fiches et entrées de serrure d'époque. Pieds et traverses inférieures restaurés. Corniche à denticules. A l'intérieur d'une porte, inscription gravée : « I. FÉRÉ », nom d'une famille ayant vécu à Sainte-Croix de Lotbinière vers la fin du XVIIIe siècle, dont un notaire et un menuisier nommé Jean-Baptiste. Meuble régional intéressant. Fin XVIIIe siècle.

L. 4' 8''   H. 7' 7¾''   P. 1' 9½''
142 cm   233 cm   55 cm
BOIS : pin; MONTANTS : cormier (maskobina)
PROVENANCE : Sainte-Croix de Lotbinière, Qué.

(Coll. de l'auteur, Montréal).

113. BUFFET DEUX-CORPS A FRONTON CINTRÉ, ORNÉ DE MOTIFS FLORAUX, D'ESPRIT LOUIS XV. FIN XVIIIe S.

Buffet deux-corps à fronton cintré, et quatre portes à panneaux chantournés, dont deux sont décorés de motifs floraux. Les dormants et la traverse supérieure du corps inférieur sont aussi décorés de rinceaux (crossettes entremêlées de feuillage). Le cintre des portes et le chantournement des panneaux sont beaucoup plus inspirés du style Louis XIV que du style Louis XV, quoique le fronton soit indubitablement Louis XV. Ce buffet deux-corps a certaines similitudes avec le précédent, le n° 112. Fiches et entrées de serrure d'époque. Fin XVIIIe siècle.

L. 5' 7''   H. 7' 8''   P. 2' 1¼''
172 cm   234 cm   64 cm
                          1' 7¼''
                          49 cm
BOIS : pin   PROVENANCE : Quebec

(Coll. M. et Mme Leslie W. Haslett, Sainte-Marguerite, Qué.).

114. BUFFET DEUX-CORPS, D'ESPRIT LOUIS XV. FIN XVIIIe SIÈCLE.

Buffet deux-corps à quatre portes dont le chantournement des panneaux est classique et d'esprit Louis XV. Panneaux latéraux et ceinture chantournés. Pieds à doubles volutes. Le retrait du corps supérieur est plus accentué qu'il ne l'est ordinairement dans ce genre de meuble. Corniche bien française, aux angles arrondis. Fiches et entrées de serrure d'époque. Meuble traditionnel raffiné. Peint en blanc. Fin XVIIIe siècle.

L. 4' 3''   H. 6' 4''   P. 1' 9½''
130 cm   193 cm   55 cm
3' 3½''   1' 4''
100 cm   41 cm
BOIS : pin
PROVENANCE : Saint-Pascal de Kamouraska, Qué.

(Coll. Musée des Beaux-Arts, Montréal).

115. BUFFET DEUX-CORPS, D'ESPRIT LOUIS XV, MAIS BAROQUE. FIN XVIIIe SIÈCLE.

Buffet deux-corps, à quatre portes dont les panneaux chantournés sont ornés de rinceaux, de guirlandes et de spirales. Les portes du corps supérieur sont cintrées. La corniche et le piètement sont d'inspiration baroque Chippendale. Ils se rapprochent également du baroque hollandais. Ce meuble « rococo canadien » portant la trace de multiples influences provient de la sacristie de l'ancienne église des Trois-Rivières. Couleur vert foncé et feuille d'or. Fin XVIIIe siècle.

L. 4' 8¼''   H. 8' 2¼''   P. 2' 1''
143 cm   250 cm   64 cm
BOIS : noyer tendre
PROVENANCE : Trois-Rivières, Qué.

(Coll. Château de Ramezay, Montréal).

116. BUFFET DEUX-CORPS VENTRU, D'ESPRIT BAROQUE, DIT DE FRANÇOIS BAILLAIRGÉ. FIN XVIIIe SIÈCLE.

Buffet deux-corps, ventru, d'esprit baroque. Le corps inférieur est orné de deux portes, de deux tiroirs et d'une table à écrire soutenue par des tirettes et garnie de feutre. Le corps supérieur à deux portes est orné de six panneaux galbés et d'une corniche chantournée de style baroque. Les panneaux latéraux, également chantournés, ne sont pas galbés, sauf ceux du corps inférieur. Ce buffet rappelle les buffets de forme tombeau des styles hollandais et autrichiens. Propriété de la famille Baillairgé, jusqu'à ces dernières années, ce meuble aurait été exécuté à Québec par François Baillairgé, célèbre menuisier-sculpteur de la fin du XVIIIe et du début du XIXe siècle. Je crois que François Baillairgé se serait inspiré du dessin d'un buffet deux-corps hollandais ou autrichien de style baroque. Rare exemple d'un meuble baroque fabriqué au Canada. Fin XVIIIe siècle.

L. 4' 6½''	H. 6' 8¾''	P. 1' 11¼''
138 cm	204 cm	59 cm
3' 11½''		1' 9''
121 cm		53 cm

BOIS : noyer tendre   PROVENANCE : Les Cèdres, Qué.

(Coll. M. et Mme J.W. McConnell, Dorval, Qué.).

117. BUFFET DEUX-CORPS GALBÉ, D'INSPIRATION LOUIS XV. XVIIIe SIÈCLE.

Buffet deux-corps galbé, d'inspiration Louis XV. Les quatre portes sont ornées de panneaux chantournés avec spirales. La traverse inférieure chantournée est également décorée de spirales et d'une belle coquille centrale. Panneaux latéraux galbés. Ce buffet deux-corps proviendrait, selon certains témoignages, de l'ancien presbytère de la cathédrale de Québec. Entrées de serrure et fiches d'époque. Un des plus beaux buffets deux-corps canadiens, inspiré des meubles français de la même famille. Fin XVIIIe siècle.

L. 4'	H. 8' 11⅝''	P. 1' 6½''
122 cm	273 cm	47 cm
4' 4½''		1' 2⅝''
133 cm		37 cm

BOIS : pin   PROVENANCE : Québec

(Coll. M. et Mme J.W. McConnell, Montréal).

118. DÉTAIL.

119. BUFFET DEUX-CORPS, D'INSPIRATION LOUIS XIV. MILIEU XVIIIe SIÈCLE.

Buffet deux-corps à quatre portes. Celles du corps supérieur, cintrées, sont d'inspiration Louis XIV. Chantournement des panneaux et de la traverse inférieure d'inspiration Louis XV. Milieu XVIIIe siècle.

L. 4' 5''	H. 6' 8½''	P. 1' 9''
135 cm	204 cm	53 cm
		1' 3¾''
		40 cm

BOIS : pin   PROVENANCE : région de Québec

(Coll. Donnacona Paper Company Ltd. Prêté au Musée de la Province, Québec).

120. BUFFET DEUX-CORPS, D'ESPRIT LOUIS XV. DÉBUT XIXe SIÈCLE.

Buffet deux-corps à quatre portes. Deux d'entre elles sont cintrées, toutes sont ornées de panneaux et d'une traverse inférieure chantournée, d'esprit Louis XV. Corniche à denticules. Charnières d'époque. Traverse inférieure mutilée. Début XIXe siècle.

L. 4'	H. 7' 1''	P. 1' 8''
122 cm	216 cm	51 cm
3' 7''		1' 10''
109 cm		56 cm

BOIS : pin   PROVENANCE : Rivière Ouelle, Qué.

(Coll. Canada Steamship Lines, Tadoussac, Qué.).

121. BUFFET DEUX-CORPS-VAISSELIER. XVIIIe SIÈCLE.

Buffet deux-corps-vaisselier à quatre portes aux panneaux chantournés, d'esprit Louis XV. Le corps supérieur, peu profond, servait à ranger la vaisselle. Ferrures d'époque. Corniche mutilée, pieds coupés. Il existe plusieurs buffets deux-corps-vaisseliers ornés de portes dans le corps supérieur. XVIIIe siècle.

L. 4' 5½''	H. 7' ¾''	P. 1' 5¾''
136 cm	216 cm	45 cm
		8¼''
		21 cm

BOIS : pin

(Coll. Musée de la Province, Québec).

122. BUFFET DEUX-CORPS DÉCORÉ DE FEUILLAGE, D'ESPRIT ADAM. DÉBUT XIXe SIÈCLE.

Buffet deux-corps à quatre portes. Celles du corps inférieur sont ornées d'arbustes avec feuillage. Montants à cannelures, de style Adam. Soubassement en console décoré de dessins géométriques. La base du dormant du corps supérieur est décorée d'une petite corbeille contenant une plante. Les montants et la traverse supérieure sont agrémentés de rinceaux et d'éventails, d'esprit Adam. Intéressante asymétrie du décor des panneaux. Début XIXe siècle.

L. 4' 6''	H. 6' 11¾''	P. 1' 3''
137 cm	213 cm	39 cm
3' 10¾''		
117 cm		

BOIS : pin   PROVENANCE : Lachute, Qué.

(Coll. Canada Steamship Lines, Tadoussac, Qué.)

123. BUFFET DEUX-CORPS, D'INSPIRATION REGENCY. DÉBUT XIXe SIÈCLE.

Buffet deux-corps dont les panneaux sont ornés de moulures appliquées, d'esprit Regency. Soubassement en console. Charnières d'époque. Début XIXe siècle.

L. 4' ⅜''	H. 7' 1 ¼''	P. 1' 6''
122 cm	217 cm	46 cm
		1' 4''
		41 cm

BOIS : pin   PROVENANCE : Varennes, Qué.

(Coll. M. et Mme John A. Reilly, Longueuil, Qué.).

124. BUFFET DEUX-CORPS, ORNÉ DE CHEVRONS STRIÉS. DÉBUT XIXe SIÈCLE.

Buffet deux-corps à deux tiroirs et quatre portes dont les panneaux à doubles filets sont creusés à la gouge. Les montants et les dormants sont décorés de stries parallèles en forme de chevrons, inspirées de pointes de flèches indiennes. Les ornements aux angles des montants imitent des perles. Une bande ondulée, des dents de loup ainsi que des stries parallèles verticales ornent la corniche saillante. Soubassement en console. Meuble original. Début XIXe siècle.

L. 4' 3''	H. 6' 1''	P. 1' 5 ¼''
130 cm	185 cm	44 cm
3' 6''		1' 1 ¼''
107 cm		34 cm

BOIS : pin

(Coll. M. et Mme F.M. Hutchins, Pembroke, Ont.).

125. BUFFET DEUX-CORPS RUSTIQUE. DÉBUT XIXe SIÈCLE.

Buffet deux-corps rustique à quatre portes rappelant des portes de chambre, avec un soubassement en console d'une dimension colossale. Les corniches sont ornées de stries verticales parallèles et de festons. Les charnières, quoique d'époque, ne conviennent pas à ce genre de portes à battement, des fiches eussent été préférables. Les traverses et dormants massifs en font un meuble naïf et charmant à la fois. Début XIXe siècle.

L. 4' 9''	H. 6' 8 ½''	P. 1' 8''
145 cm	205 cm	51 cm
4' 4''		1' 3''
132 cm		38 cm

BOIS : pin   PROVENANCE : Ile d'Orléans, Qué.

(Coll. Canada Steamship Lines, Tadoussac, Qué.).

126. GRAND BUFFET DEUX-CORPS A MULTIPLES ORNEMENTS. DÉBUT XIXe SIÈCLE.

Grand buffet deux-corps à deux tiroirs et quatre portes à panneaux ornés de moulures appliquées. On sent dans les petits panneaux du corps inférieur un rappel de chantournement et de rinceaux Louis XV. La corniche est agrémentée de câbles et d'arabesques primitives. Des petites pointes de diamant et des fleurs stylisées encadrent les panneaux. Meuble combinant de multiples influences, mais à dominante Regency. Début XIXe siècle.

L. 6' 2''	H. 6' 5''	P. 2' 3 ¼''
188 cm	196 cm	69 cm
5' 1 ½''		1' 8''
156 cm		51 cm

BOIS : pin

PROVENANCE : Laprairie de la Madeleine, Qué.

(Coll. Musée des Beaux-Arts, Montréal).

103. BUFFET DEUX-CORPS A LOSANGES, D'INSPIRATION
RENAISSANCE. FIN XVIIe S.
TWO-TIERED BUFFET, CARVED WITH LOZENGES, OF THE
RENAISSANCE TYPE. LATE 17th C.

104. BUFFET DEUX-CORPS A LOSANGES, D'INSPIRATION
RENAISSANCE. FIN XVIIᵉ S.
TWO-TIERED BUFFET, CARVED WITH LOZENGES, OF
THE RENAISSANCE TYPE. LATE 17th C.

105. BUFFET A DEUX CORPS APPARENTS, MAIS BATI
D'UNE SEULE PIÈCE, D'ESPRIT LOUIS XIII. DÉBUT XVIIIᵉ S.
BUFFET, APPARENTLY IN TWO TIERS, BUT IN FACT CONS-
TRUCTED AS A SINGLE UNIT, IN THE LOUIS XIII MANNER.
EARLY 18th C.

106. BUFFET DEUX-CORPS ORNÉ DE POINTES DE DIA-
MANT. DÉBUT XVIIIᵉ S.
TWO-TIERED BUFFET, CARVED WITH DIAMOND POINTS.
EARLY 18th C.

107. BUFFET DEUX-CORPS A FRONTON BRISÉ, D'INSPI-
RATION RENAISSANCE. FIN XVIIe - DÉBUT XVIIIe S.
TWO-TIERED BUFFET, WITH BROKEN PEDIMENT, IN THE
RENAISSANCE TRADITION. LATE 17th-EARLY 18th C.

108. BUFFET DEUX-CORPS A FRONTON BRISÉ, D'ESPRIT
RENAISSANCE ET LOUIS XIII. DÉBUT XVIIIᵉ S.
TWO-TIERED BUFFET, WITH BROKEN PEDIMENT, IN
THE RENAISSANCE AND LOUIS XIII TRADITIONS. EARLY
18th C.

109. ARMOIRE IMITANT UN BUFFET DEUX-CORPS.
FIN XVIIIe S.
ARMOIRE, IN THE FORM OF A TWO-TIERED BUFFET.
LATE 18th C.

110. BUFFET TROIS-CORPS. DÉBUT XVIIIe S.
THREE-TIERED BUFFET.   EARLY 18th C.

111. BUFFET DEUX-CORPS A FRONTON CINTRÉ ET A
DÉCORATION FRUITIÈRE. FIN XVIIIᵉ S.
TWO-TIERED BUFFET WITH SERPENTINE PEDIMENT,
EMBELLISHED WITH FRUIT MOTIFS. LATE 18th c.

112. BUFFET DEUX-CORPS, D'ESPRIT LOUIS XV. FIN
XVIIIᵉ S.
TWO-TIERED BUFFET, IN THE LOUIS XV MANNER. LATE
18th C.

113. BUFFET DEUX-CORPS A FRONTON CINTRÉ, ORNÉ DE MOTIFS FLORAUX, D'ESPRIT LOUIS XV. FIN XVIIIe S.
TWO-TIERED BUFFET. WITH SERPENTINE PEDIMENT AND FLORAL MOTIFS, IN LOUIS XV MANNER. LATE 18th C.

114. BUFFET DEUX-CORPS, D'ESPRIT LOUIS XV. FIN XVIIIe S.
TWO-TIERED BUFFET, IN THE LOUIS XV MANNER. LATE 18th C.

115. BUFFET DEUX-CORPS, D'ESPRIT LOUIS XV, MAIS
BAROQUE. FIN XVIII⁰ S.
TWO-TIERED BUFFET, IN A SOMEWHAT BAROQUE INTER-
PRETATION OF THE LOUIS XV STYLE. LATE 18th C.

116. BUFFET DEUX-CORPS VENTRU, D'ESPRIT BAROQUE, DIT DE FRANÇOIS BAILLAIRGÉ. FIN XVIIIᵉ S.
TWO-TIERED BUFFET, WITH A SWELLING BASE, IN THE BAROQUE MANNER, SUPPOSEDLY THE WORK OF FRANÇOIS BAILLAIRGÉ. LATE 18th C.

119. BUFFET DEUX-CORPS, D'INSPIRATION LOUIS XIV MILIEU XVIIIᵉ S.
TWO-TIERED BUFFET, IN THE LOUIS XIV MANNER. MI⁰ 18th C.

117. BUFFET DEUX-CORPS GALBÉ, D'INSPIRATION LOUIS XV. XVIIIᵉ S.
TWO-TIERED SERPENTINE-SHAPED BUFFET, IN THE LOUIS XV MANNER. 18th C.

118. DÉTAIL.
DETAIL.

120. BUFFET DEUX-CORPS, D'ESPRIT LOUIS XV. DÉBUT XIXᵉ S.
TWO-TIERED BUFFET, IN THE LOUIS XV MANNER.   EARLY 19th C.

121. BUFFET DEUX-CORPS-VAISSELIER. XVIIIᵉ S.
TWO-TIERED BUFFET-DRESSER.   18th C.

122. BUFFET DEUX-CORPS DÉCORÉ DE FEUILLAGE,
D'ESPRIT ADAM. DÉBUT XIXe S.
TWO-TIERED BUFFET, WITH FOLIATED SCROLLS, IN THE
ADAM MANNER. EARLY 19th C.

123. BUFFET DEUX-CORPS, D'INSPIRATION REGENCY.
DÉBUT XIXe S.
TWO-TIERED BUFFET, IN THE " REGENCY " MANNER.
EARLY 19th C.

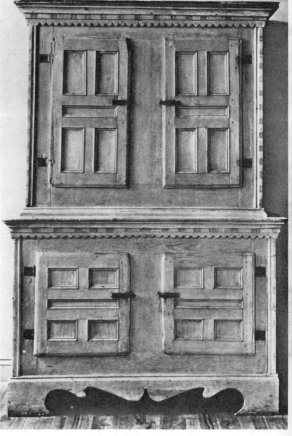

124. BUFFET DEUX-CORPS, ORNÉ DE CHEVRONS STRIÉS.
DÉBUT XIXᵉ S.
TWO-TIERED BUFFET CARVED WITH REEDED CHEVRONS.
EARLY 19th C.

125. BUFFET DEUX-CORPS RUSTIQUE. DÉBUT XIXᵉ S.
RUSTIC TWO-TIERED BUFFET. EARLY 19th C.

126. GRAND BUFFET DEUX-CORPS A MULTIPLES ORNE-
MENTS. DÉBUT XIXe S.
LARGE TWO-TIERED BUFFET, WITH MULTIPLE DECOR-
ATIONS. EARLY 19th C.

BUFFETS BAS

Parmi les meubles de la même famille, le buffet bas, faussement appelé bahut aujourd'hui, apparaît dans les inventaires à partir de 1700. On le trouve dans un grand nombre de maisons. Les inventaires nous le décrivent ainsi : « Un buffet de Bois de Pin fermant à deux Panneaux avec Ses deux Tiroirs garnies de Sa ferrure Clef et toutes autres ferrures »[1] ou « un Buffet de bois de pin avec ses fiches et Serrures... »[2].

Il est presque identique au corps inférieur du buffet deux-corps et les tiroirs se placent immédiatement au-dessus des vantaux. Quelquefois, il n'a pas de tiroirs. Comme les buffets deux-corps, les buffets bas sont ornés de panneaux à losanges ou de panneaux à plis de serviette simplifiés ou de pointes de diamant. Sous l'influence à retardement du style Louis XV, les panneaux de façade et de côté, ainsi que les traverses inférieures, seront chantournés. Quelques-uns de ces meubles auront la façade cintrée ou galbée. Certains vantaux, mais ils sont rares, seront très bombés, d'esprit baroque.

Le buffet bas sert surtout à dresser et à ranger les aliments et la vaisselle.

127. BUFFET BAS, D'ESPRIT LOUIS XV. FIN XVIIIe SIÈCLE.

Buffet bas dont les vantaux et les panneaux latéraux sont chantournés, d'inspiration Louis XV. Le chantournement de la traverse inférieure se retrouve fréquemment sur les meubles français de la fin du XVIIIe siècle.

L. 5' 4''   H. 3' 5½''   P. 1' 6½''
   163 cm   105 cm   47 cm
BOIS : pin
PROVENANCE : Sainte-Madeleine de Rouville, Qué.
(Coll. Mme Nettie Sharpe, Saint-Lambert, Qué.).

128. BUFFET BAS A DEUX VANTAUX. FIN XVIIIe SIÈCLE.

Buffet bas à deux vantaux dont les panneaux, les traverses inférieures et les côtés sont chantournés. Ce meuble ressemble beaucoup à certains buffets bas traditionnels français et pourrait même en être une copie. Remarquer les entrées de serrure en forme de flamme. Le plateau a été remplacé. XVIIIe siècle.

L. 4' 8''   H. 2' 10½''   P. 1' 7½''
   142 cm   88 cm   50 cm
BOIS : pin et noyer tendre
PROVENANCE : région de Québec
(Coll. Dr et Mme Claude Bertrand, Outremont, Qué.).

129. BUFFET BAS A POINTES DE DIAMANT, DE SAINT-VALLIER. XVIIIe SIÈCLE.

Buffet bas à deux tiroirs, dont les panneaux sont ornés de pointes de diamant. Ce genre de meuble fut très répandu au Canada français où il servait le plus souvent de garde-manger. Le taquet apparent a été ajouté lorsque la serrure cessa de fonctionner.

La moulure de la base a été remplacée à une époque récente. Remarquer les boutons à pétales de fer forgé. XVIIIe siècle.

L. 4' 3¾''   H. 4' 1⅜''   P. 1' 9''
   131 cm   125 cm   53 cm
BOIS : pin   PROVENANCE : Saint-Vallier, Qué.
(Coll. Canada Steamship Lines, Tadoussac, Qué.).

130. BUFFET BAS A TROIS VANTAUX ET TROIS TIROIRS. FIN XVIIe SIÈCLE.

Buffet bas à trois vantaux et trois tiroirs ornés d'anneaux, de plaques en forme de pétales et de fiches de fer forgé originales. Un de nos rares buffets bas à trois vantaux, inspiré peut-être de la « traite picarde ». Les pieds manquent. XVIIe siècle.

L. 5' 2¼''   H. 2' 1⅜''   P. 1' 9¾''
   158 cm   64 cm   55 cm
BOIS : pin   PROVENANCE : Québec
(Coll. Musée de l'Hôtel-Dieu, Québec).

131. BUFFET BAS, D'ESPRIT LOUIS XIII. XVIIIe SIÈCLE.

Buffet bas à deux vantaux dont les panneaux sont ornés d'un motif rappelant le pli de serviette simplifié mais avec un disque au centre. On a rencontré le même décor en Normandie. Le corps supérieur ainsi que les pieds manquent. Noter le panneau latéral chantourné, d'un style postérieur au reste du meuble. XVIIIe siècle.

L. 4' 2''   H. 3' 7''   P. 1' 9¼''
   127 cm   109 cm   54 cm
BOIS : pin
PROVENANCE : Saint-Michel de Bellechasse, Qué.
(Coll. Canada Steamship Lines, Tadoussac, Qué.).

(1) A J M, I O A. — Invantaire de Jacques Cusson et Michelle Cholecq sa femme auparavant Veuve de françois Viger, le 20 décembre 1729. Greffe Chaumont.
(2) A J M, I O A. — Inventaire d'André Demers, le 19e fév. 1732. Greffe Chaumont.

132. BUFFET BAS A VANTAUX CHANTOURNÉS. FIN XVIIIe SIÈCLE.

Buffet bas orné de deux tiroirs avec encadrement de moulures. Les vantaux sont chantournés et agréablement moulurés. Traverse inférieure festonnée et décorée d'une coquille. Dormant orné d'un caisson; angles arrondis des montants. L'apparence de ce meuble serait meilleure si les panneaux avaient été ornés de plates-bandes. Ferrures et boutons d'époque. Fin XVIIIe siècle.

L. 3' 6''   H. 3'   P. 1' 4½''
107 cm   91 cm   42 cm
BOIS : pin   PANNEAUX : liard

(Coll. Dr et Mme Herbert T. Schwarz, Montréal).

133. BUFFET BAS. XVIIIe SIÈCLE.

Buffet bas à deux portes, orné de deux tiroirs, et d'une hauteur exceptionnelle. Fiches et anneaux récents. Les petits panneaux verticaux et horizontaux des traverses et des montants sont typiques de la région de Lotbinière. XVIIIe siècle.

L. 3' 10½''   H. 4' 10''   P. 1' 7¼''
118 cm   147 cm   49 cm
BOIS : pin   PROVENANCE : rive sud, Qué.

(Coll. Musée de la Province (Hôtel Chevalier) Qué.).

134. BUFFET BAS, A TRAVERSE INFÉRIEURE D'INFLUENCE AMÉRICAINE. FIN XVIIIe SIÈCLE.

Buffet bas orné de panneaux chantournés et de montants d'esprit Louis XV. La traverse inférieure est d'inspiration nettement américaine, copiée des meubles fabriqués par une famille de menuisiers très connue du New Hampshire, les Dunlap. Il est important de remarquer les détails du chantournement de cette traverse inférieure, car on trouvera au cours de cet ouvrage plusieurs exemples de meubles inspirés de ceux que fabriquèrent les Dunlap. XVIIIe siècle.

L. 3' 3¼''   H. 2' 8¾''   P. 1' 7''
100 cm   83 cm   48 cm
BOIS : merisier et cœur d'orme
PROVENANCE : Parisville, Qué.

(Coll. Canada Steamship Lines, Tadoussac, Qué.).

135. BUFFET BAS A VANTAUX ORNÉS DE CŒURS. FIN XVIIIe SIÈCLE.

Buffet bas à vantaux ornés de cœurs. Le dessus est incliné comme un secrétaire en pente. Sorte de buffet bas secrétaire pour ranger lettres et papiers. Les cœurs en relief permettraient de croire que ce meuble faisait partie de la dot de la mariée. XVIIIe s.

L. 4' 10¼''   H. 4' 6''   P. 1' 11''
148 cm   137 cm   58 cm
BOIS : pin

(Coll. Musée de la Province, Québec).

136. BUFFET BAS A DEUX VANTAUX ET UN TIROIR. FIN XVIIIe SIÈCLE.

Buffet bas à un tiroir et deux vantaux ornés de panneaux chantournés. Pied de biche simplifié. Toutes les ferrures sont originales. Fin XVIIIe siècle.

L. 3' 7¾''   H. 3' 2¼''   P. 1' 11''
111 cm   97 cm   58 cm
BOIS : noyer tendre

(Coll. M. et Mme Gordon Reed, Saint-Sauveur des Monts, Qué.).

137. PETIT BUFFET BAS, A L'USAGE DES RELIGIEUSES. FIN XVIIe SIÈCLE.

Petit buffet bas à un tiroir et une porte ornée d'un motif en losange. Meuble conventuel et servant de petite armoire dans les cellules des religieuses Augustines de l'Hôpital-Général de Québec, dès le XVIIe siècle.

L. 3' 6''   H. 3' 11''   P. 1' 9''
107 cm   119 cm   54 cm
BOIS : pin   PROVENANCE : Québec

(Coll. Musée de l'Hopital-Général, Québec).

138. BUFFET BAS A DEUX VANTAUX. FIN XVIIIe SIÈCLE.

Buffet bas à deux vantaux ornés de panneaux chantournés. La moulure de la base a conservé les caractéristiques rectilignes du style Louis XIII. Les fiches ont été remplacées. Fin XVIIIe siècle.

L. 4' 7''   H. 3' 9''   P. 1' 11''
140 cm   114 cm   58 cm
BOIS : pin   PROVENANCE : Saint-Vallier, Qué.

(Coll. Canada Steamship Lines, Tadoussac, Qué.).

139. BUFFET BAS A FAÇADE GALBÉE. FIN XVIIIe SIÈCLE.

Buffet bas. Façade galbée, deux vantaux et deux tiroirs. Noter la lourdeur de la traverse supérieure. Pieds trapus, d'influence anglaise. Fiches, poignées et entrées de serrure d'époque. Fin XVIIIe siècle.

L. 3' 6''   H. 3' 1¾''   P. 1' 9½''
107 cm   96 cm   55 cm
BOIS : pin

(Coll. Mme Richard R. Costello, Sainte-Agathe des Monts, Qué.).

140. BUFFET BAS EN FORME D'ARBALÈTE, D'ESPRIT BAROQUE. DÉBUT XIXe SIÈCLE.

Buffet bas au galbe en forme d'arbalète sur la façade et sinueux sur les côtés. Cannelures de style Adam ou Louis XVI. Les motifs des traverses inférieures et les feuilles d'acanthe, aux pieds, sont d'esprit Louis XV et baroque. Typique des ouvrages de l'atelier de Quevillon. Le corps supérieur manque. Meuble d'ébénisterie, plutôt que meuble populaire. Rococo canadien. Début XIXe siècle.

L. 4' 9¼''   H. 3' 5¾''   P. 1' 9''
145 cm   106 cm   53 cm
BOIS : pin   PROVENANCE : Maskinongé, Qué.

(Coll. M. et Mme F.M. Hutchins, Pembroke, Ont.).

141. BUFFET BAS, PARTICULIER AUX COUVENTS. XVIIIe SIÈCLE.

Buffet bas à deux vantaux et un tiroir dont les panneaux sont chantournés. Meuble de cellule des Augustines de l'Hôtel-Dieu de Québec. Malheureusement la traverse inférieure a été mutilée. En général ces meubles de menuiserie d'assemblage sont d'une facture très soignée et ont été exécutés par d'excellents menuisiers. Couleur rouge foncé originale; ferrures originales. XVIIIe siècle.

L. 3' 5"   H. 3' 10"   P. 1' 10"
104 cm   117 cm   56 cm
BOIS : pin   PROVENANCE : Québec

(Coll. Musée de l'Hôtel-Dieu de Québec).

142. BUFFET BAS, A DEUX PORTES ORNÉES DE LOSANGES. FIN XVIIIe SIÈCLE.

Buffet bas à deux vantaux dont les panneaux sont ornés de losanges. Les angles des panneaux sont inspirés du pli de serviette, mais simplifié. Les cannelures, les rudentures et les coups d'ongle sur les montants sont d'esprit Louis XVI. Meuble bien exécuté. Fin XVIIIe siècle.

L. 4' 3½"   H. 4' 3½"   P. 1' 9¾"
131 cm   131 cm   55 cm
BOIS : noyer tendre
PROVENANCE : Région de Québec

(Coll. Dr et Mme Claude Bertrand, Outremont, Qué.).

143. BUFFET BAS ORNÉ DE FEUILLAGE. FIN XVIIIe SIÈCLE.

Buffet bas à deux tiroirs et deux vantaux dont les panneaux et les tiroirs sont ornés de feuillage. Gravures délicates d'arbres et de feuilles creusées au burin dans le bois. Curieuse combinaison de chantournements d'esprit Louis XV, de dessins géométriques, de croix de Saint-André, de montants et de moulures rectilignes d'esprit Louis XIII. Fin XVIIIe siècle.

L. 4' 5⅜"   H. 5' 3⅜"   P. 1' 7¼"
136 cm   161 cm   49 cm
BOIS : pin

(Coll. Mme L.S. Bloom, Westmount, Qué.).

144. BUFFET BAS RUSTIQUE A FAÇADE ET COTÉS CINTRÉS. FIN XVIIIe SIÈCLE.

Buffet bas rustique dont la façade et les côtés sont légèrement cintrés. Le chantournement de la traverse inférieure est primitif. Meuble charmant dans sa simplicité. Fiches en queues-de-rat, entrées de serrure d'époque. Fin XVIIIe siècle.

L. 4'   H. 3' 3"   P. 1' 11"
122 cm   99 cm   58 cm
BOIS : pin

(Coll. M. et Mme Scott Symons, Toronto, Ont.).

145. BUFFET BAS A PANNEAUX CHANTOURNÉS ET ORNÉS DE CROIX DE SAINT-ANDRÉ. FIN XVIIIe SIÈCLE.

Buffet bas à deux vantaux dont les panneaux sont chantournés et ornés de croix de Saint-André. Meuble de transition, d'esprit Louis XIII et Louis XV. Fin XVIIIe siècle.

L. 4'   H. 3' 6¼"   P. 1' 7⅜"
122 cm   107 cm   49 cm
BOIS : pin   PROVENANCE : Beaumont, Qué.

(Coll. Canada Steamship Lines, Tadoussac, Qué.).

146. BUFFET BAS, PARTICULIER AUX COUVENTS. FIN XVIIIe SIÈCLE.

Buffet bas à deux vantaux et un tiroir. La traverse est ornée d'une coquille et d'une spirale. Les panneaux latéraux sont chantournés. C'est un autre petit meuble bien exécuté provenant d'une cellule de religieuse. Fiches et anneaux à pétales d'époque.

L. 2' 10"   H. 3' 2"   P. 1' 7½"
86 cm   97 cm   50 cm
BOIS : pin   PROVENANCE : Québec

(Coll. Musée de l'Hôtel-Dieu, Québec).

147. BUFFET BAS A DEUX PORTES CINTRÉES. XVIIIe SIÈCLE.

Buffet bas. Deux portes cintrées et chantournées, deux tiroirs. Les fiches, entrées de serrures et boutons à pétales sont en fer forgé d'époque. Noter les petites rosettes sculptées de chaque côté de la traverse médiane.

L. 3' 9"   H. 4' 3"   P. 1' 9"
114 cm   130 cm   54 cm
BOIS : pin   PROVENANCE : l'Islet, Qué.

(Coll. Dr et Mme Wilfrid Caron, Cap Rouge, Qué.).

148. BUFFET BAS, A VANTAUX ORNÉS DE LOSANGES ET A DEUX TIROIRS. FIN XVIIe SIÈCLE.

Buffet bas à vantaux ornés de losanges et à deux tiroirs, dont les encadrements sont particulièrement moulurés. Les boutons et entrées de serrure sont en fer forgé d'époque. La plupart de ces buffets datent de la fin du XVIIe et du début du XVIIIe siècle. Bel exemple de buffet bas ancien. Fin XVIIe siècle.

L. 4' 2¼"   H. 4'   P. 1' 10¼"
128 cm   122 cm   56 cm
BOIS : pin   PROVENANCE : région de Québec

(Coll. Mme George McCullagh, Sainte-Agathe des Monts, Qué.).

127. BUFFET BAS, D'ESPRIT LOUIS XV. FIN XVIIIᵉ S.
LOW BUFFET, IN THE LOUIS XV MANNER. LATE 18th C.

128. BUFFET BAS A DEUX VANTAUX. FIN XVIIIᵉ S.
TWO-DOOR LOW BUFFET. LATE 18th C.

129. BUFFET BAS A POINTES
DE DIAMANT, DE SAINT-VAL-
LIER. XVIIIᵉ S.
LOW BUFFET, CARVED WITH
DIAMOND POINTS, FROM ST
VALLIER. 18th C.

130. BUFFET BAS A TROIS
VANTAUX ET TROIS TIROIRS.
FIN XVIIᵉ S.
LOW BUFFET, WITH THREE
DOORS AND THREE DRAW-
ERS. LATE 17th C.

131. BUFFET BAS, D'ESPRIT LOUIS XIII. XVIIIᵉ S.
LOW BUFFET, IN THE LOUIS XIII MANNER.   18th C.

132. BUFFET BAS A VANTAUX CHANTOURNÉS.
FIN XVIIIe S.
LOW BUFFET, WITH SHAPED DOORS.   LATE
18th C.

133. BUFFET BAS. XVIIIe S.
LOW BUFFET.   18th C.

134. BUFFET BAS, A TRAVERSE INFÉRIEURE D'INFLUENCE
AMÉRICAINE. FIN XVIIIe S.
LOW BUFFET, WITH BOTTOM RAIL UNDER AMERICAN
INFLUENCE. LATE 18th C.

135. BUFFET BAS A VANTAUX ORNÉS DE CŒURS. FIN
XVIIIe S.
LOW BUFFET, WITH HEART-EMBELLISHED DOORS. LATE
18th C.

137. PETIT BUFFET BAS, A L'USAGE DES
RELIGIEUSES. FIN XVIIᵉ S.
SMALL LOW BUFFET, FOUND PARTICU-
LARLY IN CONVENTS.   LATE 17th C.

136. BUFFET BAS A DEUX VANTAUX ET
UN TIROIR. FIN XVIIIᵉ S.
LOW BUFFET, WITH TWO DOORS AND
ONE DRAWER.   LATE 18th C.

138. BUFFET BAS A DEUX VANTAUX. FIN XVIIIᵉ S.
TWO-DOOR LOW BUFFET.   LATE 18th C.

139. BUFFET BAS, A FAÇADE GALBÉE. FIN XVIIIe S.
LOW BUFFET, WITH SERPENTINE FRONT. LATE 18th C.

140. BUFFET BAS EN FORME D'ARBALÈTE, D'ESPRIT
BAROQUE. DÉBUT XIXe S.
LOW BUFFET, WITH ARBALÈTE FRONT, IN THE
BAROQUE MANNER. EARLY 19th C.

141. BUFFET BAS, PARTICULIER AUX COU-
VENTS. XVIIIe S.
LOW BUFFET, USED PARTICULARLY IN
CONVENTS. 18th C.

142. BUFFET BAS, A DEUX PORTES ORNÉES DE
LOSANGES. FIN XVIIIe S.
TWO-DOOR LOW BUFFET, DECORATED WITH
LOZENGE CARVING. LATE 18th C.

143. BUFFET BAS ORNÉ DE FEUILLAGE. FIN XVIIIᵉ S.
LOW BUFFET, DECORATED WITH FOLIATED SCROLLS.
LATE 18th C.

144. BUFFET BAS RUSTIQUE A FAÇADE ET COTÉS CINTRÉS.
FIN XVIIIe S.
RUSTIC LOW BUFFET, WITH BOW FRONT AND SIDES.   LATE
18th C.

145. BUFFET BAS A PANNEAUX CHANTOURNÉS ET ORNÉS
DE CROIX DE SAINT-ANDRÉ. FIN XVIIIe S.
LOW BUFFET, WITH SHAPED PANELS, CARVED WITH
THE CROSS OF ST ANDREW.   LATE 18th C.

146. BUFFET BAS, PARTICULIER AUX COU-
VENTS. FIN XVIIIᵉ S.
LOW BUFFET, FOUND PARTICULARLY IN
CONVENTS. LATE 18th C.

147. BUFFET BAS A DEUX PORTES CINTRÉES.
XVIIIᵉ S.
LOW BUFFET, WITH TWO ARCHED DOORS.
18th C.

148. BUFFET BAS A VANTAUX ORNÉS DE LOSANGES ET A
DEUX TIROIRS. FIN XVIIᵉ S.
LOW BUFFET, WITH DOORS DECORATED WITH LOZENGES.
LATE 17th C.

BUFFET BAS, A DEUX VANTAUX ORNÉS DE CROIX DE SAINT-ANDRÉ,
RAPPELANT CEUX DU SUD DE LA LOIRE. XVIIIe SIÈCLE.

PORTES D'ARMOIRES ET DE PLACARDS

Des armoires pratiquées dans le mur se trouvaient dans les couvents, les hôpitaux, les institutions publiques, dans les sacristies et dans beaucoup de demeures paysannes.

Quand on construisait la maison, on laissait, dans le mur de pierre ou dans un mur de refend, une ouverture pour poser des tablettes. Le menuisier encadrait cette ouverture et exécutait sur place ou dans son atelier des portes qui la fermaient.

Ces armoires servaient dans les maisons de garde-manger ou de placards à vaisselle. Dans les sacristies, elles servaient à ranger les objets du culte. En général, dans la maison rurale, les portes sont à panneaux carrés ou chantournés. Certaines étaient surmontées d'une espèce de corniche en console, tel le placard encore visible à l'Hôtel-Dieu de Québec. Ce placard mural fut construit vers 1755, après l'incendie qui détruisit le premier hôpital de Québec.

On trouve d'autres armoires-placards à panneaux chantournés de style Louis XV, telles celles exécutées par Pierre Emond, menuisier sculpteur, pour Mgr Jean-Olivier Briand, septième évêque de Québec, qui venait alors de se retirer au séminaire et qui confia à cet artisan la construction de sa chapelle privée. Ce sculpteur a créé dans cette chapelle un des plus charmants ensembles de boiserie canadienne. Le retable est apprécié de tous les connaisseurs. Pierre Emond a aussi conçu l'armoire-placard de la pharmacie des Augustines de l'Hôpital-Général de Québec, ainsi que les boiseries et le manteau de cheminée du dispensaire attenant à cette pharmacie, entre les années 1770-1780.

Outre ces armoires-placards, il existe un grand nombre de très belles portes qui ont été arrachées à des armoires anciennes. Ce phénomène purement économique provient du fait que les armoires se vendirent mal pendant un certain temps. Il est dommage qu'un tel sacrilège ait été commis, car nombre d'amateurs sont frustrés, aujourd'hui, de ces armoires amputées de leurs portes, que l'on utilise maintenant comme portes de placards, écrans ou paravents.

149. PORTES DE PLACARD, D'ESPRIT LOUIS XV. FIN XVIIIᵉ SIÈCLE.

Portes de placard dont les panneaux sont ornés de chantournements et de spirales d'inspiration Louis XV. Ces portes de placard furent exécutées vers 1775, lors de la construction de la « maison du Sieur Marcile, habitant de Longueuil ». Fin XVIIIᵉ s.

L. 4' 2'' H. 6' 2''
127 cm   188 cm
BOIS : pin   PROVENANCE : Saint-Lambert, Qué.

(Coll. Mme Nettie Sharpe, Saint-Lambert, Qué.).

150. ARMOIRE-PLACARD A DEUX VANTAUX. MILIEU XVIIIᵉ SIÈCLE.

Armoire-placard à deux vantaux rappelant certaines armoires bretonnes. Le fronton en console est rare en France mais fréquent dans les églises italiennes. Exécutée en 1755, lors de la reconstruction de l'Hôtel-Dieu de Québec détruit par un incendie. Milieu XVIIIᵉ siècle.

L. 2' 3⅝'' H. 5' 6¼''
71 cm   168 cm
BOIS : pin   PROVENANCE : Québec

(Coll. Hôtel-Dieu de Québec).

151. PORTE D'ARMOIRE, D'ESPRIT LOUIS XV. FIN XVIIIᵉ SIÈCLE.

Porte d'armoire ornée d'une coquille et d'une spirale, inspirée du style Louis XV. Fin XVIIIᵉ siècle.

L. 2' H. 5' 3''
61 cm 160 cm
BOIS : pin

(Coll. M. et Mme Pierre Gouin, Saint-Sulpice, Qué.).

152. ARMOIRE-PLACARD DE SACRISTIE. FIN XVIIIᵉ SIÈCLE.

Armoire-placard à deux portes, de la chapelle privée de Mgr Jean Olivier Briand, exécutée par le menuisier-sculpteur, Pierre Emond, vers 1785. Cette armoire sert encore aujourd'hui à ranger les objets du culte. Fin XVIIIᵉ siècle.

L. 3' 7¾'' H. 7' 5¾''
111 cm   228 cm
BOIS : noyer tendre   PROVENANCE : Québec

(Coll. Séminaire de Québec, Québec).

153. PORTES DE PLACARD, DE L'HOPITAL-GÉNÉRAL DE QUÉBEC. FIN XVIIIᵉ SIÈCLE.

Portes d'une armoire-placard de la pharmacie de l'Hôpital-Général de Québec, exécutées par Pierre

Emond, vers 1775. Le chantournement est d'esprit Louis XV. Fin XVIIIe siècle.

L. 3' 8 ¼"   H. 7' 1 ½"
112 cm   217 cm
BOIS : pin   PROVENANCE : Québec

(Coll. Hôpital-Général, Québec).

154. DEUX PORTES D'ARMOIRE. FIN XVIIIe SIÈCLE.

Deux portes d'armoire dont le chantournement des panneaux est d'esprit Louis XV, mais d'interprétation naïve canadienne. Fin XVIIIe siècle.

L. 1' 10"   H. 5' 4¾"
56 cm   165 cm
BOIS : pin

(Coll. M. et Mme J.W. McConnell, Saint-Sauveur des Monts, Qué.).

155. DEUX PORTES D'ARMOIRE. FIN XVIIIe SIÈCLE.

Deux portes d'armoire. Fin XVIIIe siècle.

L. 2' 6"   H. 3' 5¾"
76 cm   106 cm
BOIS : pin

(Coll. M. et Mme Cleveland Morgan, Senneville, Qué.).

156. DEUX PORTES D'ARMOIRE. FIN XVIIIe SIÈCLE.

Deux portes d'armoire dont les panneaux sont chantournés et ornés d'une coquille. Couleur : blanc et bleu-vert. Fin XVIIIe siècle.

L. 1' 9"   H. 4' 9"
53 cm   145 cm
BOIS : pin

(Coll. Canada Steamship Lines, Tadoussac, Qué.).

157. TROIS PORTES D'ARMOIRE. DÉBUT XIXe SIÈCLE.

Trois portes d'armoire à panneaux chantournés. Motifs floraux, spirales et fleurs de lys. Début XIXe siècle.

L. chacune 1' 9"   H. 5' 9¼"
53 cm   176 cm
BOIS : pin
PROVENANCE : Sainte-Geneviève de Pierrefonds, Qué.

(Coll. M. et Mme L.G. Johnson, Petit Fort, Sainte-Geneviève de Pierrefonds, Qué.).

149. PORTES DE PLACARD, D'ESPRIT LOUIS XV. FIN
XVIII⁰ S.
DOORS OF BUILT-IN CUPBOARD, IN THE LOUIS XV
MANNER. LATE 18th C.

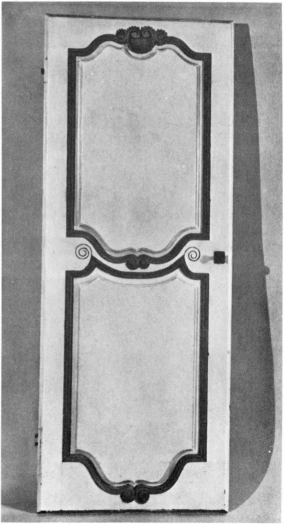

150. ARMOIRE-PLACARD A DEUX VANTAUX. MILIEU
XVIIIᵉ S.
BUILT-IN WALL CUPBOARD, WITH TWO DOORS. MID
18th C.

152. ARMOIRE-PLACARD DE SACRISTIE. FIN XVIIIᵉ S.
BUILT-IN ARMOIRE, FROM A SACRISTY. LATE 18th C.

153. PORTES DE PLACARD DE L'HOPITAL-GÉNÉRAL DE
QUÉBEC. FIN XVIIIᵉ S.
BUILT-IN CUPBOARD DOORS, IN THE HOPITAL-GÉNÉRAL,
QUEBEC. LATE 18th C.

154. DEUX PORTES D'ARMOIRE. FIN XVIIIe S.
TWO DOORS, FROM AN ARMOIRE. LATE 18th C.

155. DEUX PORTES D'ARMOIRE. FIN XVIIIe S.
TWO DOORS, FROM AN ARMOIRE. LATE 18th C.

156. DEUX PORTES D'ARMOIRE. FIN XVIIIe S.
TWO DOORS, FROM AN ARMOIRE. LATE 18th C.

157. TROIS PORTES D'ARMOIRE. DÉBUT XIXe S.
THREE ARMOIRE DOORS. EARLY 19th C.

BUFFETS-VAISSELIERS OU VAISSELIERS, BANCS A SEAUX

Meuble très répandu, au XVIIIe siècle, au Canada.

On disait alors « ... un petit buffet avec un dressoir dessus... »[1]. *Dressoir* signifie ici étagère. On lit encore : « Un dressoir avec son Garde-mangé de bois de pin avec sa ferrur serur et clef... »[2]. En 1691, « le menuisier parent s'engage de faire les ouvrages de menuiserie à la maison que les frères Jean-Baptiste et Pierre Charly possèdent sur la rue Saint-Paul, à Montréal... Et Led parent fera une Cloison pour faire un Cabinet A La Chambre den bas a Coste de la Chambre pour metre La vaisselle avec une porte Le tout Embouffette & blanchy des deux cottes auql il fera un dressoir pour mettre La vaisselle... »[3]. Le vaisselier se divise en deux parties : le corps inférieur est un buffet bas généralement muni de tiroirs pour la coutellerie. On y range des aliments ou des plats. Sur le plateau, on dressait les plats. Au-dessus du plateau se trouve l'étagère pour les faïences ou les étains.

La maîtresse de maison était fière d'exposer sa belle faïence, car elle était magnifique, à cette époque, et venait de Rouen, de La Rochelle, de Marseille, de Strasbourg, de Lunéville et d'ailleurs.

Un autre genre de vaisselier comprend un corps inférieur muni de tiroirs et d'une tablette où l'on range les seaux et chaudrons. Ce meuble ressemble beaucoup au « faux-palier » normand, mais il est de facture plus primitive.

Il existait aussi des bancs à seaux « bancs à siaux » pour ranger les seaux et les cuvettes dans la salle commune. Un inventaire de 1760 le signale : « Banc de Sciaux »[4]. C'est un meuble qui n'est pas mentionné souvent au XVIIIe siècle. Ceux qui nous restent datent du XIXe siècle et sont généralement de facture primitive.

158. VAISSELIER RUSTIQUE. XVIIIe SIÈCLE.

Vaisselier rustique dont le corps inférieur est orné d'une porte centrale unique entre deux panneaux. XVIIIe siècle.

L. 4' 4"	H. 6' 4"	P. 9"
132 cm	193 cm	23 cm
		1' 8¾"
		48 cm

BOIS : pin

(Coll. M. John H. Molson, Saint-Sauveur des Monts, Qué.).

159. VAISSELIER, D'ESPRIT ANGLAIS. FIN XVIIIe SIÈCLE.

Vaisselier d'esprit anglais, dont l'étagère est ornée d'une arche et de pilastres, et le corps inférieur, de deux vantaux et de deux tiroirs. Fin XVIIIe siècle.

L. 4' 1½"	H. 6' 10½"	P. 10"
126 cm	210 cm	25 cm
		1' 7⅝"
		50 cm

BOIS : pin   PROVENANCE : Saint-Malachie, Qué.

(Coll. Mlle Barbara Richardson, Sainte-Agathe des Monts, Qué.).

160. VAISSELIER. FIN XVIIIe SIÈCLE.

Vaisselier dont le corps inférieur est orné de deux vantaux à panneaux chantournés et de deux tiroirs. Fin XVIIIe siècle.

L. 3' 11¾"	H. 6' 10"	P. 1' 4¾"
121 cm	208 cm	43 cm
4' 2"		10½"
127 cm		27 cm

BOIS : pin

(Coll. M. et Mme Victor M. Drury, Lac Anne, Qué.).

161. VAISSELIER. XIXe SIÈCLE.

Vaisselier à deux portes et deux tiroirs. La corniche est festonnée et les côtés de l'étagère sont chantournés. Les poignées et entrées de serrure ont été remplacées. Fin XIXe siècle.

(1) A J M, I O A. — Inventaire de La Succession de deffun françois seguin du 19e juliet 1732. Greffe Coron.

(2) A J M, I O A. — Inventaire des Biens de Deffunt Antoine Janote La Chapel le 28 may 1746, Pointe aux Trembles. Greffe Comparet.

(3) A J M, I O A. — Devis des ouvrages & marché fait Entre le Sr Charly & parent 13e May 1691, Montréal. Greffe Adhémar.

(4) A J M, I O A. — Inventaire des biens de la Succession de feu François Leblanc et de deffunte Françoise Robert, le 9 octobre 1760 à Chambly. Greffe Grisé.

L. 4' 8½''   H. 6' 1½''   P. 10½''
144 cm   187 cm   27 cm
                            1' 6¼''
                            46 cm
BOIS : pin   PROVENANCE : La Malbaie, Qué.
(Coll. Mme Richard R. Costello, Sainte-Agathe des Monts, Qué.).

162. VAISSELIER DE TYPE « FAUX-PALIER » NORMAND. DÉBUT XIXᵉ SIÈCLE.
Vaisselier dont la structure se rapproche du « faux-palier » normand, la tablette de la base, qui a été remplacée, sert à ranger les seaux et les casseroles. Voir p. 147. Début XIXᵉ siècle.

L. 4' 7''   H. 6' ½''   P.B. 1' 5¼''   P.H. 8¾''
140 cm   184 cm   44 cm   22 cm
BOIS : pin   PROVENANCE : Sorel, Qué.
(Coll. M. et Mme Roland Leduc, Montréal).

163. BANC A SEAUX RUSTIQUE. XIXᵉ SIÈCLE.
Banc à seaux du XIXᵉ siècle. Noter les rigoles du plateau, servant d'égouttoir.

L. 2' 5¾''   H. 3' 3½''   P. 13''
76 cm   100 cm   33 cm
BOIS : pin
(Coll. M. et Mme F.M. Hutchins, Pembroke, Ont.).

164. BANC A SEAUX RUSTIQUE, ART POPULAIRE. XIXᵉ SIÈCLE.
Banc à seaux rustique. La tablette supérieure est chantournée et ajourée. Art populaire. XIXᵉ siècle.

L. 3' 6   H. 4'   P. 1'
107 cm   122 cm   30 cm
                            6''
                            15 cm
BOIS : pin   PROVENANCE : Montée Saint-Charles, Pointe Claire, Qué.
(Coll. Canada Steamship Lines. Tadoussac, Qué.).

158. VAISSELIER RUSTIQUE. XVIIIᵉ S.
RUSTIC DRESSER. 18th C.

159. VAISSELIER, D'ESPRIT ANGLAIS. FIN XVIIIᵉ S.
DRESSER, UNDER ENGLISH INFLUENCE.   LATE 18th C.

160. VAISSELIER. FIN XVIIIᵉ
DRESSER.   LATE 18th C.

161. VAISSELIER. XIXᵉ S.
DRESSER. 19th C.

162. VAISSELIER DE TYPE « FAUX-PALIER » NORMAND. DÉBUT XIXᵉ S. DRESSER, OF THE NORMAN "FAUX-PALIER" TYPE. EARLY 19th C.

163. BANC A SEAUX RUSTIQUE. XIXᵉ S.
RUSTIC BUCKET-BENCH. 19th C.

164. BANC A SEAUX RUSTIQUE, ART POPULAIRE. XIXᵉ S.
RUSTIC BUCKET-BENCH, FOLK ART. 19th C.

BUFFETS VITRÉS, HUCHES, GARDE-MANGER

BUFFETS VITRÉS

Le buffet vitré peut avoir un ou deux corps. Il est appelé parfois *vitrau*, au Canada.

Il sert, dans le corps inférieur, à ranger des aliments ou des plats; dans le corps supérieur, à exposer la vaisselle.

On trouvait ces meubles chez certains paysans aisés et chez des gens de la bonne société, qui s'en servaient comme buffets ou secrétaires-bibliothèques. C'est un meuble qui rappelle le buffet d'encoignure, mais plus large et destiné à prendre place contre le mur.

La plupart des buffets vitrés sont d'inspiration anglaise ou américaine; quelques-uns sont à vantaux chantournés, d'esprit Louis XV.

165. BUFFET VITRÉ A DEUX CORPS. XVIIIe SIÈCLE.

Buffet vitré à deux corps et quatre vantaux. Les panneaux de façade ainsi que les panneaux latéraux sont chantournés, d'esprit Louis XV. Les montants et le dormant sont à caissons chantournés. Le buffet vitré n'est pas un meuble qu'on trouve dans les milieux paysans français. Dans les milieux bourgeois, on s'en sert comme buffet-bibliothèque. Au Canada, le buffet vitré est une transformation de l'encoignure vitrée. Fiches et entrée de serrure d'époque. Meuble élégant et bien proportionné. XVIIIe siècle.

L. 4'	H. 7' 2''	P. 1' 5⁄8''
122 cm	218 cm	32 cm
4' 3½''		1'8''
131 cm		51 cm
BOIS : pin	PROVENANCE : Ile d'Orléans, Qué.	

(Coll. M. et Mme Jean-Paul Lemieux, Sillery, Qué.)

166. BUFFET VITRÉ RUSTIQUE. XVIIIe SIÈCLE.

Buffet vitré rustique à deux portes chantournées. La découpe de la traverse supérieure de la porte vitrée est une interprétation naïve des courbes Louis XV. Fiches queues-de-rat d'époque. La corniche et la base moulurée ont été remplacées il y a longtemps. XVIIIe siècle.

L. 3' 3¼''	H. 7' 2¾''	P. 1' 3¾''
100 cm	220 cm	40 cm
BOIS : pin	PROVENANCE : Batiscan, Qué.	

(Coll. M. Alexis Germain, cultivateur, Deschambault, Qué.).

167. BUFFET VITRÉ A DEUX CORPS. FIN XVIIIe SIÈCLE.

Buffet vitré à deux corps. Les panneaux des vantaux sont chantournés. Les pieds en console du soubassement sont d'influence anglaise. Les pentures ont été remplacées. Fin XVIIIe siècle.

L. 3' 4''	H. 6' 5¾''	P. 1' 2''
102 cm	198 cm	36 cm
		1' 3¾''
		40 cm
BOIS : pin		

(Coll. Sénateur et Mme H. de M. Molson, Lac Violon, Sainte-Agathe des Monts, Qué.).

168. PETIT BUFFET VITRÉ, DÉCORÉ DE « GALETTES » D'INFLUENCE BRETONNE. DÉBUT XIXe SIÈCLE.

Petit buffet vitré décoré de disques ou de *galettes*, d'influence bretonne. On trouve ce décor tout le long de la côte ouest de la France jusqu'aux Pyrénées. Généralement les disques sont combinés avec des losanges ou des pointes de diamant. Exemple rustique, naïf, avec ses petites galettes sculptées dans la traverse supérieure. Début XIXe siècle.

L. 2' 10½''	H. 6' 10''	P. 1' 4¾''
88 cm	208 cm	43 cm
BOIS : pin		

(Coll. Musée National, Ottawa, Ont.).

169. BUFFET VITRÉ. FIN XVIIIe SIÈCLE.

Buffet vitré à quatre portes. La partie supérieure saillante est en forme d'étrave. Les panneaux inférieurs des portes sont ornés de plis de serviette simplifiés ainsi que huit panneaux latéraux. Les portes vitrées sont plus rustiques et de main fruste, comme si elles avaient été remplacées. Les corniches sont décorées de losanges sculptés. La moulure de la base manque. Fin XVIIIe siècle.

L. 3'9''	H. 7'	P. 1'4''
114 cm	213 cm	41 cm
BOIS : pin	PROVENANCE : Saint-Hilarion, Qué.	

(Coll. de l'auteur, Petite Rivière Saint-François, Qué.).

170. BUFFET VITRÉ, D'INSPIRATION ANGLAISE. DÉBUT XIXᵉ SIÈCLE.

Buffet vitré, d'influence anglaise, décoré d'ornements tels que canaux, pastilles et câbles. La corniche à denticules a été remplacée. Les pieds en console du soubassement sont d'influence Chippendale et les décors des panneaux d'influence fin Regency. Début XIXᵉ siècle.

L. 4' ½''   H. 6' 7¾''   P. 1'4''
123 cm   203 cm   41 cm
3' 10¼''   1' 1¼''
117 cm   34 cm

BOIS : pin

PROVENANCE : La Prairie de la Madeleine, Qué.

(Coll. M. et Mme F.M. Hutchins, Pembroke, Ont.).

171. BUFFET VITRÉ A DÉCORS MULTIFORMES. DÉBUT XIXᵉ SIÈCLE.

Buffet vitré dont les portes inférieures sont considérablement chantournées. Ornements de câble, d'entrelacs, de courbes et contre-courbes avec spirales, de cannelures, de feuillage, et même d'un ciboire à la traverse centrale. Les pilastres aux pans coupés sont cannelés et rudentés, d'influence Adam et Regency. Structure d'encoignure. La traverse inférieure chantournée a été sciée. Meuble à décor chargé montrant de multiples influences. Début XIXᵉ siècle.

L. 4' ¾''   H. 7' 5⅝''   P. 1' 3⅝''
124 cm   228 cm   40 cm
3' 3¾''   1' 1½''
101 cm   34 cm

BOIS : pin   PROVENANCE : Le Bic, Qué.

(Coll. M. et Mme H.J. Godber, Sainte-Agathe des Monts, Qué.).

172. BUFFET VITRÉ A DEUX CORPS, ORNÉ DE DEUX TIROIRS. XVIIIᵉ SIÈCLE.

Buffet vitré à deux corps, orné de deux tiroirs et de quatre portes. Buffet rustique, aux pieds en console, d'influence anglaise. Le bouton central de la traverse basse du corps supérieur n'est qu'une parure. Fiches queues-de-rat. Fin XVIIIᵉ siècle.

L. 3' 11¼''   H. 6' 8½''   P. 1' 5¾''
120 cm   205 cm   46 cm
3'9''   1'1''
114 cm   33 cm

BOIS : pin   PROVENANCE : Saint-Gervais, Qué.

(Coll. Canada Steamship Lines, Tadoussac, Qué.).

173. BUFFET-BUREAU VITRÉ. DÉBUT XIX SIÈCLE.

Buffet-bureau vitré, d'esprit anglais. Le corps supérieur servait probablement de bibliothèque. Le corps inférieur sert à la fois de commode et de pupitre de rangement pour les papiers. Les montants dénotent une influence anglaise. Début XIXᵉ siècle.

L. 3'6''   H. 6' 4⅝''   P. 2'
107 cm   195 cm   61 cm
2' 11¼''   10''
90 cm   26 cm

BOIS : pin

(Coll. Musée de la Province, Québec).

174. BUFFET VITRÉ RUSTIQUE A DEUX CORPS. XIXᵉ S.

Buffet vitré rustique à deux corps. Le corps supérieur est orné de trois portes avec chantournement des traverses supérieures. Les vantaux du corps inférieur sont de facture très fruste. Corniche saillante. Milieu XIXᵉ siècle.

BOIS : pin

(Coll. Detroit Institute of Arts, Détroit, Mich. E.U.).

HUCHES

La huche, au Canada, est un coffre sur pied. C'est un meuble utilitaire qui servait à pétrir et à serrer le pain et tenant lieu parfois de garde-manger. Il y en avait dans toutes les demeures dès les débuts de la colonie. « Une huche De bois De pin avec ses pieds De Bois de merisier prisée à six Livres »[1]. Les formes sont peu variées et plutôt frustes, comme en Normandie. On ne trouve pas ici les beaux spécimens sculptés des Pyrénées ou de Provence. Nous en connaissons un seul qui ait un peu plus d'allure que les autres : il est à piètement tourné avec un plateau à la base et ses côtés sont faits de planches entières, assemblées à queues d'aronde. Malheureusement, les toupies manquent.

Les huches, le plus souvent, sont faites de bois de pin et, pour qu'elles soient plus étanches, elles étaient constituées de planches d'une seule coupe.

(1) A J M, I O A. — Inventaire Des Effets de Deffuns Silvestre proux et Thérèse ducharme sa femme, trouvés après le décès... 19e 8bre 1753, Montréal, Greffe Desmarest.

Plusieurs huches en forme d'auge sont mentionnées dans les inventaires : «... un morceau d'arbre Creuse pour faire une husche... »[1] et il en existe encore dans les greniers. Elles sont creusées à l'herminette dans un tronc de pin et présentent un aspect très primitif.

Depuis l'avènement des boulangers de villages, la huche, dans la maison canadienne, n'a plus sa raison d'être, sauf dans quelques foyers où l'on apprécie le pain de ménage et où l'on aime à cuire le pain dans le four, à l'extérieur de la maison.

175. HUCHE A PAIN. DÉBUT XIXᵉ SIÈCLE.

Huche d'assemblage rustique, de la région de Montréal. Le couvercle manque. Début XIXᵉ siècle.

L. 3' 2⅝''   H. 2'5''   P. 1' 7¾''
98 cm   74 cm   50 cm

BOIS : pin   PROVENANCE : Sainte-Dorothée, Qué.

(Coll. S. Breitman, antiquaire, Montréal, Qué.).

176. HUCHE A PIEDS GALBÉS. XIXᵉ SIÈCLE.

Huche très commune des environs de Montréal, au piètement d'inspiration « Empire-Directoire Américain ». XIXᵉ siècle.

L. 2' 11⅝''   H. 2'6''   P. 1'7''
91 cm   76 cm   48 cm

BOIS : pin   PROVENANCE : Saint-Hilaire, Qué.

(Coll. M. M.A. Dhavernas, Saint-Sauveur des Monts, Qué.).

177. HUCHE A PIÈTEMENT TOURNÉ. XVIIIᵉ SIÈCLE.

Huche à pain, assemblée à queues d'aronde et à piètement tourné, d'esprit Louis XIII, avec plateau à la base. La plus élégante de nos huches. Malheureusement les toupies manquent. XVIIIᵉ siècle.

L. 2' 11¾''   H. 2' 4''   P. 1' 9¼''
91 cm   71 cm   54 cm
                          1' 4⅝''
                          42 cm

BOIS : pin
PROVENANCE : Saint-André de Kamouraska, Qué.
(Coll. Comte et Comtesse Bernard de Roussy de Sales, Montréal).

178. HUCHE A PAIN. XIXᵉ SIÈCLE.

Huche à pain dont l'assemblage est commun au XIXᵉ siècle. Couleur d'origine : noire.

L. 2'7''   H. 2' 4½''   P. 1' 5⅜''
79 cm   72 cm   44 cm

BOIS : pin

PROVENANCE : Saint-Denis sur Richelieu, Qué.

(Coll. M. et Mme J.N. Cole, Montréal).

179. HUCHE ORNÉE DE PANNEAUX ET D'UNE CEINTURE FESTONNÉE. MILIEU XIXᵉ SIÈCLE.

Huche à pain ornée de panneaux rectangulaires et d'une ceinture chantournée. Les pieds sont en gaine, d'influence anglaise. Milieu XIXᵉ siècle.

L. 4'   H.2' 8½''   P. 1'10''
122 cm   83 cm   51 cm

BOIS : pin

(Coll. M. et Mme J.N. Cole, Montréal).

GARDE-MANGER

Plusieurs inventaires font mention de nombreux garde-manger, au Canada, dès le XVIIIᵉ siècle : « Un garde-manger de bois de pin avec ses fiches... »[2]. Très peu sont parvenus jusqu'à nous et encore se révèlent-ils très primitifs. Ce sont des armoires à une ou deux portes, ajourées de treillis verticaux dans leur partie supérieure. Ce meuble était purement utilitaire et servait à conserver les aliments tout en laissant pénétrer l'air. A l'Hôtel-Dieu de Québec, il existe encore un garde-manger construit dans le mur et ajouré à fuseaux; il rappelle les garde-manger des provinces françaises. Ce garde-manger placard fut exécuté en 1755 lors de la reconstruction de l'hôpital, après l'incendie. Selon la tradition orale des religieuses, ce garde-manger était à proximité de l'ancien réfectoire et, après chaque repas, on y rangeait le lait, le beurre et d'autres aliments qui s'y conservaient « à la fraîche » dans le mur de pierre.

180. GARDE-MANGER A DEUX VANTAUX. XVIIIᵉ SIÈCLE.

Garde-manger à deux vantaux dont la partie supérieure est ajourée de barreaux verticaux. Ce genre de meuble est généralement de facture rustique. XVIIIᵉ s.

L. 5'   H. 5'4''   P. 1'8''
152 cm   163 cm   51 cm

BOIS : pin   PROVENANCE : Neuville, Qué.

(Coll. Dr et Mme Claude Bertrand, Outremont, Qué.).

(1) A J M, I O A. — Inventaire des biens de feu Mʳ (pierre) Dupas 10 au 15 octobre 1678 de Champlain. Greffe Adhémar.
(2) A J M, I O A. — Inventaire d'André Demers le 19ᵉ fév. 1732, Montréal. Greffe Chaumont.

181. GARDE-MANGER A UN VANTAIL. XVIIᵉ SIÈCLE.

Garde-manger à une porte. Le plus ancien des garde-manger connus. Les chanfreins de l'encadrement du panneau sont identiques aux chanfreins des panneaux latéraux d'une armoire du Finistère, à quatre portes, datée de 1640, illustrée dans l'ouvrage de Suzanne Tardieu : *Les Meubles Régionaux Datés*, ill. Nº 96. Celui-ci fut probablement fabriqué par le menuisier de la maison, à l'Hôtel-Dieu de Québec. Couleur grise. XVIIᵉ siècle.

L. 2' 9½''   H. 5' ½''   P. 1'9''
85 cm   154 cm   53 cm

BOIS : pin   PROVENANCE : Québec
(Coll. Musée de l'Hôtel-Dieu de Québec).

182. GARDE-MANGER-PLACARD. XVIIIᵉ SIÈCLE.

Garde-manger exécuté en 1755, à même le mur de refend attenant à l'ancien réfectoire des religieuses de l'Hôtel-Dieu de Québec. Il est orné de deux portes et d'une section centrale ajourée, à fuseaux tournés. (Voir p. 155). XVIIIᵉ siècle.

L. 3'4''   H. 7' 4¾''
102 cm   225 cm
BOIS : pin   PROVENANCE : Québec
(Coll. Hôtel-Dieu de Québec).

165. BUFFET VITRÉ A DEUX CORPS. XVIIIe S.
TWO-TIERED GLAZED BUFFET.   18th C.

166. BUFFET VITRÉ RUSTIQUE. XVIIIᵉ S.
RUSTIC GLAZED BUFFET. 18th C.

167. BUFFET VITRÉ A DEUX CORPS. FIN XVIIIᵉ S.
TWO-TIERED GLAZED BUFFET. LATE 18th C.

PETIT BUFFET VITRÉ, DÉCORÉ DE « GALETTES »
FLUENCE BRETONNE. DÉBUT XIXᵉ S.
L GLAZED BUFFET, DECORATED WITH "GALETTES"
HE BRETON MANNER.   EARLY 19th C.

169. BUFFET VITRÉ. FIN XVIIIᵉ S.
GLAZED BUFFET.   LATE 18th C.

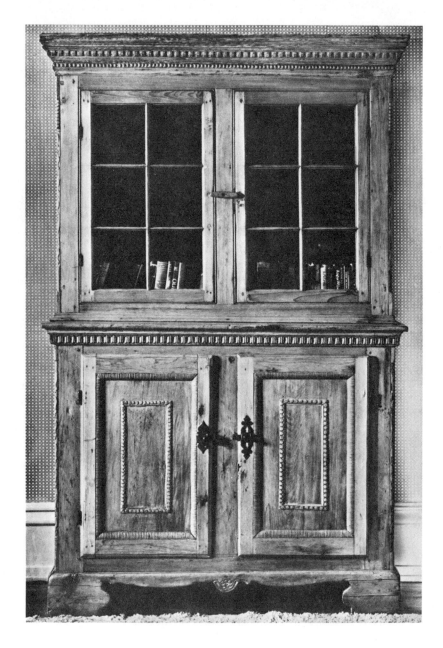

170. BUFFET VITRÉ, D'INSPIRATION ANGLAISE. DÉBUT
XIXᵉ S.
GLAZED BUFFET, OF ENGLISH INSPIRATION. EARLY
19th C.

173. BUFFET-BUREAU VITRÉ. DÉBUT XIXe S
GLAZED BUFFET-BUREAU. EARLY 19th C.

174. BUFFET VITRÉ RUSTIQUE A DEUX CORPS. XIXe S.
TWO-TIERED RUSTIC GLAZED BUFFET. 19th C.

175. HUCHE A PAIN, DÉBUT XIXᵉ S.
DOUGH-BOX. EARLY 19th C.

178. HUCHE A PAIN. XIXᵉ S.
DOUGH-BOX. 19th C.

176. HUCHE A PIEDS GALBÉS. XIXᵉ S.
DOUGH-BOX, WITH CURVED LEGS. 19th C.

HUCHE A PIÈTEMENT TOURNÉ. XVIIIᵉ S.
GH-BOX, WITH TURNED LEGS. 18th C.

179. HUCHE ORNÉE DE PANNEAUX ET D'UNE CEINTURE FESTONNÉE.
MILIEU XIXᵉ S.
DOUGH-BOX, WITH PANELS AND FESTOONED APRON. MID 19th C.

180. GARDE-MANGER A DEUX VANTAUX. XVIIIᵉ S.
FOOD-LOCKER, WITH TWO DOORS. 18th c.

182. GARDE-MANGER-PLACARD. XVIIIᵉ S.
BUILT-IN FOOD-LOCKER. 18th c.

181. GARDE-MANGER A UN VANTAIL. XVIIᵉ S.
FOOD-LOCKER, WITH ONE DOOR. 17th c.

ENCOIGNURES

Les encoignures sont appelées aussi buffets d'encoignure ou écoinçons. Au Canada, on leur donne les noms *d'armoires de coin, coinçon, coin.*

L'encoignure est un meuble dont la base constitue un buffet à un ou deux vantaux, parfois à un ou deux tiroirs, et dont le haut est le plus souvent vitré. Elle sert, comme le vaisselier, à ranger, dans le corps inférieur, des aliments ou des plats; et, dans le corps supérieur, la vaisselle, comme parure.

L'encoignure apparaît et se répand dans les milieux paysans du Canada français de la fin du XVIII⁰ siècle jusqu'au milieu du XIX⁰ siècle. Les plus anciennes furent construites en même temps que la maison, dans un coin de la salle commune. Elles n'avaient qu'une façade; le mur de crépi blanchi sur lequel elles étaient appuyées leur servant de fond.

D'autres, anciennes aussi, datent de la fin du XVIII⁰ siècle et sont revêtues de vantaux dont les panneaux sont chantournés et d'inspiration Louis XV. La plus élégante de ces encoignures est cintrée et provient de l'ancien presbytère de Notre-Dame de Québec, construit entre les années 1773-1775, et démoli en 1931. Cette encoignure très française est de « main de métier » et fut probablement exécutée par un menuisier-sculpteur connu.

Celles du début du XIX⁰ siècle s'inspirent beaucoup des styles apportés par les ébénistes anglais : Georgian, Adam et Regency.

Les encoignures étaient à un ou deux corps, à façade plate, cintrée ou galbée. Dans de rares encoignures, le corps supérieur est à étagères ou à gradins ouverts, allant en se rétrécissant vers le haut. D'autres encoignures, sans corps inférieur, ne sont que de petites étagères accrochées, vitrées ou non, mais placées à une certaine hauteur, au mur. Le buffet d'encoignure occupait autrefois une place d'honneur dans un des coins de la grande pièce et, plus tard, dans le salon. La maîtresse de maison était toujours fière de son *coinçon*, c'est là qu'elle pouvait exposer ses bibelots et sa belle vaisselle. L'encoignure est donc à la fois un meuble utilitaire et de luxe.

183. ENCOIGNURE CINTRÉE A FRONTON CURVILIGNE, D'ESPRIT RÉGENCE. XVIII⁰ SIÈCLE.

Encoignure cintrée, d'esprit Régence, à fronton curviligne. Le corps inférieur est orné de deux vantaux aux panneaux chantournés et d'une traverse inférieure, également chantournée, et décorée d'une coquille. Une énorme coquille sculptée forme la voûte de ce meuble, sous le fronton. Meuble typiquement français mais fabriqué au Canada, sans doute par un menuisier-sculpteur d'église. Il provient de l'ancien presbytère de la cathédrale de Québec, construit entre les années 1773-1775, et démoli en 1931. XVIII⁰ siècle.

L. 3' 7¾" H. 8'5"
111 cm   257 cm
BOIS : noyer tendre
PROVENANCE : Ancien presbytère de la cathédrale de Québec
(Coll. M. et Mme Antoine Dubuc, Chicoutimi, Qué.).

184. DÉTAIL DE LA COQUILLE SCULPTÉE FORMANT LA VOUTE INTÉRIEURE DU N⁰ 183.

185. DÉTAIL.

186. ENCOIGNURE A DEUX CORPS, D'ESPRIT LOUIS XV. FIN XVIII⁰ SIÈCLE.

Buffet d'encoignure vitré, à pans coupés, à deux corps, dont les portes sont ornées d'une traverse supérieure chantournée. Des caissons verticaux et horizontaux ornent la porte inférieure et les montants. D'inspiration française du XVIII⁰ siècle.

L. 3' 11½"   H. 7'3½"
121 cm   222 cm
3'9"
114 cm
BOIS : pin   PROVENANCE : Verchères, Qué.
(Coll. Musée de la Province, Québec).

187. ENCOIGNURE, D'ESPRIT LOUIS XV. FIN XVIII⁰ SIÈCLE.

Encoignure d'esprit Louis XV, à deux portes encadrées de moulures saillantes, et à traverses supérieures chantournées. Cette encoignure faisait partie d'une paire provenant de l'ancien presbytère de l'endroit, appelé aujourd'hui « Vieille Église » à Saint-Louis de Lotbinière. Fin XVIII⁰ siècle.

L. 3' 1¾"   H. 7' 2⅜"
96 cm   219 cm
BOIS : pin

165

PROVENANCE : Saint-Louis de Lotbinière, Qué.

(Coll. Mlle Barbara Richardson, Sainte-Agathe des Monts, Qué.).

188. BUFFET D'ENCOIGNURE CINTRÉ, A DEUX CORPS. FIN XVIIIe SIÈCLE.

Buffet d'encoignure cintré, à deux corps, orné de portes à panneaux chantournés, d'esprit Louis XV. Les petits panneaux du corps supérieur sont trapus et affectent l'équilibre général du meuble. Il n'en reste pas moins que ce meuble est d'allure très province française. La corniche manque. Fin XVIIIe s.

L. 3' 9 ½''   H. 6' 11 ½''
116 cm   212 cm
3' 11 ½''
121 cm

BOIS : pin   PROVENANCE : Rivière Ouelle, Qué.

(Coll. M. et Mme A.F. Culver, Pointe au Pic, Qué.).

189. PETITE ENCOIGNURE GALBÉE A GRADINS. FIN XVIIIe SIÈCLE.

Petite encoignure galbée à gradins, ornée de deux vantaux et d'une traverse inférieure, chantournés et sculptés. Le corps supérieur de l'encoignure à gradins est aussi chantourné et orné de spirales, dont quelques-unes sont malheureusement absentes sous les gradins. L'extrémité supérieure manque. Pieds cambrés terminés en pieds de biche, surmontés d'une feuille d'acanthe. Agréable petit meuble d'allure bien française mais interprété à la canadienne. Fin XVIIIe siècle.

L. 2' 10''   H. 7'
86 cm   213 cm

BOIS : pin   PROVENANCE : Lacolle, Qué.

(Coll. Mme Ross Sims, Saint-Sauveur des Monts, Qué.).

190. DÉTAIL.

191. ENCOIGNURE VITRÉE A UN CORPS. DÉBUT XIXe S.

Encoignure vitrée à pans coupés, à un corps. La porte inférieure est ornée de deux panneaux chantournés et la porte vitrée, d'une traverse découpée. Meuble très simple. Les festons de la traverse supérieure évoquent le Chippendale chinois. Les pentures sont en H. Début XIXe siècle.

L. 2' 9 ½'' ·   H. 6' 4''
85 cm   193 cm

BOIS : pin   PROVENANCE : région de Montréal

(Coll. M. et Mme Pierre Gouin, Saint-Sulpice, Qué.).

192. ENCOIGNURE CINTRÉE A DEUX CORPS, DE STYLE ADAM. FIN XVIIIe SIÈCLE.

Encoignure cintrée à deux corps, ornée de deux portes dont les panneaux sont inspirés du style Adam.

Corniche à denticules, pieds en console remplacés. Bel exemple de l'influence des frères Adam. Fin XVIIIe siècle.

L. 3' 5''   H. 7' 3 ½''
104 cm   222 cm

BOIS : pin

(Coll. M. et Mme Ross McMaster, Saint-Sauveur des Monts, Qué.).

193. ENCOIGNURE A PORTE PEINTE ET SCULPTÉE. ART POPULAIRE. DÉBUT XIXe SIÈCLE.

Encoignure dont la porte est faite d'une seule planche de pin et dont le motif central, peint et sculpté, représente une plante sortant d'un vase. Art populaire. Début XIXe siècle.

L. 2' 3 ½''   H. 7' 7''
70 cm   231 cm

BOIS : pin   PROVENANCE : Lacolle, Qué.

(Coll. M. et Mme J.N. Cole, Montréal).

194. BUFFET D'ENCOIGNURE A ORNEMENTS MULTIPLES. FIN XVIIIe SIÈCLE.

Buffet d'encoignure à ornements multiples et deux portes vitrées. Les denticules de la corniche sont surmontées de festons, à la manière du Chippendale chinois; les éventails rappellent les ailes de chauve-souris inspirées du style Adam; les palmettes font penser à des ailes d'oiseaux et les deux motifs de la traverse supérieure sont inspirés des plaques de boutons des anciennes portes. Belle encoignure, aux ornements « art populaire ». Fin XVIIIe siècle.

L. 4' 5''   H. 7' 7 ¼''
135 cm   232 cm

BOIS : pin   PROVENANCE : Château-Richer, Qué.

(Coll. Canada Steamship Lines, Tadoussac, Qué.).

195. ENCOIGNURE VITRÉE A DEUX CORPS, ORNÉE DE STRIES GÉOMÉTRIQUES. XIXe SIÈCLE.

Encoignure vitrée à deux corps. La porte vitrée est entourée de stries parallèles et rudentées en forme de chevrons, ornement particulier à certains meubles de la Bresse bourguignonne; quoique les stries en forme de chevrons fassent songer à la céramique indienne. XIXe siècle.

L. 3' 4 ½''   H. 7' 1 ¾''
103 cm   218 cm

BOIS : pin   PROVENANCE : Ile de Montréal

(Coll. M. et Mme Louis G. Johnson, Petit Fort, Sainte-Geneviève de Pierrefonds, Qué.).

196. BUFFET D'ENCOIGNURE VITRÉ ET CINTRÉ, A DEUX CORPS. XIXe SIÈCLE.

Buffet d'encoignure vitré et cintré à deux corps, orné de quatre portes dont deux vitrées. La corniche à denticules surmonte la traverse supérieure dont les motifs évoquent le Chippendale chinois. La traverse supérieure du corps inférieur est décorée de stries parallèles et verticales. Influence anglaise très marquée. XIXe siècle.

L. 3' 8''   H. 7' 2''
112 cm   219 cm
BOIS : pin

(Coll. Canadair Limitée, Saint-Laurent de Montréal).

197. ENCOIGNURE VITRÉE RUSTIQUE, A DEUX PORTES. XIXe SIÈCLE.
Encoignure vitrée rustique, à deux portes. La corniche saillante surmonte des denticules striées, ornées de rosettes. La traverse inférieure, aux moulures multiples, est festonnée et les panneaux sont décorés d'éventails, d'esprit Adam. Meuble d'allure naïve. XIXe siècle.

L. 3' 1¾''   H. 6' 8''
96 cm   203 cm
BOIS : pin
PROVENANCE : Saint-Paul de Joliette, Qué.

(Coll. M. et Mme H.J. Godber, Sainte-Agathe des Monts, Qué.).

198. PETITE ENCOIGNURE RUSTIQUE, VITRÉE ET CINTRÉE. XIXe SIÈCLE.
Petite encoignure vitrée et cintrée, à montants et traverses décorés d'ondes et de pois creusés à la gouge, de facture naïve. Le corps inférieur manque. Pentures en H et L d'époque. XIXe siècle.

L. 2' 6½''   H. 3' 4¾''
77 cm   104 cm
BOIS : pin

(Coll. M. Paul Gouin, Montréal).

199. PETITE ENCOIGNURE CINTRÉE. DÉBUT XIXe SIÈCLE.
Petite encoignure vitrée, cintrée, appelée aussi étagère, accrochée ou suspendue au mur et ne comportant pas de corps inférieur. Les montants et les traverses sont ornés de festons. Début XIXe siècle.

L. 2' 6¾''   H. 3' 6½''
77 cm   108 cm
BOIS : PIN
PROVENANCE : Cap au Corbeau, Baie Saint-Paul, Qué.

(Coll. M. et Mme Pierre Gouin, Saint-Sulpice, Qué.).

200. ENCOIGNURE VITRÉE RUSTIQUE. DÉBUT XIXe SIÈCLE.
Encoignure vitrée rustique à deux portes, dont l'une est vitrée, et l'autre ornée de quatre panneaux. De fortes moulures encadrent le meuble. Gravé à l'intérieur de la porte du corps inférieur : « 20 DC 1817 », ce qui ne signifie pas nécessairement que cette encoignure ait été fabriquée en 1817; le propriétaire d'alors aurait bien pu tracer ces chiffres. Fiches queues-de-rat d'époque. Début XIXe siècle.

BOIS : pin
(Coll. Canada Steamship Lines, Tadoussac, Qué.).

201. DÉTAIL DE LA DATE GRAVÉE A L'INTÉRIEUR DE L'ENCOIGNURE Nº 200.

202. ENCOIGNURE VITRÉE ET CINTRÉE, D'INFLUENCE ANGLAISE. DÉBUT XIXe SIÈCLE.
Encoignure cintrée et vitrée à quatre portes. Le plateau du buffet bas est surmonté d'un arc en anse de panier. Les pieds du soubassement sont en console. Meuble de pure influence anglaise. Début du XIXe siècle.

L. 4'   H. 7' 8''
122 cm   234 cm
BOIS : pin
PROVENANCE : Sainte-Anne de la Pérade, Qué.

(Coll. Mme Richard R. Costello, Sainte-Agathe des Monts, Qué.).

203. ENCOIGNURE A DEUX CORPS, CINTRÉE ET VITRÉE, D'ESPRIT REGENCY. DÉBUT XIXe SIÈCLE.
Encoignure à deux corps, cintrée et vitrée. La forme des moulures appliquées sur les panneaux dénote le style Regency. Soubassement en console. Traverse inférieure à chantournement caractéristique de l'époque. Début XIXe siècle.

L. 4' 4'' - 3' 10½''   H. 7' 1''
132 cm - 118 cm   216 cm
BOIS : pin   PROVENANCE : Rivière Ouelle, Qué.

(Coll. M. et Mme A.F. Culver, Pointe au Pic, Qué.).

204. ENCOIGNURE VITRÉE, D'INFLUENCE ANGLAISE. DÉBUT XIXe SIÈCLE.
Encoignure vitrée, à pans coupés, ornée d'une porte dont la rosette et les éventails, aux angles des panneaux, sont d'esprit Adam. Soubassement en console. Penture de fer forgé d'époque. Début XIXe siècle.

L. 3' 5''   H. 7' 3''
104 cm   221 cm
BOIS : pin   PROVENANCE : Saint-Romuald, Qué.

(Coll. Mlle Barbara Richardson, Sainte-Agathe des Monts, Qué.).

205. ENCOIGNURE VITRÉE, D'INFLUENCE ANGLAISE. DÉBUT XIXe SIÈCLE.
Encoignure vitrée à quatre vantaux dont le corps supérieur est encadré de moulures et de denticules. Pieds en console ajoutés. Meuble rustique, d'influence anglaise. XIXe siècle.

L. 3' 9½''   H. 7' 4½''
116 cm   225 cm
BOIS : pin   PROVENANCE : Ile d'Orléans, Qué.

(Coll. Canada Steamship Lines, Tadoussac, Qué.).

206. ENCOIGNURE OUVERTE A PILASTRES, D'ESPRIT ADAM. DÉBUT XIXᵉ SIÈCLE.

Encoignure à deux vantaux, dont le corps supérieur est orné de pilastres cannelés et d'un arc en anse de panier, décoré d'une petite agrafe et d'ailes de chauve-souris (bat-wings). Tout à fait dans l'esprit du style Adam. Début XIXᵉ siècle.

L. 4'9''   H. 7' 5½''
   145 cm   227 cm
BOIS : pin

(Coll. M. et Mme F.M Hutchins, Pembroke, Ont.).

207. GRANDE ENCOIGNURE, D'INSPIRATION ANGLAISE. FIN XVIIIᵉ SIÈCLE.

Grande encoignure d'inspiration anglaise Chippendale, ornée de deux vantaux, de deux portes vitrées, de pilastres cannelés et rudentés et d'une corniche agrémentée de denticules. Fin XVIIIᵉ siècle.

L. 5' 4½''   H. 7' 4½''
   164 cm   225 cm
BOIS : pin

PROVENANCE : Saint-Rémi de Napierville, Qué.

(Coll. Musée National du Canada, Ottawa, Ont.).

208. ENCOIGNURE OUVERTE, D'ESPRIT CHIPPENDALE AMÉRICAIN. FIN XVIIIᵉ SIÈCLE.

Encoignure ouverte à deux portes et ornée d'une arcade et de deux pilastres cannelés. Ce meuble, d'esprit Chippendale, apparut aux États-Unis vers 1765. Celui-ci, de facture rustique, fut fabriqué au Canada, un peu plus tard. Fin XVIIIᵉ siècle.

L. 4' 1''   H. 7' 2''
   124 cm   218 cm
BOIS : pin

PROVENANCE : Saint-Charles de Bellechasse, Qué.

(Coll. Musée National du Canada, Ottawa, Ont.).

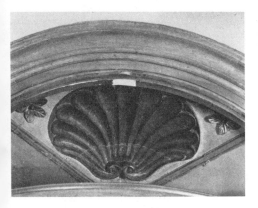

184. DÉTAIL DE LA COQUILLE SCULPTÉE FORMANT LA VOUTE INTÉRIEURE DU Nº 183.
DETAIL OF THE CARVED SHELL FORMING THE INTERIOR VAULT OF No 183.

183. ENCOIGNURE CINTRÉE A FRONTON CURVILIGNE, D'ESPRIT RÉGENCE. XVIIIe S.
BOW FRONT CORNER CABINET, IN THE " RÉGENCE " MANNER, WITH AN ARCHED CORNICE.   18th C.

85. DÉTAIL.
DETAIL.

186. ENCOIGNURE A DEUX CORPS, D'ESPRIT LOUIS XV.
FIN XVIIIᵉ S.
TWO-TIERED GLAZED CORNER CABINET, IN LOUIS XV
MANNER. LATE 18th C.

187. ENCOIGNURE, D'ESPRIT LOUIS XV. FIN XVIIIᵉ S.
CORNER CABINET, IN LOUIS XV MANNER. LATE 18th C.

188. BUFFET D'ENCOIGNURE CINTRÉ, A DEUX CORPS.
FIN XVIIIᵉ S.
TWO-TIERED CORNER CABINET, WITH BOW FRONT.
LATE 18th C.

189. PETITE ENCOIGNURE GALBÉE A GRADINS. FIN XVIIIᵉ S.
SMALL SERPENTINE-FRONTED CORNER CABINET, WITH OPEN SHELVES.
LATE 18th C.

190. DÉTAIL.
DETAIL.

191. ENCOIGNURE VITRÉE A UN CORPS. DÉBUT XIXᵉ S.
GLAZED CORNER CABINET, IN ONE PIECE. EARLY
19th C.

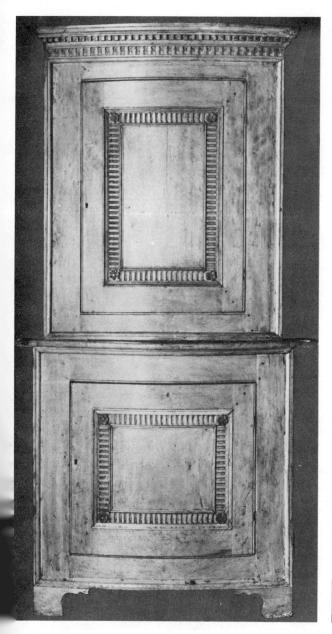

192. ENCOIGNURE CINTRÉE A DEUX CORPS, DE STYLE
DAM. FIN XVIIIᵉ S.
OW-FRONT TWO-TIERED CORNER CABINET, IN THE
DAM MANNER. LATE 18th C.

193. ENCOIGNURE A PORTE PEINTE ET SCULPTÉE. ART
POPULAIRE. DÉBUT XIXᵉ S.
CORNER CABINET, WITH CARVED AND PAINTED DOOR.
FOLK ART. EARLY 19th C.

194. BUFFET D'ENCOIGNURE A ORNEMENTS MULTIPLES.
FIN XVIIIᵉ S.
CORNER CABINET, WITH VARIEGATED DECORATION.
LATE 18th C.

195. ENCOIGNURE VITRÉE A DEUX CORPS, ORNÉE DE
STRIES GÉOMÉTRIQUES. XIXᵉ S.
GLAZED TWO-TIERED CORNER CABINET, CARVED WITH
GEOMETRIC REEDING. 19th C.

196. BUFFET D'ENCOIGNURE VITRÉ ET CINTRÉ, A DEUX
CORPS. XIXᵉ S.
GLAZED BOW-FRONT CORNER CABINET, IN TWO TIERS.
19th C.

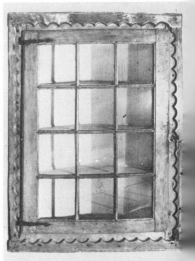

202. ENCOIGNURE VITRÉE ET CINTRÉE, D'INFLUENCE
ANGLAISE. DÉBUT XIXᵉ S.
GLAZED CORNER CABINET WITH BOW FRONT, SHOWING
ENGLISH INFLUENCE. EARLY 19th C.

200. ENCOIGNURE VITRÉE RUSTIQUE. DÉBUT XIXᵉ S.
RUSTIC GLAZED CORNER CABINET. EARLY 19th C.

201. DÉTAIL DE LA DATE GRAVÉE A L'INTÉRIEUR DE
L'ENCOIGNURE Nᵒ 200.
DETAIL OF ENGRAVED DATE INSIDE THE CORNER
CABINET Nₒ. 200.

203. ENCOIGNURE A DEUX CORPS, CINTRÉE ET VITRÉE,
D'ESPRIT REGENCY. DÉBUT XIXe S.
BOW FRONT GLAZED CORNER CABINET IN TWO TIERS,
IN THE REGENCY MANNER. EARLY 19th C.

204. ENCOIGNURE VITRÉE, D'INFLUENCE ANGLAISE.
DÉBUT XIXe S.
GLAZED CORNER CABINET, OF ENGLISH DERIVATION.
EARLY 19th C.

205. ENCOIGNURE VITRÉE, D'INFLUENCE ANGLAISE. DÉ-
BUT XIXᵉ S.
GLAZED CORNER CABINET, SHOWING ENGLISH INFLU-
ENCE. EARLY 19th C.

206. ENCOIGNURE OUVERTE A PILASTRES, D'ESPRIT ADAM.
DÉBUT XIXᵉ S.
OPEN CORNER CABINET WITH PILASTERS, IN THE ADAM
MANNER. EARLY 19th C.

207. GRANDE ENCOIGNURE, D'INSPIRATION ANGLAISE.
FIN XVIIIᵉ S.
LARGE CORNER CABINET, UNDER ENGLISH INFLUENCE.
LATE 18th C.

208. ENCOIGNURE OUVERTE, D'ESPRIT CHIPPENDALE
AMÉRICAIN. FIN XVIIIᵉ S.
OPEN CORNER CABINET, IN THE AMERICAN CHIPPEN-
DALE STYLE. LATE 18th C.

CHAMBRE A COUCHER. FIN XVIIIe SIÈCLE.

LITS

Quels lits trouvons-nous dans la maison des Canadiens, de 1650 à 1760 ?

Ces lits, on les appelait autrefois cabanes, lits à quenouilles ou à colonnes, châlits, couchettes, bois de lit, roulettes. Très peu de ces lits existent encore aujourd'hui. Les cabanes du XVIIᵉ et du XVIIIᵉ siècle semblent avoir disparu avec l'avènement des poêles comme moyen auxiliaire de chauffage. La cabane était une espèce de lit clos, plus fruste que le lit clos breton ou auvergnat et bâtie de planches d'épinette, de sapin ou de pin avec une ou deux portes... « une cabane de bois de sapin... »[1], « une cabane à coucher »[2]. En voici une bonne description que nous a laissée la Mère Marie de l'Incarnation : « Nos couches sont de bois qui se ferment comme des armoires. & quoiqu'elles soient doublées de couvertes ou de serge, à peine y peut-on échauffer. »[3] En somme, c'était une grande boîte ou cabinet, à un ou deux battants, fait de planches, avec une toiture. La couche à fond de planches était le plus souvent construite à même la cabane ; parfois, on plaçait, à l'intérieur, un lit à quenouilles ou une couchette.

Pourquoi ce genre de lit ? La Sœur de Bresolles raconte, vers 1661, que... « estant une nuit couchée dans une cabane de planches à la mode du pays, pour se défendre mieux du froid... elle entendit frapper trois coups distinctement derrière sa teste et quelques plaintes... »[4] C'était la Sœur Pilon, une de ses compagnes, morte quelques jours auparavant et qui venait lui communiquer un mystérieux message... Ces cabanes avaient été conçues dans les premiers temps de la colonie pour se préserver du froid et des courants d'air glacés qui s'infiltraient par tous les interstices de ces grandes pièces chauffées par une ou deux cheminées mais dont les feux s'éteignaient souvent pendant la nuit.

La cabane procurait aussi plus d'intimité pour se déshabiller et se reposer, dans ces salles communes où se côtoyaient colons, hommes et femmes, militaires et religieux.

L'abbé Charles Glandelet, dans ses notes sur Sœur Marie Barbier de l'Assomption, de la Congrégation de Notre-Dame, raconte « qu'un jeune homme étant venu à elle lorsqu'elle étoit couchée, et celui-ci, qui avoit une tres mechante Intention, s'efforçant d'ouvrir La cabane ou était son lit, ce qu'il serait enfin venu à bout d'exécuter, étant, comme il était, le plus fort, elle s'adressa a cette Mere d'Amour et de pureté, qui la rendit si forte en un instant pour tenir fermé le volet de Sa Cabane que L'Autre se vit contraint de se retirer. »[5]

Ces cabanes avaient donc des portes. En outre, elles servaient de garde-robes où chacun rangeait ses hardes et ses objets personnels.

M. de Maisonneuve, gouverneur de Montréal, lors d'un long séjour à Paris, avait sans doute la nostalgie du pays puisqu'il fit faire une de ces cabanes dans sa maison. Nous citons la Bienheureuse Marguerite Bourgeois, fondatrice de la Congrégation de Notre-Dame : « Je fois en sorte de trouvé Monsieur de Maisonneufve qui étoit loge sur la fausse de St Victor proche des Pere de la Doctrine Chrestienne et jy arriva ase tart et il ny avait que quelque jours qu'il avait fait garnir une petite chambre et y faire une cabane a la fason du Canada afin de logé quelque personne qui viendroit de Montréal. »[6]

Existait-il des lits demi-clos ? Voici la seule allusion trouvée dans un inventaire « ...Deux rideaux de Tapisserie servant au devant d'Une Cabane. »[7]

Les lits à quenouilles ou à colonnes, les châlits, les bois de lits, les couchettes sont les lits qu'on trouve dans presque toutes les maisons. Ils avaient des rideaux ou courtines qu'on pouvait fermer pour éviter les promiscuités et se préserver du froid. Ils avaient, aux quatre coins,

---

(1) A J M, I O A. — Inventaire de deffunt Pierre Gadoys, 3 novembre 1667. Greffe Basset.
(2) A J M, I O A. — Inventaire par Lordre de Mrs Gausselin des meubles de la ferme. Greffe Coron.
(3) *Lettre de la Vénérable Mère Marie de l'Incarnation à son fils*, le 26 août 1644.
(4) Morin, Sœur Marie. *Annales de l'Hôtel-Dieu de Montréal*. Montréal, 1921, p. 104.
(5) A S Q. — Glandelet, Charles. *Notes sur Marie Barbier* (manuscrit) p. 5.
(6) A A M. — *Mémoires de Marguerite Bourgeois* (manuscrit) p. 34.
(7) A J M, I O A. — Procès Verbal de l'Estat des maisons et meubles de M. de Chambly a la reqte du Sr Gouyau. 18 juillet 1678 (de l'Ile Saint-Louis). Greffe Adhémar.

de hautes quenouilles ou colonnes, les unes en bois chanfreiné allant en s'amincissant vers le haut, les autres en bois tourné ou torse; un cadre servait à retenir la toile qui formait la toiture, et qu'on appelait le ciel de lit. Plusieurs n'ont que deux quenouilles au pied et, à la tête, un grand panneau qu'on recouvrait de tapisserie, toujours pour conserver la chaleur, tel un lit que l'on peut encore voir à l'Hôpital-Général de Québec. Lors de sa visite à cet hôpital, en 1749, Peter Kalm, botaniste suédois, note que « les lits sont entourés de rideaux bleus »[1].

Un autre genre de lit, a été observé dans plusieurs demeures paysannes de la région de Batiscan par un officier allemand des troupes hessiennes, lors de la guerre d'Indépendance américaine, en 1776. « Dans chaque chambre à coucher, on trouve au moins un lit pour deux personnes. En général, les rideaux de ces lits pendent d'un baldaquin carré attaché au plafond. Tous ces lits sont carrés et sans colonnes[2]. » probablement celui que l'on appelle *à la duchesse*.

Au Canada, aux xviie et xviiie siècles, la terminologie prête à confusion. Ainsi les lits à quenouilles étaient aussi appelés *bois de lit* : « ... huit planches de merizier Trois madriers & deux quesnouilles pour faire un bois de Lict. Le tout de merizier Estime Ensemble a La somme de vingt sept Livre six sols... »[3] ou encore *châlits* : « Un chaslie a quatre quenouille de bois de sapin, Tour Rideaux et Un Ciel de Lit de tapisserie qui Lentour... »[4]. Le châlit, en France, est un lit en bois, avec chevet de bois. Dans les livres de Recettes et Dépenses des biens de l'Hôpital-Général de Québec, on lit à la date de 1702 : « De la somme de trente six livres pour trois bois de lict à douze livres pièce Cy... » et, plus loin, pour l'année 1714 : « de la somme de 48 livres payé à Pierre Racine pour quatre chali pour les Religieuses... de la somme de 18 livres payé au même pour trois couchet Une pour la Sœur Colombe, la sœur gaucelin et l'autre pour la sœur de Saint Michel » et, pour l'année 1715 : « ... de la somme de 90 livres payé à pierre Racine et ses enfants pour cinq chalit pour les Religieuses à 18 livres... »

Les lits à quenouilles des Augustines de l'Hôpital-Général de Québec furent utilisés jusqu'en 1927, moment où ils furent remplacés par des couchettes de fer.

Des couchettes de bois de merisier à pieds tournés ou non tournés sont aussi mentionnées : « Une Couchette de bois de merisier non tourné... »[5]. Il n'est jamais question de rideaux ou de courtines lorsque l'on décrit ces couchettes. Donc, ce sont des *bois de lit* plutôt bas, sans quenouille et sans ciel de lit; des lits découverts, à la manière des couchettes du xixe siècle. Nous n'en connaissons pas de très anciens.

On trouve aussi des *baudets* et des *roulettes*. Les baudets sont des lits pliants en toile : « ... un Baudet de bois de merisier avec sa toile six livres »[6]. Les *roulettes* sont des petits lits très bas dans lesquels se couchent les enfants et qu'on peut, le jour, glisser sous les grands lits, sans doute parce qu'il y avait des roulettes sous les pieds.

Au xixe siècle, des lits *traîneaux* ou *carrioles* (appelés *lits-bateaux* dans le Languedoc) d'inspiration fin Empire, et des lits *à fuseaux* font leur apparition. Ces derniers sont très répandus. On en fabriquait à La Malbaie pour les maisons des estivants, il y a une trentaine d'années.

Tous les lits avaient leur traversin, leur paillasse et leur matelas bourrés de paille, de plumes de poule ou de canard, de duvet d'oie ou de cotonnier[7], ou de plumes de tourte, ce qui semble plus rare, car seuls les bourgeois très aisés pouvaient se permettre ce luxe.

Enfin, le rôle du lit, dans les coutumes canadiennes, n'est pas sans importance. Toutes les étapes de la vie d'une famille y défilent sous nos yeux. Il est lié au mariage, aux naissances qui suivront et à la mort, car le défunt y reposera, sa famille réunie tout autour, cependant que

(1) Kalm, Peter. *Voyage en Amérique* (août 1749). Montréal, 1880, vol. 2, p. 114.
(2) Stone, W.L. *Letters of Brunswick and Hessian Officers during the American Revolution*. Albany, 1891, p. 13.
(3) A J M, I O A. — Inventaire des meubles et esfectz de pierre busson subtil 25e avril 1689. Greffe Adhémar.
(4) A J M, I O A. — Inventaire Jacques Lemoine et agathe St Pere, 24 juillet 1685. Greffe Bourgine.
(5) A J M, I O A. — Invantaire de Jacques Cusson et Michelle Cholecq sa femme auparavant Veuve de feu françois Viger le 20 décembre 1729. Greffe Chaumont.
(6) A J M, I O A. — Minutte de l'Inventaire et partage des biens meubles Et Succession de defunt Luc Dufresne, Du 27 aoust 1760. Greffe Bouron.
(7) Se dit d'une plante sauvage du Canada, appelée asclépiade, et dont les aigrettes ressemblent à celles du cotonnier.

le curé accomplit les derniers rites. Le mort y était exposé, comme c'était la coutume[1]. Au XIXᵉ siècle, lorsque la mariée apportera son lit en dot, il ne pourra figurer dans les partages mais restera dans la maison. Et comme en France, pour distinguer les enfants nés d'un premier mariage de ceux d'un second, l'on dira que les uns sont du premier lit, les autres du deuxième lit.

209. LIT A COLONNES TORSES, D'ESPRIT LOUIS XIII. FIN XVIIᵉ SIÈCLE.

Lit à colonnes torses, orné d'un grand panneau au chevet. Meuble à torsades d'inspiration Renaissance et répandu sous Louis XIII. Ce lit est le plus ancien que je connaisse ; il provient de l'Hôpital-Général de Québec. Il date de la fin du XVIIᵉ siècle, et était probablement réservé aux invités de marque. Peut-être est-ce celui du Marquis de Frontenac qui se retirait souvent à l'Hôpital-Général ? Lit à colonnes attrayant. Fin XVIIᵉ siècle.

L. 6' 1''   H. 6' 1⅝''   P. 3' 5''
185 cm   187 cm   104 cm

BOIS : merisier PROVENANCE : Québec

(Coll. Musée de l'Hôtel-Dieu, Québec).

210. LIT A COLONNES TOURNÉES. FIN XVIIIᵉ - DÉBUT XIXᵉ SIÈCLE.

Lit à colonnes tournées, ornées d'urnes aux extrémités supérieures. Ce genre de lit fut très répandu. Le chevet et le tournage des colonnes sont assurément d'influence américaine. Fin XVIIIᵉ siècle, début XIXᵉ siècle.

L. 6' 11''   H. 7' 1¼''   P. 3' 7''
211 cm   217 cm   110 cm

BOIS : merisier PROVENANCE : Saint-Ours, Qué.

(Coll. M. Roch Rolland, manoir de la Sapinière, Seigneurie de Saint-Ours, Qué.

211. LIT A COLONNES TOURNÉES. DÉBUT XIXᵉ SIÈCLE.

Lit à colonnes tournées, typique d'un grand nombre de ces lits dont les colonnes sont faites de bois très massif. Noter le châssis du ciel du lit. Début XIXᵉ s.

L. 6' 2''   H. 6' 8¼''   P. 4' 2''
188 cm   204 cm   127 cm

BOIS : merisier TRAVERSES : frêne

(Coll. Château de Ramezay, Montréal).

212. COUCHETTE A QUENOUILLES TOURNÉES. DÉBUT XIXᵉ SIÈCLE.

Couchette à quenouilles tournées, ornée d'un chevet surmonté d'un rouleau et d'une traverse tournée et chanfreinée. On ne s'explique pas pourquoi le bois des montants était si lourd. Début XIXᵉ siècle.

L. 6' 2¾''   H. 4' 8''   P. 4' 2½''
190 cm   142 cm   128 cm

BOIS : merisier

PROVENANCE : l'Ange Gardien, Qué.

(Coll. Mme Colette P. Loranger, Montréal).

213. COUCHETTE A QUENOUILLES TOURNÉES. DÉBUT XIXᵉ SIÈCLE.

Couchette à quenouilles tournées, ornée d'urnes, d'un chevet surmonté d'un rouleau chanfreiné et d'une traverse tournée. Réduction d'un lit à colonnes. Début XIXᵉ siècle.

L. 6' 1¾''   H. 3' 10¼''   P. 3' 7½''
187 cm   117 cm   110 cm

BOIS : merisier

PROVENANCE : Sainte-Pétronille, Ile d'Orléans, Qué.

(Coll. Mme Colette P. Loranger, Montréal).

214. COUCHETTE A QUENOUILLES TOURNÉES. DÉBUT XIXᵉ SIÈCLE.

Couchette à quatre quenouilles tournées, ornée au chevet et au pied surmontés de rouleaux. Noter les perles de la façade. Début XIXᵉ siècle.

L. 6' 6''   H. 3' 8''   P. 4'
198 cm   112 cm   122 cm

BOIS : merisier et frêne; LES COTÉS : pin.

PROVENANCE : Sainte-Anne de la Pérade, Qué.

(Coll. M. et Mme Georges-Etienne Gagné, Neuville, Qué.).

215. LIT « CARRIOLE », D'INSPIRATION FIN EMPIRE. XIXᵉ SIÈCLE.

Lit *carriole*, comme on l'appelle au Canada. En France, et plus particulièrement dans le Languedoc, il porte le nom de *bateau*. Celui-ci est orné d'encadrements chantournés et de sculptures naïves, appliquées. Ce lit fut très répandu dans la première partie du XIXᵉ siècle. Ce style prit naissance durant le règne de Napoléon, après les campagnes d'Italie. Retour aux formes antiques romaines. Style Fin Empire. XIXᵉ siècle.

L. 6' 5½''   H. 3' 6''   P. 3' 8''
197 cm   107 cm   112 cm

BOIS : pin et merisier

PROVENANCE : région de Montréal

(Coll. M. et Mme F.M. Hutchins, Pembroke, Ont.).

216. LIT A FUSEAUX. MILIEU XIXᵉ SIÈCLE.

Lit à fuseaux tournés, orné de glands et de rouleaux tournés. Très répandu au XIXᵉ siècle. Influence américaine. Milieu XIXᵉ siècle.

(1) A S M. — « Nous nous sommes transportez, en la Maison dud hospital et ou lad. Damoiselle est décédée, ou nous avons trouvé son Corps, dans une chambre d'Icelle Sur un lict, avec la Damoiselle dupuy, la Sœur Marguerite Bourgeois; supérieure des filles de la congrégation, de ce lieu... » (le 19ᵉ juin 1673, Inventaire des biens meubles, Tiltres et Enseignemens de deffunte Damoiselle Jeanne Mance vivante administratrice de l'hospital de Montréal). Greffe Basset.

L. 6' 3'' H. 3' 6 ¼'' P. 4' 4 ¼''
190 cm 108 cm 133 cm
BOIS : merisier PROVENANCE : Saint-Ours, Qué.
(Coll. M. et Mme Armand Poupart, Seigneurie de Saint-Ours, Qué.).

217. LIT A FUSEAUX, DE CAP ROUGE. MILIEU XIXᵉ SIÈCLE.

Lit dont le chevet est orné de fuseaux verticaux. Montants et traverses tournés. Milieu XIXᵉ siècle.

L. 6' 3'' H. 2' 8'' P. 4' 3''
190 cm 81 cm 130 cm
BOIS : érable et merisier
PROVENANCE : Cap Rouge, Qué.

(Coll. M. et Mme Georges-Etienne Gagné, Neuville, Qué.).

218. LIT DE SAINTE-ANNE DE LA POCATIÈRE. FIN XIXᵉ SIÈCLE.

Lit de Sainte-Anne de la Pocatière, à montants et à traverses tournés en chapelet. Le chevet est surmonté d'un fronton rappelant celui de certains châlits anciens. Précurseur de tous les lits de la première partie du XXᵉ siècle. Fin XIXᵉ siècle.

L. 6' 8'' H. 3' 4 ¼'' P. 4' 7 ⅜''
203 cm 104 cm 141 cm
BOIS : MONTANTS : noyer;
CHEVET ET PIED : noyer tendre

PROVENANCE : Sainte-Anne de la Pocatière, Qué.

(Coll. M. et Mme Georges-Etienne Gagné, Neuville, Qué.).

99. LIT A COLONNES TORSES, D'ESPRIT LOUIS XIII. FIN XVIIᵉ S.   BED WITH SPIRALLY TURNED POSTS, IN LOUIS XIII MANNER.   LATE 17th C.

210. LIT A COLONNES TOURNÉES.
FIN XVIIIᵉ-DÉBUT XIXᵉ S.
BED, WITH TURNED POSTS. LATE
18th OR EARLY 19th C.

211. LIT A COLONNES TOURNÉES.
DÉBUT XIXᵉ S.
BED, WITH TURNED POSTS.   EARLY
19th C.

212. COUCHETTE A QUENOUILLES
TOURNÉES. DÉBUT XIXe S.
BEDSTEAD, WITH TURNED POSTS.
EARLY 19th c.

213. COUCHETTE A QUENOUILLES
TOURNÉES. DÉBUT XIXe S.
BEDSTEAD, WITH TURNED POSTS.
EARLY 19th c.

214. COUCHETTE A QUENOUILLES TOURNÉES. DÉBUT
XIXe S.
BEDSTEAD WITH TURNED POSTS. EARLY 19th c.

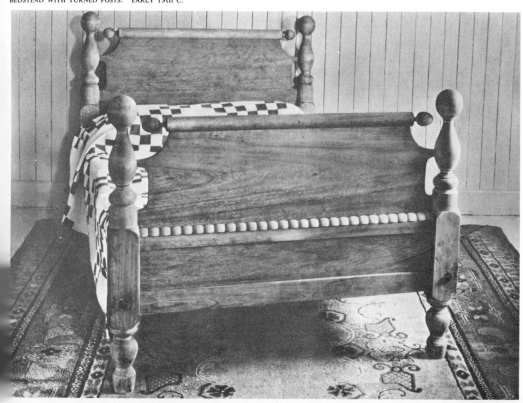

217. LIT A FUSEAUX, DE CAP ROUGE. MILIEU XIXe S.
SPINDLE OR SPOOL BED, FROM CAP ROUGE. MID
19th C.

215. LIT « CARRIOLE », D'INSPIRATION FIN EMPIRE.
XIXe S.
" SLEIGH BED ", DERIVED FROM LATE EMPIRE STYLE.
19th C.

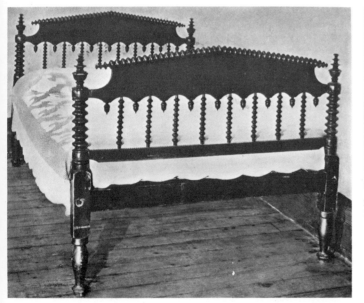

218. LIT DE SAINTE-ANNE DE LA POCATIÈRE. FIN XIX
BED FROM ST ANNE DE LA POCATIÈRE. LATE 19th C

216. LIT A FUSEAUX. MILIEU XIXe S.
SPINDLE OR SPOOL BED. MID 19th C.

BERCEAUX

Le berceau, appelé aussi *ber* au Canada français, est un meuble qu'on trouve dans toutes les maisons depuis les débuts de la colonie « ... un berceau de bois de pin, les quenouilles de merisier... »[1].

La plupart des berceaux ont quatre quenouilles tournées et de lourds patins courbes. Ces patins sont nommés, suivant les régions, *berces* ou *chanteaux*. Ce dernier mot est en usage particulièrement dans le bas du fleuve Saint-Laurent, parce que les patins ressemblent aux planches courbes du couvercle d'un tonneau. C'est en poussant la quenouille avec la main, ou le patin avec le pied, que l'on berçait l'enfant.

D'autres berceaux sont ornés de fuseaux verticaux et espacés. En France, on les retrouve généralement dans les provinces de l'Ouest; au Canada, dans la région de Québec. De très rares berceaux sur pieds, ou suspendus sur deux montants à hauteur du lit à quenouille, ont une corde permettant à la mère, sans quitter le lit, de bercer son enfant s'il pleure pendant la nuit.

Une autre catégorie de berceaux doit être signalée. Ce sont des berceaux comportant, au chevet, un abri cintré appelé têtière. Ils sont probablement d'inspiration américaine, caractéristiques des berceaux mennonites de Pennsylvanie et du New Jersey.

Certains berceaux étaient ornés de dessins géométriques ou de panneaux sur leurs côtés. Rares sont ceux qui étaient ornés de peintures. En général, nos berceaux sont plutôt lourds, mais agréables dans leur ensemble. Des petits trous percés dans les côtés permettaient d'attacher l'enfant. Tous ces berceaux sont en voie de disparition. La pédiatrie moderne les condamne sous prétexte que le bercement encourage les caprices de l'enfant.

Les Américains sont très amateurs de ces meubles. On les retrouve dans leurs maisons, au coin du feu, servant de boîte à bois, de porte-journaux et, posés à la renverse, de table à café.

219. PETIT BERCEAU DE POUPÉE. XVIIIᵉ S.

Petit berceau de poupée à quatre quenouilles tournées, sur patins courbes, orné de dessins géométriques et d'une corbeille de fleurs creusées à la gouge. XVIIIᵉ siècle.

L. 1' 6½''   H. 1' 3''   P. 9''
47 cm   38 cm   23 cm

BOIS : pin   PROVENANCE : Châteauguay, Qué.

(Coll. Mme Nettie Sharpe, Saint-Lambert, Qué.).

220. BERCEAU SUSPENDU. XVIIIᵉ SIÈCLE.

Berceau sur pieds ou suspendu à deux montants et à deux traverses chevillées. Ce berceau est rare au Canada. On le trouve en France au XVIIᵉ et au XVIIIᵉ s. Placé à la hauteur du lit, la mère pouvait bercer l'enfant à l'aide d'une corde. On passait des cordes dans les trous pour attacher l'enfant à son berceau. Une date : 1820, est gravée dans le bas du berceau. XVIIIᵉ siècle.

L. 2' 1½''   H. 3' 11''   P. 1' 5½''
65 cm   119 cm   44 cm

BOIS : pin et merisier

PROVENANCE :
Saint-François de l'Ile d'Orléans, Qué.

(Coll. Musée National du Canada, Ottawa).

221. BERCEAU A LOSANGES. DÉBUT XIXᵉ SIÈCLE.

Berceau à quatre quenouilles tournées, d'influence Queen Anne, décoré de losanges et de rayons de soleil. Monté sur patins courbes. Début XIXᵉ siècle.

L. 3' 6¼''   H. 2' 3''   P. 1' 7''
107 cm   69 cm   49 cm

BOIS : pin et merisier   PROVENANCE : L'Islet, Qué.

(Coll. M. Richard R. Costello, Sainte-Agathe des Monts, Qué.).

222. BERCEAU DE CAUGHNAWAGA. XVIIIᵉ SIÈCLE.

Berceau à quenouilles tournées, sur patins courbes, et décoré de fleurs peintes à l'indienne, à la manière des planchettes iroquoises (papoose-board). Le style

(1) A J M, I O A. — Inventaire Entre Marguerite Robidou veufve de feu Jean Baptiste Varin, le 2ᵉ may 1733, Montréal. Greffe Chaumont.

du berceau est typique de cette époque. Fort probablement fabriqué par un menuisier canadien et décoré par un Indien. XVIIIe siècle.

L. 2' 10½''   H. 2' 2''   P. 1' 5''
88 cm   66 cm   43 cm

BOIS : pin et merisier

PROVENANCE : Caughnawaga, Qué.

(Coll. Château de Ramezay, Montréal).

223. BERCEAU ORNÉ DE PETITES QUENOUILLES. DÉBUT XIXe SIÈCLE.

Berceau orné de quatre petites quenouilles, de six panneaux, d'un chevet et de patins courbes chantournés. Début XIXe siècle.

L. 3' 3''   H. 2' 4''   P. 1' 9''
99 cm   71 cm   53 cm

BOIS : pin et merisier

PROVENANCE : Sault à la Puce, Qué.

(Coll. de l'auteur, Petite Rivière Saint-François, Qué.).

224. BERCEAU A QUENOUILLES, ORNÉ DE PANNEAUX. XVIIIe SIÈCLE.

Berceau à quenouilles tournées, sur patins courbes, et orné de six panneaux simples. Modèle très commun dans le bas du fleuve Saint-Laurent. XVIIIe siècle.

L. 3' ½''   H. 2' 7½''   L. 1' 7¾''
93 cm   80 cm   50 cm

BOIS : merisier et pin

PROVENANCE : Tour l'Oignon, Baie Saint-Paul, Qué.

(Coll. de l'auteur, Petite Rivière Saint-François, Qué.).

225. BERCEAU A TÊTIÈRE. DÉBUT XIXe SIÈCLE.

Berceau à têtière cintrée et chantournée, d'inspiration mennonite, sur patins courbes chantournés, avec spirales et traverse centrale tournées. Les deux poignées sont de fer forgé. Peint en blanc. Début XIXe s.

BOIS : pin   PROVENANCE : Saint-Barthélémy, Qué.

(Coll. Musée des Beaux-Arts, Montréal).

226. BERCEAU A QUENOUILLES. FIN XVIIIe SIÈCLE.

Berceau orné de quatre quenouilles tournées, d'un chevet chantourné et de moulures horizontales. Fin XVIIIe siècle.

L. 3' 1''   H. 1' 6¾''   P. 1' 5''
94 cm   48 cm   43 cm

BOIS : pin et merisier   PROVENANCE : Belœil, Qué.

(Coll. Canada Steamship Lines, Tadoussac, Qué.).

227. BERCEAU A TÊTIÈRE. FIN XVIIIe SIÈCLE.

Berceau sur patins courbes, avec têtière à bordure chantournée. Fin XVIIIe siècle.

L. 3' 1½''   H. 2' 3''   P. 1' 4½''
95 cm   69 cm   42 cm

BOIS : pin   PROVENANCE : Lacolle, Qué.

(Coll. Canada Steamship Lines, Tadoussac, Qué.).

228. BERCEAU A TÊTIÈRE ET A QUENOUILLES. DÉBUT XIXe SIÈCLE.

Berceau sur patins courbes, à quatre quenouilles, à têtière cintrée. La têtière du berceau est inspirée des berceaux mennonites de la Pennsylvanie. Meuble de transition avec ses petites quenouilles et sa têtière. Début XIXe siècle.

L. 3' 1''   H. 2' 10¾''   P. 1' 7''
94 cm   88 cm   48 cm

BOIS : pin   PROVENANCE : Longueuil, Qué.

(Coll. Jean Dubuc, Québec).

229. BERCEAU A TÊTIÈRE, A L'INDIENNE. DÉBUT XIXe S.

Berceau à deux quenouilles et à têtière cintrée, rappelant les courbes des cabanes indiennes d'antan. Début XIXe siècle.

L. 2' 5''   H. 2' ⅜''   P. 1' 6''
74 cm   62 cm   46 cm

BOIS : pin, merisier, frêne

PROVENANCE : Sorel, Qué.

(Coll. M. et Mme Georges-Etienne Gagné, Neuville, Qué.).

230. BERCEAU A QUATRE QUENOUILLES CANNELÉES. XIXe SIÈCLE.

Berceau sur patins courbes à quatre quenouilles cannelées et tournées, d'inspiration Regency, orné de panneaux et de bras. (Ces derniers semblent avoir été ajoutés plus tard.) XIXe siècle.

L. 2' 10''   H. 2' 6½''   P. 1' 5¾''
86 cm   77 cm   45 cm

BOIS : noyer tendre

PROVENANCE : Saint-Eustache, Qué.

(Coll. Detroit Institute of Arts, Détroit, Mich. E.-U.).

231. BERCEAU A QUENOUILLES. XVIIIe SIÈCLE.

Berceau à quatre quenouilles, à chevet chantourné, sur patins courbes. XVIIIe siècle.

L. 3' 6''   H. 2' 8''   P. 1' 1''
107 cm   81 cm   33 cm

BOIS : pin et merisier

PROVENANCE : Maskinongé, Qué.

(Coll. Dr et Mme Herbert T. Schwarz, Montréal).

232. BERCEAU A FUSEAUX VERTICAUX TOURNÉS, D'IN-FLUENCE POITEVINE. DÉBUT XIXᵉ SIÈCLE.

Berceau à fuseaux verticaux et à quatre quenouilles tournés, sur patins courbes chantournés. Le rouleau du chevet, d'inspiration Fin Empire, date ce meuble du XIXᵉ siècle. Ce modèle de berceau, mais sans rouleau, fut très courant, au XVIIIᵉ siècle, dans le Poitou. Début XIXᵉ siècle.

L. 3' 4½''   H. 2' 7''   P. 1' 8''
   103 cm   79 cm   51 cm

BOIS : pin et merisier

PROVENANCE : Baie Saint-Paul, Qué.

(Coll. Mme Colette P. Loranger, Montréal).

233. BERCEAU DE STYLE FIN EMPIRE. XIXᵉ SIÈCLE.

Berceau de style Fin Empire dont les courbes en console du rouleau évoquent le lit canadien *traîneau* ou *carriole* de la même époque. Le petit trou percé sur le rouleau du chevet servait de porte-ombrelle. XIXᵉ siècle.

BOIS : noyer tendre

(Coll. M. et Mme Pierre Gouin, Saint-Sulpice, Qué.).

234. BERCEAU A FUSEAUX. DÉBUT XIXᵉ SIÈCLE.

Berceau à fuseaux verticaux tournés en chapelet, à quatre quenouilles et à rouleaux tournés, sur patins courbes. Début XIXᵉ siècle.

L. 2' 11⅜''   H. 2' 5''   P. 1' 8¼''
   86 cm   74 cm   51 cm

BOIS : frêne, merisier, pin.

PROVENANCE : Yamachiche, Qué.

(Coll. M. S. Breitman, Antiquaire, Montréal).

235. BERCEAU SUSPENDU. DÉBUT XIXᵉ SIÈCLE.

Berceau suspendu, à quatre quenouilles et à deux montants tournés, orné de barreaux plats verticaux, ajourés de cercles. Début XIXᵉ siècle.

L. 3'   H. 2' 3⅜''   P. 1' 4¾''
   91 cm   69 cm   43 cm

BOIS : pin et merisier

(Coll. M. et Mme Victor Drury, Lac Anne, Qué.).

219. PETIT BERCEAU DE POUPÉE. XVIIIᵉ S.
DOLL'S CRADLE. 18th C.

220. BERCEAU SUSPENDU. XVIIIᵉ S.
HANGING OR SUSPENDED CRADLE. 18th C.

221. BERCEAU A LOSANGES. DÉ-
BUT XIXe S.
CRADLE, CARVED WITH LOZENGES.
EARLY 19th C.

222. BERCEAU DE CAUGHNAWAGA.
XVIIIe S.
CRADLE FROM CAUGHNAWAGA.
18th C.

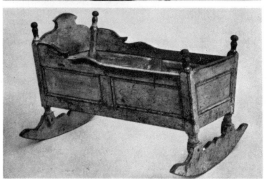

223. BERCEAU ORNÉ DE PETITES
QUENOUILLES. DÉBUT XIXe S.
CRADLE, WITH SMALL POSTS.
EARLY 19th C.

224. BERCEAU A QUENOUILLES.
ORNÉ DE PANNEAUX. XVIIIe S.
PANELLED CRADLE, WITH POSTS.
18th C.

225. BERCEAU A TÊTIÈRE. DÉBUT XIXᵉ S.
HOODED CRADLE. EARLY 19th C.

226. BERCEAU A QUENOUILLES. FIN XVIIIᵉ S.
CRADLE, WITH CORNER POSTS. LATE 18th C.

227. BERCEAU A TÊTIÈRE. FIN XVIIIᵉ S.
HOODED CRADLE. LATE 18th C.

228. BERCEAU A TÊTIÈRE ET A QUENOUILLES. DÉBUT
XIXᵉ S.
HOODED CRADLE, WITH POSTS. EARLY 19th C.

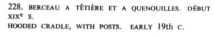

229. BERCEAU A TÊTIÈRE, A L'INDIENNE. DÉBUT XIXᵉ S.
HOODED CRADLE, IN THE INDIAN MANNER. EARLY 19th C.

230. BERCEAU A QUATRE QUENOUILLES CANNELÉES. XIXᵉ S.
CRADLE, WITH FOUR FLUTED POSTS. 19th C.

CHAMBRE A COUCHER. FIN XVIIIe SIÈCLE.

SIÈGES

TABOURETS, ESCABEAUX, BANCS

Tabourets, escabeaux, bancs sont en usage dès le début de la colonie, et les premières mentions qui les concernent se trouvent dans les inventaires de 1663 à 1673. On voit ces meubles dans tous les foyers paysans, riches ou pauvres, du Canada français. Ce sont des sièges qui n'ont pas de dossier et que l'on déplace facilement.

Il y a deux sortes de tabourets : les uns, assez petits, pour reposer les pieds et les chauffer près du foyer; les autres, plus hauts, pour s'asseoir. La plupart sont à pieds tournés, d'esprit Louis XIII ou à *os de mouton*, d'esprit Louis XIV. L'escabeau est plus haut et souvent percé d'un trou sur le siège : prise de main pour faciliter son déplacement. On s'en servait non seulement comme siège, mais la ménagère l'employait aussi pour ranger des objets à une certaine hauteur. D'autres escabeaux, à gradins, sont utilisés surtout dans les églises.

Les bancs et *bancelles* étaient placés de chaque côté de la table dans la salle commune et on les rangeait le long du mur, le soir, pour les veillées.

Au XVIIIᵉ siècle, des bancs à dossiers sont apparus dans la maison rurale. Les dossiers sont grillés de barreaux verticaux tournés ou de barreaux plats chantournés. Le banc-coffre, tel qu'on le connaît en France, plus particulièrement en Bretagne, était placé contre le lit clos ou à quenouille. Il servait de coffre à ranger le linge et de marchepied pour monter dans le lit. Un autre banc, le *banc-lit*, est signalé au XVIᵉ siècle, en France, et mentionné par Havard dans son *Dictionnaire de l'ameublement et de la décoration*. Cependant il est depuis longtemps inconnu en France, mais il fait son apparition au Canada au début du XIXᵉ siècle. Nous croyons qu'il est d'importation irlandaise (en Irlande on l'appelle le *settle-bed*[1]). On le signale aussi en Suède et en Finlande. Sa forme ressemble beaucoup à l'archebanc bressan ou au banc-coffre breton dont il est une transformation. Le jour, il sert à la fois de siège et de coffre, la nuit, de couche. On l'appelle au Canada *banc du quêteux*, *bède* (de l'anglais ou du vieux français) et, fréquemment, *rabat*. Ces coffres se rabattaient, grâce à un système de charnières et formaient une boîte d'environ trois pieds de largeur (91 cm) par six pieds (183 cm) et plus de longueur. Dans les familles paysannes où les enfants étaient nombreux, il était normal que l'on y plaçât jusqu'à quatre petits enfants qui dormaient « pieds à pieds », sur un fond de paille ou un paillasson. Si les enfants n'y couchaient pas, ce banc était réservé au mendiant de passage à qui on donnait l'hospitalité pour la nuit, d'où l'appellation *banc du quêteux*.

Ce meuble fut très répandu dans les demeures rurales où l'espace était restreint et parce qu'il accommodait les familles nombreuses. Il est très rare aux États-Unis. Chose curieuse, on en signale un dans la maison de George Washington, à Mount Vernon, en Virginie. On prétend que ce banc-lit avait une double fonction : il servait de siège pendant le jour et de couche, la nuit, pour les militaires.

Certains bancs-lits ont des caractéristiques Fin Empire et portent la marque de styles anglais de la même époque.

236. PETIT TABOURET D'ÉGLISE. XVIIIᵉ SIÈCLE.

Petit tabouret d'église rappelant ceux qu'on voit dans les tableaux flamands des XVIIᵉ et XVIIIᵉ siècles. Le plateau est percé d'une prise de main et la base est agrémentée d'un motif ajouré. Meuble de vieille tradition d'esprit flamand, qui s'est répandu dans toute la France et même au Canada. C'est à la fois un siège et un marchepied qui se déplace facilement. XVIIIᵉ siècle.

L. 1' 2"   H. 1' 5¼"
36 cm   44 cm

BOIS : pin   PROVENANCE : Église de l'Acadie, Qué.

(Coll. Mme Richard R. Costello, Sainte-Agathe des Monts, Qué.).

(1) Nutting, Wallace. *Furniture treasury*, The Macmillan Company, New York, 1954, illustr. nᵒ 1623.

237. ESCABEAU, DU VIEUX SÉMINAIRE DE SAINT-SULPICE DE MONTRÉAL. XVIIᵉ SIÈCLE.

Escabeau à piètement tourné, d'esprit Louis XIII et à entretoise quadrilatère ornée de moulures. Siège servant aussi de marchepied et qu'on trouve fréquemment dans les églises, les monastères et même les demeures, aux XVIIᵉ et XVIIIᵉ siècles. XVIIᵉ siècle.

L. 1' ⅝''   H. 1' 10⅝''
32 cm   57 cm
9¾''
25 cm

BOIS : merisier

PROVENANCE : Vieux Séminaire de Saint-Sulpice, Notre-Dame de Montréal, Qué.

(Coll. M. et Mme J.N. Cole, Montréal).

238. ESCABEAU D'ÉGLISE, D'ESPRIT LOUIS XIII. FIN XVIIᵉ SIÈCLE.

Escabeau à deux marches, à piètement tourné, d'esprit Louis XIII. C'est surtout un meuble d'église. On s'en sert, soit dans la sacristie, soit dans le chœur, comme marchepied. On le trouve parfois dans les demeures. Fin XVIIᵉ siècle.

L. 1' 9¾''   H. 1' 9''   P. 1' 7½''
55 cm   53 cm   50 cm

BOIS : merisier   PROVENANCE : Québec.

(Coll. Hôtel-Dieu de Québec).

239. TABOURET A PIÈTEMENT CHANFREINÉ ET A CEINTURE CHANTOURNÉE. XVIIIᵉ SIÈCLE.

Tabouret aux pieds chanfreinés et à entretoise en quadrilatère chantournée. Le plateau ou garniture manque. Meuble commun au XVIIIᵉ siècle.

BOIS : pin

(Coll. Canada Steamship Lines, Tadoussac, Qué.).

240. PETIT TABOURET RUSTIQUE. XIXᵉ SIÈCLE.

Petit tabouret rustique à deux traverses tournées. Couleur d'origine : ocre rouge. XIXᵉ siècle.

L. 1' 1''   H. 1' 2½''
33 cm   37 cm

BOIS : pin

(Coll. Canada Steamship Lines, Tadoussac, Qué.).

241. TABOURET-BANC A PIÈTEMENT CHANFREINÉ. XVIIIᵉ S.

Tabouret-banc à piètement chanfreiné et à ceintures moulurées. Ce petit meuble est une trotteuse transformée d'enfant. Il sert aujourd'hui de table à café. XVIIIᵉ siècle.

L. 2' 8''   H. 1' 3''   P. 1' 8'' - 1' 1½''
81 cm   38 cm   51 cm - 34 cm

BOIS : pin   PROVENANCE : L'Abord à Plouffe, Qué.

(Coll. Canada Steamship Lines, Tadoussac, Qué.).

242. PETIT TABOURET A CEINTURE ORNÉE DE SPIRALES. XVIIIᵉ SIÈCLE.

Petit tabouret à piètement chanfreiné et à ceinture ornée de spirales aux quatre côtés. Plateau remplacé. XVIIIᵉ siècle.

L. 1' 6''   H. 1' 9''   P. 1' 5''
46 cm   53 cm   43 cm

BOIS : pin   PROVENANCE : Varennes, Qué.

(Coll. M. et Mme A.M. Laurie, Longueuil, Qué.).

243. PETIT TABOURET GALBÉ A PIEDS DE BICHE. DÉBUT XIXᵉ SIÈCLE.

Petit tabouret à pieds de biche et à ceinture galbée. Galbe proéminent des pieds, d'influence anglaise. La garniture manque. Début XIXᵉ siècle.

L. 1' 2''   H. 1' 7''
35 cm   48 cm

BOIS : frêne   PROVENANCE : Presbytère de Saint-Augustin de Portneuf, Qué.

(Coll. Mlle Barbara Richardson, Sainte-Agathe des Monts, Qué.).

244. TABOURET D'ÉRABLE ONDÉ A PIEDS GALBÉS, D'ESPRIT LOUIS XV. XVIIIᵉ SIÈCLE.

Tabouret à pieds galbés se terminant en pieds de biche à doubles volutes et à ceinture chantournée. Charmant petit meuble classique. XVIIIᵉ siècle.

L. 1' 10¼''   H. 1' 4''   P. 1' 6''
56 cm   41 cm   46 cm

BOIS : érable ondé

(Coll. M. et Mme Maurice Corbeil, Boucherville, Qué.).

245. BANC-TABOURET A PIEDS GALBÉS. XVIIIᵉ SIÈCLE.

Banc-tabouret à pieds galbés et à ceinture chantournée, transformé en table à café. Ce genre de tabouret est rare. XVIIIᵉ siècle.

L. 3' 6''   H. 1' 2½''   P. 1' 4''
107 cm   37 cm   41 cm

BOIS : merisier

(Coll. Mme Ross Sims, Saint-Sauveur des Monts, Qué.).

246. BANC-TRAVAILLEUSE ORNÉ D'UN TIROIR, DE L'HOTEL-DIEU DE QUÉBEC. XVIIIᵉ SIÈCLE.

Petite travailleuse à pieds chantournés (pied de lyre simplifié), ornée d'un tiroir et d'une traverse avec cheville. La travailleuse est un petit banc qui servait également de table à ouvrage et était très en usage chez les religieuses. XVIIIᵉ siècle.

L. 2' 1½''   H. 1' 4⅝''   P. 1' 2¼''
65 cm   42 cm   36 cm

BOIS : pin   PROVENANCE : Québec.

(Coll. Musée de l'Hôtel-Dieu de Québec).

247. PETIT BANC-COFFRE REPOSANT SUR UNE BASE CHANTOURNÉE. XIXᵉ SIÈCLE.

Petit banc-coffre reposant sur une base chantournée, servant de siège et de boîte de rangement pour le cirage des chaussures. Début XIXᵉ siècle.

L. 1' 5"   H. 1' 2⅝"   P. 9"
43 cm   37 cm   23 cm
BOIS : pin   PROVENANCE : Québec.

(Coll. Musée de l'Hôpital-Général de Québec).

248. BANC A PIEDS DE LYRE RUSTIQUES. XVIIIᵉ SIÈCLE.

Banc à pieds de lyre et à traverse chevillée, évoquant les bancs lorrains et flamands. XVIIIᵉ siècle.

L. 4' 3⅜"   H. 1' 7¾"   P. 10¼"
131 cm   50 cm   26 cm
BOIS : pin   PROVENANCE : Québec.

(Coll. Musée de l'Hôpital-Général de Québec).

249. BANC DE CORDONNIER. XIXᵉ siècle.

De facture fruste, la structure est typique de la plupart de ces bancs de cordonnier. XIXᵉ siècle.

L. 3' 9"   H. 1' 1¼"   P. 1' 8"
114 cm   34 cm   51 cm
BOIS : pin

(Coll. Canada Steamship Lines, Tadoussac, Qué.).

250. PRIE-DIEU EN PENTE. FIN XVIIᵉ SIÈCLE.

Prie-dieu en pente orné de deux vantaux et d'un tiroir. Prie-dieu qu'on trouvait dans toutes les cellules des religieuses Augustines de l'Hôpital-Général de Québec. Ferrures d'époque. Fin XVIIᵉ s.

L. 2' 3¾"   H. 2' 9¼"   P. 2' 3½"
70 cm   84 cm   70 cm
BOIS : noyer tendre
PROVENANCE : Hôpital-Général de Québec.

(Coll. Musée de la Province, Québec).

251. BANC D'ÉGLISE A DOSSIER A BALUSTRES. FIN XVIIIᵉ SIÈCLE.

Banc d'église au dossier à balustres tournés, aux accoudoirs cintrés et au piètement chanfreiné. Fin XVIIIᵉ siècle.

L. 6' 6"   H. 2' 9⅝"   P. 1' 1¾"
198 cm   85 cm   35 cm
BOIS : merisier et pin
PROVENANCE : Église de Deschambeault, Qué.

(Coll. Mlle Barbara Richardson, Sainte-Agathe des Monts, Qué.).

252. BANC D'ÉGLISE A DOSSIER ORNÉ DE LYRES AJOURÉES. FIN XVIIIᵉ SIÈCLE.

Petit banc d'église dont le dossier est orné d'une traverse supérieure chantournée et de trois lyres ajou-

rées. Les montants et le piètement sont d'esprit Louis XIII. Fin XVIIIᵉ siècle.

L. 3' 5"   H. 2' 10"   P. 1' 4"
104 cm   86 cm   41 cm
BOIS : merisier et pin
PROVENANCE : Église du Sault au Récollet, Qué.

(Coll. Musée de la Province, Québec).

253. PETIT BANC RUSTIQUE ORNÉ DE TROIS PANNEAUX. FIN XVIIIᵉ SIÈCLE.

Petit banc rustique dont le dossier est orné de trois panneaux et dont les pieds sont chanfreinés. Fin XVIIIᵉ siècle.

L. 3' 10"   H. 1' 3¼"   P. 1' 2½"
117 cm   39 cm   37 cm
BOIS : pin

(Coll. Le Sénateur et Mme H. de M. Molson, Luc Violon, Sainte-Agathe des Monts, Qué.).

254. BANC RUSTIQUE ORNÉ D'UN DOSSIER A BALUSTRES APLATIS. DÉBUT XIXᵉ SIÈCLE.

Banc rustique orné d'un dossier à balustres aplatis et d'une ceinture chantournée. Accoudoirs inspirés du style Queen Anne et des fauteuils Windsor. Quoique rustique, ce meuble a de belles proportions. Début XIXᵉ siècle.

L. 5' 2½"   H. 2' 11¼"   P. 1' 3½"
159 cm   90 cm   39 cm
BOIS : pin
PROVENANCE : Une église de la région de Québec.

(Coll. Mlle Barbara Richardson, Sainte-Agathe des Monts, Qué.).

255. BANC RUSTIQUE A PIÈTEMENT EN CONSOLE, D'INSPIRATION FIN EMPIRE. MILIEU XIXᵉ SIÈCLE.

Banc rustique à piètement et à accoudoirs en console, d'inspiration Fin Empire, à balustres du dossier chantournés et aplatis, et à entretoises inspirées des dossiers de chaises américaines à pointes de flèche (Arrow-Back). Montants postérieurs d'esprit Directoire. Ceinture festonnée du siège. Milieu XIXᵉ siècle.

BOIS : merisier

(Coll. Detroit Institute of Arts, Détroit, Mich., États-Unis).

256. BANC D'ÉGLISE A DOSSIER ORNÉ DE PANNEAUX. XIXᵉ SIÈCLE.

Banc d'église orné de montants latéraux aux chantournements fin Empire et de quatre panneaux du dossier à moulures appliquées. XIXᵉ siècle.

L. 6' 3½"   H. 3' 1"   P. 1' 2"
192 cm   94 cm   36 cm
BOIS : noyer tendre
PROVENANCE : Église protestante de Saint-Canut, Qué.

(Coll. M. et Mme Gerald Wilkinson, Sainte-Agathe des Monts, Qué.).

199

257. PETIT BANC RUSTIQUE, DE L'ÉGLISE DE CAUGHNA-WAGA. XIXᵉ SIÈCLE.

Petit banc rustique de l'église de Caughnawaga, orné d'un dossier aux traverses verticales découpées. XIXᵉ siècle.

L. 3' ⅝''   H. 2' 9¼''   P. 1' 2¼''
93 cm   84 cm   36 cm

BOIS : pin   PROVENANCE : Église de Caughnawaga, Qué.

(Coll. Mlle Barbara Richardson, Sainte-Agathe des Monts, Qué.).

258. BANC-LIT, D'INSPIRATION FIN EMPIRE. XIXᵉ SIÈCLE.

Banc-lit d'inspiration Fin Empire, au dossier ajouré et chantourné, orné d'oreilles. (Pour plus de renseignements, voir p. 197). XIXᵉ siècle.

L. 6' 2⅝''   H. 3' 4''   P. 1' 8¼''
190 cm   102 cm   51 cm

BOIS : pin   PROVENANCE : Lanoraie, Qué.

(Coll. Canada Steamship Lines, Tadoussac, Qué.).

259. BANC-LIT AU DOSSIER CHANTOURNÉ ET AJOURÉ. XIXᵉ SIÈCLE.

Banc-lit dont le dossier est orné de balustres chantournés et ajourés, et d'une traverse supérieure festonnée et ajourée d'un cercle. Les montants latéraux sont d'esprit Fin Empire. Les moulures des panneaux et l'encadrement de la façade sont appliqués. Meuble curieux et pittoresque. XIXᵉ siècle.

L. 6' 1''   H. 3' 1¾''   P. 1' 9''
185 cm   96 cm   53 cm

BOIS : noyer tendre

(Coll. M. L.V. Randall, Montréal).

260. BANC-LIT ORNÉ DE FUSEAUX TOURNÉS. XIXᵉ SIÈCLE.

Banc-lit dont le dossier est orné de fuseaux tournés et la traverse supérieure décorée de spirales. Les colonnettes appliquées sur la façade évoquent les ornements du mobilier hollandais du XVIIᵉ siècle. D'influence américaine. XIXᵉ siècle.

L. 5' 10''   H. 3' 2½''   P. 1' 7½''
178 cm   98 cm   50 cm

BOIS : pin   PROVENANCE : Région de Montréal.

(Coll. Musée de la Province, Québec).

261. BANC-COFFRE ORNÉ DE BALUSTRES TOURNÉS. XIXᵉ SIÈCLE.

Banc-coffre orné d'un dossier à balustres tournés, d'une traverse supérieure décorée de flots ou de postes et de trois panneaux de façade aux moulures appliquées. On rencontre partout en France le banc-coffre. Il sert à ranger le linge et de marchepied au lit-clos. Celui-ci rappelle l'archebanc bressan. XIXᵉ s.

L. 6' 2''   H. 3' 2''   P. 1' 8''
188 cm   97 cm   51 cm

BOIS : pin   PROVENANCE : Région de Montréal.

(Coll. Mme Richard R. Costello, Sainte-Agathe des Monts, Qué.).

262. BANC-LIT ORNÉ D'UN LOSANGE APPLIQUÉ. XIXᵉ SIÈCLE.

Banc-lit dont la façade est ornée d'un losange appliqué et le dossier de balustres aplatis chantournés. XIXᵉ siècle.

BOIS : pin   PROVENANCE : Région de Montréal.

(Coll. Sir Robert et Lady Watson-Watt, Toronto, Ont.).

263. BANC-LIT RUSTIQUE DÉCORÉ A LA GOUGE. XIXᵉ SIÈCLE.

Banc-lit rustique à dossier et balustre chantournés et gravés à la gouge. Oreilles et accoudoirs latéraux de chantournement fin Empire.

L. 5' 3⅝''   H. 2' 9¼''   P. 1' 4''
162 cm   84 cm   41 cm

BOIS : pin   PROVENANCE : Région de Montréal.

(Coll. M. et Mme Fred Mulligan, Pleasant Valley, Henrysburg, Qué.).

264. BANC-LIT, D'ESPRIT FIN EMPIRE. XIXᵉ SIÈCLE.

Banc-lit dont la façade et le dossier sont ornés de multiples panneaux. Le dossier se prolonge en courbes et contrecourbes et rappelle le chevet du lit *carriole* canadien, d'inspiration Fin Empire. Cette excroissance alourdit le meuble. XIXᵉ siècle.

L. 5' 11¼''   H. 3'   P. 1' 4''
181 cm   91 cm   41 cm

BOIS : pin   PROVENANCE : Région de Québec.

(Coll. Dr et Mme Wilfrid Caron, Cap Rouge, Qué.).

236. PETIT TABOURET D'ÉGLISE. XVIIIᵉ S.
SMALL CHURCH STOOL. 18th C.

237. ESCABEAU, DU VIEUX SÉMINAIRE DE SAINT-SULPICE
DE MONTRÉAL. XVIIᵉ S.
HIGH STOOL, FROM THE OLD SEMINARY OF ST SULPICE,
MONTRÉAL. 17th C.

238. ESCABEAU D'ÉGLISE, D'ESPRIT LOUIS XIII. FIN
XVIIᵉ S.
CHURCH HIGH STOOL, IN THE LOUIS XIII MANNER. LATE
17th C.

239. TABOURET A PIÈTEMENT CHANFREINÉ ET A CEINTURE CHAN-
TOURNÉE. XVIIIe S.
STOOL, WITH CHAMFERED LEGS AND SHAPED SEAT RAIL. 18th C.

240. PETIT TABOURET RUSTIQUE. XIXe S.
SMALL RUSTIC STOOL. 19th C.

241. TABOURET-BANC A' PIÈTEMENT CHANFREINÉ. XVIIIe S.
STOOL-BENCH, WITH CHAMFERED LEGS. 18th C.

242. PETIT TABOURET A CEINTURE ORNÉE DE SPIRA[L]
XVIIIe S.
SMALL STOOL, WITH SEAT RAIL CARVED WITH SPIRALS.
18th C.

243. PETIT TABOURET GALBÉ A PIEDS DE BICHE.
ÉBUT XIXᵉ S.
MALL STOOL, WITH " PIEDS DE BICHE ".
ARLY 19th C.

244. TABOURET D'ÉRABLE ONDÉ A PIEDS GALBÉS,
D'ESPRIT LOUIS XV. XVIIIᵉ S.
STOOL OF WAVY MAPLE, WITH CURVED LEGS, IN THE
LOUIS XV MANNER. 18th C.

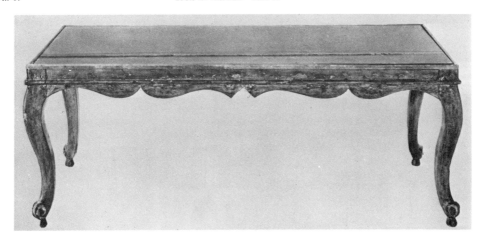

245. BANC-TABOURET A PIEDS GALBÉS. XVIIIᵉ S.
STOOL-BENCH, WITH CURVED LEGS. 18th C.

246. BANC-TRAVAILLEUSE ORNÉ D'UN TIROIR, DE L'HOTEL-DIEU DE QUÉBEC. XVIIIᵉ S.
WORK-BENCH, WITH DRAWER, FROM THE HOTEL-DIEU, QUEBEC. 18th C.

247. PETIT BANC-COFFRE REPOSANT SUR UNE BASE CHANTOURNÉE. XIXᵉ S.
SMALL CHEST-BENCH, RESTING ON A SHAPED BASE. 19th C.

248. BANC A PIEDS DE LYRE. XVIIIᵉ S.
BENCH, WITH RUSTIC LYRE-SHAPED FEET. 18th C.

249. BANC DE CORDONNIER. XIXᵉ S.
SHOEMAKER'S BENCH. 19th C.

250. PRIE-DIEU EN PENTE. FIN XVIIᵉ S.
SLANT-TOP PRAYER-STOOL (PRIE-DIEU). LAT 17th C.

251. BANC D'ÉGLISE A DOSSIER A BALUS-
TRES. FIN XVIIIᵉ S.
CHURCH PEW, WITH BALUSTER BACK. LATE
18th c.

252. BANC D'ÉGLISE A DOSSIER ORNÉ DE
LYRES AJOURÉES. FIN XVIIIᵉ S.
CHURCH PEW, WITH OPENWORK LYRE-
BACK. LATE 18th c.

253. PETIT BANC RUSTIQUE ORNÉ DE TROIS
PANNEAUX. FIN XVIIIᵉ S.
SMALL THREE-PANELLED RUSTIC BENCH.
LATE 18th c.

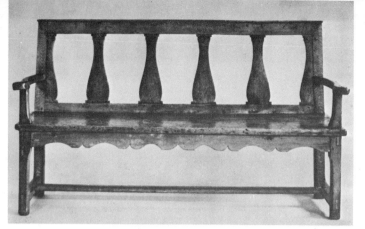

254. BANC RUSTIQUE ORNÉ D'UN DOSSIER A BALUSTRES APLATIS. DÉBUT XIXe S.
SMALL RUSTIC BENCH, WITH BALUSTER-SHAPED SPLATS. EARLY 19th C.

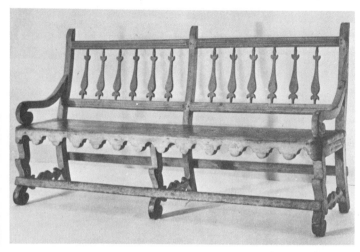

255. BANC RUSTIQUE A PIÈTEMENT EN CONSOLE, D'INSPIRATION FIN EMPIRE. MILIEU XIXe S.
RUSTIC BENCH, WITH CONSOLE FEET, IN THE LATE EMPIRE MANNER. MID 19th C.

256. BANC D'ÉGLISE A DOSSIER ORNÉ DE PANNEAUX. XIXe S.
CHURCH PEW, WITH PANELLED BACK. 19th C.

257. PETIT BANC RUSTIQUE, DE L'ÉGLISE DE CAUGHNAWAGA. XIXe S.
SMALL RUSTIC PEW, FROM THE CHURCH OF CAUGHNAWAGA. 19th C.

258. BANC-LIT, D'INSPIRATION FIN EMPIRE. XIXᵉ S.
SETTLE-BED, IN LATE EMPIRE MANNER. 19th C.

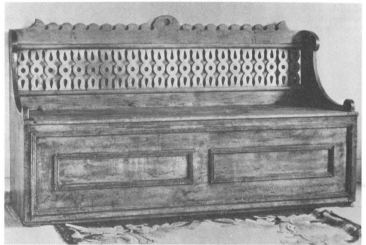

259. BANC-LIT AU DOSSIER CHANTOURNÉ ET AJOURÉ. XIXᵉ S.
SETTLE-BED, WITH SHAPED OPENWORK BACK. 19th C.

260. BANC-LIT ORNÉ DE FUSEAUX TOURNÉS. XIXᵉ S.
SETTLE-BED, WITH TURNED SPINDLES. 19th C.

261. BANC-COFFRE ORNÉ DE BALUSTRES
TOURNÉS. XIXe S.
COFFER-BENCH, WITH TURNED BALUSTERS.
19th C.

262. BANC-LIT ORNÉ D'UN LOSANGE APPLI-
QUÉ. XIXe S.
SETTLE-BED, DECORATED WITH AN APPLIQUÉ
LOZENGE. 19th C.

263. BANC-LIT RUSTIQUE DÉCORÉ A LA
GOUGE. XIXe S.
RUSTIC SETTLE-BED, WITH INCISED GOUGE
WORK. 19th C.

264. BANC-LIT, D'ESPRIT FIN EMPIRE. XIXe S.
SETTLE-BED, IN LATE EMPIRE MANNER. 19th C.

CHAISES

Au XVIIᵉ siècle, la chaise était peu répandue dans les foyers paysans français; au Canada, elle était déjà fort en usage. Elle s'ajoutait aux bancs et aux tabourets : « six chaises de paille tournez »[1] « ... deux moyennes chaises de bois d'assemblage... »[2].

Les types les plus communs que nous rencontrons dans les inventaires sont des chaises de bois d'assemblage et des chaises paillées et tournées. Les chaises les plus communes de bois d'assemblage étaient en général en merisier, foncées d'une planche de pin. Le dossier ressemble à un cadre vide, sans barreaux. Elles rappellent ce qu'on nomme en France : *chaises de Lorraine*, dont les pieds étaient chanfreinés ou tournés, avec entretoises en H. Elles sont d'esprit Louis XIII, et sont appelées au Canada : chaises de la Côte de Beaupré ou de l'Ile d'Orléans et se trouvaient dans toutes les maisons de cette région. D'autres chaises de bois d'assemblage ont les traverses du dossier reliées par des balustres ou fuseaux tournés, telles les chaises données par Mme d'Ailleboust, veuve du troisième gouverneur de la Nouvelle-France, à l'Hôtel-Dieu de Québec où elle se retira pendant plusieurs années. Mme d'Ailleboust avait apporté dans sa retraite tous ses meubles personnels et légua aux religieuses, dans son testament : « ... plusieurs terres, une maison à Québec, une autre à Montréal, quelques fonds en France et des meubles en assez bonne quantité... »[3].

La chaise paillée, à montants du dossier légèrement inclinés, à pieds droits et à barreaux tournés se trouve partout mais particulièrement dans la région de Montréal. On l'appelait chaise *à la capucine*. C'est un siège léger que l'on peut déplacer facilement pour parler avec ses voisins. Ces chaises ont des traverses de dossier dentelées ou chantournées. On fabriquait ce genre de chaises il y a quelques années encore, et on pouvait même se les procurer, le vendredi, au Marché Bon-Secours, à Montréal.

Une grande variété de ces deux types de chaises de toutes les époques et de toutes les régions du pays existe encore, on s'en rendra compte par les planches. Plusieurs se demandent pourquoi des chaises ayant plus de deux cents ans d'existence sont encore aujourd'hui aussi solides, comme si elles venaient d'être fabriquées. Les anciens menuisiers savaient qu'en employant du bois presque vert pour les montants et les pieds et du bois très sec pour les traverses ou les barreaux, la chaise ne bougerait pas, ne se disloquerait pas. Le bois vert, en séchant, se referme sur les traverses ou les barreaux, comme s'ils étaient serrés dans un étau.

On ne trouvera jamais de colle dans ce genre d'assemblage.

Des chaisiers spécialistes, tel Simon Audy, dit Roy, « faiseur de chaises » en 1798, à Saint-Augustin près de Québec[4], allaient dans toutes les « côtes » ou « rangs » en vendre de porte en porte. Ils se déplaçaient dans des charrettes remplies de chaises et ainsi ils apportaient avec eux les influences particulières de leur terroir. Plus tard, vers la fin du XVIIIᵉ et au début du XIXᵉ siècle, sont venues s'ajouter des influences américaines ou anglaises.

265. CHAISE DE MGR DE SAINT-VALLIER. FIN XVIIᵉ S.

Chaise ayant appartenu à Mgr de Saint-Vallier et ayant été donnée après sa mort, par les religieuses de l'Hôpital-Général, aux pères Jésuites. Le tournage est tout à fait d'esprit Louis XIII, et le dossier, aux montants très chanfreinés, est orné de trois traverses chantournées en ailes d'oiseaux. Fin XVIIᵉ siècle.

L. 1' 6''	H. 3' 2½''	P. 1' 2½''
46 cm	98 cm	37 cm

BOIS : merisier PROVENANCE : Québec

(Coll. Art Institute, Détroit, Mich. E.-U.).

(1) A J M, I O A. — Inventaire des biens de Monsieur de Bel Estre, 12ᵉ Xbre 1684. Greffe Basset.
(2) A J M, I O A. — Inventaire des biens meubles, titres et Enseignemens de deffunte Damoiselle Jeanne Mance vivante administratrice de l'hospital de Montréal, le 19 juin 1673. Greffe Basset.
(3) Juchereau de Saint-Ignace, Mère. *Les Annales de l'Hôtel-Dieu de Québec*. Québec, 1939, p. 26.
(4) Béchard, A. — *Histoire de la Paroisse de Saint-Augustin* (Portneuf), p. 141.

266. CHAISE TOURNÉE, D'ESPRIT LOUIS XIII, AYANT APPARTENU A MME D'AILLEBOUST. XVIIe SIÈCLE.

Chaise tournée, d'esprit Louis XIII, dont les traverses du dossier sont reliées par des balustres tournés. Une des dix chaises ayant appartenu à la veuve du troisième gouverneur de la Nouvelle-France, Mme d'Ailleboust, qui se retira à l'Hôtel-Dieu de Québec et légua tous ses meubles aux religieuses. Elle habitait à l'Hôtel-Dieu dès 1672 et y mourut en 1685. Chaise robuste et bien faite, rappelant les chaises de Lorraine. Noter les pieds postérieurs tournés en colonnes. Couleur : brun foncé. XVIIe s.

L. 1' 5½'' H. 3' 2'' P. 1' ¾''
44 cm 97 cm 32 cm

BOIS : merisier PROVENANCE : Québec

(Coll. Musée de l'Hôtel-Dieu de Québec.).

267. CHAISE DE TYPE « ILE D'ORLÉANS », A PIÈTEMENT TOURNÉ. FIN XVIIe SIÈCLE.

Chaise de menuiserie d'assemblage, de type « Ile d'Orléans », mais à piètement tourné, d'esprit Louis XIII. Ces chaises étaient très répandues dans les demeures rurales et dans les villes de la région de Québec, aux XVIIe et XVIIIe siècles. Fin XVIIe siècle.

L. 1' 4⅝'' H. 2' 9⅜'' P. 1' 2⅜''
42 cm 85 cm 37 cm

BOIS : merisier

PROVENANCE : Saint-Pierre de Montmagny, Qué.

(Coll. Musée de la Province, Québec).

268. CHAISE D'ESPRIT LOUIS XIII. FIN XVIIe SIÈCLE.

Chaise à piètement d'esprit Louis XIII, mais dont le tournage est simplifié si on le compare à la chaise de Mme d'Ailleboust. Des fuseaux tournés ornent le dossier. Chaise très robuste. Fin XVIIe siècle.

L. 1' 2'' H. 3' 2'' P. 1' 1¾''
36 cm 96 cm 35 cm

BOIS : érable

PROVENANCE : Hospice des Sœurs Grises, Québec.

(Coll. de l'auteur, Montréal).

269. CHAISE, DITE DES JÉSUITES DE SILLERY. XVIIIe S.

Chaise garnie, à piètement tourné de style Louis XIII, ayant appartenu, selon la tradition orale de la famille Dobell, de Québec, aux Jésuites de Sillery. La garniture est récente. XVIIIe siècle.

L. 1' 8'' H. 3' 6'' P. 1' 5''
51 cm 107 cm 43 cm

BOIS : érable PROVENANCE : Sillery, Qué.

(Coll. M. Louis Mulligan, Montréal).

270. CHAISE A PIÈTEMENT ET A FUSEAUX TOURNÉS, D'ESPRIT LOUIS XIII. XVIIe SIÈCLE.

Chaise à piètement et à fuseaux tournés, d'esprit

Louis XIII. Le tournage des montants du dossier s'écarte des conventions de l'époque et les balustres sont simplifiés. La garniture récente est faite d'une ceinture fléchée. XVIIe siècle.

L. 1' 4½'' H. 3' ½'' P. 1' 3''
42 cm 93 cm 38 cm

BOIS : merisier PROVENANCE : Ile d'Orléans, Qué.

(Coll. Docteur et Mme Claude Bertrand, Outremont, Qué.).

271. CHAISE DE TYPE « ILE D'ORLÉANS », A TRAVERSES DU DOSSIER CHANTOURNÉES. DÉBUT XVIIIe SIÈCLE.

Chaise de menuiserie d'assemblage, de type « Ile d'Orléans » ou « Côte de Beaupré », à piètement chanfreiné et mouluré, à traverses supérieures et inférieures du dossier cintrées et chantournées. Robuste et jolie chaise de l'époque. Début XVIIIe s.

L. 1' 4'' H. 3' P. 1' ¾''
41 cm 91 cm 32 cm

BOIS : merisier, siège : pin

PROVENANCE : Région de Québec

(Coll. M. et Mme J.N. Cole, Montréal).

272. CHAISE D'ASSEMBLAGE, DE TYPE « ILE D'ORLÉANS ». DÉBUT XVIIIe SIÈCLE.

Chaise d'assemblage, de l'Ile d'Orléans. C'est la chaise la plus courante de la région de Québec. Les plus robustes sont les plus anciennes. Remarquer la profondeur des chanfreins et la traverse antérieure qui n'est pas d'équerre. Début XVIIIe siècle.

L. 1' 4'' H. 2' 7¼'' P. 1' ¼''
41 cm 99 cm 31 cm

BOIS : merisier, siège : pin

PROVENANCE : Ile d'Orléans. Qué.

(Coll. de l'auteur, Montréal).

273. CHAISE D'ESPRIT LOUIS XIII, A DOSSIER A BALUSTRES. XVIIIe SIÈCLE.

Chaise d'esprit Louis XIII, à piètement tourné et à traverses chantournées du dossier, reliant des balustres. Le tournage du barreau antérieur et du barreau de l'entretoise, ainsi que des balustres, s'écarte légèrement des conventions. Siège garni. XVIIIe siècle.

L. 1' 7½'' H. 3' 5½'' P. 1' 4½''
49 cm 105 cm 42 cm

BOIS : merisier PROVENANCE : Région de Québec

(Coll. Mme Richard R. Costello, Sainte-Agathe des Monts, Qué.).

274. CHAISE DE MENUISERIE D'ASSEMBLAGE, DE L'HOTEL-DIEU DE QUÉBEC. FIN XVIIe SIÈCLE.

Chaise de menuiserie d'assemblage, de l'Hôtel-Dieu de Québec. Chaise de type « Ile d'Orléans », mais dont le tournage du piètement est simplifié, les traverses et les entretoises moulurées. Fin XVIIᵉ siècle.

L. 1' 6½''   H. 2' 6⅝''   P. 1' 1¾''
47 cm   78 cm   35 cm
BOIS : érable PROVENANCE : Québec
(Coll. Musée de l'Hôtel-Dieu, Québec).

275. CHAISE GALBÉE, D'ESPRIT LOUIS XV, PROVENANT DE BOURG-ROYAL. XVIIIᵉ SIÈCLE.

Chaise de menuiserie aux pieds galbés se terminant en pieds de biche. La ceinture galbée, les montants et les traverses du dossier sont chantournés, d'esprit Louis XIV et Louis XV. Selon la tradition orale, cette chaise aurait été enlevée (en même temps que le fauteuil nᵒ 304) de la maison de l'Ermitage, par les habitants de Bourg-Royal, au moment du siège de Québec, par les Anglais, en 1759. L'Ermitage était la résidence des intendants, située à l'endroit appelé aujourd'hui Château-Bigot. Chaise élégante et originale. XVIIIᵉ siècle.

L. 1' 6''   H. 3' ½''   P. 1' 4½''
46 cm   93 cm   42 cm
BOIS : merisier, siège : pin
PROVENANCE : Bourg-Royal, Qué.
(Coll. Musée de la Province, Québec).

276. CHAISE A PIÈTEMENT « OS DE MOUTON ». XVIIIᵉ S.

Chaise au siège garni, à piètement *os de mouton*, à dossier chantourné, relié par des balustres. Il est rare de voir les montants postérieurs chantournés en console. Rare exemplaire. XVIIIᵉ siècle.

L. 1' 7''   H. 3' 4½''   P. 1' 6''
48 cm   103 cm   46 cm
BOIS : merisier PROVENANCE : Région de Québec.
(Coll. Docteur et Mme Claude Bertrand, Outremont, Qué.).

277. CHAISE « OS DE MOUTON ». XVIIIᵉ SIÈCLE.

Chaise garnie du type *os de mouton*. XVIIIᵉ siècle.

L. 1' 8''   H. 3' 2''   P. 1' 8''
51 cm   97 cm   51 cm
BOIS : merisier PROVENANCE : Ile aux Coudres.
(Coll. Dr et Mme Herbert T. Schwarz, Montréal).

278. CHAISE TOURNÉE, D'INFLUENCE AMÉRICAINE. FIN XVIIIᵉ SIÈCLE.

Chaise tournée *à la capucine*, d'influence américaine. Les barreaux, assemblés à tourillons, ainsi que le dossier, sont tournés et d'inspiration américaine plutôt que Louis XIII, les cubes chanfreinés étant absents. Siège de *babiche*. Fin XVIIIᵉ siècle.

L. 1' 5¾''   H. 2' 7''
45 cm   79 cm
BOIS : merisier PROVENANCE : Montréal, Qué.
(Coll. Hôtel-Dieu de Montréal).

279. CHAISE TOURNÉE, AUX DIVERSES INFLUENCES. FIN XVIIIᵉ SIÈCLE.

Chaise tournée, d'influence française et américaine. Le tournage des pieds est d'inspiration américaine, celui des barreaux du piètement est de style Louis XIII. Les barreaux sont assemblés à tourillons, au lieu d'être assemblés à tenons, comme dans les chaises de style Louis XIII. Le dossier montre aussi les deux influences. Paillage récent. Fin XVIIIᵉ siècle.

L. 1' 5½''   H. 2' 8¾''   P. 1' 3½''
44 cm   83 cm   39 cm
BOIS : merisier PROVENANCE : Québec.
(Coll. Musée des Ursulines, Québec).

280. CHAISE « A LA CAPUCINE ». FIN XVIIᵉ SIÈCLE.

Chaise *à la capucine* à deux traverses au dossier, dont une chantournée. La plus ancienne de ces chaises que nous connaissions. Paillage récent. Facture à tourillons. Un barreau latéral a été remplacé. Fin XVIIᵉ siècle.

L. 1' 2''   H. 2' 11¼''   P. 1' 2''
36 cm   90 cm   36 cm
BOIS : merisier PROVENANCE : Région de Québec.
(Coll. M. et Mme Jean-Paul Lemieux, Sillery, Qué.).

281. CHAISE « A LA CAPUCINE ». FIN XVIIIᵉ SIÈCLE.

Chaise *à la capucine*. Le chantournement des traverses du dossier ressemble à celui des chaises auvergnates. Siège : *babiche* récente. Belle chaise rustique. Fin XVIIIᵉ siècle.

L. 1' 5½''   H. 2' 8¾''   P. 1'
44 cm   83 cm   31 cm
BOIS : chêne, frêne, merisier et pin
PROVENANCE : Région de Montréal.
(Coll. Canada Steamship Lines, Tadoussac, Qué.).

282. CHAISE TOURNÉE « A LA CAPUCINE ». XVIIIᵉ S.

Chaise tournée, ornée de traverses de dossier chantournées, de même dessin que dans les fauteuils *à la capucine*. Siège paillé. Peinte en noir. XVIIIᵉ siècle.

L. 1' 6¼''   H. 1' 1½''   P. 1' 2⅜''
47 cm   34 cm   37 cm
BOIS : merisier PROVENANCE : Québec.
(Coll. Musée de l'Hôpital-Général, Québec).

283. PETITE CHAISE « A LA CAPUCINE », A PIÈTEMENT CHANFREINÉ. DÉBUT XIXᵉ SIÈCLE.

Petite chaise *à la capucine*, à piètement chanfreiné. Le dossier est orné de deux balustres aplatis et chantournés. Siège : écorce d'orme entrelacé. Début XIXᵉ siècle.

L. 1' 5¾''   H. 2' 11¾''   P. 1' 2½''
45 cm   91 cm   37 cm
BOIS : merisier PROVENANCE : Région de Québec.
(Coll. de l'auteur, Montréal).

211

284. CHAISE D'ENFANT. FIN XVIIIᵉ SIÈCLE.

Chaise haute d'enfant, exécutée à tourillons, avec dossier orné de deux traverses chantournées. Chaise aux formes archaïques d'un modèle très répandu aux XVIIIᵉ et XIXᵉ siècles. Le siège paillé manque. Fin XVIIIᵉ siècle.

L. 11 ¾''   H. 3' ¼''   P. 10¾''
30 cm   92 cm   27 cm
BOIS : merisier

(Coll. Château de Ramezay, Montréal).

285. CHAISE « A LA CAPUCINE », D'INSPIRATION CHIPPENDALE. DÉBUT XIXᵉ SIÈCLE.

Chaise *à la capucine.* Les deux traverses du dossier sont chantournées et ajourées, à la manière de certaines chaises Chippendale. Début XIXᵉ siècle.

BOIS : merisier   PROVENANCE : Caughnawaga, Qué.

(Coll. Canada Steamship Lines, Tadoussac, Qué.).

286. PETITE CHAISE, A TRAVERSE DU DOSSIER AJOURÉE. DÉBUT XIXᵉ SIÈCLE.

Petite chaise *à la capucine.* La traverse supérieure du dossier est ajourée de deux croix. Siège récent, tissé en corde. Début XIXᵉ siècle.

L. 1' 5⅜''   H. 2' 10''   P. 1' 1⅝''
44 cm   86 cm   35 cm
BOIS : merisier   PROVENANCE : Région de Montréal.

(Coll. M. et Mme J.N. Cole, Montréal).

287. CHAISE DE CHAMBLY, DE TYPE NOUVELLE-ANGLETERRE. DÉBUT XIXᵉ SIÈCLE.

Chaise tournée. Le dossier à deux traverses est typique de la Nouvelle-Angleterre. On le retrouve à Saint-Jean d'Iberville, à Chambly, à Saint-Hubert et dans les cantons de l'Est. Inspiré du mobilier « Shakers », ce modèle fut très populaire au XIXᵉ s. Siège : *babiche.* Début XIXᵉ siècle.

BOIS : merisier   PROVENANCE : Région de Chambly

(Coll. Château de Ramezay, Montréal).

288. CHAISE A FORTES COURBES DU DOSSIER. XIXᵉ S.

Chaise dont les montants du dossier semblent une caricature des chaises de style Directoire ou des chaises « Sabre Leg » américaines. Meuble curieux et pas du tout confortable. On en trouve plusieurs du côté de Kamouraska, du Cap Saint-Ignace et de Montmagny. Siège de *babiche* récente. XIXᵉ siècle.

L. 1'4½''   H. 2' 7½''   P. 1' 1¼''
42 cm   80 cm   34 cm
BOIS : merisier   PROVENANCE : Ile aux Coudres, Qué.

(Coll. M. et Mme J.N. Cole, Montréal).

289. CHAISE RUSTIQUE A CROISILLONS. DÉBUT XIXᵉ S.

Chaise rustique. Dossier à deux traverses, dont l'une est ornée d'un croisillon, d'influence Sheraton. Siège de *babiche* récente. Début XIXᵉ siècle.

BOIS : merisier   PROVENANCE : Joliette, Qué.

(Coll. M. et Mme J.N. Cole, Montréal).

290. CHAISE « A LA CAPUCINE », AVEC TRAVERSES DU DOSSIER CHANTOURNÉES. XIXᵉ SIÈCLE.

Chaise *à la capucine* et à piètement tourné, d'influence américaine; dossier à trois traverses chantournées. Couleur : rouge foncé. Début XIXᵉ siècle.

L. 1' 5½''   H. 2' 11⅝''   P. 1' 1½''
44 cm   90 cm   35 cm
BOIS : frêne

(Coll. Musée de la Province, Québec.)

291. CHAISE COMMUNE DE COUVENT. DÉBUT XIXᵉ S.

Petite chaise *à la capucine,* à siège paillé et montants postérieurs évasés, qu'on fabriquait en grande quantité pour les couvents. Paillage d'époque. Début XIXᵉ siècle.

L. 1' 4¾''   H. 2' 7''   P. 1' 1½''
43 cm   89 cm   35 cm
BOIS : merisier et frêne   PROVENANCE : Québec.

(Coll. Musée de l'Hôtel-Dieu, Québec).

292. CHAISE DE TYPE WINDSOR. DÉBUT XIXᵉ SIÈCLE.

Chaise inspirée des sièges Windsor, avec les montants du dossier courbés, le siège de bois et les pieds écartés. Le chantournement de la traverse supérieure du dossier est Fin Empire. Début XIXᵉ siècle.

L. 1' 2¼''   H. 2' 9¾''   P. 1' 3''
36 cm   86 cm   38 cm
BOIS : érable et hêtre
PROVENANCE : Région de Montréal

(Coll. M. et Mme P.T. Molson, Lac Violon, Sainte-Agathe des Monts, Qué.).

293. CHAISE DE TYPE « ARROW-BACK », D'INFLUENCE AMÉRICAINE. DÉBUT XIXᵉ SIÈCLE.

Chaise dérivée des sièges Windsor américains; les barreaux du dossier sont en pointe de flèche (Arrow-Back), motif que l'on trouve aux meubles de la Nouvelle-Angleterre. Les trois traverses horizontales du dossier évoquent celles des sièges Regency et Hitchcock. Ces chaises furent très populaires au Canada et aux États-Unis, au début du XIXᵉ siècle.

L. 1' 2''   H. 2' 8¼''   P. 1' 3¼''
35 cm   82 cm   39 cm
BOIS : merisier   PROVENANCE : Région de Québec.

(Coll. M. et Mme Jean-Paul Lemieux, Sillery, Qué.).

294. CHAISE RUSTIQUE DE SAINT-HILARION. XXᵉ SIÈCLE.

Chaise rustique de Saint-Hilarion, imaginée et exécutée par un vieux menuisier de campagne qui fabriquait des meubles traditionnels. Le siège, de merisier, mesure trois pouces et demi d'épaisseur. Chaise robuste, aux lignes sobres. L'artisan, sans le savoir, devançait le Suédois Carl Mamstein, dessinateur de meubles, qui créa, il y a quelques années, une chaise presque identique à celle-ci. XXᵉ siècle.

L. 11½''   H. 2' 9''   P. 1' 4¼''
    29 cm   81 cm   41 cm

BOIS : merisier   PROVENANCE : Saint-Hilarion, Qué.

(Coll. de l'auteur, Petite Rivière Saint-François, Qué.).

295. PETITE CHAISE RUSTIQUE, DE LA RÉGION DE BAIE SAINT-PAUL. XXᵉ SIÈCLE.

Petite chaise rustique de Charlevoix, plus particulièrement des régions de la Baie Saint-Paul, de Saint-Urbain et de Saint-Hilarion. On l'appelle la petite chaise « violon ». Le piètement est à tourillons et le dossier évoque celui des petites chaises conventuelles de l'époque. Le siège est de pin. XXᵉ siècle.

L. 1' 5''   H. 2' 9½''   P. 1' 2''
    43 cm   83 cm   35 cm

BOIS : merisier

PROVENANCE : Saint-Urbain de Charlevoix.

(Coll. M. et Mme J.N. Cole, La Malbaie, Qué.).

296. CHAISE DE TYPE « CÔTE DE BEAUPRÉ », A BALUSTRES DU DOSSIER CHANTOURNÉS. XIXᵉ SIÈCLE.

Chaise de type « Côte de Beaupré » dont le piètement est fabriqué à tourillons; dossier à tenons et à mortaises. Curieuse combinaison de deux techniques distinctes de fabrication. Les deux balustres du dossier sont chantournés et rappellent vaguement des influences anglaises. Ce genre de chaise est assez répandu le long de la Côte de Beaupré. XIXᵉ siècle.

L. 1' 7''   H. 2' 6¼''   P. 1' 1½''
    48 cm   77 cm   34 cm

BOIS : érable   PROVENANCE : Côte de Beaupré, Qué.

(Coll. M. et Mme J.N. Cole, Montréal).

297. CHAISE DE TYPE « ILE D'ORLÉANS » AVEC DOSSIER D'INFLUENCE ANGLAISE. XIXᵉ SIÈCLE.

Chaise de type « Ile d'Orléans ». La traverse verticale du dossier est un emprunt rustique au dossier des chaises de style Queen Anne. Les menuisiers canadiens ont été fortement influencés par le mobilier qu'apportèrent les Anglais et les Écossais, surtout dans la région de La Malbaie où des soldats et des officiers, qui avaient servi sous le général Wolfe, se sont établis. Il y eut aussi des influences apportées par des familles américaines qui y passaient l'été. XIXᵉ siècle.

L. 1' 2¼''   H. 3'   P. 1' ½''
    36 cm   91 cm   32 cm

BOIS : érable   PROVENANCE : La Malbaie, Qué.

(Coll. M. et Mme J.N. Cole, Montréal).

298. CHAISE RUSTIQUE, D'INSPIRATION CHIPPENDALE. DÉBUT XIXᵉ SIÈCLE.

Chaise d'inspiration anglaise : les deux traverses chantournées du dossier et le piètement sont d'inspiration Chippendale. Début XIXᵉ siècle.

L. 1' 6½''   H. 2' 8½''   P. 1' 2¾''
    47 cm   83 cm   37 cm

BOIS : érable   PROVENANCE : Manoir de la Seigneurie Nairne, La Malbaie, Qué.

(Coll. M. et Mme J.N. Cole, Montréal).

265. CHAISE DE MGR DE SAINT-
VALLIER. FIN XVIIe S.
CHAIR, FORMERLY OWNED BY MGR
DE ST VALLIER. LATE 17th C.

266. CHAISE TOURNÉE, D'ESPRIT LOUIS XIII, AYANT
APPARTENU A MADAME D'AILLEBOUST. XVIIe S,
TURNED CHAIR, IN THE LOUIS XIII MANNER, FORMERLY
OWNED BY MADAME D'AILLEBOUST. 17th C.

267. CHAISE DE TYPE « ILE D'OR-
LÉANS », A PIÈTEMENT TOURNÉ.
FIN XVIIᵉ S.
"ILE D'ORLÉANS" TYPE OF CHAIR,
WITH TURNED FEET.   LATE 17th C.

268. CHAISE D'ESPRIT LOUIS XIII.
FIN XVIIᵉ S.
CHAIR, IN THE LOUIS XIII MANNER.
LATE 17th C.

269. CHAISE, DITE DES JÉSUITES DE
SILLERY. XVIIIᵉ S.
CHAIR, REPUTEDLY FROM THE
OLD JESUIT HOUSE AT SILLERY.
18th C.

270. CHAISE A PIÈTEMENT ET A
FUSEAUX TOURNÉS, D'ESPRIT
LOUIS XIII. XVIIᵉ S.
CHAIR, WITH TURNED SPINDLES
AND FEET, IN THE LOUIS XIII
MANNER.   17th C.

271. CHAISE DE TYPE « ILE D'ORLÉANS »,
A TRAVERSES DU DOSSIER CHANTOURNÉES.
DÉBUT XVIIIᵉ S.
"ILE D'ORLÉANS" TYPE OF CHAIR, WITH A
BACK OF SHAPED RAILS. EARLY 18th C.

272. CHAISE D'ASSEMBLAGE, DE
TYPE « ILE D'ORLÉANS ». DÉBUT
XVIIIᵉ S.
JOINTED CHAIR, OF "ILE D'OR-
LÉANS" TYPE. EARLY 18th C.

273. CHAISE D'ESPRIT LOUIS XIII,
A DOSSIER A BALUSTRES. XVIIIᵉ S.
CHAIR, IN THE LOUIS XIII MANNER,
WITH BALUSTER BACK. 18th C.

274. CHAISE DE MENUISERIE D'AS-
SEMBLAGE, DE L'HOTEL-DIEU DE
QUÉBEC. FIN XVIIᵉ S.
JOINTED CHAIR, FROM THE HOTEL-
DIEU, QUEBEC. LATE 17th C.

275. CHAISE GALBÉE, D'ESPRIT LOUIS XV, PROVENANT DE BOURG-ROYAL. XVIIIᵉ S.
CHAIR, IN THE LOUIS XV MANNER, FROM BOURG-ROYAL. 18th C.

276. CHAISE A PIÈTEMENT « OS DE MOUTON ». XVIIIᵉ S.
" OS DE MOUTON " CHAIR. 18th C

277. CHAISE « OS DE MOUTON ». XVIIIᵉ S.
" OS DE MOUTON " CHAIR. 18th C.

278. CHAISE TOURNÉE, D'IN-FLUENCE AMÉRICAINE. FIN XVIIIᵉ S.
TURNED CHAIR, SHOWING AMERICAN INFLUENCE. LATE 18th C.

279. CHAISE TOURNÉE, AUX DI-VERSES INFLUENCES. FIN XVIIIᵉ S.
TURNED CHAIR, SHOWING VARIOUS INFLUENCES. LATE 18th C.

280. CHAISE « A LA CAPUCINE ».
FIN XVIIe S.
CHAIR " A LA CAPUCINE ". LATE
17th C.

281. CHAISE « A LA CAPUCINE ». FIN XVIIIe S.
CHAIR " A LA CAPUCINE ". LATE 18th C.

282. CHAISE TOURNÉE « A LA CAPUCINE ».
XVIIIe S.
TURNED CHAIR " A LA CAPUCINE ". 18th C.

284. CHAISE D'ENFANT. FIN XVIIIᵉ S.
CHILD'S CHAIR. LATE 18th C.

286. PETITE CHAISE, A TRAVERSE
DU DOSSIER AJOURÉE. DÉBUT
XIXᵉ S.
SMALL CHAIR, WITH AN OPENWORK
BACK. EARLY 19th C.

287. CHAISE DE CHAMBLY, DE TYPE
NOUVELLE-ANGLETERRE. DÉBUT
XIXᵉ S.
CHAIR FROM CHAMBLY, OF NEW
ENGLAND TYPE. EARLY 19th C.

288. CHAISE A FORTES COURBES
DU DOSSIER. XIXe S.
CHAIR, WITH HEAVILY CURVED
BACK POSTS. 19th C.

289. CHAISE RUSTIQUE, A CROISIL-
LONS. DÉBUT XIXe S.
RUSTIC CHAIR, WITH "CROISIL-
LON" BACKRAILS. EARLY 19th C.

290. CHAISE « A LA CAPUCINE ».
AVEC TRAVERSES DU DOSSIER CHAN-
TOURNÉES. XIXe S.
CHAIR " A LA CAPUCINE ", WITH
SHAPED BACKRAILS. 19th C.

. CHAISE COMMUNE DE COU-
NT. DÉBUT XIXe S.
DINARY CONVENT CHAIR. EARLY
h C.

292. CHAISE DE TYPE WINDSOR.
DÉBUT XIXe S.
CHAIR, INSPIRED BY THE ENGLISH
WINDSOR CHAIR. EARLY 19th C.

293. CHAISE DE TYPE « ARROW-
BACK », D'INFLUENCE AMÉRICAINE.
DÉBUT XIXe S.

ARROW-BACK CHAIR, INSPIRED BY AN
AMERICAN MODEL. EARLY 19th C.

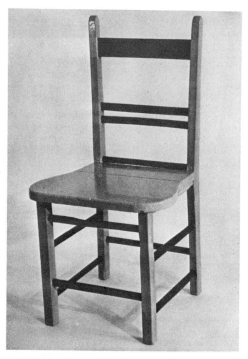

294. CHAISE RUSTIQUE DE SAINT-HILARION. XXᵉ S.
RUSTIC CHAIR, FROM ST HILARION. 20th C.

295. PETITE CHAISE RUSTIQUE, DE LA RÉGION DE BAIE-SAINT-PAUL.
XXᵉ S.
SMALL RUSTIC CHAIR, FROM THE BAIE ST PAUL AREA. 20th C.

296. CHAISE DE TYPE « COTE DE BEAU-
PRÉ », A BALUSTRES DU DOSSIER CHAN-
TOURNÉS. XIXᵉ S.
" COTE DE BEAUPRÉ " CHAIR, WITH
SHAPED BALUSTERS. 19th C.

297. CHAISE DU TYPE «ILE D'ORLÉANS»,
AVEC DOSSIER D'INFLUENCE ANGLAISE.
XIXᵉ S.
"ILE D'ORLÉANS" CHAIR, WITH BACK IN
THE ENGLISH MANNER. 19th C.

298. CHAISE RUSTIQUE D'INSPIRATION
CHIPPENDALE. DÉBUT XIXᵉ S.
RUSTIC CHAIR, IN THE ENGLISH CHIP-
PENDALE MANNER. EARLY 19th C.

FAUTEUILS

Plusieurs inventaires, à partir de 1657, mentionnent des « chaises à bras ». Le mot *fauteuil* apparaît un peu plus tard, vers 1673 : « Deux fauteuils garny de drap et frange » [1].

Dans la suite, les inventaires citent quantité de fauteuils de « bois de merisier tournés » ou « à pieds tournés » : « Le Bois d'un foteuille de Merisier tourné... » [2]. Ce sont les fauteuils classiques de l'époque et tous sont d'esprit Louis XIII, avec piètement à chapelet, des cubes chanfreinés et de longs accoudoirs chantournés qui épousent bien la forme des bras. Presque tous ces sièges, à haut dossier carré ou à doucine, sont garnis. C'est le siège idéal qu'on place devant la cheminée ; le haut dossier, garni de tapisserie ou de gros point, fait cloison et coupe l'air froid de la pièce. C'est le fauteuil du maître de la maison.

Un autre siège également très répandu au XVIIIe siècle dans tous les milieux, au Canada, est le fauteuil *os de mouton* dont on ne trouve pas en France d'exemples datés, antérieurs à 1670 [3]. Siège de transition entre les styles Louis XIII et Louis XIV, où les volutes succèdent aux formes rectilignes. On l'appelle au Canada *fauteuil du seigneur*. Les paysans, l'ayant remarqué chez le seigneur, s'empressèrent de l'imiter. Il y en a de toutes sortes, de « main fruste » et de « main de métier ». Au début, ils étaient assemblés à consoles montantes : les deux pieds antérieurs se prolongeaient et servaient d'appui aux accoudoirs. Au début du XVIIIe siècle, on placera les accoudoirs en retrait pour permettre aux dames dont les jupes auront pris de l'ampleur de s'asseoir élégamment et sans se sentir à l'étroit. Voilà encore un meuble de style qui a pénétré dans nos milieux paysans. Il ne semble pas avoir été en usage dans les milieux ruraux français.

Autre siège très répandu au Canada français, le fauteuil paillé, dit *à la capucine*. Il est presque identique au fauteuil *bonne femme* des bords de la Loire et de l'Orléanais. La structure est la même, les traverses du dossier sont aussi élégamment chantournées ainsi que les accoudoirs en retrait. Le support de l'accoudoir traverse le cadre du siège pour se cheviller dans le premier barreau latéral. Notre fauteuil *à la capucine* se distingue du fauteuil *bonne femme* ou *à la capucine* français, par un plus grand nombre de cubes chanfreinés sur les montants du devant et du dossier et par le tournage très particulier des traverses du piètement. Je n'ai vu aucun de ces fauteuils en France, dans les musées, ou chez les antiquaires. Je n'ai vu qu'une illustration, dans une revue française, d'un fauteuil dont les montants antérieurs et ceux du dossier rappellent notre fauteuil *à la capucine*, mais il est à fond de bois ; les accoudoirs sont d'esprit Louis XIII et ne se trouvent pas en retrait [4].

Ce fauteuil n'aura jamais la solidité des sièges de menuiserie d'assemblage, à tenons et à mortaises. Il est assemblé à tourillons, à la façon de nos petites chaises paillées, très communes à toutes les époques et dont nous avons parlé dans l'étude des chaises. Malgré tout, c'est un des plus beaux sièges canadiens et l'un des plus charmants dans sa rusticité.

On a cru longtemps, aux États-Unis, que ces fauteuils provenaient de la Nouvelle-Angleterre, car plusieurs échouèrent dans cette région. Il est impossible de prétendre que ce siège soit d'origine américaine : ses lignes sont trop françaises. Plusieurs collectionneurs américains les admirèrent et les achetèrent au Canada. Il est toutefois permis de croire qu'un certain nombre d'entre eux furent copiés et fabriqués aux États-Unis, il n'y a pas très longtemps .

Toute une gamme de fauteuils canadiens, qui feront l'admiration des connaisseurs, surgiront à partir du XVIIIe siècle. Ils seront en quelque sorte des interprétations du fauteuil *à la capucine*, mais de facture plus fruste et plus naïve. Leurs dessins prouvent que les chaisiers ou menuisiers

(1) A J M, I O A. — Inventaire des biens meubles, tiltres et Enseignemens de deffunte Damoiselle Jeanne Mance vivante administratrice de l'hospital de Montréal, le 19 juin 1673. Greffe Basset.

(2) A J M, I O A. — Inventaire des biens de la communauté qui a esté entre Denis Benard Sr La Terreur et Catherine Dene sa deffunte femme 5 may 1731. Greffe St-Romain.

(3) Feray, Jean. — *Le dix-septième siècle français*, Paris, Hachette, 1958, p. 37.

(4) *Vie à la campagne. Meubles normands d'autrefois* (numéro spécial), Paris, Hachette, 15 décembre 1920, p. 40.

canadiens ont montré beaucoup d'originalité et d'invention. Ils excellaient dans la fabrication des sièges de style paysan. Lorsque les styles Régence et Louis XV furent connus au Canada, nos menuisiers n'étaient aucunement habitués à exécuter des meubles aussi fins. Aussi n'en existe-t-il que de rares exemples, comme on le verra dans les planches. Quelques-uns de ceux que nous avons découverts et examinés témoignent d'un travail recherché et furent probablement exécutés par des menuisiers-sculpteurs d'église qui avaient une « main de métier ».

Tous les fauteuils en bois de hêtre, garnis ou cannés, de style Fin Louis XIV, Régence ou Louis XV, que l'on trouve au Canada, ont été importés de France. Le tarif douanier de 1748 nous révèle que les Canadiens devaient payer des frais de douane pour ce genre de chaise et de fauteuil qui venaient de la métropole : « Fauteuils et chaises de treillis de canne, la pièce payera six sols cy »[1].

Les inventaires signalent parfois le fauteuil bergère : « Une bergère avec son dossier et son aurillé 12 livres »[2]. Ce siège, large et profond, est parfois orné d'oreilles et le fond est garni d'un coussin; les espaces compris entre les accoudoirs et le siège sont également garnis. Je n'ai pu retrouver un seul «survivant» de ce meuble intéressant. Ils ont sans doute tous disparu dans des incendies !

299. FAUTEUIL, D'ESPRIT LOUIS XIII. XVIIIᵉ SIÈCLE.

Fauteuil à piètement Louis XIII, mais dont les accoudoirs sont plats et en retrait. Les accoudoirs sont de style Louis XIV, les bras en retrait sont apparus plus tard, au XVIIIᵉ siècle.

L. 2' 2''	H. 3'	P. 1' 7''
66 cm	91 cm	48 cm

BOIS : merisier PROVENANCE : Rivière Ouelle, Qué.

(Coll. M. et Mme Ross McMaster, Saint-Sauveur des Monts, Qué.).

300. FAUTEUIL, AU DOSSIER A DOUCINE, D'ESPRIT LOUIS XIII. XVIIIᵉ SIÈCLE.

Fauteuil à piètement Louis XIII, presque identique aux fauteuils français du même style, à l'exception des cubes chanfreinés, trop longs, des montants antérieurs. La garniture du dossier ne devrait pas toucher au siège, mais laisser un espace ajouré. Noter les montants postérieurs qui sont presque toujours chanfreinés. XVIIIᵉ siècle.

L. 1' 10½''	H. 3' 9''	P. 1' 7''
57 cm	114 cm	48 cm

BOIS : merisier PROVENANCE : Région de Québec.

(Coll. Royal Ontario Museum, Toronto, Ont.).

301. FAUTEUIL « A CRÉMAILLÈRE », D'ESPRIT LOUIS XIII. XVIIᵉ SIÈCLE.

Fauteuil à crémaillère et à piètement Louis XIII, ayant appartenu, selon la tradition orale des religieuses, à Mgr de Saint-Vallier. Ce genre de fauteuil était répandu en France, au XVIIᵉ siècle. Celui de Molière, conservé à la Comédie-Française, lui ressemble. A l'aide d'une crémaillère, on faisait bascu-

ler le dossier. C'était aussi un fauteuil de malade. Quoique en bois de noyer, sa facture fruste confirme son origine canadienne. Les toupies ont été mutilées. XVIIᵉ siècle.

L. 2' 3¼''	H. 4' 3¾''	P. 1' 9''
69 cm	131 cm	53 cm

BOIS : noyer PROVENANCE : Québec.

(Coll. M. et Mme Scott Symons, Toronto, Ont.).

302. FAUTEUIL AU DOSSIER A BALUSTRES, D'ESPRIT LOUIS XIII. FIN XVIIᵉ SIÈCLE.

Fauteuil d'esprit Louis XIII. Dossier à doubles rangées de balustres. Ce genre de dossier n'existe à peu près pas dans les fauteuils Louis XIII français, garnis ou ornés de panneaux. Les toupies sont usées. Fin XVIIᵉ siècle.

L. 2' ½''	H. 3' 10''	P. 1' 9½''
62 cm	117 cm	55 cm

BOIS : merisier
PROVENANCE : Ancien Collège des Jésuites, Québec.

(Coll. Musée Château de Ramezay, Montréal).

303. FAUTEUIL AU DOSSIER A BALUSTRES ET A PANNEAUX, D'ESPRIT LOUIS XIII. XVIIᵉ SIÈCLE.

Grand fauteuil typiquement canadien avec son dossier à panneaux et à balustres. C'est bien le fauteuil du maître de la maison. Tous ces fauteuils Louis XIII sont d'une grande solidité parce qu'ils sont assemblés à tenons et à mortaises. XVIIᵉ siècle.

L. 2' 1⅝''	H. 3' 10''	P. 1' 8½''
65 cm	117 cm	52 cm

BOIS : merisier PROVENANCE : Région de Québec.

(Coll. M. Jean Dubuc, Québec).

(1) Édits et Ordonnances Royaux. Québec, 1854, p. 598.
(2) A J M, I O A. — Inventaire à la Requeste de joseph letourneau du 24ᵉ de may 1757. Greffe Grisé.

SALLE DE SÉJOUR D'UNE MAISON MODERNE, DÉCORÉE DE MEUBLES TRADITIONNELS.

304. FAUTEUIL AU PIÈTEMENT CHANFREINÉ, D'ESPRIT LOUIS XIII. XVIIᵉ SIÈCLE.

Grand fauteuil provenant, selon la tradition orale, de l'Ermitage, la maison construite par Jean Talon dans la forêt de Bourg-Royal et dont les ruines sont encore visibles au lieu-dit Château-Bigot, près de Charlesbourg. Cette maison fut, pendant près d'un siècle, le lieu de repos des intendants de la Nouvelle-France, lorsqu'ils voulaient s'éloigner de la ville et être à l'abri des cancans. A la Conquête, les habitants des hameaux de Bourg-Royal et de Bourg-la-Reine, s'emparèrent du mobilier et l'apportèrent chez eux pour empêcher qu'il ne tombât aux mains des Anglais. La chaise nᵒ 275 viendrait aussi de l'Ermitage. Fauteuil fruste et de facture paysanne, il rappelle quand même bien des souvenirs. XVIIᵉ siècle.

L. 2' 1 ½''   H. 4' 1 ½''   P. 1' 9''
65 cm   126 cm   53 cm

BOIS : merisier   PROVENANCE : Bourg-Royal, Qué.

(Coll. Musée de la Province, Québec).

305. FAUTEUIL DE FORME LOUIS XIII, DE JEUNE-LORETTE. XVIIIᵉ SIÈCLE.

Fauteuil de forme Louis XIII aux dessins géométriques ajourés, d'inspiration indienne, XVIIIᵉ siècle. Selon la tradition orale, ce fauteuil aurait été fabriqué par un Huron de la Jeune-Lorette. Noter l'utilisation naïve des spirales rappelant la double courbe algonquine. Ce siège fait l'admiration des connaisseurs à cause de son originalité et de ses belles proportions. Teinture originale. XVIIIᵉ siècle.

L. 2' 4¾''   H. 3' 4½''   P. 1' 6¼''
73 cm   103 cm   46 cm

BOIS : merisier
PROVENANCE : Église huronne, Jeune-Lorette, Qué.

(Coll. Musée du Château de Ramezay, Montréal).

306. FAUTEUIL RUSTIQUE, D'ESPRIT LOUIS XIII. XVIIIᵉ SIÈCLE.

Fauteuil rustique, d'esprit Louis XIII. Dossier d'assemblage plus élégant que la base qui présente de vulgaires barreaux. Ce siège aurait dû recevoir un piètement tourné. Les traverses du dossier, avec ses ailes d'oiseaux en vol, rappellent certains fauteuils lorrains. De belles proportions rachètent ses maladresses et nous le font aimer. XVIIIᵉ siècle.

L. 1' 8''   H. 3' 5½''   P. 1' 2¾''
51 cm   105 cm   37 cm

BOIS : merisier   SIÈGE : pin
PROVENANCE : Côte de Liesse, Montréal, Qué.

(Coll. M. et Mme J.N. Cole, Montréal).

307. FAUTEUIL « OS DE MOUTON ». XVIIIᵉ SIÈCLE.

On appelle ces fauteuils *os de mouton* parce que les traverses de piètement suggèrent les courbes des os de mouton. Siège de transition; fin des formes rectilignes du style Louis XIII. Ses volutes et ses courbes présagent les courbes et contrecourbes des styles Louis XIV, Régence et Louis XV. Les consoles des pieds antérieurs donneront naissance à toute la gamme de pieds et consoles Louis XIV. Accoudoirs en retrait qui procurent plus de confort; dossier à doucine. L'encadrement recouvrant la ceinture fut probablement ajouté plus tard pour donner plus de surface au coussin. XVIIIᵉ siècle.

L. 1' 11''   H. 3' 3½''   P. 1' 9''
58 cm   100 cm   53 cm

BOIS : merisier

(Coll. Musée des Beaux-Arts de Montréal).

308. FAUTEUIL « OS DE MOUTON ». XVIIIᵉ SIÈCLE.

Autre fauteuil *os de mouton*, avec accoudoirs trapus et garnis, détails qu'on ne rencontre pas en France. XVIIIᵉ siècle.

L. 2' 2½''   H. 3' 8¾''   P. 1' 10½''
67 cm   114 cm   57 cm

BOIS : merisier   PROVENANCE : Québec

(Coll. Mlle Barbara Richardson, Sainte-Agathe des Monts, Qué.).

309. FAUTEUIL « OS DE MOUTON ». XVIIIᵉ SIÈCLE.

Fauteuil *os de mouton* à consoles montantes. Son style est antérieur à celui des fauteuils dont les accoudoirs sont en retrait. Il est de « main fruste ». XVIIIᵉ siècle.

L. 1' 1½''   H. 3' 3½''   P. 1' 9½''
34 cm   100 cm   55 cm

BOIS : merisier
MONTANTS POSTÉRIEURS : noyer tendre
PROVENANCE : Bécancourt, Qué.

(Coll. de l'auteur, Montréal).

310. FAUTEUIL A PIEDS EN CONSOLE ET A CEINTURE ARBALÈTE. XVIIIᵉ SIÈCLE.

Curieux mélange de styles. Dossier à doucine Louis XIV et accoudoirs en retrait Louis XV. Pieds en console, très rare ceinture antérieure incurvée du type « arbalète » et entretoise « croisillon », appelée également « en double chapeau de gendarme ». Ce fauteuil aurait appartenu à la famille de Jacques Viger, premier maire de Montréal. XVIIIᵉ siècle.

L. 2'   H. 3' 6½''   P. 2'
61 cm   108 cm   61 cm

BOIS : merisier   PROVENANCE : Montréal.

(Coll. Dr et Mme Herbert T. Schwarz, Montréal).

311. FAUTEUIL PAYSAN. XVIIIᵉ SIÈCLE.

Fauteuil à pieds antérieurs chanfreinés, avec entretoise en quadrilatère. Son haut dossier à panneaux et ses accoudoirs l'apparentent au style Louis XIII. Noter la courbe des consoles des accoudoirs. XVIIIe s.

L. 1' 8''	H. 3' 5½''	P. 1' 5½''
51 cm	105 cm	44 cm

BOIS : merisier; SIÈGE : pin
PROVENANCE : Région de Québec.

(Coll. Canada Steamship Lines, Tadoussac, Qué.).

312. FAUTEUIL RUSTIQUE CHANFREINÉ AVEC DOSSIER A FUSEAUX. XVIIIe SIÈCLE.

Fauteuil rustique chanfreiné, avec dossier orné de fuseaux. Couleur originelle vert foncé. Type « Ile d'Orléans » et « Côte de Beaupré ». Ressemble beaucoup, dans sa forme carrée et dans ses accoudoirs plats, à un siège Louis XIV. Fauteuil ayant servi à l'officiant pendant la grand-messe. XVIIIe s.

L. 2' ¼''	H. 2' 10''	P. 1' 3¾''
61 cm	86 cm	40 cm

BOIS : merisier; SIÈGE : pin
PROVENANCE : Région de Québec.

(Coll. Canada Steamship Lines, Tadoussac, Qué.).

313. GRAND FAUTEUIL, DE L'ILE D'ORLÉANS. XVIIIe SIÈCLE.

Grand fauteuil paysan, d'esprit Louis XIII. Le haut dossier rappelle les proportions de certains fauteuils garnis Louis XIII. Le piètement chanfreiné et les traverses moulurées sont typiques de ces chaises de menuiserie d'assemblage de la Côte de Beaupré et de l'Ile d'Orléans. Ce fauteuil manque d'élégance, des accoudoirs chantournés auraient été mieux indiqués. XVIIIe siècle.

L. 2'	H. 4'	P. 1' 6¼''
61 cm	122 cm	46 cm

BOIS : merisier; SIÈGE : pin
PROVENANCE : Ile d'Orléans, Qué.

(Coll. Canada Steamship Lines, Tadoussac, Qué.).

314. FAUTEUIL RUSTIQUE, DE PORTNEUF. FIN XVIIIe SIÈCLE.

Fauteuil paysan. Les traverses du dossier sont chantournées et les montants tournés. Robuste et élégant, il rappelle certains fauteuils des montagnes de la Savoie. Il conserve quand même un caractère très canadien. Fin XVIIIe siècle.

L. 1' 10''	H. 3' 9⅜''	P. 1' 5''
56 cm	115 cm	43 cm

BOIS : noyer tendre PROVENANCE : Portneuf, Qué.

(Coll. M. Louis Mulligan, Montréal).

315. FAUTEUIL RUSTIQUE A PIÈTEMENT TOURNÉ. XVIIIe SIÈCLE.

Fauteuil rustique. Piètement tourné; traverses du dossier et ceinture antérieure chantournées. On a rencontré le même genre de dossier dans des fauteuils

de l'Ile aux Coudres et de la Petite Rivière Saint-François. Les accoudoirs sont trop inclinés. XVIIIe s.

L. 1' 11''	H. 3'2''	P. 1' 7''
58 cm	97 cm	48 cm

BOIS : merisier PROVENANCE : Région de Québec.

(Coll. Dr et Mme Herbert T. Schwarz, Montréal).

316. FAUTEUIL RUSTIQUE AUX TRAVERSES DU DOSSIER FESTONNÉES ET AJOURÉES. XVIIIe SIÈCLE.

Fauteuil d'assemblage rustique chanfreiné. Les traverses du dossier sont festonnées et ajourées de trèfles et de cercles. Charmant exemple de fauteuil paysan. Il est rare de trouver un siège fabriqué entièrement en pin.

L. 1' 8⅝''	H. 3'¾''	P. 1' 5⅝''
52 cm	94 cm	44 cm

BOIS : pin PROVENANCE : Les Éboulements, Qué.

(Coll. Mlle Barbara Richardson, Sainte-Agathe des Monts, Qué.).

317. FAUTEUIL DU PRÊTRE, DE L'ANCIENNE ÉGLISE DE LOUISEVILLE. D'ESPRIT LOUIS XIII. XVIIIe SIÈCLE.

Fauteuil garni qui servait à l'officiant pendant la grand-messe. La console de l'appui-bras appartient au type de fauteuil « Os de Mouton » et ne s'accorde pas avec le piètement chanfreiné. Les pieds ont été sciés. XVIIIe siècle.

L. 2' ¼''	H. 3' 1''	P. 2' 8''
61 cm	94 cm	81 cm

BOIS : merisier
PROVENANCE : Ancienne église de Louiseville, Qué.

(Coll. Mlle Barbara Richardson, Sainte-Agathe des Monts, Qué.).

318. FAUTEUIL RUSTIQUE, DE SAINTE-SCHOLASTIQUE. XIXe SIÈCLE.

Fauteuil au dossier chantourné et ajouré. La traverse supérieure du dossier, d'inspiration Queen Anne et Windsor, semble avoir été assemblée à l'envers. XIXe siècle.

L. 1' 6¾''	H. 3' 3''	P. 1' 8¾''
48 cm	99 cm	53 cm

BOIS : merisier

(Coll. Mme Richard R. Costello, Sainte-Agathe des Monts, Qué.).

319. FAUTEUIL RUSTIQUE AVEC ACCOUDOIRS AJOURÉS. DÉBUT XIXe SIÈCLE.

Fauteuil paysan très original. L'accoudoir ajouré est sans doute une prise de main. Influence anglaise du dossier évasé. Début XIXe siècle.

L. 1' 7¾''	H. 2' 10''	P. 1' 4¾''
50 cm	86 cm	43 cm

BOIS : merisier PROVENANCE : Région de Montréal.

(Coll. M. L.V. Randall, Montréal).

320. FAUTEUIL CURULE OU A TENAILLES. XVIIIᵉ SIÈCLE.

Fauteuil curule ou à tenailles, à la romaine. On a cru que c'était le fauteuil de l'officiant à l'église, mais l'étroitesse et le peu de profondeur du siège ne justifient pas cette hypothèse. Traverse supérieure du dossier d'inspiration Windsor. XVIIIᵉ siècle.

L. 1' 10''   H. 2' 9''   P. 11''
56 cm   84 cm   28 cm

BOIS : merisier   PROVENANCE : Région de Québec.

(Coll. Royal Ontario Museum, Toronto, Ont.).

321. FAUTEUIL RUSTIQUE. XVIIIᵉ SIÈCLE.

Fauteuil rustique. Les barreaux verticaux du dossier sont découpés (corruption d'un dossier à balustre tourné) et la ceinture antérieure chantournée. Peint en noir. Siège primitif, mais d'agreable proportion. XVIIIᵉ siècle.

L. 1' 9''   H. 3' 2''   P. 1' 2¾''
53 cm   97 cm   38 cm

BOIS : merisier   PROVENANCE : Région de Québec.

(Coll. Canada Steamship Lines, Tadoussac, Qué.).

322. FAUTEUIL CANADIEN « A LA CAPUCINE ». XVIIIᵉ SIÈCLE.

Fauteuil *à la capucine*. Le plus élégant de nos fauteuils paillés. Quoique s'apparentant aux fauteuils *bonne femme* des provinces françaises, il s'en distingue par la profusion de ses cubes chanfreinés et de ses barreaux tournés. L'appui-bras est encastré dans le premier barreau latéral. Le chantournement des traverses du dossier est conventionnel et typique des fauteuils *bonne femme*, des bords de la Loire. Très populaire au Canada, surtout dans la région de Montréal. Voir page 223. XVIIIᵉ siècle.

L. 1' 6½''   H. 3' 4''   P. 1' 5''
47 cm   102 cm   43 cm

BOIS : merisier   PROVENANCE : Nouvelle-Angleterre.

(Coll. Mlle Barbara Richardson, Sainte-Agathe des Monts, Qué.).

323. FAUTEUIL RUSTIQUE « A LA CAPUCINE ». XVIIIᵉ SIÈCLE.

Ce fauteuil très simple et élégant est presque toujours orné, au dossier, de quatre traverses chantournées. Parfois les accoudoirs sont en retrait, comme dans le fauteuil précédent, le nº 322. Celui-ci, quoique simple est d'agréables proportions. Le paillage a été remplacé. XVIIIᵉ siècle.

L. 1' 6½''   H. 3' 4''   P. 1' 5''
47 cm   102 cm   43 cm

BOIS : merisier
PROVENANCE : Saint-Philippe de Laprairie, Qué.

(Coll. Dr et Mme Herbert T. Schwarz. Montréal).

324. FAUTEUIL RUSTIQUE A OREILLES. XVIIIᵉ SIÈCLE.

Beau fauteuil rustique avec ses accoudoirs et ses oreilles, d'esprit Louis XIII. Siège en *babiche* refait. Peinture verte originale; pieds rognés. XVIIIᵉ siècle.

L. 2' 1''   H. 3' 7½''   P. 1' 5''
63 cm   110 cm   43 cm

BOIS : merisier   PROVENANCE : Région de Montréal.
(Coll. Canada Steamship Lines, Tadoussac, Qué.).

325. FAUTEUIL RUSTIQUE A OREILLES ET A TRAVERSES CHANTOURNÉES. XVIIIᵉ SIÈCLE.

Beau fauteuil paysan où le bois est mis en valeur par le travail de l'artisan. Rappelle les sièges robustes des montagnes de Savoie. Interprétation très canadienne. Siège en *babiche* refait; pieds rognés. XVIIIᵉ s.

L. 1' 9½''   H. 3' 4¼''   P. 1' 9''
55 cm   102 cm   53 cm

BOIS : frêne et merisier
PROVENANCE : Région de Québec.

(Coll. Canada Steamship Lines, Tadoussac, Qué.).

326. FAUTEUIL RUSTIQUE, DE FACTURE NAIVE. DÉBUT XIXᵉ SIÈCLE.

Fauteuil rustique à petites oreilles et deux barreaux chantournés, de facture naïve. Siège en *babiche* refait. Début XIXᵉ siècle.

L. 1' 8½''   H. 3' 9¼''   P. 1' 5''
52 cm   115 cm   43 cm

BOIS : merisier   PROVENANCE : Région de Québec.
(Coll. Canada Steamship Lines, Tadoussac, Qué.).

327. FAUTEUIL RUSTIQUE A OREILLES ET AU DOSSIER CHANTOURNÉ ET AJOURÉ. DÉBUT XIXᵉ SIÈCLE.

Fauteuil rustique à oreilles. Barreaux et traverses du dossier chantournés. Une des traverses du dossier est ajourée. Les barreaux en chapelet sont ornés de pointes de flèches aux extrémités, inspiration des sièges « arrow back » américains. Siège : écorce d'orme entrelacée. Couleur verte originale. Début XIXᵉ siècle.

L. 1' 10''   H. 3' 7¾''   P. 1' 3¾''
56 cm   111 cm   40 cm

BOIS : merisier   PROVENANCE : Région de Québec.

(Coll. Canada Steamship Lines, Tadoussac, Qué.).

328. FAUTEUIL RUSTIQUE AUX ACCOUDOIRS D'ESPRIT « QUEEN ANNE ». DÉBUT XIXᵉ SIÈCLE.

Fauteuil rustique. La traverse supérieure du dossier, avec ses spirales, rappelle certains sièges Windsor. Les accoudoirs fortement inclinés et les spirales sont inspirés du style Queen Anne. Siège en *babiche* refait; couleur jaune originale. Début XIXᵉ siècle.

L. 1' 7⅜''   H. 3' 3''   P. 1' 2½''
49 cm   99 cm   37 cm

BOIS : merisier   PROVENANCE : Région de Montréal.
(Coll. Canada Steamship Lines, Tadoussac, Qué.).

329. FAUTEUIL RUSTIQUE, DE SAINT-FÉRÉOL. DÉBUT XIXᵉ SIÈCLE.

Fauteuil typique de la région de Saint-Joachim et de Saint-Féréol, dont le dossier est orné de barreaux plats chantournés. Siège de foin de grève du Cap Tourmente, refait récemment par un des derniers pailleurs de chaises du pays. Début XIXᵉ siècle.

L. 1' 10¾''   H. 3' 6¾''   P. 1'7''
53 cm   109 cm   48 cm

BOIS : merisier PROVENANCE : Saint-Féréol, Québec.

(Coll. de l'auteur, Petite Rivière Saint-François, Qué.).

330. FAUTEUIL RUSTIQUE AUX TRAVERSES DU DOSSIER CHANTOURNÉES ET AJOURÉES. XIXᵉ SIÈCLE.

Fauteuil rustique. Les trois traverses du dossier, chantournées et ajourées, rappellent les traverses ajourées de certains fauteuils Chippendale américains. Accoudoirs légèrement cintrés. Couleur rouge originelle. Siège en *babiche* refait. XIXᵉ siècle.

L. 1' 11⅝''   H. 3' 2½''   P. 1' 6''
58 cm   98 cm   46 cm

BOIS : merisier

(Coll. Canada Steamship Lines, Tadoussac, Qué.).

331. FAUTEUIL RUSTIQUE TOURNÉ, D'INSPIRATION AMÉRICAINE. DÉBUT XIXᵉ SIÈCLE.

Fauteuil rustique. Tournage à l'américaine. Les trois traverses du dossier et la traverse supérieure cintrée sont typiques des fauteuils de Pennsylvanie et des fauteuils de style « shakers ». Siège : écorce d'orme entrelacée. Début XIXᵉ siècle.

L. 1' 8⅝''   H. 3' ¾''   P. 1' 4''
52 cm   94 cm   41 cm

BOIS : merisier et frêne
PROVENANCE : Région de Montréal.

(Coll. M. et Mme Gordon Reed, Saint-Sauveur des Monts, Qué.).

332. FAUTEUIL RUSTIQUE A OREILLES, AU DOSSIER ET AUX ACCOUDOIRS ORNÉS DE FUSEAUX. DÉBUT XIXᵉ SIÈCLE.

Fauteuil rustique. Les oreilles, les accoudoirs ornés de fuseaux et le dossier à double rangée de fuseaux, évoquent le fauteuil bergère, mais le tournage est américain. Couleur rose originelle. Siège en *babiche* refait. Début XIXᵉ siècle.

L. 2' 1½''   H. 3' 2¾''   P. 1' 6¾''
65 cm   98 cm   48 cm

BOIS : merisier PROVENANCE : Ile d'Orléans, Qué.

(Coll. Canada Steamship Lines, Tadoussac, Qué.).

333. FAUTEUIL RUSTIQUE A OREILLES ET A BALUSTRES. FIN XVIIIᵉ SIÈCLE.

Fauteuil rustique. Le dossier est orné d'oreilles et de fuseaux. Le piètement évoque le tournage des premières chaises de menuiserie d'assemblage, d'inspiration « Brewster and Carver ». Combinaison de deux styles : la structure générale est d'esprit Louis XIII, avec ses accoudoirs et ses balustres; le piètement tourné est d'inspiration américaine. Siège canné récent. Fin XVIIIᵉ siècle.

L. 1' 11¾''   H. 3' 7''   P. 1' 5''
60 cm   109 cm   43 cm

BOIS : merisier PROVENANCE : Grand'Mère, Qué.

(Coll. M. et Mme Pierre Gouin, Saint-Sulpice, Qué.).

334. FAUTEUIL RUSTIQUE AUX TRAVERSES DU DOSSIER AJOURÉES. DÉBUT XIXᵉ SIÈCLE.

Fauteuil rustique. Accoudoirs et pieds antérieurs tournés; traverses du dossier ajourées de cœurs renversés, de cercles, de maisons, d'une palmette, d'un losange et d'une toupie. Le tournage et les accoudoirs sont d'influence de la première époque « Cromwell », fort répandue en Nouvelle-Angleterre. Le siège en *babiche* est récent. XIXᵉ siècle.

L. 2' ½''   H. 3' 4''   P. 1' 6¼''
62 cm   102 cm   46 cm

BOIS : merisier PROVENANCE : Berthier-en-Bas, Qué.

(Coll. Canada Steamship Lines, Tadoussac, Qué.).

335. FAUTEUIL RUSTIQUE, D'INFLUENCE NOUVELLE-ANGLETERRE. FIN XVIIIᵉ SIÈCLE.

Ce fauteuil est visiblement inspiré des fauteuils « Brewster and Carver » de la Nouvelle-Angleterre. Noter les saucissons des traverses du dossier. Mais la forme générale, les accoudoirs et les balustres sont d'esprit Louis XIII. Paillage récent. Fin XVIIIᵉ siècle.

L. 2' 2''   H. 3' 4¾''   P. 1' 6⅜''
66 cm   104 cm   47 cm

BOIS : merisier PROVENANCE : Région de Montréal.

(Coll. Mlle Barbara Richardson, Sainte-Agathe des Monts, Qué.).

336. FAUTEUIL RUSTIQUE, D'ESPRIT LOUIS XIV. XVIIIᵉ SIÈCLE.

Fauteuil rustique à pieds galbés, d'esprit Louis XIV. La ceinture, les montants et les traverses du dossier sont chantournés. Pieds cambrés et accoudoirs d'influence anglaise. Très beau fauteuil régional. Selon la tradition orale, ce fauteuil provient de la Seigneurie de la Naudière à Sainte-Anne de la Pérade. Il aurait été cédé par le seigneur à l'ancêtre du propriétaire actuel. Voir la chaise nº 275 ayant le même genre de dossier. XVIIIᵉ siècle.

L. 2' 1¼''   H. 3' 4¾''   P. 1' 6⅝''
64 cm   104 cm   48 cm

BOIS : merisier PROVENANCE : Deschambault, Qué.

(Coll. M. Alexis Germain, cultivateur, Deschambault, Qué.).

337. FAUTEUIL D'ESPRIT LOUIS XIV, AVEC SUPPORTS D'ACCOUDOIRS D'INSPIRATION « CHIPPENDALE ». XVIIIᵉ S.

Fauteuil d'esprit Fin Louis XIV. Pieds de biche galbés, ceinture et dossier chantournés. La courbe accentuée des supports d'accoudoirs est d'influence Chippendale. Garni de crin. Fin XVIIIᵉ siècle.

L. 2' 2½''   H. 3' 5''   P. 1' 11½''
67 cm   104 cm   60 cm

BOIS : merisier PROVENANCE : Québec.

(Coll. Mme Paul Gouin, Montréal).

338. FAUTEUIL, D'ESPRIT RÉGENCE. FIN XVIIIᵉ SIÈCLE.

Fauteuil canadien d'esprit Régence, à pieds cambrés, orné de feuilles d'acanthe et de coquilles à la ceinture et à la traverse supérieure du dossier. Rare fauteuil Régence de « main de métier ». Sans doute fabriqué par un menuisier-sculpteur d'église. Il en existe un autre de la même « main » dans l'église des Hurons de la Jeune-Lorette. Entretoises dites « à croisillons » et « en double chapeau de gendarme ». Fin XVIIIᵉ siècle.

L. 2' 1''   H. 2' 4''   P. 1' 10''
64 cm   71 cm   56 cm

BOIS : merisier

(Coll. David et Eleanor Morrice, Montréal).

339. FAUTEUIL, D'INSPIRATION LOUIS XV, MAIS DE STYLE ROCOCO CANADIEN. DÉBUT XIXᵉ SIÈCLE.

Fauteuil d'esprit Louis XV, à ceinture galbée et chantournée, ornée de motifs floraux et de spirales. Le dossier est également chantourné, décoré de spirales et d'une coquille stylisée. Ce siège n'a pas la finesse des meubles Louis XV et il rappelle la facture de l'École de Quevillon. Supports d'accoudoirs d'influence Chippendale. Début XIXᵉ siècle.

L. 2' 3''   H. 2' 2''   P. 1' 9''
69 cm   66 cm   53 cm

BOIS : merisier PROVENANCE : Ile Bizard, Qué.

(Coll. Detroit Institute of Arts, Détroit, Mich. E.-U.

340. FAUTEUIL, D'INSPIRATION LOUIS XIV - LOUIS XV FIN XVIIIᵉ SIÈCLE.

Fauteuil d'inspiration Louis XV, à pieds galbés et à ceinture chantournée. Le dossier à doucine est d'inspiration Louis XIV. Déséquilibre entre le galbe des supports d'accoudoirs et celui des pieds, un peu minces. Fin XVIIIᵉ siècle.

L. 2' 2½''   H. 3' 7¼''   P. 1' 11''
67 cm   110 cm   58 cm

BOIS : merisier PROVENANCE : Région de Montréal

(Coll. M. Jean Dubuc, Québec).

341. FAUTEUIL, D'ESPRIT RÉGENCE. FIN XVIIIᵉ SIÈCLE.

Fauteuil d'esprit Régence. Le dossier à doucine est de style Louis XIV, et la courbe des supports d'accoudoirs est du type *os de mouton*. Curieuse combinaison de styles. Meuble canadien de transition. Très rare. Fin XVIIIᵉ siècle.

L. 2'   H. 3' 9''   P. 1' 8¼''
61 cm   114 cm   51 cm

BOIS : merisier PROVENANCE : Région de Québec.

(Coll. Mme L.S. Bloom, Montréal).

342. FAUTEUIL, D'INSPIRATION RÉGENCE. FIN XVIIIᵉ SIÈCLE.

Fauteuil d'inspiration Régence avec entretoise à croisillons. Chantournement de la ceinture et du dossier. Le siège à doucine est typique des sièges cannés Régence. Le galbe des pieds manque de finesse. Fin XVIIIᵉ siècle.

L. 2' 1½''   H. 3'   P. 1' 8''
65 cm   91 cm   51 cm

BOIS : merisier PROVENANCE : Région de Montréal.

(Coll. Peter et William Dobell, Lac Memphrémagog, Qué.).

299. FAUTEUIL D'ESPRIT LOUIS XIII. XVIIIᵉ S.
ARMCHAIR, IN THE LOUIS XIII MANNER.
18th C.

300. FAUTEUIL, AU DOSSIER A DOUCINE,
D'ESPRIT LOUIS XIII. XVIIIᵉ S.
ARMCHAIR, WITH SERPENTINE TOP RAIL,
IN THE LOUIS XIII MANNER.   18th C.

302. FAUTEUIL AU DOSSIER A BALUSTRES,
D'ESPRIT LOUIS XIII. FIN XVIIᵉ S.
ARMCHAIR, WITH DOUBLE-BALUSTER BACK,
IN THE LOUIS XIII MANNER.   LATE 17th C.

301. FAUTEUIL « A CRÉMAILLÈRE », D'ESPRIT
LOUIS XIII. XVIIᵉ S.
ARMCHAIR "A CRÉMAILLÈRE", IN THE
LOUIS XIII MANNER.   17th C.

303. FAUTEUIL AU DOSSIER A BALUSTRES ET A
PANNEAUX, D'ESPRIT LOUIS XIII. XVIIᵉ S.
ARMCHAIR, WITH PANEL AND BALUSTER BACK,
IN THE LOUIS XIII MANNER.   17th C.

304. FAUTEUIL AU PIÈTEMENT CHANFREINÉ, D'ESPRIT LOUIS XIII. XVIIᵉ S.
ARMCHAIR, WITH CHAMFERED FEET, IN THE LOUIS XIII MANNER. 17th C.

306. FAUTEUIL RUSTIQUE, D'ESPRIT LOUIS XIII. XVIIIᵉ S.
RUSTIC ARMCHAIR, IN THE LOUIS XIII MANNER. 18th C.

305. FAUTEUIL DE FORME LOUIS XIII, DE JEUNE-LORETTE. XVIIIᵉ S.
ARMCHAIR, OF LOUIS XIII TYPE, FROM JEUNE-LORETTE. 18th C.

307. FAUTEUIL « OS DE MOUTON ». XVIIIᵉ S.
" OS DE MOUTON " ARMCHAIR.   18th C.

308. FAUTEUIL « OS DE MOUTON ». XVIIIᵉ S.
" OS DE MOUTON " ARMCHAIR.   18th C.

309. FAUTEUIL « OS DE MOUTON ». XVIIIᵉ S.
" OS DE MOUTON " ARMCHAIR.   18th C.

310. FAUTEUIL A PIEDS EN CONSOLE ET A
CEINTURE ARBALÈTE. XVIIIᵉ S.
ARMCHAIR, WITH CONSOLE LEGS AND
ARBALÈTE-FRONTED SEAT RAIL.   18th C.

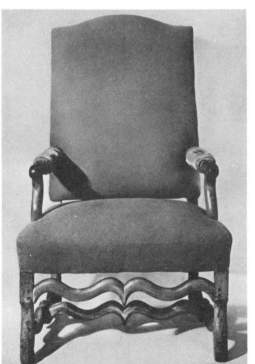

FAUTEUIL PAYSAN. XVIIIᵉ S.
NT ARMCHAIR.   18th C.

312. FAUTEUIL RUSTIQUE CHANFREINÉ AVEC
DOSSIER A FUSEAUX. XVIIIᵉ S.
RUSTIC CHAMFERED ARMCHAIR, WITH SPIN-
DLE BACK.   18th C.

313. GRAND FAUTEUIL, DE L'ILE D'ORLÉANS.
XVIIIᵉ S.
LARGE ARMCHAIR FROM ILE D'ORLÉANS.
18th C.

FAUTEUIL RUSTIQUE, DE PORTNEUF. FIN
S.
ARMCHAIR, FROM PORTNEUF.   LATE
C.

315. FAUTEUIL RUSTIQUE A PIÈTEMENT
TOURNÉ. XVIIIᵉ S.
RUSTIC ARMCHAIR, WITH TURNED LEGS.
18th C.

316. FAUTEUIL RUSTIQUE AUX TRAVERSES
DU DOSSIER FESTONNÉES ET AJOURÉES.
XVIIIᵉ S.
RUSTIC ARMCHAIR, WITH FESTOONED OPEN-
WORK BACKRAILS.   18th C.

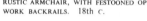

317. FAUTEUIL DU PRÊTRE, DE L'ANCIENNE ÉGLISE DE LOUISEVILLE, D'ESPRIT LOUIS XIII. XVIIIᵉ S.
PRIEST'S CHAIR, FROM THE OLD CHURCH OF LOUISEVILLE, IN THE LOUIS XIII MANNER. 18th C.

318. FAUTEUIL RUSTIQUE, DE SAINTE-SCHO-LASTIQUE. XIXᵉ S.
RUSTIC ARMCHAIR, FROM ST SCHOLASTIQUE. 19th C.

319. FAUTEUIL RUSTIQUE AVEC ACCOUD⌐ AJOURÉS. DÉBUT XIXᵉ S.
RUSTIC ARMCHAIR, WITH OPENWORK A⌐ RESTS. EARLY 19th C.

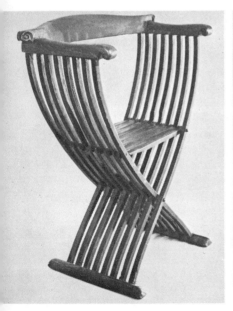

320. FAUTEUIL CURULE OU A TENAI XVIIIᵉ S.
CURULE ARMCHAIR, IN THE ROMAN S⌐ 18th C.

321. FAUTEUIL RUSTIQUE. XVIIIᵉ S.
RUSTIC ARMCHAIR. 18th C.

322. FAUTEUIL CANADIEN « A LA CAPUCINE ». XVIIIᵉ S.
CANADIAN ARMCHAIR " A LA CAPUCINE ". 18th C.

323. FAUTEUIL RUSTIQUE « A LA CAPUCINE ». XVIIIᵉ S.
RUSTIC ARMCHAIR " A LA CAPUCINE ".   18th C.

324. FAUTEUIL RUSTIQUE A OREILLES. XVIIIᵉ S.
RUSTIC ARMCHAIR, WITH WINGS.   18th C.

325. FAUTEUIL RUSTIQUE A OREILLES ET A TRAVERSES
CHANTOURNÉES. XVIIIᵉ S.
RUSTIC ARMCHAIR, WITH WINGS AND SHAPED RAILS.
18th C.

326. FAUTEUIL RUSTIQUE, DE FACTURE NAIVE. DÉBUT XIXᵉ S.
RUSTIC ARMCHAIR OF NAIVE WORKMANSHIP.   EARLY 19th C.

328. FAUTEUIL RUSTIQUE AUX ACCOUDOIRS D'ESPRIT « QUEEN
ANNE ». DÉBUT XIXᵉ S.
RUSTIC ARMCHAIR, WITH ARMRESTS IN THE QUEEN
ANNE MANNER.   EARLY 19th C.

327. FAUTEUIL RUSTIQUE A OREILLES ET AU DOSSIER CHAN-
TOURNÉ ET AJOURÉ. DÉBUT XIXᵉ S.
RUSTIC ARMCHAIR, WITH WINGS AND SHAPED OPENWORK
BACK.   EARLY 19th C.

329. FAUTEUIL RUSTIQUE, DE SAINT-FÉRÉOL. DÉBUT XIXᵉ S.
RUSTIC ARMCHAIR, FROM ST FÉRÉOL.   EARLY 19th C.

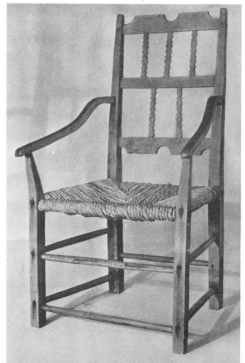

330. FAUTEUIL RUSTIQUE AUX TRAVERSES DU DOSSIER CHANTOURNÉES ET AJOURÉES. XIXᵉ S.
RUSTIC ARMCHAIR, WITH SHAPED AND PIERCED BACKRAILS. 19th C.

331. FAUTEUIL RUSTIQUE TOURNÉ, D'INSPI-RATION AMÉRICAINE. DÉBUT XIXᵉ S.
RUSTIC TURNED ARMCHAIR, OF AMERICAN DERIVATION. EARLY 19th C.

332. FAUTEUIL RUSTIQUE A OREILLES, DOSSIER ET AUX ACCOUDOIRS ORNÉS FUSEAUX. DÉBUT XIXᵉ S.
RUSTIC ARMCHAIR, WITH WINGS, SPINDLED ARMRESTS AND BACK. EA 19th C.

333. FAUTEUIL RUSTIQUE A OREILLES ET A BALUSTRES. FIN XVIIIᵉ S.
RUSTIC ARMCHAIR, WITH WINGS AND BALUSTERS. LATE 18th C.

334. FAUTEUIL RUSTIQUE AUX TRAVERSES DU DOSSIER AJOURÉES. DÉBUT XIXᵉ S.
RUSTIC ARMCHAIR, WITH OPENWORK BACK-RAILS. EARLY 19th C.

335. FAUTEUIL RUSTIQUE, D'INFLUENCᴱ NOUVELLE-ANGLETERRE. FIN XVIIIᵉ S.
RUSTIC ARMCHAIR, WITH TURNING NEW ENGLAND TYPE. LATE 18th C.

336. FAUTEUIL RUSTIQUE, D'ESPRIT LOUIS XIV.
XVIIIe S.
RUSTIC ARMCHAIR, IN THE LOUIS XIV
MANNER. 18th C.

337. FAUTEUIL D'ESPRIT LOUIS XIV, AVEC SUPPORTS
D'ACCOUDOIRS D'INSPIRATION CHIPPENDALE. XVIIIe S.
ARMCHAIR, IN THE LOUIS XIV MANNER, BUT WITH
CABRIOLE ARM SUPPORTS IN THE CHIPPENDALE STYLE.
18th C.

338. FAUTEUIL, D'ESPRIT RÉ-
GENCE. FIN XVIIIe S.
ARMCHAIR, IN THE RÉGENCE
MANNER. LATE 18th C.

BERCEUSES

Selon deux auteurs américains [1], la chaise berceuse aurait été inventée par Benjamin Franklin qui en possédait une, en 1763. En Angleterre, aucune mention de ce meuble n'apparaît dans l'important *Dictionary of English Furniture* de Macquoid et Edwards. A Philadelphie, le menuisier William Savery, en 1774, ajoute des patins courbes à un fauteuil droit [2]. Par la suite, ce fut la mode d'ajouter des patins aux fauteuils Windsor déjà existants. On a découvert, dans les livres de comptes des menuisiers Nathaniel Dominy IV et V de East Hampton, Long Island, qu'ils plaçaient des patins sous des chaises, dès 1801 [3]. Ce n'est toutefois qu'après 1820, qu'une chaise berceuse originale apparaît : la *Boston Rocker*. C'est alors, qu'imitant les berceuses américaines, nos menuisiers commencèrent à ajouter des patins à nos chaises et à nos fauteuils droits paysans [4].

En France, la berceuse fut presque inconnue au XIXe siècle. Dans les châteaux et dans les résidences de la haute bourgeoisie, elle était réservée à la nourrice chargée de bercer l'enfant, d'où l'appellation *fauteuil de nourrice*. Ce fauteuil est carré, muni d'un haut dossier avec traverses. On n'en connaît pas d'autre modèle. Personnellement, je n'en ai vu qu'un en France : un *fauteuil de nourrice* dans un musée. Actuellement la berceuse connaît une certaine faveur à Paris. Cette chaise existait depuis assez longtemps en Suède et en Finlande. Au Canada, les berceuses, appelées aussi *chaises berçantes*, ont éliminé les fauteuils droits et sont devenues les fauteuils usuels de tous les membres de la famille. Elles reposent sur des patins cintrés, comme les berceaux. Il en existe des modèles avec bras et d'autres sans bras. La « chaise à pépère » est placée à côté du poêle près duquel le grand-père fume sa pipe et attise le feu tout en se berçant. La « chaise à mémère » est placée près de la fenêtre ; elle est plus étroite et les accoudoirs surbaissés lui permettent de prendre les petits enfants dans ses bras et de les bercer ou de s'occuper à un ouvrage de couture.

Le fauteuil droit de jadis et, aujourd'hui, la chaise berceuse, sont le symbole de la bonne hospitalité au pays de Québec, dans les demeures paysannes. Qu'un parfait inconnu frappe à la porte d'un paysan, on lui ouvrira aussitôt et le maître ou la maîtresse de céans, après l'avoir salué, lui offrira poliment la chaise dans laquelle il se berçait, car c'est la plus confortable de toutes. Ce geste de bon accueil ne manque pas de créer une atmosphère de confiance et de cordialité.

Il existe aussi une berceuse à deux places, pour le « cavalier » et sa « blonde ».

Avouons qu'il est assez hallucinant de traverser un village canadien, un dimanche après-midi, et de voir dix à vingt personnes, adultes et enfants, se bercer sur un immense balcon chacun selon son rythme propre. Il est curieux de constater qu'en Amérique et au Canada toutes les classes de la société trouvent leur délassement dans ce balancement qui fait penser à un mouvement d'horloge sans âme et dont le rythme purement mécanique tue le temps.

Ce meuble, qui n'a d'autre raison d'être que de bercer les enfants, a toutefois permis au menuisier paysan de donner, à cœur joie, libre cours à son imagination en variant à l'infini les formes de cette chaise si intimement intégrée aux gestes de la vie quotidienne.

Hélas, maintenant, cet objet « en tuyaux chromés », à siège et dossier en plastique, aux couleurs criardes est fabriqué en série. Le charme est rompu... La chaise berceuse n'a plus d'âme.

(1) Esther Stevens et Walter A. Dyer.
(2) Communication de M. Charles F. Hummel, conservateur adjoint de « The Henry Francis Du Pont Wintherthur Museum, Wintherthur, Delaware ».
(3) Idem.
(4) Il n'est pas sûr que les Américains aient inventé la chaise berceuse, encore moins la *Boston Rocker*. Dans l'excellent et récent ouvrage de Morazzoni sur le mobilier vénitien, une berceuse du genre *Boston Rocker* est reproduite parmi les meubles typiquement vénitiens du XVIIIe siècle.

343. BERCEUSE RUSTIQUE, AVEC CŒURS AJOURÉS. XIXᵉ SIÈCLE.

Berceuse rustique avec cœurs ajourés. La plupart de ces berceuses sont assemblées à tourillons, à la manière des chaises à la capucine, et exécutées par des paysans. La grande naïveté de ce meuble le rend cocasse et amusant. XIXᵉ siècle.

L. 1'4"   H. 3' 10½"
41 cm   118 cm
BOIS : merisier et orme
PROVENANCE : Sainte-Geneviève de Batiscan, Qué.
(Coll. Musée National du Canada, Ottawa).

344. BERCEUSE RUSTIQUE, A TRAVERSES DU DOSSIER AJOURÉES ET CHANTOURNÉES. XIXᵉ SIÈCLE.

Berceuse rustique. Traverses du dossier ajourées et chantournées. Exemple typique d'un fauteuil exécuté par un menuisier-paysan, donnant libre cours à sa fantaisie. Meuble naïf et charmant. Siège : écorce d'orme. XIXᵉ siècle.

L. 1'8"   H. 3' 1¾"   P. 1' 1"
51 cm   96 cm   33 cm
BOIS : merisier
(Coll. M. et Mme Victor M. Drury, Lac Anne, Qué.).

345. BERCEUSE RUSTIQUE, A QUATRE TRAVERSES DU DOSSIER. XIXᵉ SIÈCLE.

Berceuse rustique au dossier haut et à quatre traverses chantournées. Siège refait. Berceuse naïve, mais élégante. XIXᵉ siècle.

L. 1'7½"   H. 3' 8½"   P. 1' 2¼"
50 cm   113 cm   36 cm
BOIS : merisier et chêne
PROVENANCE : Saint-Denis-sur-Richelieu, Qué.
(Coll. Mme Nettie Sharpe, Saint-Lambert, Qué.).

346. BERCEUSE RUSTIQUE, A SIX TRAVERSES DU DOSSIER. XIXᵉ SIÈCLE.

Berceuse rustique. Les six traverses du dossier sont chantournées et les accoudoirs courbes assurent un espace généreux. Siège : babiche. Bel exemple de berceuse de facture paysanne. XIXᵉ siècle.

L. 1'5½"   H. 3' 6"   P. 1' 5"
44 cm   107 cm   43 cm
BOIS : merisier et frêne   PROVENANCE : Lavaltrie, Qué.
(Coll. Dr et Mme Herbert T. Schwarz, Montréal).

347. BERCEUSE RUSTIQUE A PATINS CHANTOURNÉS. XIXᵉ SIÈCLE.

Berceuse rustique. Dossier à deux traverses et à patins courbes chantournés. Les crosses des accoudoirs sont ornées de spirales à l'extérieur et de dessins géométriques à l'intérieur. Siège refait. XIXᵉ s.

L. 1'7¾"   H. 3' 3½"   P. 1' 2"
50 cm   100 cm   36 cm
BOIS : merisier et frêne

PROVENANCE : Saint-Jean-Baptiste de Rouville, Qué.
(Coll. Mme Nettie Sharpe, Saint-Lambert, Qué.).

348. BERCEUSE RUSTIQUE, A TRAVERSES DU DOSSIER AJOURÉES. XIXᵉ SIÈCLE.

Berceuse rustique. Traverses du dossier ajourées et chantournées, avec fuseaux chanfreinés. Les montants antérieurs sont évasés pour donner plus d'espace. Les barreaux tournés rappellent ceux de chaises plus récentes. Siège de bois. Très originale. XIXᵉ siècle.

L. 1'8"   H. 4' 5½"
51 cm   136 cm
BOIS : merisier
PROVENANCE : Saint-Jean-Port-Joli, Qué.
(Coll. M. Marius Barbeau, Ottawa, Ont.).

349. BERCEUSE RUSTIQUE A DOSSIER AJOURÉ. XIXᵉ S.

Berceuse rustique. Les larges planches du dossier sont chantournées et ajourées. Montants postérieurs courbes. Le motif ajouré fait penser à des goélands en vol. Siège de pin. XIXᵉ siècle.

L. 1'7"   H. 2' 6½"   P. 1' 2¼"
48 cm   77 cm   36 cm
BOIS : merisier   PROVENANCE : Beaumont, Qué.
(Coll. Canada Steamship Lines, Tadoussac, Qué.).

350. BERCEUSE RUSTIQUE A TRAVERSES ET ENTRETOISES D'ESPRIT SHERATON. XIXᵉ SIÈCLE.

Berceuse rustique ornée de traverses et d'entretoises croisées, inspirées du style Sheraton. Les accoudoirs courbes, inclinés, rappellent ceux de certains fauteuils anglais. Le flambeau, d'esprit Louis XIII, est un hors-d'œuvre. Siège garni, meuble curieux. XIXᵉ siècle.

L. 1'3½"   H. 1' 8"
39 cm   51 cm
BOIS : merisier
(Coll. Mme Richard R. Costello, Sainte-Agathe des Monts, Qué.).

351. DÉTAIL.

Détail de la traverse supérieure du dossier de la berceuse nᵒ 352. Étoiles, volutes, courbes, contre-courbes, et cannelures. Art populaire. XIXᵉ siècle.

352. BERCEUSE RUSTIQUE A OREILLES ORNÉES DE SPIRALES. XIXᵉ SIÈCLE.

Berceuse rustique. Oreilles ornées de spirales et dossier chantourné et ajouré. Les dessins ajourés de la traverse supérieure sont curieux. Siège : babiche. Couleur : noire. XIXᵉ siècle.

L. 1'10"   H. 3' 5½"   P. 1' 6"
56 cm   105 cm   46 cm
BOIS : merisier et frêne
(Coll. Canada Steamship Lines, Tadoussac, Qué.).

244

353. BERCEUSE RUSTIQUE A « POINTES DE FLÈCHE ». XIXᵉ SIÈCLE.

Berceuse rustique. Le dossier est orné de barreaux verticaux découpés en « pointes de flèche », interprétation des chaises « Arrow-Back » américaines. Siège : *babiche*. Couleur originelle : ocre rouge. XIXᵉ siècle.

L. 1' 8 ¼"   H. 3' 2 ¾"   P. 1' 2"
51 cm   98 cm   36 cm

BOIS : merisier et pin
PROVENANCE : Baie Saint-Paul, Qué.

(Coll. Canada Steamship Lines, Tadoussac, Qué.).

354. BERCEUSE RUSTIQUE A DOSSIER CHANTOURNÉ. XIXᵉ SIÈCLE.

Berceuse rustique ornée de quatre barreaux verticaux chantournés. Siège de forme violon, particulière au comté de Charlevoix. Couleur : brun foncé. XIXᵉ siècle.

BOIS : merisier   PROVENANCE : La Malbaie, Qué.

(Coll. M. et Mme J.N. Cole, Montréal).

355. BERCEUSE RUSTIQUE A HAUT DOSSIER. XIXᵉ SIÈCLE.

Berceuse rustique. Dossier élevé, avec trois barreaux verticaux. Siège d'allure primitive. XIXᵉ siècle.

L. 1' 4 ¼"   H. 3' 5 ½"   P. 1' 4"
41 cm   105 cm   41 cm

BOIS : merisier   PROVENANCE : Saint-Hilarion, Qué.

(Coll. de l'auteur, Petite Rivière Saint-François, Qué.).

356. CHEVAL D'ENFANT, A BASCULE. XIXᵉ SIÈCLE.

Petit cheval à bascule dont la selle constitue une chaise d'enfant, d'inspiration américaine. Jouet de fabrication paysanne.

L. 2' 6"   H. 1' 7"
76 cm   48 cm

BOIS : merisier et pin
PROVENANCE : Saint-Vallier, Qué.

(Coll. Mme Nettie Sharpe, Saint-Lambert, Qué.).

357. BERCEUSE RUSTIQUE A DEUX PLACES. XIXᵉ SIÈCLE.

Berceuse rustique à deux places. Dossier chantourné et ajouré de losanges. C'est un siège qu'on rencontrait fréquemment dans la région de Québec et qui servait surtout aux amoureux. Le « cavalier et sa blonde » s'y berçaient le dimanche après-midi, sur la galerie. Meuble précurseur de la « balançoire ». XIXᵉ siècle.

L. 3' 4"   H. 2' 3 ½"   P. 1' 4 ½"
102 cm   70 cm   42 cm

BOIS : merisier et frêne
PROVENANCE : Région de Québec.

(Coll. Musée National du Canada, Ottawa).

358. BANC BERÇANT. XIXᵉ SIÈCLE.

Banc berçant. Meuble peu fréquent. XIXᵉ siècle.

L. 6' 6 ⅜"   H. 2' 4"   P. 1' 5 ¼"
199 cm   71 cm   44 cm

BOIS : merisier et pin

(Coll. M. et Mme Cleveland Morgan, Senneville, Qué.).

359. BERCEUSE A DOSSIER CHANTOURNÉ ET MARQUETÉ.

Berceuse dont l'aspect ne présente pas un caractère très ancien. Le siège s'inspire de la « Boston Rocker » avec son parchemin déroulé (phylactère). Le dossier chantourné est marqueté de cœurs, de piques et de trèfles. Fabriqué par le menuisier-paysan Joseph Mailloux, de la Baie Saint-Paul. Le dossier est constitué de planches de chêne provenant d'un tonneau. Art populaire.

L. 1' 5 ½"   H. 3' 6"   P. 1' 5"
44 cm   107 cm   43 cm

BOIS : chêne et merisier
PROVENANCE : Cap au Corbeau, Baie Saint-Paul, Qué.

(Coll. M. Marius Barbeau, Ottawa).

360. BERCEUSE, DITE « BOSTON ROCKER ». XIXᵉ SIÈCLE.

Berceuse inspirée de la « Boston Rocker » américaine. Remarquer la courbe du « scroll » (parchemin déroulé) et les spirales des accoudoirs, de la traverse supérieure du dossier et du siège. Meuble d'allure lourde.

L. 1' 5 ¼"   H. 3' 6"   P. 1' 7 ½"
44 cm   107 cm   50 cm

BOIS : merisier

(Coll. Musée de la Province, Québec).

361. BERCEUSE RUSTIQUE A DEUX SIÈGES ET TROIS ACCOUDOIRS. XIXᵉ SIÈCLE.

Berceuse rustique à deux sièges et trois accoudoirs. Noter les montants antérieurs évasés pour donner plus d'espace et ceux du dossier, d'influence américaine. XIXᵉ siècle.

L. 2' 8"   H. 3' 2"   P. 1' 5 ⅝"
81 cm   97 cm   45 cm

BOIS : merisier
PROVENANCE : Saint-Jean-Port-Joli, Qué.

(Coll. Musée Provencher, Cap Rouge, Qué.).

362. BERCEUSE RUSTIQUE A DOSSIER CHANTOURNÉ ET A FUSEAUX. XIXᵉ SIÈCLE.

Berceuse rustique. Dossier à trois barreaux verticaux chantournés et ajourés, surmontant quatre fuseaux tournés. La forme générale de la chaise est d'influence

245

américaine; les traverses et les fuseaux tournés, d'esprit Louis XIII. XIXe siècle.

L. 1' 4¾''   H. 2' 10''   P. 1' ¾''
43 cm   86 cm   32 cm

BOIS : merisier PROVENANCE : La Malbaie, Qué.

(Coll. Mlle Barbara Richardson, Sainte-Agathe des Monts, Qué.).

363. BERCEUSE RUSTIQUE RÉCENTE.

Berceuse rustique. Traverses ornées de feuillages et de dessins géométriques, barreaux du dossier chantournés et ajourés. Art populaire contemporain.

L. 1' 6½''   H. 3' 4¼''   P. 1' 6''
47 cm   102 cm   46 cm

BOIS : merisier PROVENANCE : Bas de Québec.

(Coll. Maison natale de Sir Wilfrid Laurier, Saint-Lin, Qué.).

364. BERCEUSE RUSTIQUE DE L'ILE D'ORLÉANS, D'INFLUENCE AMÉRICAINE. XIXe SIÈCLE.

Berceuse rustique combinant dans sa partie inférieure les caractéristiques d'assemblage des chaises de l'Ile d'Orléans et, dans le dossier, des emprunts à la « Boston Rocker ». Déséquilibre. XIXe siècle.

L. 1' 4½''   H. 3'   P. 1' 7''
42 cm   91 cm   48 cm

BOIS : merisier; SIÈGE : pin
PROVENANCE : Ile d'Orléans, Qué.

(Coll. Mlle Emily Le Baron, North Hatley, Qué.).

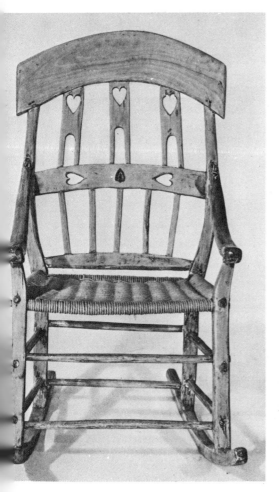

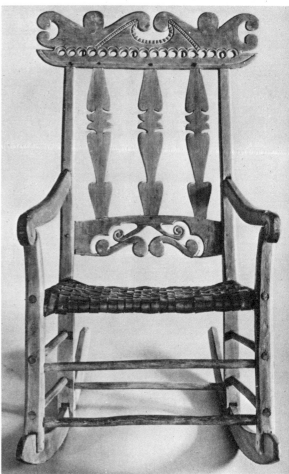

343. BERCEUSE RUSTIQUE, AVEC CŒURS
AJOURÉS. XIXᵉ S.
RUSTIC ROCKING CHAIR, THE SPLATS
PIERCED WITH HEARTS. 19th c.

344. BERCEUSE RUSTIQUE, A TRAVERSES DU
DOSSIER AJOURÉES ET CHANTOURNÉES.
XIXᵉ S.
RUSTIC ROCKING CHAIR, WITH SHAPED
OPENWORK BACKRAILS. 19th c.

346. BERCEUSE RUSTIQUE, A SIX TRAVERSES
DU DOSSIER. XIXe S.
RUSTIC ROCKING CHAIR, WITH SIX BACK-
RAILS. 19th C.

345. BERCEUSE RUSTIQUE, A QUATRE TRAVERSES DU
DOSSIER. XIXe S.
RUSTIC ROCKING CHAIR, WITH FOUR BACKRAILS.
19th C.

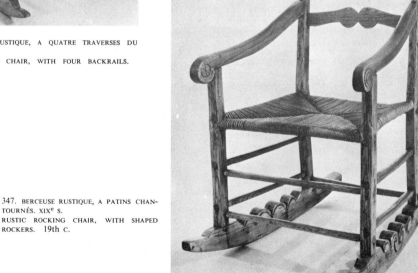

347. BERCEUSE RUSTIQUE, A PATINS CHAN-
TOURNÉS. XIXe S.
RUSTIC ROCKING CHAIR, WITH SHAPED
ROCKERS. 19th C.

348. BERCEUSE RUSTIQUE, A TRAVERSES
DU DOSSIER AJOURÉES. XIXᵉ S.
RUSTIC ROCKING CHAIR, WITH OPENWORK
BACKRAILS. 19th c.

350. BERCEUSE RUSTIQUE A TRAVERSES ET ENTRETOISES
D'ESPRIT SHERATON. XIXᵉ S.
RUSTIC ROCKING CHAIR, WITH RAILS AND CROSS-
STRETCHERS, IN THE SHERATON MANNER. 19th c.

349. BERCEUSE RUSTIQUE, A DOSSIER AJOU-
RÉ. XIXᵉ S.
RUSTIC ROCKING CHAIR, WITH OPENWORK
BACKRAILS. 19th c.

351. DÉTAIL. DETAIL.

352. BERCEUSE RUSTIQUE A OREILLES ORNÉES DE SPIRALES. XIXᵉ S.
RUSTIC ROCKING CHAIR, WITH WINGS DECORATED WITH SPIRALS. 19th C.

353. BERCEUSE RUSTIQUE A « POINTES DE FLÈCHE ». XIXᵉ
RUSTIC ARROW-BACK ROCKING CHAIR. 19th C.

354. BERCEUSE RUSTIQUE A DOSSIER CHANTOURNÉ. XIXe S.
RUSTIC ROCKING CHAIR, WITH SHAPED BACK. 19th C.

355. BERCEUSE RUSTIQUE A HAUT DOSSIER. XIXe S.
HIGH-BACKED RUSTIC ROCKING CHAIR. 19th C.

356. CHEVAL D'ENFANT, A BASCULE. XIXe S.
CHILD'S ROCKING HORSE. 19th C.

357. BERCEUSE RUSTIQUE A DEUX PLACES.
XIXe S.
RUSTIC DOUBLE ROCKING CHAIR. 19th C.

358. BANC BERÇANT. XIXe S.
ROCKING-BENCH. 19th C.

BERCEUSE A DOSSIER CHANTOURNÉ ET MARQUETÉ.
ING CHAIR, WITH SHAPED BACK IN MARQUETRY

BERCEUSE, DITE « BOSTON ROCKER ». XIXᵉ S.
ING CHAIR, OF THE '' BOSTON ROCKER '' TYPE.
C.

RCEUSE RUSTIQUE A DEUX SIÈGES ET TROIS
OIRS. XIXᵉ S.
DOUBLE ROCKING CHAIR, WITH THREE ARM-
19th C.

362. BERCEUSE RUSTIQUE A DOSSIER CHANTOURNÉ ET A FUSEAUX. XIXe S
RUSTIC ROCKING CHAIR, WITH SHAPED SPINDLE BACK. 19th C.

363. BERCEUSE RUSTIQUE RÉCENT
RECENT RUSTIC ROCKING CHAIR

364. BERCEUSE RUSTIQUE DE L
D'ORLÉANS, D'INFLUENCE AMI
CAINE. XIXe S.
RUSTIC ROCKING CHAIR, OF AM
CAN DERIVATION, FROM ILE D
LÉANS. 19th C.

TABLES, TABLES DE TOILETTE, CONSOLES

TABLES

De 1650 à 1760, au Canada français, on trouve chez les habitants, d'après les inventaires, des tables carrées, rondes ou ovales, mais rarement des tables longues comme on en trouve partout chez les paysans français. « Une table quaré de bois de pin non tourné demie usée... »[1] « ... Une vieille table ronde et Son plian de bois de pin... »[2] « ... Une grande table Oval bois de pin avec son pliant... Une table Oval bois de pin avec leurs pliants... »[3].

Les plus communes sont les tables pliantes ou *ployantes*, parce qu'entre les repas elles occupent moins de place dans la salle commune (déjà restreinte par les chambres à coucher) et qu'elles peuvent être rangées et adossées au mur. En général, le plateau de la table est fait de larges planches de pin, ou de planches étroites assemblées, à rainures et à languettes, avec une moulure sur les bords. Parfois un encadrement emboîté, également à rainures et à languettes, empêche les planches de gondoler. Des chevilles plantées dans les montants et la ceinture consolident le plateau. La ceinture, les pieds et les traverses sont de merisier, quelquefois entièrement de pin et sont assemblés à tenons et à mortaises.

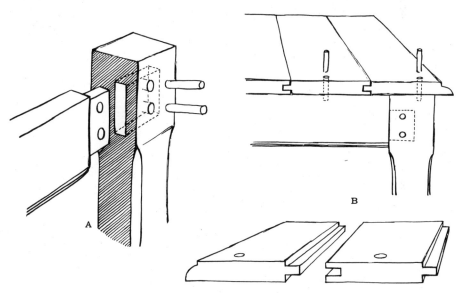

Fig. 6 - *Assemblages - A : à tenons et à mortaises - B : à rainures et à languettes*

(1) A J M, I O A. — Invantaire de Jacques Cusson et Michelle Cholecq sa femme auparavant veuve de feu françois Viger le XX 20 décembre 1729, Montréal. Greffe Chaumont.
(2) A J M, I O A. — Inventaire par Guillaume Tartre le 4 Xbre 1732, Montréal. Greffe Chaumont.
(3) A J M, I O A. — Inventaire des biens de Pierre Buisson et de Françoise Levasseur sa femme, 30 septembre 1732, aubergiste à Montréal. Greffe Saint-Romain.

Les tables pliantes ont des volets à charnières, supportés par des *tirettes* sous le plateau ou par des pieds pivotants placés au centre du volet, d'un côté ou de l'autre de la table. Un grand nombre de tables sont ornées d'un ou de deux tiroirs : « Payé à Jean Gagnié pour la façon de quatre tables de bois de pin avec deux tiroirs et six livres pièce... à Québec le trente et un aoust 1740 »[1].

Les pieds de toutes ces tables étaient ou droits ou chanfreinés ou tournés. (Le chanfrein est une taille en biseau, faite aux quatre angles des pieds et des traverses, pour leur donner plus de légèreté.) En 1745, on mentionne dans un inventaire la première table à pieds de biche. Il y a aussi de nombreuses tables sur tréteaux. Les plus simples étaient faites par les paysans, les autres par les menuisiers de village.

La table de la salle commune est le meuble autour duquel la famille se réunit plusieurs fois par jour. Le père est assis à l'un de ses bouts et c'est à lui qu'incombe la charge de couper le pain et de le distribuer aux siens. Il tient un gros « pain de ménage » sur son cœur avec sa main gauche et, de la droite, il le coupe, en retenant du pouce la tranche de pain avant de la distribuer dans un large geste symbolique. Quant à la mère, il n'y a pas encore si longtemps chez nous, suivant en cela les traditions paysannes françaises, elle ne s'asseyait point à table, mais était la servante de la famille.

Il existe trois sortes de tables d'esprit Renaissance et Louis XIII à piétements différents : les plus courantes sont à pieds et à entretoises tournés, d'esprit Louis XIII. On les trouvait dans la plupart des demeures, aux XVIIe et XVIIIe siècles. Il y a aussi quelques rares tables, à sphères superposées, d'esprit Renaissance. D'autres encore, plus répandues, appartenant surtout à des institutions et à des gens de condition, ont un piétement à torsades simples ou doubles, reliées par des entretoises torses surmontées d'un ou de plusieurs flambeaux.

Dans le mobilier conventuel, il y a plusieurs genres de tables de réfectoire : à pieds tournés, à pieds en forme de lyre ou en forme de pilastre, à pieds à colonnes. La plupart ont des tiroirs individuels. Peter Kalm, lors de sa visite chez les Ursulines de Québec, remarque qu'au réfectoire « Les tables sont munies en dessous de petits tiroirs dans lesquels chaque religieuse serre sa serviette, son couteau et sa fourchette et autres menus objets. »[2] Ces tables se retrouvent à l'Hôtel-Dieu et à l'Hôpital-Général de Québec.

Il y a aussi de nombreuses petites tables à pieds cambrés de tout genre ainsi que des tables à desserte demi-lune et des petites tables coiffeuses, à pieds de biche, d'esprit Régence. Celles-ci furent très répandues dans les intérieurs paysans canadiens à partir du milieu du XVIIIe siècle. Elles ont toujours été rares chez le paysan français.

Très populaire au XIXe siècle chez les paysans, on trouve une *table à bascule* ou *table-fauteuil*, à plateau rond ou carré, qui se renverse et sert de fauteuil entre les repas, quand elle est rangée le long du mur. La ceinture de la base est souvent ornée d'un tiroir servant de garde-manger ou de garde-vaisselle. Elle semble inconnue en France. Quelques rares exemples normands lui ressemblent étrangement mais le plateau ne bascule pas. Elle viendrait de la Nouvelle-Angleterre où elle est appelée *Hutch Table* ou *Monk's Chaise*.

On trouve dans les couvents et dans certaines demeures, une autre petite table : la *travailleuse*, à pieds simples ou doubles. Elle a un ou deux plateaux et est ornée d'un tiroir qui contient tous les objets pour les ouvrages des dames et des bonnes sœurs.

A cette liste de tables on peut ajouter le guéridon, presque totalement disparu aujourd'hui mais très répandu aux XVIIe et XVIIIe siècles. Ces tables sont rondes avec un pied central unique, finissant en trépied ou en disque tourné. Elles servaient de porte-lumière pour les chandeliers, les bougeoirs et les *martinets*. C'est un meuble léger, facilement transportable, que l'on approchait souvent du lit pour la lecture ou l'éclairage de la pièce.

(1) État des ouvrages que j'ai faits au Séminaire de cette ville dans les appartements que Mgr. L'Évêque y a occupés et suivant les ordres de Mr André, procureur dudit Séminaire.
Quinsonas, Comte de. *Mgr de Laubérivière 1711-1740*. Paris 1936, p. 175.
(2) Kalm, Peter. *Voyage en Amérique.*(août 1749). Société Historique de Montréal, 1880, vol. 2, p. 114.

Enfin, les petites tables paysannes restent les plus intéressantes parce que les paysans-menuisiers y ont apporté toutes sortes d'innovations naïves, surtout dans le chantournement des ceintures.

365. TABLE, D'INSPIRATION HENRI IV ET LOUIS XIII. XVIIe SIÈCLE.

Table dont le piètement est tourné en enfilage de sphères superposées et relié par une entrejambe en forme de double Y. La ceinture, en doucine, est terminée par une moulure accentuée. C'est la plus ancienne des tables que je connaisse, tout à fait de style Henri IV - Louis XIII. XVIIe siècle.

L. 3' 4''   H. 2' 3¾''   L. 2' 3¼''
102 cm   69 cm   69 cm

BOIS : pin   PIEDS : merisier   PROVENANCE : Québec
(Coll. Musée de l'Hôpital-Général, Québec).

366. TABLE A TORSADE, D'INSPIRATION LOUIS XIII. XVIIe SIÈCLE.

Table à piètement torse de style Louis XIII. Les toupies sont en forme de balustres aplatis, à la bourguignonne. Le flambeau manque. Le tiroir a malheureusement été ajouté plus tard; le plateau de pin, remplacé. Table typique du mobilier bourguignon et lorrain. XVIIe siècle.

L. 3' 3¼''   H. 2' 4''   L. 2' 2''
100 cm   71 cm   66 cm

BOIS : merisier   PROVENANCE : Québec
(Coll. Musée de l'Hôpital-Général, Québec).

367. TABLE A DOUBLE TORSADE, D'INSPIRATION LOUIS XIII. XVIIe SIÈCLE.

Table au piètement à double torsade, ornée de trois flambeaux dont celui du centre est ajouré (caractéristique rare en France). Certaines de ces tables furent sauvées de l'incendie de l'Hôtel-Dieu de Montréal, en 1695 ; d'autres furent fabriquées d'après le même modèle par le menuisier Vincent Lenoir, (dit le Tourangeau) en 1697, pour remplacer celles qui furent détruites. Pieds en forme de balustres aplatis. La flamme d'un des flambeaux manque. Le plateau et le tiroir ont été remplacés. XVIIe siècle.

L. 3' 4''   H. 2' 4¾''   P. 2' 2½''
102 cm   73 cm   67 cm

BOIS : merisier   PROVENANCE : Hôtel-Dieu, Montréal
(Coll. Royal Ontario Museum, Toronto, Ont.).

368. TABLE AVEC FLAMBEAUX, DE STYLE LOUIS XIII. XVIIe SIÈCLE.

Table à piètement tourné, à trois flambeaux, de style Louis XIII. La ceinture est ornée de deux tiroirs à la façade et de losanges dans les côtés et à l'arrière. Tiroirs refaits. Les tiroirs originaux étaient sans doute décorés de losanges. Autre meuble typiquement d'inspiration Louis XIII, très répandu en France

et au Canada. Le baroque des flambeaux est une caractéristique canadienne. Table robuste. XVIIe s.

L. 4' 3½''   H. 2' 4⅝''   L. 2' 7½''
131 cm   73 cm   85 cm

BOIS : merisier et pin   PROVENANCE : Montréal
(Coll. Château de Ramezay, Montréal).

369. TABLE RUSTIQUE, D'INSPIRATION LOUIS XIII. FIN XVIIe SIÈCLE.

Table rustique à piètement tourné, d'inspiration Louis XIII. La ceinture, décorée de losanges, est ornée de petits flambeaux. Les pieds sont en forme de toupies ou de balustres écrasés. Teinture d'époque. Le plateau a été remplacé. Charmante petite table paysanne de la fin du XVIIe siècle.

L. 2'7''   H. 2' 1½''   P. 1' 9½''
79 cm   65 cm   55 cm

BOIS : merisier et pin   PROVENANCE : Gentilly, Qué.
(Coll. Musée des Beaux-Arts de Montréal).

370. TABLE A PIÈTEMENT TOURNÉ, D'ESPRIT LOUIS XIII. FIN XVIIe SIÈCLE.

Table à piètement tourné, orné de deux flambeaux d'esprit Louis XIII. Tiroir et plateau remplacés il y a longtemps. Fin XVIIe siècle.

L. 2' 8¼''   H. 2' 4¼''   P. 1' 8½''
82 cm   72 cm   52 cm

BOIS : merisier

PROVENANCE : Hôtel-Dieu de Montréal

(Coll. Dr et Mme Claude Bertrand, Outremont, Qué.).

371. TABLE A PIÈTEMENT TOURNÉ, D'ESPRIT LOUIS XIII. XVIIIe SIÈCLE.

Table à piètement tourné, d'esprit Louis XIII. Le tiroir et la ceinture sont ornés de moulures horizontales. Plateau remplacé. Bel exemple de petite table, d'esprit Louis XIII, des XVIIe et XVIIIe siècles.

L. 2' 6½''   H. 2' 3''   P. 1' 9¾''
77 cm   69 cm   55 cm

BOIS : merisier

PROVENANCE : Hôtel-Dieu de Montréal

(Coll. Dr et Mme Claude Bertrand, Outremont, Qué.).

372. PETITE TABLE A PIÈTEMENT TOURNÉ, DE STYLE LOUIS XIII. DÉBUT XVIIIe SIÈCLE.

Petite table au piètement tourné, de style Louis XIII. La ceinture est ornée de deux tiroirs à losanges et d'un flambeau renversé. Anneaux d'époque. Trois

257

flambeaux manquent à l'entretoise. Tournage élégant. Plateau de pin remplacé. Début XVIIIe siècle.

L. 3' H. 2' 4'' P. 1' 11''
91 cm 71 cm 58 cm

BOIS : merisier et merisier ondé
PROVENANCE : Hôtel-Dieu de Montréal

(Coll. Dr et Mme Claude Bertrand, Outremont, Qué.).

373. TABLE A PIÈTEMENT TOURNÉ, ORNÉE D'UN TIROIR DE FORME ARBALÈTE. XVIIIe SIÈCLE.

Table à piètement tourné, d'inspiration Louis XIII. Les pieds sont à pans coupés. Ceinture chantournée avec tiroir de forme arbalète. Un flambeau manque. Plateau remplacé. Tournage rustique. XVIIIe siècle.

L. 3' 3¾'' H. 2' 2'' P. 1' 11¾''
101 cm 66 cm 60 cm

BOIS : cœur d'orme et noyer dur
PROVENANCE : Saint-Barnabé (près Saint-Hyacinthe)

(Coll. Mme Nettie Sharpe, Saint-Lambert, Qué.).

374. GRANDE TABLE, D'ESPRIT LOUIS XIII, DES FRÈRES CHARON. FIN XVIIe SIÈCLE.

Grande table aux pieds tournés en balustre et à traverses moulurées, ornées d'un flambeau au centre. La ceinture contient deux grands tiroirs. Cette table, selon la tradition orale des Sœurs Grises, aurait appartenu à l'hôpital des Frères Charon, fondé en 1692, (Frères Hospitaliers de Saint-Joseph de la Croix) avant que Madame d'Youville en prît possession en 1747. Table massive et tout à fait d'esprit Louis XIII. Les anneaux sont d'époque. Fin XVIIe siècle.

L. 8' 7'' H. 2' 5'' P. 2' 8⅝''
262 cm 74 cm 83 cm

BOIS : merisier PROVENANCE : Montréal

(Coll. Hôpital-Général des Sœurs Grises, Montréal).

375. GRANDE TABLE D'APOTHICAIRERIE, DE L'HOTEL-DIEU DE MONTRÉAL. DÉBUT XVIIIe SIÈCLE.

Grande table d'apothicairerie au piètement tourné, d'esprit Louis XIII, avec une profusion de flambeaux aux traverses et à la ceinture. Six tiroirs ornent la ceinture. On a cru que cette table était placée autrefois dans la salle des malades, où elle servait de table à pansements et à tout faire. Nous en avons vu une, presque semblable, quant au style et à la hauteur, à Nancy. Elle provenait d'un hôpital. On l'appelait « table d'apothicairerie » parce qu'elle servait à la préparation des ordonnances et des remèdes. Plateau restauré. Anneaux et tiroirs originaux. Une autre table d'apothicairerie presque identique, et provenant aussi de l'Hôtel-Dieu de Montréal, mais avec piètement à torsade, se trouve au Musée de la Province, à Québec. Elle est contemporaine de celle-ci et d'autres petites tables de la même provenance, *cf* les nos 370-371-372. Début XVIIIe siècle.

L. 6' 6½'' H. 3' 1'' P. 2' 4¾''
199 cm 94 cm 73 cm

BOIS : merisier
PROVENANCE : Hôtel-Dieu de Montréal

(Coll. Detroit Institute of Arts, Détroit, Mich. E-U.).

376. TABLE DE RÉFECTOIRE, DES URSULINES DE QUÉBEC. XVIIIe SIÈCLE.

Table de réfectoire ornée de cinq tiroirs et à pieds en forme de pilastre. C'est la table décrite par Peter Kalm, botaniste suédois, lors de sa visite au Couvent des Ursulines de Québec, en 1749 (voir p. 256). XVIIIe siècle.

L. 10' 1'' H. 2' 6½'' P. 2' ⅜''
307 cm 77 cm 62 cm

BOIS : PLATEAU : merisier BASE : pin
PROVENANCE : Monastère des Ursulines de Québec

(Coll. M. et Mme W.L. Glen, Baie d'Urfé, Qué.).

377. TABLE DE RÉFECTOIRE, DES FRÈRES DES ÉCOLES CHRÉTIENNES. XIXe SIÈCLE.

Table de réfectoire à trois pieds en forme de pilastre avec consoles, ornée de quatorze tiroirs. Cette table était très répandue, au XIXe siècle, dans les collèges des Frères des Écoles Chrétiennes. Elles sont inspirées des tables de réfectoire des monastères italiens du XVIIe siècle. Les frères y prenaient place sur les côtés et aux bouts. Les poignées sont lourdes et déparent les tiroirs. Des boutons de bois ou de fer eussent été préférables. XIXe siècle.

L. 12' 1'' H. 2' 6½'' P. 3' 6½''
368 cm 77 cm 108 cm

BOIS : pin PROVENANCE : Collège des Frères des Écoles Chrétiennes, Laval des Rapides, Qué.

(Coll. M. et Mme Fred Mulligan, Pleasant Valley, Henrysburg, Qué.).

378. TABLE DE CUISINE, DE L'HOTEL-DIEU DE QUÉBEC. FIN XVIIe SIÈCLE.

Table longue de cuisine, ornée de trois tiroirs, au piètement tourné. Table massive aux tiroirs profonds et aux traverses moulurées lourdes. Cette table servait probablement de table de boucherie à cause de son plateau d'érable très épais. D'inspiration Louis XIII. Fin XVIIe siècle.

L. 7' 11⅜'' H. 2' 5½'' P. 2' 5½''
242 cm 75 cm 75 cm

BOIS : érable PROVENANCE : Québec

(Coll. Musée de l'Hôtel-Dieu, Québec.).

379. TABLE DE RÉFECTOIRE, DE L'HOTEL-DIEU DE QUÉBEC. FIN XVIIe SIÈCLE.

Table de réfectoire ornée de six tiroirs. Piètement à trois balustres. Table typique du mobilier conventuel. Les religieuses prenaient place devant chaque tiroir, où elles rangeaient, après les repas, leur écuelle d'étain et leur coutellerie. Les Augustines de l'Hôtel-Dieu de Québec ont conservé jusqu'à nos jours leurs tables de réfectoire anciennes, elles sont en général placées le long des murs du réfectoire où les religieuses prennent place sur des bancs adossés au mur. Fin XVIIe siècle.

L. 8' 1¼"   H. 2' 5½"   P. 2'
247 cm   75 cm   61 cm
BOIS : érable   PROVENANCE : Québec
(Coll. Hôtel-Dieu de Québec).

380. TABLE DE RÉFECTOIRE, A PIÈTEMENT TOURNÉ ET A DOUBLES TRAVERSES. FIN XVIIIe SIÈCLE.

Table de réfectoire à piètement tourné et à doubles traverses. Proviendrait de la Trappe d'Oka. D'autres toupies ont été ajoutées aux toupies originales.

L. 6' 11½"   H. 2' 4"   P. 2 8
212 cm   71 cm   81 cm
BOIS : pin et merisier   PROVENANCE : Oka, Qué.
(Coll. M. et Mme F.M. Hutchins, Pembroke, Ont.).

381. TABLE A PIÈTEMENT TOURNÉ, D'INSPIRATION LOUIS XIII. XVIIIe SIÈCLE.

Table à piètement tourné, à traverses moulurées et ornée de deux tiroirs. Typique de certaines tables de la Bresse bourguignonne. Celle-ci provient d'un couvent. Plateau remplacé. XVIIIe siècle.

L. 5' 2"   H. 2' 3½"   P. 3' 3"
157 cm   70 cm   99 cm
BOIS : merisier   PROVENANCE : Sainte-Perpétue, Qué.
(Coll. de l'auteur, Montréal).

382. TABLE PLIANTE OU A ABATTANT, A PIÈTEMENT D'INSPIRATION LOUIS XIII. FIN XVIIe SIÈCLE.

Table pliante au piètement tourné d'inspiration Louis XIII, dont le plateau est supporté par des pieds pivotants (gateleg). C'est la table de salle commune, des XVIIe et XVIIIe siècles, dont on trouve la mention dans presque tous les inventaires. Cette table n'occupe pas beaucoup d'espace lorsque ses volets sont baissés. Fin XVIIe siècle.

L. 3' 11½"   H. 2' 3½"   P. 3' 11½"
121 cm   70 cm   121 cm
BOIS : pin
(Coll. Musée des Beaux-Arts, Montréal).

383. PETITE TABLE DE CHEVET, A PIEDS TOURNÉS. DÉBUT XVIIIe SIÈCLE.

Petite table de chevet à piètement tourné, d'inspiration Louis XIII, à entretoise en quadrilatère. Selon la tradition orale des Religieuses Hospitalières de l'Hôtel-Dieu de Québec, ces tables servaient, dans la salle de chirurgie, à ranger les bassines et les instruments. Nous en avons vu, à l'hospice de Beaune

en Bourgogne, qui servaient de table de chevet près des lits à colonnes des malades. Plateau remplacé. Début XVIIIe siècle.

L. 1'8"   H. 2' 2⅝"   P. 1' 9½"
51 cm   68 cm   55 cm
BOIS : merisier   PROVENANCE : Québec
(Coll. Musée de l'Hôtel-Dieu, Québec).

384. TABLE PLIANTE RUSTIQUE, A PIÈTEMENT TOURNÉ. FIN XVIIIe SIÈCLE.

Table pliante rustique à piètement tourné, d'inspiration Louis XIII, mais d'interprétation paysanne. Corruption du tournage conventionnel du style Louis XIII. Fin XVIIIe siècle.

L. 3' 1"   H. 2' 3½"   P. 2'
94 cm   70 cm   61 cm
BOIS : merisier   PLATEAU : pin
PROVENANCE . Région de Québec
(Coll. Musée de la Province, Québec).

385. TABLE PLIANTE OU A ABATTANT, A PIÈTEMENT TOURNÉ. FIN XVIIIe SIÈCLE.

Table pliante ou à abattant, à piètement tourné, d'inspiration Louis XIII. Autre table très commune, au XVIIIe siècle, dans les demeures paysannes. Fin XVIIIe siècle.

L. 4' ½"   H. 2' 4¼"   P. 3' 6"
123 cm   72 cm   107 cm
BOIS : merisier   PLATEAU : pin
PROVENANCE : Gentilly, Qué.
(Coll. M. et Mme Scott Symons, Toronto, Ont.).

386. TABLE PLIANTE OU A ABATTANT RUSTIQUE, A PLATEAU ELLIPTIQUE. DÉBUT XIXe SIÈCLE.

Table pliante ou à abattant, rustique. Plateau elliptique, pieds chanfreinés et traverses en quadrilatère. Table commune dans les demeures rurales, aux XVIIe, XVIIIe et XIXe siècles. La ceinture a été haussée de deux pouces. Début XIXe siècle.

L. 5' 6¼"   H. 2' 2"   P. 3' 8⅝"
168 cm   66 cm   113 cm
BOIS : pin
PROVENANCE : Saint-Jacques l'Achigan, Qué.
(Coll. M. et Mme Roland Leduc, Montréal).

387. PETITE TABLE RUSTIQUE, A PIÈTEMENT TOURNÉ. FIN XVIIIe SIÈCLE.

Petite table rustique à tiroir unique. Le tournage des pieds est orné de bagues et d'un flambeau à l'entretoise. Corruption du tournage de style Louis XIII. L'anneau du tiroir est d'époque. Fin XVIIIe siècle.

L. 3' 7"   H. 2' 2½"   P. 2' 3½"
109 cm   67 cm   70 cm
BOIS : merisier et pin
PROVENANCE : Saint-Henri de Lévis, Qué.
(Coll. Mme Nettie Sharpe, Saint-Lambert, Qué.).

388. TABLE A PLATEAU BASCULANT, DE RIVIÈRE OUELLE. DÉBUT XIXᵉ SIÈCLE.

Table à plateau basculant. Piètement tourné, à doubles traverses. Ornée d'un tiroir pour ranger les aliments et la vaisselle. Mêmes remarques que pour le nᵒ 389. Début XIXᵉ siècle.

L. 4'   H. 2' 1⅜''   P. 3' ¾''
122 cm   64 cm   101 cm
BOIS : merisier et pin
PROVENANCE : Rivière Ouelle, Qué.

(Coll. Canada Steamship Lines, Tadoussac, Qué.).

389. TABLE A PLATEAU BASCULANT, DE LA MALBAIE. DÉBUT XIXᵉ SIÈCLE.

Table à plateau basculant. Piètement tourné et entretoise en quadrilatère. Ce genre de table fut très populaire, pendant le XIXᵉ siècle, dans le bas du fleuve, particulièrement le long de la côte de Beaupré et dans le comté de Charlevoix, où elle était l'unique table de la salle commune. Presque toutes les maisons de l'île aux Coudres en possédaient une. C'est la table dont le plateau bascule, qu'on adosse au mur et qui sert de fauteuil pendant les veillées (voir p. 256). J'ai retrouvé ce genre de table en Normandie et dans la région d'Epernay, en Champagne; le plateau est le plus souvent elliptique et ne bascule pas. On l'appelle, en France, la table garde-manger parce qu'elle est ornée d'un tiroir où l'on range des aliments ou de la vaisselle. En Nouvelle-Angleterre et en Pennsylvanie, où la table à bascule fut très répandue, on l'appelait " Hutch-Table " ou " Bench-Table ". Nous croyons que cette table, telle que nous la connaissons, est un emprunt fait aux États-Unis. Celle-ci fut trouvée au dépotoir municipal de la Malbaie. Début XIXᵉ siècle.

L. 4'   H. 2' 1½''   P. 3'
122 cm   65 cm   91 cm
BOIS : merisier et pin
PROVENANCE : La Malbaie, Qué.

(Coll. M. et Mme Patrick Morgan, Cap à l'Aigle, Qué.).

390. PETITE TABLE A PIEDS GALBÉS, D'ESPRIT LOUIS XV. FIN XVIIIᵉ SIÈCLE.

Petite table à pieds galbés, ornée d'un tiroir et d'une ceinture chantournée, d'esprit Louis XV. C'est une table qu'on ne trouve pas dans les milieux populaires français et encore moins dans le milieu rural, au cours du XVIIIᵉ siècle. On la trouvait dans les classes semi-bourgeoises de province et chez les riches fermiers. Chez nous, elle fut assez courante dans le milieu rural. Elle rappelle la table coiffeuse française. Plateau remplacé. Meuble élégant, au galbe très français. Fin XVIIIᵉ siècle.

L. 2' 3½''   H. 2' 1¾''   P. 1' 8½''
70 cm   65 cm   42 cm

BOIS : merisier et pin
PROVENANCE : région de Québec

(Coll. Dr et Mme Claude Bertrand, Outremont, Qué.).

391. PETITE TABLE RUSTIQUE, A PIEDS GALBÉS. FIN XVIIIᵉ SIÈCLE.

Petite table rustique à pieds galbés dont la ceinture est ornée d'un tiroir à deux panneaux rectangulaires, de panneaux latéraux et d'un chantournement avec spirales sur la façade. Le galbe des pieds est plus accentué que dans les deux tables précédentes. Les bouts de pieds manquent. Fin XVIIIᵉ siècle.

L. 2' 5''   H. 2' 2''   P. 1' 7''
74 cm   66 cm   48 cm

BOIS : merisier et pin
PROVENANCE : Trois-Rivières, Qué.

(Coll. Dr et Mme Herbert T. Schwarz, Montréal).

392. PETITE TABLE A PIEDS GALBÉS, D'ESPRIT LOUIS XV. FIN XVIIIᵉ SIÈCLE.

Petite table à tiroir unique. Pieds galbés, ceinture chantournée et ornée de spirales et de palmettes. Les pieds galbés se terminent en doubles volutes et en pieds de biche. Tiroir remplacé. Meuble gracieux de formes très françaises. Fin XVIIIᵉ siècle.

L. 2' 7½''   H. 2' 3½''   P. 1' 9''
80 cm   70 cm   53 cm

BOIS : érable   PROVENANCE : Québec

(Coll. Musée de l'Hôpital-Général, Québec).

393. TABLE CHIPPENDALE CANADIENNE. DÉBUT XIXᵉ SIÈCLE.

Petite table à pieds galbés Chippendale, se terminant en griffes et en boules et dont le jambage est orné de motifs floraux. La couleur de la ceinture et du tiroir imite le bois de placage. Début XIXᵉ siècle.

L. 2' 6½''   H. 2' 5½''   P. 2' 5''
77 cm   75 cm   74 cm

BOIS : pin   PROVENANCE : Québec
(Coll. Hôpital-Général de Québec).

394. PETITE TABLE, AU GALBE D'INFLUENCE ANGLAISE. FIN XVIIIᵉ SIÈCLE.

Petite table à pieds galbés d'influence anglaise, à ceinture festonnée, ornée d'un tiroir à un bout. La contrecourbe de la partie inférieure du pied est décidément d'influence anglaise. Une plaque de marbre ou d'ardoise manque au plateau. Fin XVIIIᵉ s.

L. 2' 2¼''   H. 2' 4''   P. 1' 9¼''
67 cm   71 cm   54 cm

BOIS : noyer tendre   PROVENANCE : Québec

(Coll. Musée de l'Hôtel-Dieu, Québec).

395. PETITE TABLE RUSTIQUE A PIEDS CAMBRÉS, D'ESPRIT RÉGENCE. FIN XVIIIᵉ SIÈCLE.

Petite table rustique à pieds cambrés et à ceinture chantournée et décorée de deux spirales et d'une coquille. Petit meuble agréable et naïf. Fin XVIIIᵉ s.

L. 2' 9¾"　　H. 2' 2"　　P. 2' ½"
86 cm　　　67 cm　　　62 cm
BOIS : pin　　PIEDS : érable ondé
PROVENANCE : Saint-Jérome, Qué.

(Coll. Mlle Barbara Richardson, Sainte-Agathe des Monts, Qué.).

396. PETITE TABLE A PIEDS GALBÉS, D'INSPIRATION QUEEN ANNE. FIN XVIIIᵉ SIÈCLE.

Petite table à pieds galbés dont les extrémités se terminent en griffes d'inspiration Queen Anne. La ceinture festonnée, agrémentée de flambeaux renversés, est ornée de trois petits tiroirs. Encore une fois, le galbe accentué des pieds rappelle les tables anglaises de la même époque. Fin XVIIIᵉ siècle.

L. 2' 1"　　H. 2' 1⅝"　　P. 1' 8⅝"
63 cm　　　H. 65 cm　　　P. 52 cm
BOIS : merisier　PROVENANCE : Québec

(Coll. Musée de l'Hôpital-Général, Québec).

397. TABLE, A CEINTURE ARBALÈTE. FIN XVIIIᵉ SIÈCLE.

Table à pieds galbés, ornée de feuilles d'acanthe dans les jambages, de deux tiroirs latéraux et d'une ceinture en forme d'arbalète, décorée d'une coquille. Pieds de biche peu apparents. Une petite table longue et étroite qu'on plaçait au mur, dans l'antichambre. La ceinture est très proche d'un tiroir de commode et le piètement ressemble à celui de certaines tables provençales de la région de Grasse. Fin XVIIIᵉ siècle.

L. 3'　　H. 2' 4¼"　　P. 1' 8"
91 cm　　72 cm　　　51 cm
BOIS : pin　　PIEDS : frêne

(Coll. Canadair Limitée, Saint-Laurent de Montréal).

398. PETITE TABLE A PIEDS GALBÉS, D'ESPRIT QUEEN ANNE. DÉBUT XIXᵉ SIÈCLE.

Petite table à pieds galbés, à ceinture chantournée et ornée d'un tiroir. D'inspiration Queen Anne. Début XIXᵉ siècle.

L. 2' 10"　　H. 2' 4"　　P. 1' 6"
86 cm　　　71 cm　　　46 cm
BOIS : chêne　PLATEAU : pin
PROVENANCE : l'Assomption, Qué.

(Coll. Dr et Mme Herbert T. Schwarz, Montréal).

399. PETITE TABLE RUSTIQUE, A PIEDS CAMBRÉS. FIN XVIIIᵉ SIÈCLE.

Petite table rustique à pieds cambrés, à ceinture chantournée, ornée d'un tiroir. Plateau saillant. Fin XVIIIᵉ siècle.

L. 2' 10¼"　　H. 1' 11"　　P. 2' 1¼"
87 cm　　　58 cm　　　64 cm
BOIS : pin　　PROVENANCE : Région de Montréal

(Coll. M. L.V. Randall, Montréal).

400. TABLE PLIANTE, A PIEDS GALBÉS. FIN XVIIIᵉ S.

Table pliante à pieds galbés se terminant en pieds de biche, d'influence anglaise Queen Anne. Plateau elliptique. Fin XVIIIᵉ siècle.

L. 4' 3"　　H. 2' 2¾"　　P. 2' 11½"
130 cm　　68 cm　　　90 cm
BOIS : érable　PROVENANCE : Joliette, Qué.

(Coll. Canada Steamship Lines, Tadoussac, Qué.).

401. TABLE A PIEDS ET A CEINTURE GALBÉS, DE STYLE LOUIS XV. XVIIIᵉ SIÈCLE.

Table à pieds galbés dont la ceinture chantournée est aussi galbée. Table très française et élégante, tout à fait de style Louis XV. Les poignées et l'entrée de serrure du tiroir sont des cuivres d'époque. La couleur imite le marbre. Le jambage des pieds est orné d'une rose. XVIIIᵉ siècle.

L. 3' 6"　　H. 2' 4½"　　P. 1' 9¾"
107 cm　　72 cm　　　55 cm
BOIS : pin　　PIEDS : merisier
PROVENANCE : Québec

(Coll. Musée de l'Hôpital-Général, Québec).

402. TABLE A PIEDS GALBÉS, D'INFLUENCE ANGLAISE. MILIEU XIXᵉ SIÈCLE.

Table dont les pieds galbés se projettent dans le même pan que la ceinture chantournée. Galbe très accentué des pieds, à la façon de certains meubles Regency. L'unique tiroir est orné de deux panneaux. Milieu XIXᵉ siècle.

L. 3' 6"　　H. 2' 2½"　　P. 1' 10"
107 cm　　67 cm　　　56 cm
BOIS : pin et merisier
PROVENANCE : l'Assomption, Qué.

(Coll. Canada Steamship Lines, Tadoussac, Qué.).

403. GRANDE TABLE RUSTIQUE, A PIEDS GALBÉS.

Grande table rustique à pieds galbés dont la ceinture est chantournée et ajourée au centre. Noter la largeur du cordon et la naïveté du décor central. Table d'inspiration Louis XV, mais très rustique. Les pieds sont d'influence anglaise. XIXᵉ siècle.

L. 5' 1¾"　　H. 2' 4¼"　　P. 2' 7½"
157 cm　　72 cm　　　80 cm
BOIS : merisier et pin
PROVENANCE : Carleton, Qué.

(Coll. Canada Steamship Lines, Tadoussac, Qué.).

404. PETITE TABLE A PIEDS CHANFREINÉS ET UN TIROIR. FIN XVIIIe SIÈCLE.

Petite table à pieds chanfreinés et ornée d'un tiroir. Table très commune du XVIIe au XIXe siècle. Le chanfrein est une taille que le menuisier pousse aux quatre angles des pieds; il donne au meuble un aspect moins lourd. Fin XVIIIe siècle.

L. 2' 3¾''   H. 2' 2¾''   P. 1' 4¾''
70 cm   68 cm   42 cm
BOIS : pin   PROVENANCE : Région de Montréal

(Coll. Canada Steamship Lines, Tadoussac, Qué.).

405. PETITE TABLE RUSTIQUE, A CEINTURE FESTONNÉE. DÉBUT XIXe SIÈCLE.

Petite table rustique ornée d'une ceinture festonnée. Agréable table paysanne. Début XIXe siècle.

L. 2' 5''   H. 2' ½''   P. 1' 8''
74 cm   62 cm   33 cm
BOIS : pin   PROVENANCE : Région de Montréal

(Coll. M. et Mme Antoine Dubuc, Chicoutimi, Qué.).

406. PETITE TABLE RUSTIQUE, A DÉCORATION NAIVE. MILIEU XIXe SIÈCLE.

Petite table rustique. Pieds en gaine, ceinture chantournée et décorée naïvement de spirales, de rouelles et d'une coquille. Charmant exemple de fabrication paysanne. Milieu XIXe siècle.

L. 2' 8¾''   H. 1' 11¾''   P. 2''
83 cm   60 cm   61 cm
BOIS : pin et merisier   PROVENANCE : Carleton, Qué.

(Coll. Canada Steamship Lines, Tadoussac, Qué.).

407. TABLE RUSTIQUE A PIEDS CAMBRÉS. MILIEU XIXe SIÈCLE.

Table rustique à pieds cambrés et à ceinture chantournée. Meuble aux formes très simples, exécuté par une main fruste. Les pieds de ce meuble rappellent ceux d'un bovin. Milieu XIXe siècle.

L. 4' 6⅜''   H. 1' 1''   P. 2' 7⅜''
138 cm   33 cm   80 cm
BOIS : pin   PROVENANCE : Chambly, Qué.

(Coll. M. et Mme M.M. Allan, Baie d'Urfé, Qué.).

408. TABLE RUSTIQUE, A CEINTURE FESTONNÉE. MILIEU XIXe SIÈCLE.

Table rustique à pieds-gaines, à ceinture festonnée et ornée d'un tiroir. Meuble naïf. Plateau saillant. Milieu XIXe siècle.

L. 3'   H. 1' 11½''   P. 1' 10¼''
91 cm   60 cm   57 cm
BOIS : pin

(Coll. Canada Steamship Lines, Tadoussac, Qué.).

409. TABLE RUSTIQUE, A CEINTURE FESTONNÉE. DÉBUT XIXe SIÈCLE.

Table rustique à piètement chanfreiné et ceinture festonnée d'un dessin peu commun. Début XIXe siècle.

L. 3' 2''   H. 2' 6''   P. 1' 10''
97 cm   76 cm   56 cm
BOIS : merisier et pin
PROVENANCE : Sainte-Ursule, Qué.

(Coll. Dr et Mme Herbert T. Schwarz, Montréal).

410. TABLE RUSTIQUE, A TROIS TIROIRS. DÉBUT XIXe S.

Table rustique. Piètement chanfreiné; trois tiroirs, dont celui du centre est véritable et les deux autres factices, dessinés sans doute pour créer un équilibre. Noter les clefs de bois posées sous le plateau pour l'empêcher de gondoler. Table de proportions agréables. Début XIXe siècle.

L. 3' 9⅜''   H. 2' 2¼''   P. 2' 7⅝''
115 cm   67 cm   80 cm
BOIS : pin   PROVENANCE : Région de Québec

(Coll. Mlle Barbara Richardson, Sainte-Agathe des Monts, Qué.).

411. PETITE TABLE RUSTIQUE DEMI-LUNE OU « TABLE SOLEIL ». FIN XVIIIe SIÈCLE.

Petite table demi-lune appelée aussi « soleil », à pieds-gaines, ornée d'un tiroir. Le plateau, assemblé à rainures et à languettes, imite un soleil et ses rayons. Petite table de facture très paysanne. Bouton de fer forgé d'époque. Plateau restauré. Fin XVIIIe siècle.

L. 2' 6¾''   H. 2' 1¼''   P. 1' 1¼''
78 cm   64 cm   34 cm
BOIS : pin
PROVENANCE : La Rémi, Baie Saint-Paul, Qué.

(Coll. M. et Mme Jean-Paul Lemieux, Sillery, Qué.).

412. PETITE TABLE DEMI-LUNE. DÉBUT XIXe SIÈCLE.

Petite table demi-lune à pieds-gaines et à ceinture chantournée, ornée d'un tiroir. La plupart de ces tables étaient utilisées comme dessertes, rangées contre le mur. Souvent elles étaient placées aux extrémités d'une grande table rectangulaire, ce qui permettait d'accueillir plus de convives. Début XIXe siècle.

L. 3' ¾''   H. 2'   P. 1' 7''
93 cm   63 cm   48 cm
BOIS : pin

(Coll. Mme Ross Sims, Saint-Sauveur des Monts, Qué.).

413. TABLE DEMI-LUNE, A CEINTURE CINTRÉE ET FESTONNÉE. DÉBUT XIXe SIÈCLE.

Table demi-lune. Pieds-gaines, ceinture cintrée et festonnée. D'inspiration Sheraton. Petite desserte élégante. Début XIXe siècle.

L. 3'   H. 2' 3''   P. 1' 6''
91 cm   69 cm   46 cm
BOIS : pin
(Coll. Mme Ross Sims, Saint-Sauveur des Monts,
Qué.).

414. TABLE DEMI-LUNE, A ENTRETOISE D'ESPRIT RE-
GENCY. MILIEU XIXᵉ SIÈCLE.

Table demi-lune. Pieds-gaines de style Sheraton,
ceinture cintrée et entretoise d'inspiration Regency.
Milieu XIXᵉ siècle.

L. 4' 1''   H. 2' 5''   P. 2' ½''
125 cm   74 cm   62 cm
BOIS : merisier et noyer tendre
(Coll. M. et Mme Ross McMaster, Saint-Sauveur
des Monts, Qué.).

415. PETITE TABLE DEMI-LUNE RUSTIQUE, A CEINTURE
AJOURÉE. MILIEU XIXᵉ SIÈCLE.

Petite table demi-lune rustique, à ceinture cintrée,
ajourée de balustres aplatis et ornée d'une fleur
aux pétales incurvés, inspirée de la *molette* bressane
aux rayons incurvés. Motif rare au Canada. Petite
desserte naïve et charmante. Milieu XIXᵉ siècle.

L. 3' 4¼''   H. 2' 2''   P. 1' 6''
102 cm   67 cm   46 cm
BOIS : pin   PROVENANCE : Ile d'Orléans, Qué.
(Coll. Mlle Emily Le Baron, North Hatley, Qué.).

416. TABLE RUSTIQUE A PIEDS CAMBRÉS. MILIEU XIXᵉ S.

Table rustique à deux volets et à pieds cambrés,
dont la ceinture est ornée d'une moulure et d'un
tiroir à chaque extrémité. Pieds aux courbes natu-
ristes, faisant songer à des pieds de bovin. Meuble
curieux. Milieu XIXᵉ siècle.

L. 3' 4¾''   H. 2' 1¼''   P. 2' 11''
103 cm   64 cm   89 cm
BOIS : PLATEAU : érable   CEINTURE : pin
PIEDS : frêne   PROVENANCE : La Malbaie, Qué.
(Coll. Mme Richard R. Costello, Sainte-Agathe
des Monts, Qué.).

417. GUÉRIDON RUSTIQUE. FIN XVIIIᵉ SIÈCLE.

Guéridon rustique dont le fût central unique repose
sur un trépied. Ce meuble rare fut très répandu aux
XVIIᵉ et XVIIIᵉ siècles. Il servait de porte-lumière
(voir p. 256). Facture fruste. Fin XVIIIᵉ siècle.
BOIS : pin
(Coll. M. et Mme Anthony Hays, Londres, Angleterre).

418. PETITE TRAVAILLEUSE RUSTIQUE. DÉBUT XIXᵉ S.

Petite travailleuse à pieds en forme de lyre, décorée
de dessins géométriques et ornée d'un tiroir et d'une
tablette (voir p. 256). Début XIXᵉ siècle.

L. 1' 6''   H. 1' 7''   P. 10''
46 cm   48 cm   25 cm
BOIS : merisier et frêne
PROVENANCE : Saint-Pierre les Becquets, Qué.
(Coll. Dr et Mme Herbert T. Schwarz, Montréal).

419. PETITE TABLE RUSTIQUE A DÉCOR NAIF. MILIEU
XIXᵉ SIÈCLE.

Petite table rustique ornée d'un tiroir. Pieds en
gaine, d'influence Sheraton ; ceinture décorée de
dessins naïfs. Meuble de main fruste, mais attrayant.
Milieu XIXᵉ siècle.

L. 2' ¼''   H. 2' 3½''   P. 1' 4¾''
62 cm   70 cm   42 cm
BOIS : pin
(Coll. M. et Mme J.N. Cole, Montréal).

420. TRAVAILLEUSE A PIEDS DOUBLES. DÉBUT XIXᵉ S.

Travailleuse à pieds doubles en forme de lyre, ornée
d'une tablette et d'un tiroir. La travailleuse à pieds
doubles existe en France. Influence Fin Empire
(voir p. 256). Début XIXᵉ siècle.

L. 1' 11''   H. 2' 2¼''   P. 1' 3''
59 cm   67 cm   38 cm
BOIS : pin
PROVENANCE : Un Couvent de la région de Québec.
(Coll. Dr et Mme Marcel Carbotte, Petite Rivière
Saint-François, Qué.).

TABLES DE TOILETTE

Ces tables sont très répandues au XIXᵉ siècle. Pour illustrer ce livre, nous en avons choisi
quelques exemples qui nous semblent, à cause de leur forme, des plus originaux. Elles sont petites,
légères ; dans bien des cas, elles étaient placées près du *banc à siaux* où les hommes, en revenant
des champs, à midi, allaient immédiatement se laver les mains dans une cuvette posée sur le plateau supérieur, d'où le nom : *lave-mains*. A côté de la cuvette, il y avait un porte-savon contenant le *savon du pays*. Le plus souvent, cette table de toilette ou lave-mains était placée dans la
chambre à coucher des parents ou des invités, et, sur cette table, il y avait une cuvette et un broc
en faïence. Ce petit meuble était généralement fait de pin, de merisier ou de frêne, avec un ou

deux tiroirs, à un ou deux plateaux. D'autres sont percées d'un trou pour recevoir la cuvette. Souvent, autour du plateau, courait un encadrement de protection découpé sur les côtés et le fond. Sur les côtés aussi, on trouvait quelquefois des porte-serviettes. Quelques très rares tables de toilette étaient en encoignure. Ces tables ont été remplacées progressivement par les lavabos à eau courante que l'on trouve partout dans la maison rurale canadienne. La forme de ce petit meuble rappelle, en France, certaines petites dessertes ou tables de chevet bourguignonnes. Comme pour la chaise berceuse, le menuisier canadien a imaginé de nombreuses variantes dans la structure de ce meuble.

421. TABLE DE TOILETTE, A UN TIROIR. XIXᵉ SIÈCLE.
Table de toilette à pieds-gaines d'influence Sheraton, ornée d'un tiroir et de traverses chantournées. Le plateau est galbé et percé pour recevoir la cuvette. Table de toilette aux belles proportions. XIXᵉ siècle.

L. 1' 1''   H. 2' 7''   P. 1' 4''
33 cm   79 cm   41 cm

BOIS : noyer tendre et pin

(Coll. M. et Mme Ross McMaster, Saint-Sauveur des Monts, Qué.).

422. PETITE TABLE DE TOILETTE A PIEDS TOURNÉS. XIXᵉ SIÈCLE.
Petite table de toilette. Piètement tourné, traverses chantournées, encadrement du plateau ajouré et chantourné. XIXᵉ siècle.

L. 1' 4½''   H. 2' 8¾''   P. 1' 4½''
42 cm   83 cm   42 cm

BOIS : pin

PROVENANCE : Saint-Charles de Bellechasse, Qué.

(Coll. Mme Richard R. Costello, Sainte-Agathe des Monts, Qué.).

423. PETITE TABLE DE TOILETTE D'ENCOIGNURE. XIXᵉ SIÈCLE.
Petite table de toilette d'encoignure aux traverses trilobées et à pieds chanfreinés. XIXᵉ siècle.

L. 2' 3½''   H. 2' 7''
70 cm   79 cm

BOIS : pin

(Coll. Mlle Barbara Richardson, Sainte-Agathe des Monts, Qué.).

424. TABLE DE TOILETTE NAIVE, A TROIS TIROIRS. XIXᵉ SIÈCLE.
Table de toilette naïve à trois tiroirs et à pieds-gaines, dont l'encadrement du plateau est chantourné. XIXᵉ siècle.

L. 2' 5¼''   H. 2' 4''   P. 1' 6''
74 cm   72 cm   46 cm

BOIS : pin

(Coll. M. et Mme J.W. McConnell, Saint-Sauveur des Monts, Qué.).

425. TABLE DE TOILETTE, A PIÈTEMENT CHANFREINÉ. XIXᵉ SIÈCLE.
Table de toilette à piètement chanfreiné et à tiroir unique. L'encadrement du plateau est orné de motifs

ajourés : trois cœurs et les initiales de l'artisan gravés à la gouge (P.A.C. Maker). XIXᵉ siècle.

L. 2' 6½''   H. 2' 9''   P. 1' 7½''
78 cm   84 cm   50 cm

BOIS : pin   PROVENANCE : L'Assomption, Qué.

(Coll. M. et Mme J.N. Cole, Montréal).

426. TABLE DE TOILETTE RUSTIQUE. XIXᵉ SIÈCLE.
Table de toilette rustique. Quatre pieds cambrés, tiroir unique, traverse et encadrement du plateau chantournés. XIXᵉ siècle.

BOIS : pin

PROVENANCE : Région de Montréal, Qué.

(Coll. Canada Steamship Lines, Tadoussac, Qué.).

427. PETITE TABLE-COMMODE DE TOILETTE. ART POPULAIRE. XIXᵉ SIÈCLE.
Petite commode de toilette ornée de quatre tiroirs, d'une traverse chantournée et d'une porte ajourée de cœurs renversés, d'une demi-lune, etc. Très primitif. XIXᵉ siècle.

L. 3'   H. 2'   P. 1' 4''
91 cm   61 cm   42 cm

BOIS : pin

(Coll. Mme E. Thornley Hart, Sainte-Agathe des Monts, Qué.).

428. TABLE DE TOILETTE « ROCOCO CANADIEN ». FIN EMPIRE. XIXᵉ SIÈCLE.
Table de toilette Rococo canadien avec ses porte-serviettes et son rouleau Fin Empire, à pieds tournés en gaine et ornée d'un tiroir. XIXᵉ siècle.

L. 2' 5¾''   H. 2' 11⅝''   P. 1' 8¼''
75 cm   90 cm   52 cm

BOIS : pin et merisier

(Coll. M. et Mme Victor M. Drury, Lac Anne, Qué.).

429. TABLE DE TOILETTE « ROCOCO CANADIEN ». XIXᵉ SIÈCLE.
Table de toilette Rococo canadien, corruption des styles Fin Empire et Restauration. Deux tiroirs galbés, pieds tournés, traverses inférieures et encadrement du plateau chantournés. Art populaire. XIXᵉ siècle.

L. 3' ⅝''   H. 3' ¼''   P. 1' 9''
93 cm   92 cm   53 cm

BOIS : pin

(Coll. Musée Provencher, Cap Rouge, Qué.).

ARMOIRE A DESSINS GÉOMÉTRIQUES MULTIFORMES. DÉBUT XIXe SIÈCLE.

365. TABLE, D'INSPIRATION HENRI IV ET LOUIS XIII. XVIIᵉ S.
TABLE, IN THE HENRI IV AND LOUIS XIII MANNERS.
17th C.

366. TABLE A TORSADE, D'INSPIRATION LOUIS XIII.
XVIIᵉ S.
TABLE, WITH SPIRALLY TURNED LEGS, IN THE LOUIS XIII
MANNER. 17th C.

367. TABLE A DOUBLE TORSADE, D'INSPI-
RATION LOUIS XIII. XVIIᵉ S.
TABLE, WITH LEGS TURNED IN A DOUBLE
SPIRAL, IN THE LOUIS XIII MANNER.
17th C.

368. TABLE, AVEC FLAMBEAUX, DE STYLE
LOUIS XIII. XVIIᵉ S.
TABLE, WITH FLAME FINIALS, IN THE
LOUIS XIII STYLE. 17th C.

369. TABLE RUSTIQUE, D'INSPIRATION
LOUIS XIII. FIN XVIIᵉ S.
RUSTIC TABLE, IN THE LOUIS XIII MANNER.
LATE 17th C.

370. TABLE A PIÈTEMENT TOURNÉ, D'ESPRIT
LOUIS XIII. FIN XVIIᵉ S.
TABLE, WITH TURNED LEGS, IN THE LOUIS XIII
MANNER. LATE 17th C.

371. TABLE A PIÈTEMENT TOURNÉ, D'ESPRIT
LOUIS XIII. XVIIIᵉ S.
TABLE, WITH TURNED LEGS, IN THE LOUIS XIII
MANNER. 18th C.

372. PETITE TABLE A PIÈTEMENT TOURNÉ
DE STYLE LOUIS XIII. DÉBUT XVIIIᵉ S.
SMALL TABLE, WITH TURNED LEGS, IN THE
LOUIS XIII MANNER. EARLY 18th C.

373 TABLE A PIÈTEMENT TOURNÉ, ORNÉE
D'UN TIROIR DE FORME ARBALÈTE.
XVIIIᵉ S.
TABLE, WITH TURNED LEGS AND ARBA-
LÈTE-FRONTED DRAWER. 18th C.

374. GRANDE TABLE, D'ESPRIT
LOUIS XIII, DES FRÈRES CHARON.
FIN XVIIᵉ S.
LARGE TABLE, IN THE LOUIS XIII
MANNER, FORMERLY OWNED BY THE
CHARON BROTHERS. LATE 17th C.

375. GRANDE TABLE D'APOTHICAIRE-
RIE, DE L'HOTEL-DIEU DE MONTRÉAL.
DÉBUT XVIIIᵉ S.
LARGE TABLE, FROM THE DISPENSARY
OF THE HOTEL-DIEU, MONTREAL.
EARLY 18th C.

376. TABLE DE RÉFECTOIRE, DES URSULINES DE QUÉBEC.
XVIIIᵉ S.
REFECTORY TABLE, FROM THE URSULINE CONVENT,
QUEBEC. 18th C.

377. TABLE DE RÉFECTOIRE, DES FRÈRES DES ÉCOLES
CHRÉTIENNES. XIXᵉ S.
REFECTORY TABLE, FROM THE BROTHERS OF THE
CHRISTIAN SCHOOLS. 19th C.

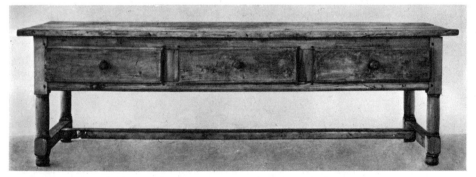

378. TABLE DE CUISINE, DE L'HOTEL-DIEU DE QUÉBEC.
FIN XVIIᵉ S.
KITCHEN TABLE, FROM THE HOTEL-DIEU, QUEBEC. LATE
17th C.

379. TABLE DE RÉFECTOIRE,
DE L'HOTEL-DIEU DE QUÉ-
BEC. FIN XVIIᵉ S.
REFECTORY TABLE, FROM THE
HOTEL-DIEU, QUEBEC. LATE
17th C.

380. TABLE DE RÉFECTOIRE,
À PIÈTEMENT TOURNÉ ET A
DOUBLES TRAVERSES. FIN
XVIIIᵉ S.
REFECTORY TABLE, WITH
TURNED LEGS AND DOUBLE
STRETCHERS. LATE 18th C.

1. TABLE A PIÈTEMENT
TOURNÉ, D'INSPIRATION
LOUIS XIII. XVIIIᵉ S.
TABLE, WITH TURNED LEGS,
IN THE LOUIS XIII MANNER.
18th C.

382. TABLE PLIANTE OU A ABATTANT,
A PIÈTEMENT D'INSPIRATION LOUIS XIII.
FIN XVIIᵉ S.
GATELEG TABLE, WITH LEGS IN THE LOUIS XIII
MANNER. LATE 17th C.

383. PETITE TABLE DE CHEVET, A PIEDS
TOURNÉS. DÉBUT XVIIIᵉ S.
SMALL BEDSIDE TABLE, WITH TURNED LEGS.
EARLY 18th C.

384. TABLE PLIANTE RUSTIQUE, A PIÈTE-
MENT TOURNÉ. FIN XVIIIᵉ S.
RUSTIC FOLDING TABLE, WITH TURNED LEGS.
LATE 18th C.

385. TABLE PLIANTE OU A ABATTANT, A
PIÈTEMENT TOURNÉ. FIN XVIIIᵉ S.
RUSTIC GATELEG TABLE, WITH TURNED
LEGS. LATE 18th C.

386. TABLE PLIANTE OU A ABATTANT RUS-
TIQUE, A PLATEAU ELLIPTIQUE. DÉBUT
XIXᵉ S.
RUSTIC FOLDING OR GATELEG TABLE, WITH
OVAL TOP. EARLY 19th C.

387. PETITE TABLE RUSTIQUE, A PIÈTEMENT
TOURNÉ. FIN XVIIIᵉ S.
SMALL RUSTIC TABLE, WITH TURNED LEGS.
LATE 18th C.

388. TABLE A PLATEAU BASCULANT, DE
RIVIÈRE OUELLE. DÉBUT XIXᵉ S.
TABLE-CHAIR, WITH CUTLERY DRAWER,
FROM RIVIÈRE OUELLE. EARLY 19th C.

389. TABLE A PLATEAU BASCULANT, DE LA
MALBAIE. DÉBUT XIXᵉ S.
TABLE-CHAIR, FROM LA MALBAIE. EARLY
19th C.

390. PETITE TABLE A PIEDS GALBÉS, D'ES-
PRIT LOUIS XV. FIN XVIIIᵉ S.
SMALL TABLE, WITH CURVED LEGS, IN
LOUIS XV MANNER. LATE 18th C.

391. PETITE TABLE RUSTIQUE, A PIEDS GAL-
BÉS. FIN XVIIIᵉ S.
SMALL RUSTIC TABLE, WITH CURVED LEGS.
LATE 18th C.

392. PETITE TABLE A PIEDS GALBÉS,
D'ESPRIT LOUIS XV. FIN XVIIIᵉ S.
SMALL TABLE, WITH CURVED LEGS,
IN LOUIS XV MANNER. LATE 18th C.

393. TABLE CHIPPENDALE CANADIENNE. DÉ-
BUT XIXᵉ S.
CANADIAN CHIPPENDALE TABLE. EARLY
19th C.

394. PETITE TABLE, AU GALBE D'INFLUENCE
ANGLAISE. FIN XVIIIᵉ S.
SMALL TABLE, WITH CURVED LEGS SHOWING
ENGLISH INFLUENCE. LATE 18th C.

395. PETITE TABLE RUSTIQUE A PIEDS CAMBRÉS, D'ESPRIT RÉGENCE. FIN XVIIIᵉ S.
SMALL RUSTIC TABLE, WITH CURVED LEGS, IN THE RÉGENCE MANNER. LATE 18th C.

396. PETITE TABLE A PIEDS GALBÉS, D'INSPIRATION QUEEN ANNE. FIN XVIIIᵉ S.
SMALL TABLE, WITH CURVED LEGS, IN THE QUEEN ANNE MANNER. LATE 18th C.

397. TABLE, A CEINTURE ARBALÈTE. FIN XVIIIᵉ S.
TABLE, WITH ARBALÈTE-FRONTED FRIEZE. LATE 18th C.

398. PETITE TABLE A PIEDS GALBÉS, D'ESPRIT QUEEN ANNE. DÉBUT XIXᵉ S.
SMALL TABLE, WITH CURVED LEGS, IN THE QUEEN ANNE MANNER. EARLY 19th C.

399. PETITE TABLE RUSTIQUE, A PIEDS CAMBRÉS. FIN XVIIIᵉ S.
SMALL RUSTIC TABLE, WITH CURVED LEGS. LATE 18th C.

400. TABLE PLIANTE, A PIEDS GALBÉS.
FIN XVIIIe S.
FOLDING TABLE, WITH CURVED LEGS.   LATE
18th C.

401. TABLE A PIEDS ET A CEINTURE GALBÉS, DE STYLE LOUIS XV. XVIIIe S.
TABLE, WITH CURVED AND SHAPED FRIEZE, IN THE LOUIS XV MANNER.
18th C.

402. TABLE A PIEDS GALBÉS, D'INFLUENCE ANGLAISE. MILIEU XIXe S.
TABLE, WITH CURVED LEGS, SHOWING ENGLISH INFLUENCE.
MID 19th C.

403. GRANDE TABLE
RUSTIQUE, A PIEDS
GALBÉS. XIXe S.
LARGE RUSTIC TABLE,
WITH CURVED LEGS.
19th C.

404. PETITE TABLE A PIEDS CHANFREINÉS ET UN
TIROIR. FIN XVIIIe S.
SMALL TABLE, WITH A DRAWER AND CHAMFERED
LEGS. LATE 18th C.

405. PETITE TABLE RUSTIQUE, A CEINTURE
FESTONNÉE. DÉBUT XIXe S.
SMALL RUSTIC TABLE, WITH FESTOONED
FRIEZE. EARLY 19th C.

406. PETITE TABLE RUSTIQUE, A DÉCORA-
TION NAÏVE. MILIEU XIXe S.
SMALL RUSTIC TABLE, WITH NAIVE DECORA-
TION. MID 19th C.

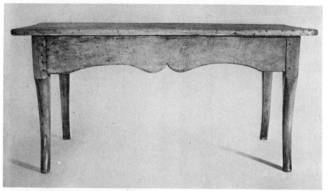

407. TABLE RUSTIQUE A PIEDS CAMBRÉS.
MILIEU XIXᵉ S.
RUSTIC TABLE, WITH CURVED LEGS. MID
19th C.

408. TABLE RUSTIQUE, A CEINTURE FESTON-
NÉE. MILIEU XIXᵉ S.
RUSTIC TABLE, WITH FESTOONED FRIEZE.
MID 19th C.

409. TABLE RUSTIQUE, A CEINTURE FES-
TONNÉE. DÉBUT XIXᵉ S.
SMALL RUSTIC TABLE, WITH FESTOONED
FRIEZE. EARLY 19th C.

410. TABLE RUSTIQUE, A TROIS TIROIRS.
DÉBUT XIXᵉ S.
RUSTIC TABLE, WITH THREE DRAWERS.
EARLY 19th C.

411. PETITE TABLE RUSTIQUE DEMI-LUNE OU « TABLE-SOLEIL ». FIN XVIIIᵉ S.
SMALL RUSTIC DEMI-LUNE TABLE, OR " TABLE-SOLEIL ".
LATE 18th C.

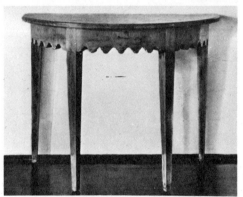

412. PETITE TABLE DEMI-LUNE. DÉBUT XIXᵉ S.
SMALL DEMI-LUNE TABLE.   EARLY 19th C.

413. TABLE DEMI-LUNE, A CEINTURE CINTRÉE ET FES-TONNÉE. DÉBUT XIXᵉ S.
DEMI-LUNE TABLE, WITH BOWED AND FESTOONED FRIEZE. EARLY 19th C.

414. TABLE DEMI-LUNE, A ENTRETOISE D'ESPRIT REGEN-CY. MILIEU XIXᵉ S.
DEMI-LUNE TABLE, WITH CROSS-STRETCHERS, IN THE REGENCY MANNER. MID 19th C.

415. PETITE TABLE DEMI-LUNE RUSTIQUE, A CEINTURE AJOURÉE. MILIEU XIXᵉ S.
SMALL RUSTIC DEMI-LUNE TABLE, WITH OPENWORK FRIEZE. MID 19th C.

416. TABLE RUSTIQUE A PIEDS CAMBRÉS. MILIEU XIXᵉ S.
RUSTIC TABLE, WITH CURVED LEGS. MID 19th C.

417. GUÉRIDON RUSTIQUE. FIN XVIIIᵉ
RUSTIC CANDLE TABLE. LATE 18th C.

418. PETITE TRAVAILLEUSE RUSTIQUE. DÉBUT XIXᵉ S.
SMALL RUSTIC WORK-TABLE. EARLY 19th C.

420. TRAVAILLEUSE A PIEDS
DOUBLES. DÉBUT XIXᵉ S.
WORK TABLE, WITH COUPLED
LEGS. EARLY 19th C.

419. PETITE TABLE RUSTIQUE A DÉCOR NAIF. MILIEU
XIXᵉ S.
SMALL RUSTIC TABLE, NAIVELY DECORATED. MID 19th C.

421. TABLE DE TOILETTE, A UN TIROIR. XIXᵉ S.
WASH-STAND, WITH ONE DRAWER.   19th c.

422. PETITE TABLE DE TOILETTE, A PIEDS TOURNÉS.
XIXᵉ S.
SMALL WASH-STAND, WITH TURNED LEGS.   19th c.

423. PETITE TABLE DE TOILETTE D'ENCOIGNURE.   XIXᵉ S.
SMALL CORNER WASH-STAND.   19th c.

424. TABLE DE TOILETTE NAÏVE A TROIS TIROIRS. XIXᵉ S.
NAIVE WASH-STAND, WITH THREE DRAWERS.   19th c.

426. TABLE DE TOILETTE RUSTIQUE. XIXe S.
RUSTIC WASH-STAND. 19th C.

427. PETITE TABLE-COMMODE DE TOILETTE.
ART POPULAIRE. XIXe S.
SMALL WASH-STAND-COMMODE, IN FOLK
ART STYLE. 19th C.

425. TABLE DE TOILETTE, A PIÈTEMENT CHANFREINÉ. XIXe S.
WASH-STAND, WITH CHAMFERED LEGS. 19th C.

428. TABLE DE TOILETTE « ROCOCO CANA-
DIEN ». FIN EMPIRE. XIXe S.
"CANADIAN ROCOCO" WASH-STAND, OF LATE
EMPIRE STYLE. 19th C.

429. TABLE DE TOILETTE « ROCOCO CANA-
DIEN ». XIXe S.
"CANADIAN ROCOCO" WASH-STAND. 19th C.

CONSOLES

La première mention que nous trouvons de ce meuble, appelé presque toujours *crédence* au Canada français, date de 1736. « Mars 1736, Payé à Jean François Godin pour une Crédance 6 livres pour l'Église de Cap Santé »[1].

Ce sont des meubles d'appui, à deux pieds en forme de console et que l'on adosse au mur. D'autres consoles, plutôt longues, peu profondes, se placent contre le mur et reposent sur quatre pieds galbés. On ne les trouve pas dans les demeures paysannes.

Toutes les consoles qui illustrent cet ouvrage datent de la fin du XVIIIe et de la première moitié du XIXe siècle.

Les consoles d'appui se trouvent surtout dans les églises, adossées au mur, à droite de l'autel. Quand il y en avait deux, elles se trouvaient de chaque côté de l'autel et servaient à recevoir les objets du culte, pendant l'office. Le style de ces meubles se mariait avec les autels de forme *tombeau* de l'époque, dont les pieds étaient en console. (Ces autels datent de la fin du XVIIIe et du début du XIXe s.) En 1789, à Saint-François de l'Ile d'Orléans, il y avait une crédence faite par Pierre Emond et dans l'église de Saint-Roch de l'Achigan, on pouvait voir, il n'y a pas longtemps, avant l'incendie, deux jolies consoles d'appui, de style rococo, dérivé du Louis XV, exécutées par Joseph Pépin en 1819. On peut voir dans la chapelle de la Maison Mère des Sœurs Grises de Montréal une console d'appui, œuvre du sculpteur Philippe Liébert. Cette console est ornée aux deux angles de têtes de chérubins en guise de mascarons, à la mode sous Louis XIV.

Dans bien des cas, la ceinture est en frise ajourée à motifs de coquilles et de feuillage. Au début du XIXe siècle, des sculpteurs comme Louis Quevillon et François Normand nous ont laissé des consoles d'appui de style rococo s'inspirant de très loin de la délicatesse du rocaille Louis XV. Les consoles n'existaient pas dans les demeures privées, sauf chez quelques gens de condition : « Un seigneur canadien, en 1786, avait une console en bois doré avec un dessus en marbre »[2]. Sans doute était-elle importée de France où ce meuble était en usage dans la noblesse et la haute bourgeoisie, surmonté d'une glace ou d'un trumeau et se plaçait dans l'antichambre. Au Canada, c'est presque toujours un meuble d'église. La console d'appui *à la canadienne* est très recherchée des collectionneurs de notre pays.

430. CONSOLE D'APPUI, D'ESPRIT LOUIS XV. FIN XVIIIe S.

Console d'appui galbée, d'esprit Louis XV, dont la ceinture est ornée d'une frise ajourée à motifs classiques de feuilles d'acanthe, de rocaille, de spirales, de feuillage et de fleurs. Cartouche de l'entretoise mutilé. Selon la tradition orale, chez les descendants de la famille Ranvoyzé, cette console aurait été exécutée par François Ranvoyzé, célèbre orfèvre à Québec (1739-1819) et donnée à son frère l'abbé Ranvoyzé, alors curé de Sainte-Anne de Beaupré. A la démolition de l'ancienne église, la console fut léguée au notaire Louis Ranvoyzé, frère des précédents. François Ranvoyzé avait-il un violon d'Ingres ? Fin XVIIIe siècle.

L. 2' 3''   3' 10⅜''   H. 2' 6''
69 cm   118 cm   76 cm

BOIS : plateau de pin
CEINTURE ET PIÈTEMENT : érable moucheté
PROVENANCE : Québec

(Coll. M. et Mme Charles Couture, Québec).

431. DÉTAIL.

432. CONSOLE D'APPUI, D'ESPRIT LOUIS XV. FIN XVIIIe S.

Console d'appui galbée, d'esprit Louis XV, à ceinture ornée d'une frise ajourée, à motifs de rocaille et de fleurs (églantines et feuilles de chêne). Élégante console d'appui de belles proportions. Ce meuble, nous l'avons vu, servait à recevoir les objets du culte pendant l'office et était placé dans le chœur près de l'autel. Il fallait une main de métier (en l'occurrence, les menuisiers-sculpteurs d'église) pour exécuter ces tables. Fin XVIIIe siècle.

L. 3' 2''   3' 5''   H. 2' 8¼''   P. 1' 6¾''
97 cm   104 cm   82 cm   47 cm

BOIS : pin   PROVENANCE : Saint-Cuthbert, Qué.

(Coll. Mme Paul Gouin, Montréal).

433. DÉTAIL.

(1) I O A. — Livre de comptes de la fabrique de Cap Santé pour l'année 1736.
(2) B R H. — Massicotte, E.Z. Vol. XLVIII, février 1942 (extrait d'un inventaire), pp. 33-42.

434. CONSOLE D'APPUI, D'ESPRIT LOUIS XV. FIN XVIIIe S.

Console d'appui, d'esprit Louis XV, ornée d'une ceinture ajourée de motifs de feuillage et d'une coquille renversée. Les pieds sont décorés de petits motifs rocaille. Le plateau est de marbre : brèche d'Alep. Les ceintures latérales de ces tables sont généralement à doucine. Curieuse combinaison de motifs. Fin XVIIIe siècle.

L. 3' 1"   H. 2' 6"
94 cm   76 cm

BOIS : noyer tendre
PROVENANCE : Saint-Vallier, Qué.

(Coll. Mme Howard W. Pillow, Montréal).

435. CONSOLE D'APPUI. XIXe SIÈCLE.

Console d'appui à ceinture chantournée, ornée d'une coquille, et à pieds galbés avec, dans les jambages, une feuille d'acanthe. L'entretoise et les boules ont été refaites ainsi que les traverses latérales. Autre exemple du « Rococo canadien ». XIXe siècle.

L. 1' 11"   H. 2' 3¾"   P. 1' 8"
58 cm   70 cm   51 cm

BOIS : pin   PROVENANCE : région de Montréal

(Coll. Canadair Limitée, Saint-Laurent de Montréal).

436. CONSOLE D'APPUI « ROCOCO CANADIEN ». DÉBUT XIXe SIÈCLE.

Console d'appui galbée. Pieds à griffes et à boules. Décorée d'une coquille ajourée à l'entretoise, de feuilles d'acanthe et d'un cartouche à la ceinture, corruption du rocaille Louis XV. Le galbe exagéré des pieds en console, la lourdeur des ornements, les griffes et les boules rappellent la facture de l'atelier de Quevillon et de ses apprentis. Exemple typique du « Rococo canadien ». Début XIXe siècle.

L. 3' 8½"   H. 2' 4"   P. 1' 7¾"
113 cm   71 cm   50 cm

BOIS : pin   PROVENANCE : région de Montréal

(Coll. Mme L.S. Bloom, Westmount, Qué.).

437. CONSOLE D'APPUI ORNÉE DE PIEDS A GRIFFES ET A BOULE. DÉBUT XIXe SIÈCLE.

Console d'appui galbée, à pieds ornés aux extrémités de griffes et de boules, d'inspiration Chippendale. Ceinture et entretoise décorées de feuillage, de feuilles d'acanthe et d'un cartouche de style rocaille. Interprétation très canadienne. Début XIXe siècle.

L. 2' 10½"   H. 2' 5⅜"   P. 1' 7⅝"
88 cm   75 cm   50 cm

BOIS : pin
PROVENANCE : Sainte-Rose de Laval, Qué.

(Coll. Mme Richard R. Costello, Sainte-Agathe des Monts, Qué.).

438. CONSOLE D'APPUI, DE PHILIPPE LIÉBERT. FIN XVIIIe SIÈCLE.

Console d'appui exécutée par le menuisier-sculpteur Philippe Liébert, pour l'ancienne chapelle de l'Hôpital-Général des Sœurs Grises, place d'Youville à Montréal. Console d'appui galbée dont le style est une corruption des styles Louis XIV et Louis XV. Spirales, feuilles d'acanthe, grappes de raisins, feuilles de vigne, palmette surmonté d'un cartouche rocaille encadré de feuilles d'acanthe. Aux angles, des têtes de chérubins (substitution des mascarons des consoles d'appui Louis XIV) sont sculptées. Plateau remplacé, feuilles d'acanthe mutilées. Le ton brun foncé et la dorure en poudre déparent ce meuble de proportions déjà lourdes. Fin XVIIIe siècle.

L. 2' 10½"   H. 2' 6"   P. 1' 6⅜"
88 cm   76 cm   47 cm

BOIS : pin   PROVENANCE : Montréal

(Coll. Chapelle de l'Hôpital des Sœurs Grises, Montréal).

439. CONSOLE D'APPUI, DE FRANÇOIS NORMAND, DE TROIS-RIVIÈRES. DÉBUT XIXe SIÈCLE.

Console d'appui galbée, ornée de feuilles d'acanthe, de fleurs, de motifs rocaille d'influence Louis XV. Griffes et boules d'influence anglaise. Courbes et contrecourbes lourdes. Cette console aurait été sculptée, selon les Ursulines des Trois-Rivières, par François Normand, vers 1807. Rappelle les consoles rococo de l'architecte anglais Flitcroft (1697-1769). Début XIXe siècle.

L. 3' 8"   H. 2' 8"   P. 1' 9½"
95 cm   81 cm   55 cm
112 cm

BOIS : pin   PROVENANCE : Trois-Rivières, Qué.

(Coll. Chapelle des Ursulines des Trois-Rivières, Qué.).

440. TABLE-CONSOLE « ROCOCO CANADIEN ». XIXe S.

Table-console du genre « Rococo canadien », corruption du rocaille Louis XV. Quatre pieds galbés à griffes et à boules, ceinture chantournée à motifs floraux et avec spirales. École de Quevillon. XIXe s.

L. 3' 4⅝"   H. 2' 5⅜"   P. 2' 3¼"
103 cm   75 cm   69 cm

BOIS : noyer tendre
PROVENANCE : Église Notre-Dame de Bonsecours, Montréal.

(Coll. Peter et William Dobell, Lac Memphrémagog, Qué.).

432. CONSOLE D'APPUI, D'ESPRIT
LOUIS XV. FIN XVIIIᵉ S.
CONSOLE TABLE, IN THE LOUIS XV
MANNER. LATE 18th c.

433. DÉTAIL.
DETAIL.

434. CONSOLE D'APPUI, D'ESPRIT
LOUIS XV. FIN XVIIIᵉ S.
CONSOLE TABLE, IN THE LOUIS XV
MANNER. LATE 18th c.

435. CONSOLE D'APPUI. XIXᵉ S.
CONSOLE TABLE. 19th C.

436. CONSOLE D'APPUI « ROCOCO
CANADIEN ». DÉBUT XIXᵉ S.
CONSOLE TABLE, IN " CANADIAN
ROCOCO " STYLE. EARLY 19th C.

437. CONSOLE D'APPUI ORNÉE DE
PIEDS A GRIFFES ET A BOULE.
DÉBUT XIXᵉ S.
CONSOLE TABLE, WITH CLAW-AND-
BALL FEET. EARLY 19th C.

438. CONSOLE D'APPUI, DE
PHILIPPE LIÉBERT. FIN XVIIIᵉ S.
CONSOLE TABLE, MADE BY
PHILIPPE LIÉBERT. LATE 18th C.

439. CONSOLE D'APPUI, DE FRAN-
ÇOIS NORMAND, DE TROIS-RIVIÈRES.
DÉBUT XIXᵉ S.
CONSOLE TABLE, MADE BY FRAN-
ÇOIS NORMAND OF THREE RIVERS.
EARLY 19th C.

440. TABLE-CONSOLE « ROCOCO
CANADIEN ». XIXᵉ S.
CONSOLE TABLE, IN " CANADIAN
ROCOCO " STYLE. 19th C.

BUREAUX, SECRÉTAIRES

Ce meuble n'est pas populaire dans les milieux paysans. En France même, c'est un meuble qu'on trouve dans les milieux bourgeois.

Les plus anciens secrétaires retrouvés au Canada appartenaient à des personnages de marque : seigneurs, militaires, évêques, etc. Pour toutes ces personnes, le secrétaire est utile et pratique. En voici une description tirée d'un inventaire de 1711 à Montréal : « Une Table ou Bureau avec huit tiroirs de Bois Des Rable de Ce pais Lesd^t tiroirs fermant a Clef Le pied Dassemblage et ReLief garny dessus d'un drap Vert Estime a 75 L ''... »[1].

Le plus ancien que je connaisse est un bureau d'inspiration Louis XIII appelé souvent *bureau Mazarin*, dont les huit pieds en gaine sont reliés par des entretoises en forme de double Y. De chaque côté, un caisson à trois tiroirs cintrés repose sur des pieds en gaine et, au centre, une niche laisse l'espace nécessaire aux genoux, mais elle est fermée par un vantail. D'autres bureaux du même genre sont à piètement tourne, tel celui qui appartint à Mgr Briand, alors évêque de Québec. Mgr Briand l'a fait exécuter par Pierre Emond, maître-menuisier et sculpteur, à qui il avait également confié la construction de sa chapelle privée. En 1770, les religieuses de l'Hôpital-Général de Québec en héritèrent « pour la prescription des médecines »... « Monseigneur en paya le compte qui montait à 60 livres »[2]. Ce meuble est en merisier ondé.

Les autres bureaux ou secrétaires que l'on trouve sont plus courants : ce sont les secrétaires en pente, faussement appelés *à dos d'âne*, dont la tablette abattante est supportée par deux tirettes. Ces meubles sont faits comme une commode à trois ou quatre tiroirs, avec soubassement en console : influence anglaise du XVIIIᵉ siècle. Quand on ouvre la tablette abattante on trouve des casiers : le *pigeonnier*, et, parfois, un compartiment secret pour dissimuler des papiers importants ou compromettants.

D'autres sont surmontés d'une petite armoire où l'on classe documents ou livres; la porte, en se rabattant, sert de table à écrire.

Il y a en outre un secrétaire plus élevé que les autres. Pour y écrire, on restait debout ou on s'asseyait sur un escabeau. Il servait dans les presbytères pour la perception de la dîme et au paie-maître de l'armée pour la remise de la solde.

441. BUREAU, DIT « MAZARIN ». FIN XVIIᵉ SIÈCLE.

Bureau dit « Mazarin », à sept tiroirs cintrés reposant sur huit pieds-gaines avec un vantail au centre. Meuble inspiré de l'époque où vécut le Cardinal Mazarin (1639-1661). Celui-ci, italien de naissance, a influencé les arts français au milieu du XVIIᵉ siècle en s'entourant d'artistes et d'artisans italiens. Sur toile fine, collée au dos, inscription d'époque à l'encre : « J'ai donné et donne à Madame St. Martin religieuse supérieure de l'Hôtel-Dieu ce bureau ou commode tel qu'il est, comme il est et ce pour ce que je signe. A Québec, ce 16 aoust 1768. Chavigny ». Meuble exécuté de « main de métier »; rare au Canada. Fin XVIIᵉ siècle.

L. 3' 10''   H. 2' 4½''   P. 1' 1¼''
117 cm   72 cm   34 cm

BOIS : merisier   PROVENANCE : Québec

(Coll. Musée de l'Hôtel-Dieu, Québec).

442. BUREAU DU GENRE « MAZARIN », MAIS A PIÈTEMENT TOURNÉ. FIN XVIIᵉ SIÈCLE.

Bureau dit « Mazarin », à sept tiroirs cintrés mais à piètement tourné, d'esprit Louis XIII. Un petit vantail est placé au fond de l'évidement destiné aux genoux. Selon la tradition orale des Augustines de l'Hôpital-Général de Québec, ce bureau aurait appartenu à Monseigneur de Saint-Vallier, deuxième évêque de Québec, qui se retira à l'Hôpital de 1713 à sa mort, en 1727. Fin XVIIᵉ siècle.

L. 3' 1¾''   H. 2' 6''   P. 1' 10¼''
96 cm   77 cm   57 cm

BOIS : noyer tendre   PROVENANCE : Québec

(Coll. Musée de l'Hôpital-Général, Québec).

(1) A J M, I O A. — Inventaire des biens de la succession de feu Mr Demuy 17 & 18 Juin 1711. Greffe Adhémar.
(2) *Annales* de l'Hôpital-Général de Québec.

443. BUREAU, D'ESPRIT LOUIS XIII. FIN XVIIIᵉ SIÈCLE.

Bureau à cinq tiroirs, inspiré du style « Mazarin » mais à piètement tourné d'esprit Louis XIII, avec flambeau au centre de l'entretoise. Ceinture festonnée, centre des tiroirs orné de motifs quadrilobés ou de quartefeuilles gothiques, ornements souvent usités par Pierre Emond; panneaux latéraux. Noter l'arche de l'évidement, d'influence anglaise. D'après les Annales de l'Hôpital-Général, ce bureau fut exécuté, en 1770, par le menuisier Pierre Emond pour Monseigneur Jean Olivier Briand qui le donna aux religieuses « pour la prescription des médecines ». Voir page 287. Anneaux en cuivre d'époque, boutons ajoutés. Ce meuble n'a jamais quitté l'apothicairerie de l'hôpital. Fin XVIIIᵉ siècle.

L. 3'   H. 2' 5¾''   P. 1' 10½''
91 cm   75 cm   57 cm

BOIS : merisier ondé   PROVENANCE : Québec

(Coll. de l'Hôpital-Général de Québec).

444. BUREAU A CAISSONS ORNÉS DE POINTES DE DIAMANT. XVIIIᵉ SIÈCLE.

Bureau à caissons à deux tiroirs et à deux portes ornées de pointes de diamant. XVIIIᵉ siècle.

L. 5' 4¾''   H. 2' 5¼''   P. 1' 9''
164 cm   74 cm   53 cm

BOIS : pin   PROVENANCE : Un presbytère de la région de Québec

(Coll. M. et Mme Victor Drury, Montréal).

445. PETIT BUREAU EN PENTE. FIN XVIIIᵉ SIÈCLE.

Petit bureau en pente, à un tiroir, ayant servi dans un presbytère pour la collecte de la dîme. Structure et piètement d'esprit anglais. Encadrement festonné du plateau. Fin XVIIIᵉ siècle.

L. 2' 3''   H. 3' 4¾''   P. 1' 5¼''
69 cm   104 cm   44 cm

BOIS : pin

PROVENANCE : Saint-Marc-sur-Richelieu, Qué.

(Coll. Canada Steamship Lines, Tadoussac, Qué.).

446. PETIT BUREAU EN PENTE, ORNÉ DE DESSINS GÉOMÉTRIQUES. XIXᵉ SIÈCLE.

Bureau en pente, à piètement galbé et orné de rinceaux et de dessins géométriques (rosaces à pétales insérées dans un hexagone, étoiles et molettes à rayons incurvés). Pieds antérieurs d'inspiration Fin Empire. Ceinture latérale chantournée. XIXᵉ siècle.

L. 2' 7''   H. 3' 2½''   P. 1' 1''
79 cm   98 cm   33 cm

BOIS : pin et frêne PROVENANCE : Saint-Augustin des Deux Montagnes, Qué.

(Coll. Mme Nettie Sharpe, Saint-Lambert, Qué.).

447. BUREAU EN PENTE, A PIEDS GALBÉS, D'ESPRIT LOUIS XV. FIN XVIIIᵉ SIÈCLE.

Bureau en pente à pieds galbés avec entretoise. A la fois d'esprit Louis XV et d'influence anglaise. Cuivres anglais d'époque. Fin XVIIIᵉ siècle.

L. 3' 4''   H. 3' ¾''   P. 1' 10''
102 cm   43 cm   56 cm

BOIS : noyer tendre   PROVENANCE : Québec

(Coll. Musée de l'Hôtel-Dieu, Québec).

448. SECRÉTAIRE-BUREAU EN PENTE, A QUATRE TIROIRS. MILIEU XIXᵉ SIÈCLE.

Secrétaire-bureau en pente. Structure d'inspiration anglaise. Milieu XIXᵉ siècle.

L. 3'   H. 3' 4¾''   P. 1' 5½''
91 cm   103 cm   44 cm

BOIS : pin   PROVENANCE : Montréal, Qué.

(Coll. Canada Steamship Lines, Tadoussac, Qué.).

449. SECRÉTAIRE-BUREAU EN PENTE, A TROIS TIROIRS. DÉBUT XIXᵉ SIÈCLE.

Secrétaire en pente à trois tiroirs. Les côtés sont ornés de multiples panneaux. Début XIXᵉ siècle.

L. 3' 4''   H. 3' 10''   P. 1' 6''
102 cm   117 cm   46 cm

BOIS : pin

(Coll. M. et Mme Paul Meredith, Toronto, Ont.).

450. BUREAU D'INSPIRATION ANGLAISE. DÉBUT XIXᵉ S.

Bureau, d'inspiration anglaise. Piètement Chippendale. Tiroirs rentrés à vif. Pieds haussés. Début XIXᵉ siècle.

L. 4' 6''   H. 2' 3¼''   P. 2' 9''
137 cm   64 cm   84 cm

BOIS : pin

(Coll. Musée Provencher, Cap Rouge, Qué.).

451. BUREAU A CAISSONS, A SIX TIROIRS. DÉBUT XIXᵉ S.

Bureau à caissons, à six tiroirs, d'influence anglaise. Servait probablement de pupitre d'instituteur. Tablette dans l'évidement. Début XIXᵉ siècle.

L. 3' 7⅜''   H. 2' 4¼''   P. 1' 7''
110 cm   72 cm   48 cm

BOIS : pin   PROVENANCE : ancienne école de Saint-Cuthbert, Qué.

(Coll. Musée de la Province, Québec).

452. SECRÉTAIRE-COMMODE RUSTIQUE, A PLATEAU RABATTANT, D'INSPIRATION « SHAKERS ». XIXᵉ SIÈCLE.

Secrétaire à deux tiroirs et à plateau rabattant. La porte de la partie supérieure se rabat et sert de table à écrire. Ce meuble, si on fait abstraction du chantournement de la traverse inférieure, se rapproche beaucoup, par sa simplicité, des meubles « Shakers » de la Nouvelle-Angleterre. XIXe siècle.

L. 2' 10¾"   H. 4' 5¾"   P. 1' 7¼" - 9"
88 cm   136 cm   49 cm - 23 cm

BOIS : noyer tendre et pin

(Coll. M. L.V. Randall, Montréal).

453. SECRÉTAIRE A ÉCRIRE DEBOUT, D'INSPIRATION ADAM ET REGENCY. DÉBUT XIXe SIÈCLE.

Secrétaire en pente, à écrire debout, à cinq tiroirs, à motifs de styles Adam et Regency. La partie supérieure servait à ranger les papiers. Les rosaces elliptiques sculptées sont appliquées. Boutons d'époque. Début XIXe siècle.

L. 3' 6¼"   H. 4' 6½"   P. 1' 7¾"
107 cm   138 cm   50 cm

BOIS : pin

PROVENANCE : Saint-Jean, Ile d'Orléans, Qué.

(Coll. Mme J.C. Pouliot, Manoir Mauvide-Genest, Saint-Jean, Ile d'Orléans, Qué.).

454. BUREAU EN PENTE, A DEUX CORPS. DÉBUT XIXe S.

Bureau en pente, à deux corps. La partie supérieure sert à ranger livres ou papiers. Les pieds-gaines sont d'esprit Sheraton. Début XIXe siècle.

L. 2' 8⅝"   H. 4' 10½"   P. 10½" - 1' 8¼"
83 cm   149 cm   27 cm - 51 cm

BOIS : pin

(Coll. Canada Steamship Lines, Tadoussac, Qué.).

455. BUREAU EN PENTE, D'INSPIRATION ANGLAISE. FIN XVIIIe SIÈCLE.

Bureau en pente à tiroir unique, d'inspiration anglaise. Les pieds tournés sont inspirés du style début Queen Anne rustique. Fin XVIIIe siècle.

L. 3' 4"   H. 3' 4½"   P. 1' 8"
102 cm   103 cm   51 cm

BOIS : pin

(Coll. Canada Steamship Lines, Tadoussac, Qué.).

441. BUREAU, DIT « MAZARIN ». FIN XVIIe S.
KNEE-HOLE DESK, OF " MAZARIN " TYPE.
LATE 17th C.

442. BUREAU DU GENRE « MAZARIN », MAIS
A PIÈTEMENT TOURNÉ. FIN XVIIe S.
KNEE-HOLE DESK, OF " MAZARIN " TYPE,
WITH TURNED LEGS. LATE 17th C.

443. BUREAU, D'ESPRIT LOUIS XIII. FIN
XVIIIe S.
KNEE-HOLE DESK, IN THE LOUIS XIII MAN-
NER. LATE 18th C.

444. BUREAU A CAISSONS ORNÉS DE POINTES DE DIAMANT. XVIIIᵉ S.
KNEE-HOLE DESK, WITH DIAMOND-POINT CARVING ON THE DOORS. 18th C.

445. PETIT BUREAU EN PENTE. FIN XVIIIᵉ S.
SMALL SLANT-TOP DESK. LATE 18th C.

446. PETIT B[...]
EN PENTE, C[...]
DESSINS GÉO[...]
QUES. XIXᵉ S[...]
SMALL SLA[...]
DESK, CAR[...]
WITH GEOM[...]
DESIGNS.

447. BUREAU EN PENTE, A PIEDS GALBÉS, D'ESPRIT LOUIS XV. FIN XVIIIᵉ S.
SLANT-TOP DESK, WITH CURVED LEGS, IN THE LOUIS XV MANNER. LATE 18th C.

448. SECRÉTAIRE-BUREAU EN PENTE, A QUA-
TRE TIROIRS. MILIEU XIXᵉ S.
SLANT-TOP DESK, WITH FOUR DRAWERS.
MID 19th C.

449. SECRÉTAIRE-BUREAU EN PENTE, A TROIS
TIROIRS. DÉBUT XIXᵉ S.
SLANT-TOP DESK, WITH THREE DRAWERS.
EARLY 19th C.

450. BUREAU, D'INSPIRATION ANGLAISE. DÉ-
BUT XIXᵉ S.
KNEE-HOLE DESK, INSPIRED BY ENGLISH
MODELS. EARLY 19th C.

451. BUREAU A CAISSONS, A SIX TIROIRS.
DÉBUT XIXᵉ S.
KNEE-HOLE DESK, WITH SIX DRAWERS.
EARLY 19th C.

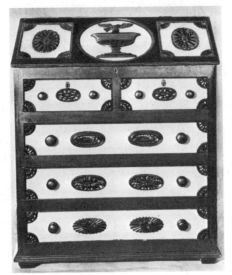

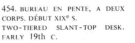

454. BUREAU EN PENTE, A DEUX CORPS. DÉBUT XIXe S. TWO-TIERED SLANT-TOP DESK. EARLY 19th C.

452. SECRÉTAIRE-COMMODE RUSTIQUE, A PLATEAU RABATTANT, D'INSPIRATION « SHAKERS ». XIXe S. WRITING DESK-COMMODE, INSPIRED BY " SHAKER " TYPE FURNITURE. 19th C.

453. SECRÉTAIRE A ÉCRIRE DEBOUT, D'INSPIRATION ADAM ET REGENCY. DÉBUT XIXe S. UPRIGHT WRITING DESK, IN THE ADAM AND REGENCY MANNERS. EARLY 19th C.

455. BUREAU EN PENTE, D'INSPIRATION ANGLAISE. FIN XVIIIe S. SLANT-TOP DESK, INSPIRED BY ENGLISH MODELS. LATE 18th C.

COMMODES

Havard, dans son *Dictionnaire de l'Ameublement*, affirme que, comme l'armoire, la commode tirerait son origine du coffre et qu'elle aurait vu le jour à Paris entre les années 1700 et 1705 [1]. Dans l'évolution de ce meuble on a vu des coffres laissant place à un tiroir à la base. Plus tard, l'intérieur du coffre s'est garni entièrement de tiroirs. Un exemple typique de ce coffre de transition, d'un coffre se transformant en commode, à piètement Louis XIII, est ce petit meuble, qui, selon la tradition orale des religieuses de l'Hôtel-Dieu de Québec, aurait appartenu à Mme d'Aille-boust. A sa mort, en 1685, elle l'aurait légué aux religieuses, chez qui elle s'était retirée. Si vraiment ce meuble date d'avant 1685, nous aurions là le premier exemple d'une commode, antérieure à l'apparition attestée de la première commode française en 1695. Nous aurions fait, dans ce cas, une découverte fort intéressante en ce qui concerne les origines encore confuses et discutées de la commode. Ajoutons toutefois qu'en l'absence de tout document dont la certitude soit indiscutable, on peut supposer que le tournage du piètement serait assez tardif et daterait même du XVIIIe siècle. Quoi qu'il en soit, ce meuble ressemble à un coffre de mariage, sur pieds mais, au lieu d'un couvercle, il est orné de deux tiroirs. C'est bien un meuble qui annonce la commode classique telle que nous la connaissons aujourd'hui, et c'est en même temps l'unique et le plus ancien coffre de transition que nous avons trouvé au Canada. Ses poignées en fer forgé indiquent qu'on devait souvent transporter cette commode, de la même façon que les bahuts de voyage.

En France, la commode ne connut jamais une très grande popularité dans les milieux paysans et, si elle pénétra dans les intérieurs ruraux, ce n'est qu'après 1750.

Par contre, M. de Salverte fait dériver la commode du bureau dit « Mazarin ». Ses tiroirs auraient été prolongés et auraient formé une espèce de commode où on rangeait des papiers. D'après cet auteur, de pareils ouvrages ne furent pas produits avant 1690, et, se basant sur les livraisons citées dans le *Journal du Garde-meuble*, la première mention daterait du 17 mai 1692. En 1695, on lit : «... Une grande table en bureau garnie de trois tiroirs [2]. « Selon M. Guillaume Janneau, ancien administrateur du Mobilier National, les premières commodes, œuvres du maître-ébéniste Charles-André Boulle, n'apparurent que vers l'année 1695 [3]. A l'époque, ce fut une grande innovation.

M. E.Z. Massicotte, après de nombreuses recherches dans les inventaires, déclare que la commode n'apparaît au Canada qu'après 1750, « qu'il y en eut en noyer à trois tiroirs à trois serrures et garnitures à main de cuivre ». Puis « en bois d'Europe, marquetées, dessus en marbre » [4]. Mes propres travaux m'ont permis de découvrir la présence de commodes dans la Nouvelle-France à partir de 1745. «... En la chambre Sest Trouvé une Commode bois de noyer avec ses garnitures de Cuivre dont six poignées et férures prisée et Estimée Trente cinq livres cy... » [5]. En janvier 1749, Mme Elisabeth Bégon, née Rocbert de la Morandière, au Canada, aurait voulu vendre des meubles à M. Varin qui meublait la maison de M. de Senneville pour l'intendant Bigot qui venait habiter à Montréal... « Je n'ay pu luy faire prandre des tables à manger ny des commodes. Il a mieux aimé en faire faire... » [6]. Mme Bégon allait habiter en France et elle vendait tout son mobilier avant son départ. Une troisième allusion à la présence de ce meuble au Canada est extraite d'un inventaire datant de 1753 : «... une Commode de bois de Merisier ayant quatre tiroirs trente livres » [7].

(1) Havard, Henry. *Dictionnaire de l'ameublement*, Paris, 1887.
(2) Salverte, le comte de. *Le meuble français d'après les ornemanistes de 1660 à 1789*. Paris, 1930, page 8.
(3) Janneau, Guillaume. *Les beaux meubles français anciens*. Ch. Moreau, éd., Paris, 1923, page 5.
(4) B R H. — Vol. XLVIII, février 1942, pp. 33-42
(5) A J Q, I O A. — Inventaire de Jean Boucher dit Belleville, entrepreneur en maçonnerie à Québec le 3 mai 1745. Greffe Barolet (1386).
(6) R A P Q. — Correspondance de Mme Elisabeth Bégon (Lettre du 15 janvier, 1749). Québec, 1934-1935, p. 198.
(7) A J M, I O A. — Inventaire fait après le décès du Sr De Bouat Des 12, 14 et 15 Xbre 1753. Greffe Bouron.

Les commodes semblent être très rares, mais elles seront plus fréquemment mentionnées à la fin du XVIIIe siècle et au début du XIXe siècle. Elles pénétreront de plus en plus dans les milieux paysans du Canada, durant cette ère de paix et de prospérité qui suivra la conquête jusque vers 1830. Bien qu'objet de luxe, cela n'empêche pas le paysan canadien d'en faire exécuter pour son compte, tout comme ces cuillères, ces fourchettes et ces timbales en argent massif qu'il commande aux orfèvres du pays. Ce luxe était totalement inaccessible aux paysans français de l'époque. Seuls les bourgeois et les nobles usaient de ces meubles et objets. En 1753, l'ingénieur du Roi, Louis Franquet, en mission au Canada, au cours d'un voyage en carriole entre Montréal et Québec, s'arrête avec sa suite à La Chesnaye pour la nuit chez une dame Lamothe, marchande et tenant auberge : «... descendus chez Mde Lamothe, marchande, y reçus au mieux, bien à souper et encore mieux à coucher, y servi proprement, passé la nuit fort à notre aise, dans des lits propres de façon à la duchesse... Par le détail de l'ameublement de cette maison, l'on doit juger que l'habitant des campagnes est trop à son aise... »[1].

Le mode de vie de l'habitant canadien intéressa vivement Franquet, il ne pouvait s'empêcher de faire des comparaisons avec le paysan français. Quoique son séjour en Nouvelle-France fût de courte durée, il remarqua le peu de contraste entre le niveau de vie des habitants et celui des gens de condition. Il observa que les distinctions de classes étaient beaucoup moins marquées qu'en France. Peter Kalm, le célèbre botaniste suédois qui visita la Nouvelle-France en 1748, fut étonné de l'aisance du paysan canadien, aisance comparable à celle du bourgeois français. Il insiste beaucoup sur la recherche vestimentaire de la paysanne canadienne. Plus de cent soixante ans plus tard Louis Hémon sera étonné de la même façon que Kalm et fera la même remarque, lorsqu'il décrira, dans *Maria Chapdelaine*, les pelisses de fourrures portées par les paysannes canadiennes à la sortie de la grand'messe, à Péribonka.

Mais revenons à notre propos. D'après nos observations, les plus anciennes commodes sont à façade plate, à trois tiroirs égaux superposés ou à quatre tiroirs, les deux du haut étant juxtaposés. Elles sont robustes, avec de forts montants et un léger chantournement de la traverse inférieure. Le tour des tiroirs est mouluré et les pieds sont droits.

Nous voyons apparaître ensuite des commodes aux angles arrondis, à façade galbée, avec ou sans panneaux latéraux chantournés. Certaines accuseront des formes sinueuses et courbes avec un retrait central. C'est le cas de la commode dite *Arbalète*. D'autres présenteront des façades cintrées ou à ressaut. Ces dernières sont inspirées du *break-front* anglais ou américain. Quelques-unes seront ornées d'un ressaut concave. D'autres commodes auront une forme galbée en console, dite *Régence ;* les montants et les côtés seront aussi galbés et les pieds cambrés.

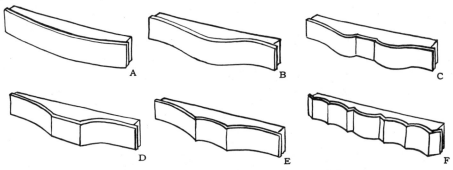

Fig. 7 - *Façades de tiroirs - A : cintrée ; B : galbée ; C : arbalète*
D : à ressaut ; E : à ressaut concave ; F : sinueuse.

(1) Franquet, Louis. *Voyages et Mémoires sur le Canada.* Québec, 1889, p. 157-158.

Si l'on examine la facture de ces commodes, on découvre que les montants sont taillés dans une seule pièce de bois énorme. Si on ouvre un tiroir, on se rend compte que la façade a été découpée à la scie à chantourner, dans une planche ordinairement très épaisse. On ne se donne pas la peine de la scier à l'intérieur, comme c'est le cas dans les tiroirs de commodes françaises. Il n'est pas question, ici, d'économiser le bois. D'autre part, les commodes canadiennes sont plutôt petites ou moyennes à l'inverse des commodes françaises de la même époque, qui sont larges et ventrues. Le côté des tiroirs est généralement assemblé à queue-d'aronde, mais avec une énorme queue d'aronde centrale et deux demi-queues-d'aronde, l'une dans le haut, l'autre dans le bas ; un gros clou forgé viendra consolider le tout et, près de deux siècles plus tard, l'assemblage n'aura pas bougé. Les dos des commodes canadiennes sont généralement faits de larges planches, assemblées à rainures et à languettes et entrant, à chaque bout, en coulisse, dans les montants postérieurs. Parfois ces dos sont ornés de plates-bandes aux extrémités, comme les panneaux d'armoire, ou simplement taillés en biseau, à la gouge ou à la hache.

Quelques rares commodes de type *tombeau* ont la façade et les côtés très bombés. C'est ce qu'on appelle ici la *commode bombée*. Les traverses inférieures sont assez tourmentées, avec motif central de fleurs ou de coquilles.

Dans certaines commodes les façades des tiroirs sont ornées de petits panneaux rectangulaires, avec un petit panneau central pour les entrées de serrure. Malgré leurs caractères canadiens, elles rappellent des commodes françaises du Dauphiné et du Lyonnais.

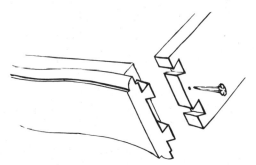

Fig. 8 - *Queue-d'aronde des tiroirs de commodes canadiennes.*

Au début du XIXe siècle, la commode à traverse inférieure ajourée et ornée de motifs de rocaille d'inspiration Louis XV fera son apparition. Cette commode sera exécutée par des sculpteurs d'église qui puisent avec beaucoup de retard aux sources du style rocaille, mais lui impriment un caractère rococo assez lourd. Les cartels ajourés ou non sont probablement inspirés des dessins de l'architecte ornemaniste, Nicolas Pineau[1]. La façade de ces commodes est en général galbée et la partie centrale est à ressaut, caractéristique canadienne, inspirée du *break-front* américain. Les pieds d'esprit Louis XV sont toujours cambrés, en forme d'S allongé, avec courbes et contre-courbes, et ornés d'éléments floraux chantournés. Certaines de ces commodes ont parfois sur les montants et les traverses inférieures des éléments floraux Louis XVI tels qu'entrelacs, cannelures, palmettes, etc. Pour un meuble de menuiserie traditionnel, il est trop recherché et manque de simplicité. Ce genre de commodes est typique du travail de l'atelier de Quevillon et de ses apprentis.

La commode canadienne dont le modèle fut très populaire à la fin du XVIIIe siècle et au début du XIXe siècle, plus particulièrement dans la région de Montréal, est la commode galbée dite *arbalète*. Les pieds, au lieu d'être droits ou cambrés, ont été ornés de griffes étreignant une boule, griffes de lion ou de griffon, serres d'aigle ou d'autre oiseau, ou même d'une vieille main

(1) Voir la pl. XX de l'ouvrage de Salverte.

aux doigts noueux agrippant une boule. Pendant des années, j'ai été fort intrigué par cette particularité, ne sachant d'où les menuisiers canadiens en avaient tiré le modèle. J'ai cru qu'ils se seraient inspirés des pieds de nos chandeliers d'église, ou de ces tombeaux d'autels dont les pieds en console se terminent en griffes agrippées à une boule. Ç'aurait été une déduction logique si je n'avais découvert que ce piètement n'a fait son apparition dans les églises que vers la fin du XVIIIe siècle, bien après la Conquête, au moment où des menuisiers-ébénistes anglais et écossais sont venus s'établir à Québec et à Montréal, apportant avec eux des gabarits de styles anglais courants et antérieurs à la mode à cette époque. Or, dans le mobilier anglais, il y a toute une gamme de ces piètements qu'on retrouve dans les styles Queen Anne, William and Mary, plus particulièrement Chippendale qui, au milieu du XVIIIe siècle, s'est répandu en Angleterre et a pénétré en Nouvelle-Angleterre vers les années 1760. On appelle ce genre *le Rococo Chippendale* et on en retrouve la trace jusque dans les meubles baroques des Pays-Bas, car les Hollandais (ainsi que les Vénitiens d'ailleurs) s'étaient eux-mêmes inspirés des bronzes chinois qu'ils avaient rapportés d'Orient. Les Anglais, à leur tour, empruntèrent ces motifs de leurs alliés, les Hollandais.

En France, ce piètement est pratiquement inconnu, sauf à Bordeaux et dans les environs où l'on trouve, encore aujourd'hui, quelques rares commodes galbées ornées de cette façon. Phénomène presque semblable à celui du Canada français; le commerce florissant entre Bordeaux et l'Angleterre à la fin du XVIIIe siècle encouragea les échanges. Beaucoup de meubles anglais élurent domicile à Bordeaux et les menuisiers du pays s'empressèrent de les imiter. Nos menuisiers s'inspirèrent fortement du piètement anglais dans la fabrication des autels de type *tombeau* et des commodes du type *arbalète*.

Il existe encore deux commodes curieuses qui sont parvenues jusqu'à nous. L'une se trouve au Musée des Archives Publiques à Ottawa. Elle a, paraît-il, appartenu au marquis de Montcalm. L'autre fait partie de la collection de Mlle Barbara Richardson, de Sainte-Agathe des Monts. Ces deux commodes sont de même style que les précédentes, avec leurs tiroirs de type *arbalète*, mais leurs pieds, énormes spirales sculptées, se projettent ridiculement à l'extérieur du meuble. Ces pieds rappellent une commode rococo du Museum of Arts de Philadelphie, faite par Thomas Chippendale, et ressemblent aussi à un meuble baroque du milieu du XVIIIe siècle, un secrétaire estampillé de K.M. Mattern, célèbre ébéniste allemand de Wurtzbourg. On leur trouve également une parenté avec les piètements des styles anglais Queen Anne et William and Mary. Ces deux commodes datent de la même époque que les précédentes et je doute fort que le marquis de Montcalm ait possédé la première.

Il est dommage qu'on ait abîmé toutes ces belles commodes, dont le corps est typiquement français, avec des excroissances d'une telle gaucherie. Au dire de mes amis français, c'est un manque de goût, mais il n'en reste pas moins qu'elles sont intéressantes comme témoignage d'une combinaison de deux styles.

Dans l'ensemble, il existe une étonnante variété de commodes, au Canada, et toutes présentent un grand intérêt, en dépit souvent de leur lourdeur et de leur naïveté. A la différence de l'artisan français, l'artisan canadien est plus fantaisiste dans son travail et beaucoup moins respectueux des traditions. Ceci se révèle plus particulièrement dans la fabrication de la commode, qui est un des meubles les plus curieux du mobilier traditionnel canadien.

456. PETITE COMMODE DE MADAME D'AILLEBOUST. XVIIe SIÈCLE.

Petite commode à deux tiroirs, reposant sur un piètement Louis XIII. La traverse inférieure est ornée de fleurs de lys et de volutes chantournées. Ce coffre-commode est le précurseur de la commode; il aurait appartenu à Madame d'Ailleboust et aurait été légué par elle aux religieuses de l'Hôtel-Dieu de Québec en 1685 (voir p. 295). Ce meuble rappelle le coffre sur pieds du XVIIe siècle. Agrémenté de deux tiroirs et ayant perdu son couvercle, ce meuble de transition a donné naissance à la commode. Plus tard, nous verrons d'autres tiroirs s'ajouter et l'entretoise disparaître. Les anneaux à pétales et les poignées latérales sont d'époque; mais non les entrées de serrure. Le flambeau du cube chanfreiné de l'entretoise manque. XVIIe siècle.

L. 2' 2¾''   H. 2' 5½''   P. 1' 5''
  68 cm   75 cm   43 cm)

BOIS : noyer tendre; pieds : merisier
PROVENANCE : Québec

(Coll. Musée de l'Hôtel-Dieu, Québec.)

457. COMMODE GALBÉE, A QUATRE TIROIRS. XVIIIᵉ S.

Commode galbée à quatre tiroirs. Les deux tiroirs inférieurs sont d'une seule pièce, mais la mouluration et le retrait de la partie centrale donne l'impression qu'il y a plus de tiroirs. L'entrée de serrure de la partie supérieure n'est qu'une parure. Ce modèle, le plus ancien, était assez répandu au XVIIIᵉ siècle. Les côtés de ces commodes sont généralement plats, et sont rarement ornés de panneaux. Poignées abattantes, rosettes et entrées de serrure d'époque. Deux tiroirs restaurés. XVIIIᵉ siècle.

L. 3' 9"   H. 2' 9½"   P. 1' 11½"
114 cm   85 cm   60 cm

BOIS : noyer tendre

(Coll. Musée des Beaux-Arts, Montréal).

458. COMMODE GALBÉE RUSTIQUE EN MERISIER ONDÉ, D'ESPRIT FIN LOUIS XIV. FIN XVIIIᵉ SIÈCLE.

Commode galbée, en merisier ondé, ornée de trois tiroirs moulurés. Le motif central de la traverse inférieure est une campane ou un chapeau de gendarme renversé, particulier aux commodes d'ébénisterie de style Fin Louis XIV. Fin XVIIIᵉ siècle.

L. 3' 6½"   H. 2' 10¼"   P. 1' 10"
108 cm   87 cm   56 cm

BOIS : merisier   PROVENANCE : région de Québec

(Coll. Mme Richard R. Costello, Sainte-Agathe des Monts, Qué.).

459. COMMODE ORNÉE DE PALMETTES, D'INSPIRATION LOUIS XVI. FIN XVIIIᵉ SIÈCLE.

Commode à façade plate ornée de trois tiroirs, agrémentée de petits panneaux moulurés et chantournés, d'inspiration dauphinoise ou lyonnaise. Une palmette d'esprit Louis XVI, sculptée en relief, décore le caisson central. Un galbe a été ébauché aux pieds. Fin XVIIIᵉ siècle.

L. 3' 5¾"   H. 2' 11¼"   P. 2' 2½"
106 cm   90 cm   62 cm

BOIS : pin   PROVENANCE : Neuville, Qué.

(Coll. M. et Mme F.M. Hutchins, Montréal).

460. COMMODE RUSTIQUE, A TROIS TIROIRS. DÉBUT XIXᵉ SIÈCLE.

Commode rustique à façade plate et à trois tiroirs, ornée de cannelures et de rosettes naïves et primitives, d'esprit Adam. Les pieds sont droits, mais le galbe ne se fait sentir qu'à l'intérieur. La traverse inférieure est plutôt lourde et elle est ornée de spirales et d'une coquille de facture naïve. Les boutons de bois sont d'époque. Meuble de « main fruste » mais agréable. Début XIXᵉ siècle.

L. 3' 4¼"   H. 2' 11"   P. 2' 2½"
103 cm   89 cm   62 cm

BOIS : pin

(Coll. M. et Mme Pierre Gouin, Saint-Sulpice, Qué.).

461. COMMODE GALBÉE A QUATRE TIROIRS, D'ESPRIT LOUIS XV. FIN XVIIIᵉ SIÈCLE.

Commode à façade et à côtés galbés, ornée de quatre tiroirs, d'une ceinture chantournée, décorée d'une palmette. Les petits pieds cambrés, trapus, déséquilibrent le meuble. Fin XVIIIᵉ siècle.

L. 3' 9⅝"   H. 4' 7⅜"   P. 1' 5½"
116 cm   141 cm   44 cm

BOIS : merisier   PROVENANCE : Saint-Vallier, Qué.

(Coll. Mlle Barbara Richardson, Sainte-Agathe des Monts, Qué.).

462. PETITE COMMODE RUSTIQUE, A TROIS TIROIRS. FIN XVIIIᵉ SIÈCLE.

Petite commode rustique à trois tiroirs, ornée de panneaux latéraux et d'une traverse inférieure chantournés. Pieds : griffes de lion. Les traverses de la façade sont lourdes : caractéristique canadienne. C'est la commode que l'on transportait avec soi en voyage, comme c'était la coutume chez les officiers de l'armée anglaise. Les poignées latérales de fer forgé, d'époque, l'attestent. De structure et de décor naïfs, cette commode reste attrayante. Ceinture chantournée, ajoutée plus tardivement. Fin XVIIIᵉ S.

L. 1' 10½"   H. 2' 4½"   P. 1' 9½"
57 cm   72 cm   55 cm

BOIS : noyer tendre

(Coll. M. et Mme A.F. Culver, Pointe-au-Pic, Qué.).

463. COMMODE GALBÉE, A CURIEUSE CEINTURE. FIN XVIIIᵉ SIÈCLE.

Commode galbée à ceinture peu courante, ornée de trois tiroirs. Sa forme inattendue, d'invention paysanne, lui donne une allure d'art populaire. Les montants arrondis sont d'inspiration Louis XV. Fin XVIIIᵉ siècle.

L. 3' 6¼"   H. 2' 5½"   P. 2' 4½"
108 cm   75 cm   72 cm

BOIS : merisier   PLATEAU : pin

PROVENANCE : Saint-Denis-sur-Richelieu, Qué.

(Coll. M. et Mme F.M. Hutchins, Pembroke, Ont.).

464. COMMODE A QUATRE TIROIRS, DE SAINT-GERVAIS. FIN XVIIIᵉ SIÈCLE.

Commode à façade plate, à quatre tiroirs, ornée de petits panneaux elliptiques moulurés; la traverse inférieure est chantournée et on voit l'ébauche d'un galbe aux pieds. Commode simple. Fin XVIIIᵉ siècle.

L. 4'   H. 2' 10¾"   P. 2' 1⅝"
122 cm   88 cm   65 cm

BOIS : pin   PROVENANCE : Saint-Gervais, Qué.

(Coll. Canada Steamship Lines, Tadoussac, Qué.).

299

465. COMMODE ARBALÈTE, A TROIS TIROIRS, D'ESPRIT LOUIS XV. FIN XVIII⁰ SIÈCLE.

Commode arbalète à trois tiroirs, à montants et à pieds cambrés massifs. Commode bien française, malgré la robustesse typiquement canadienne des montants et des pieds. Tiroirs restaurés. Fin xviii⁰ s.

L. 3' 10''   H. 2' 9 ¼''   P. 1' 10³₄
117 cm   85 cm   57 cm

BOIS : pin   PROVENANCE : Saint-Eustache, Qué.

(Coll. M. W.I. Hart, Sainte-Thérèse de Blainville, Qué.).

466. COMMODE GALBÉE, A TROIS TIROIRS. FIN XVIII⁰ S.

Commode galbée, à trois tiroirs décorés de petits panneaux chantournés et de quartefeuilles gothiques. Les montants sont ornés de rosettes et la traverse inférieure d'une coquille. Les pieds droits, à doubles volutes, ébauchent un galbe. Panneaux latéraux chantournés. D'esprit Louis XV, mais d'interprétation très canadienne, avec ses traverses massives. Poignées de fer et pétales forgés d'époque. Robuste et charmant petit meuble. Fin xviii⁰ siècle.

L. 3' 2 ½''   H. 2' 5 ½''   P. 2' 1 ¼''
98 cm   75 cm   64 cm

BOIS : noyer tendre

(Coll. Musée des Beaux-Arts, Montréal).

467. COMMODE RUSTIQUE, ORNÉE DE LOSANGES. FIN XVIII⁰ siècle.

Commode rustique à façade plate, à quatre tiroirs et à montants ornés de losanges et de disques, terminés par des pieds en griffes. Traverses de la façade lourdes; meuble de « main fruste » mais charmant. Sur le haut du montant arrière gauche les lettres « P.P. » sont gravées dans le bois. Cuivres Louis XV ajoutés. Fin xviii⁰ siècle.

L. 1' 3 ⅜''   H. 2' 8''   P. 1' 11 ⅝''
39 cm   81 cm   60 cm

BOIS : noyer tendre   PROVENANCE : région de Montréal

(Coll. Mlle Barbara Richardson, Sainte-Agathe des Monts, Qué).

468. COMMODE GALBÉE, D'ESPRIT LOUIS XV. FIN XVIII⁰ S.

Commode galbée d'esprit Louis XV, à pieds cambrés, terminés par des sabots et à cinq tiroirs (trois tiroirs dans le haut) dont un petit tiroir central. Léger galbe latéral, commode très fran ise. Cuivres et entrées de serrure d'époque. Le plateau a été remplacé, mais la moulure des bords est absente. Fin xviii⁰ s.

L. 4' 1 ¼''   H. 2' 9¾''   P. 2' 1''
125 cm   86 cm   63 cm

BOIS : érable   PROVENANCE : Saint-Ours, Qué.

(Coll. M. et Mme Armand Poupart, Seigneurie de Saint-Ours, Qué.).

469. COMMODE GALBÉE, A TROIS TIROIRS, D'ESPRIT LOUIS XV. FIN XVIII⁰ SIÈCLE.

Commode galbée à trois tiroirs, à ceinture et à panneaux latéraux chantournés, d'esprit Louis XV. Les pieds cambrés, à doubles volutes, se terminent en petits sabots. Intéressant chantournement de la ceinture. Tiroirs restaurés. Fin xviii⁰ siècle.

L. 3' 6 ¼''   H. 2' 10 ½''   P. 2' ¼''
108 cm   88 cm   62 cm

BOIS : érable

(Coll. Mme E. Thornley Hart, Sainte-Agathe des Monts, Qué.).

470. COMMODE GALBÉE, D'ESPRIT LOUIS XV, D'INSPIRATION DAUPHINOISE. FIN XVIII⁰ SIÈCLE.

Commode galbée d'esprit Louis XV, dont les tiroirs sont ornés de panneaux chantournés et moulurés évoquant certaines commodes du Dauphiné et du Lyonnais (voir p. 297). Fin xviii⁰ siècle.

L. 3' 8''   H. 2' 9 ½''   P. 1' 10 ½''
97 cm   85 cm   57 cm

BOIS : noyer tendre

(Coll. Mme L.S. Bloom, Westmount, Qué.).

471. COMMODE A TROIS TIROIRS, DE TYPE ARBALÈTE. FIN XVIII⁰ SIÈCLE.

Commode à trois tiroirs, de type arbalète, à ceinture chantournée et ornée de palmettes, de spirales, d'une fleur et d'une coquille. Fin xviii⁰ siècle.

L. 3' 9''   H. 3' 3''   P. 1' 10''
114 cm   99 cm   56 cm

BOIS : noyer tendre   PROVENANCE : Ile Perrôt, Qué.

(Coll. Mme Nettie Sharpe, Saint-Lambert, Qué.).

472. COMMODE GALBÉE, DITE « RÉGENCE », EN ÉRABLE ONDÉ. FIN XVIII⁰ SIÈCLE.

Commode galbée Régence, dont les montants sont galbés, la ceinture chantournée et décorée d'une coquille. Le sabot réaliste du pied est très rare en France, il est d'inspiration Louis XIV. Nous avons vu, au Musée des Arts Décoratifs de Paris, un fauteuil Louis XIV dont le pied était orné d'un sabot identique, précurseur des pieds galbés délicats, avec courbes et contre-courbes, des styles Régence et Louis XV. Belle réussite de l'utilisation de l'érable ondé. Une spirale de la ceinture manque. Fin xviii⁰ siècle.

L. 3' 9 ½''   H. 2' 11''   P. 1' 10''
116 cm   89 cm   56 cm

BOIS : érable ondé   PROVENANCE : région de Montréal

(Coll. Musée des Beaux-Arts, Montréal).

473. COMMODE SINUEUSE, A TROIS TIROIRS, D'ESPRIT LOUIS XV. FIN XVIII⁰ SIÈCLE.

Commode à trois tiroirs, de forme sinueuse, aux lourds pieds cambrés à doubles volutes, à ceinture chantournée et ornée de coquilles avec panneaux latéraux chantournés. Meuble robuste, d'inspiration Louis XV. Fin XVIIIe siècle.

L. 3' 7"	H. 3'	P. 1' 1⅝"
110 cm	91 cm	35 cm

BOIS : pin   MONTANTS : merisier

(Coll. Mme Richard R. Costello, Sainte-Agathe des Monts, Qué.).

474. COMMODE « TOMBEAU », A CEINTURE D'INFLUENCE AMÉRICAINE. FIN XVIIIe SIÈCLE.

Commode « tombeau » à trois tiroirs, à montants se terminant en griffes de lion et à ceinture ornée de trois coquilles, d'inspiration américaine. Cette ceinture est copiée des meubles fabriqués par les menuisiers Dunlap du New Hampshire, mais la structure générale du meuble est d'esprit Louis XV. Noter les cannelures dans les traverses des tiroirs, et les panneaux latéraux, en relief. Fin XVIIIe siècle.

L. 4' 2¾"	H. 1' 11¼"	P. 2' ½"
129 cm	59 cm	62 cm

BOIS : noyer tendre   PROVENANCE : Québec

(Coll. Mlle Barbara Richardson, Sainte-Agathe des Monts, Qué.).

475. DÉTAIL.

476. COMMODE « TOMBEAU », A TROIS TIROIRS. FIN XVIIIe SIÈCLE.

Commode « tombeau » à trois tiroirs ornés chacun de trois panneaux saillants et moulurés. La traverse inférieure de la façade est incomplète. Réminiscence du baroque hollandais. Photo C.S.L. Fin XVIIIe siècle.

BOIS : merisier

PROVENANCE : Sainte-Geneviève de Pierrefonds, Qué.

(Anciennement dans la collection de la Canada Steamship Lines, à Tadoussac, Qué.).

477. COMMODE ÉTROITE ET GALBÉE, D'INSPIRATION LOUIS XV. FIN XVIIIe SIÈCLE.

Commode étroite et galbée, à trois tiroirs à ressaut. Ceinture chantournée à motif rocaille Louis XV. Pieds galbés à doubles volutes, surmontés d'une feuille d'acanthe. Le ressaut des tiroirs est inspiré du « break-front » américain. La forme étroite de cette commode n'est pas française, elle mériterait d'être un peu plus large. Agréable petite commode. Fin XVIIIe siècle.

L. 2' 7"	H. 2' 10"	P. 1' 7"
79 cm	86 cm	48 cm

BOIS : noyer tendre

PROVENANCE : Baie d'Urfé, Qué.

(Coll. Dr et Mme Herbert T. Schwarz, Montréal).

478. COMMODE GALBÉE, D'ESPRIT LOUIS XV, MAIS A RESSAUT D'INFLUENCE AMÉRICAINE. FIN XVIIIe SIÈCLE.

Commode galbée, d'esprit Louis XV, à trois tiroirs dont le centre est à ressaut, inspiré du « break front » américain. Le reste de la commode, avec ses panneaux latéraux chantournés, le galbe de ses pieds et sa ceinture chantournée décorée de spirales et d'une fleur de lys, est très français, si l'on excepte la hauteur de la traverse inférieure, caractéristique canadienne. Tiroirs et piètement restaurés. Une des belles commodes de la région de Montréal. XVIIIe siècle.

L. 3' 3"	H. 2' 9"	P. 1' 11¾"
99 cm	84 cm	60 cm

BOIS : pin   PROVENANCE : Ile Perrôt, Qué.

(Coll. de l'auteur, Montréal).

479. COMMODE ARBALÈTE, A TROIS TIROIRS. FIN XVIIIe S.

Commode à trois tiroirs de forme arbalète, d'esprit Louis XV, mais aux pieds à griffes et à boules d'esprit Chippendale et au décor canadien de la traverse inférieure. Panneaux latéraux chantournés. L'ornement central de la ceinture est un mélange de palmettes et de feuillage, s'enroulant avec des spirales. Voir détail n° 480. Encore une fois, les traverses des tiroirs sont trop lourdes. Meuble aux combinaisons de styles originales. Extrémités des tiroirs restaurées. Fin XVIIIe siècle.

L. 3' 1"	H. 2' 8⅜"	P. 1' 9⅜"
94 cm	82 cm	54 cm

BOIS : pin   PROVENANCE : région de Montréal

(Coll. M. et Mme Thomas Caverhill, Montréal).

480. DÉTAIL.

481. DÉTAIL.

482. DÉTAIL.

483. COMMODE GALBÉE, A PIÈTEMENT D'INFLUENCE CHIPPENDALE. FIN XVIIIe SIÈCLE.

Commode galbée à piètement d'influence Chippendale, ornée de trois tiroirs. Galbe peu courant des panneaux latéraux, ceinture chantournée décorée d'une coquille, de spirales et de stries parallèles creusées à la gouge. (Stries rappelant la céramique amérindienne). Les traverses des tiroirs sont trop hautes. Poignées Chippendale et entrées de serrure (écussons) Hepplewhite d'époque. Baguettes d'angle et multiples moulures des montants. Pieds insolites. Coquille rognée. Teinture foncée originale. Commode bizarre et amusante. Fin XVIIIe siècle.

L. 3'	H. 2' 8"	P. 1' 11⅜"
91 cm	81 cm	59 cm

BOIS : pin   PROVENANCE : Montréal

(Coll. M. et Mme H.W. Hingston, Montréal).

484. COMMODE DITE « TOMBEAU » OU « BOMBÉE », D'ESPRIT RÉGENCE. FIN XVIIIᵉ SIÈCLE.

Commode dite « tombeau » ou « bombée » comme on l'appelle au Canada, d'esprit Régence. La façade et les côtés sont galbés, la ceinture est chantournée et ornée d'une coquille centrale. La forme générale de cette commode est très française et rappelle certaines commodes du Dauphiné et du Lyonnais; le galbe curieux des montants et des pieds lui imprime un caractère très canadien. Ce meuble est rare. Fin XVIIIᵉ siècle.

L. 3' 2¾''   H. 2' 9½''   P. 1' 11¼''
98 cm   85 cm   59 cm

BOIS : merisier

(Coll. M. et Mme J.W. McConnell, Dorval, Qué.).

485. DÉTAIL.

486. COMMODE A QUATRE TIROIRS, DE VERCHÈRES. DÉBUT XIXᵉ SIÈCLE.

Commode à quatre tiroirs dont le décor est creusé à la gouge. La traverse inférieure chantournée est ornée d'une coquille et de deux énormes spirales, dans le genre de la commode nᵒ 474 (influence Dunlap du New Hampshire). Le chantournement des panneaux latéraux est très chargé. Noter les tiroirs entrés à vif, technique de fabrication des tiroirs de commodes d'ébénisterie du XVIIIᵉ siècle. Poignées de style Chippendale. Début XIXᵉ siècle.

L. 3' 3''   H. 3'   P. 1' 9¼''
99 cm   91 cm   54 cm

BOIS : pin   PROVENANCE : Verchères, Qué.

(Coll. Mme F. Curzon Dobell, Montréal).

487. COMMODE A QUATRE TIROIRS, MARQUÉE DE MULTIPLES INFLUENCES. FIN XVIIIᵉ SIÈCLE.

Commode à quatre tiroirs ornés de petits panneaux chantournés. Le centre est à ressaut, mais concave, les panneaux latéraux sont chantournés, la ceinture et les pieds en griffe sont inspirés des motifs Chippendale chinois. Curieuse combinaison de quatre styles : petits panneaux rappelant les commodes du Dauphiné ou du Lyonnais; panneaux latéraux très français; ressaut d'inspiration américaine; ceinture et pieds empruntés du Rococo Chippendale chinois. Les tiroirs gagneraient à être ornés de cuivres à feuillage Louis XV, plutôt que de ces poignées anglaises Sheraton. Meuble intéressant. Fin XVIIIᵉ s.

L. 3' 2''   H. 2' 8¾''   P. 1' 9''
96 cm   83 cm   53 cm

BOIS : merisier   MONTANTS : érable   PLATEAU : pin

(Coll. M. et Mme A.R. Gillespie, Montréal).

488. DÉTAIL.

489. COMMODE ARBALÈTE, A QUATRE TIROIRS, D'ESPRIT LOUIS XV. FIN XVIIIᵉ SIÈCLE.

Commode arbalète à quatre tiroirs, dont deux tiroirs supérieurs. Les tiroirs de forme arbalète sont ornés de caissons chantournés, garnis de petites fleurs stylisées. Les panneaux latéraux et la traverse inférieure sont chantournés; cette dernière est décorée de feuilles d'acanthe, de campanules, de spirales, et d'une palmette. D'inspiration du Dauphiné mais décorée avec une profusion d'ornements, à la canadienne. Petite commode attrayante. Fin XVIIIᵉ siècle.

L. 3' 1¼''   H. 2' 8''   P. 1' 9''
95 cm   81 cm   53 cm

BOIS : noyer tendre   PROVENANCE : Québec

(Coll. Dr et Mme Herbert T. Schwarz, Montréal).

490. COMMODE ARBALÈTE, A PIÈTEMENT D'ESPRIT CHIPPENDALE. FIN XVIIIᵉ SIÈCLE.

Commode à trois tiroirs, à façade de forme arbalète. Pieds à griffes et à boules, d'inspiration Chippendale. Traverse inférieure ornée d'une coquille. Ce modèle fut très répandu au Canada français, de la fin du XVIIIᵉ au début du XIXᵉ siècle. Curieuse combinaison de style Louis XV et de Rococo Chippendale. Poignées et entrées de serrure d'époque, à l'exception de trois mauvaises rosettes qui sont récentes. Fin XVIIIᵉ siècle.

L. 3' 10''   H. 2' 11''   P. 1' 11''
117 cm   89 cm   58 cm

BOIS : érable ondé

(Coll. Musée des Beaux-Arts, Montréal).

491. COMMODE ARBALÈTE, A PIÈTEMENT EN BOTTES. FIN XVIIIᵉ SIÈCLE.

Commode à trois tiroirs de forme « Arbalète » dont les montants se terminent en bottes du genre botte militaire de l'époque. Interprétation naïve et bizarre. Un ornement, probablement une campane, manque au centre de la traverse inférieure. Meuble robuste et naïf. Fin XVIIIᵉ siècle.

L. 4' 3''   H. 2' 10''   P. 2' 3¾''
130 cm   86 cm   70 cm

BOIS : noyer tendre

PROVENANCE : Saint-Basile, près Montréal

(Coll. Musée des Beaux-Arts, Montréal).

492. COMMODE ARBALÈTE CANADIENNE. FIN XVIIIᵉ S.

Commode à trois tiroirs de type « Arbalète », à pieds en sabot, terminés de griffes et de boules. Ceinture ornée d'une rosette ajourée. Déséquilibre particulier causé par la lourdeur des traverses, de la ceinture et de la courbe des pieds en forme de sabot. Transposition très canadienne des styles Louis XV et Chippendale. XVIIIᵉ siècle.

L. 3' 3⅜''   H. 2' 9¾''   P. 2'
100 cm   86 cm   61 cm

BOIS : pin   PROVENANCE : région de Montréal

(Coll. M. Gilles Corbeil, Saint-Hilaire, Qué.).

493. COMMODE LÉGÈREMENT GALBÉE, EN ÉRABLE ONDÉ. FIN XVIIIᵉ SIÈCLE.

Commode légèrement galbée, à trois tiroirs entrés à vif dans le bâti, comme dans les meubles d'ébénisterie. Les montants sont terminés de mains noueuses agrippant une boule. La traverse inférieure, chantournée, est ornée au centre d'un cœur renversé, décoré d'une petite fleur et voisinant avec d'énormes spirales, rappelant les spirales Dunlap du New-Hampshire. Pieds inspirés des boules et des griffes Chippendale. Poignées d'époque Louis XV. Fin XVIIIᵉ siècle.

L. 3' 10¼"   H. 2' 9½"   P. 2"
118 cm   85 cm   61 cm

BOIS : érable ondé   PROVENANCE : Montréal, Qué.

(Coll. Ancien Séminaire de Saint-Sulpice, Notre-Dame de Montréal).

494. COMMODE GALBÉE DE TYPE « TOMBEAU », EN ÉRABLE ONDÉ. FIN XVIIIᵉ SIÈCLE.

Commode galbée de type « tombeau », ornée de trois tiroirs et d'une ceinture chantournée, d'une coquille et d'énormes spirales. Meuble inspiré du mobilier traditionnel dauphinois, mais avec certaines caractéristiques canadiennes, telles que les spirales et la courbe des montants. Tiroirs restaurés. Fin XVIIIᵉ siècle.

L. 3' 4½"   H. 2' 11"   P. 1' 10¼"
103 cm   89 cm   57 cm

BOIS : érable   PROVENANCE : Trois-Rivières, Qué.

(Coll. M. et Mme Harvey Rivard, Trois-Rivières, Qué.).

495. COMMODE ARBALÈTE, ORNÉE DE CONSOLES ET DE PIEDS ROCOCO CHIPPENDALE. FIN XVIIIᵉ SIÈCLE.

Commode à façade de forme « Arbalète », à trois tiroirs. Les montants sont ornés de consoles appliquées, d'esprit Chippendale. Les pieds, en forme de main agrippant une boule, sont aussi d'inspiration Chippendale. Les côtés sont ornés de portes au galbe proéminent dont l'intérieur renferme des tablettes. Pour plus de détails, voir p. 298. Selon la tradition, cette commode proviendrait de l'ancien presbytère de Notre-Dame de Montréal, elle aurait ensuite passé à la Seigneurie Langlois de Portneuf. Commode rococo et bizarre. Cuivres anglais d'époque non adaptés pour ce genre de tiroir. Fin XVIIIᵉ siècle.

L. 3'¾" 3' 11¼"   H. 2' 7"   P. 2"
93 cm 120 cm   79 cm   61 cm

BOIS : noyer tendre   PROVENANCE : Montréal, Qué.

(Coll. M. et Mme John Breakey, Breakeyville, Qué.).

496. COMMODE ARBALÈTE, A PIÈTEMENT EN SPIRALES. FIN XVIIIᵉ SIÈCLE.

Commode à trois tiroirs de forme « Arbalète » dont les montants se terminent en pieds ornés d'énormes spirales. C'est la commode faussement dite « du Marquis de Montcalm », appartenant aux Archives Publiques du Canada, à Ottawa. La commode elle-même est bien française et d'esprit Louis XV, mais le piètement s'inspire des styles William & Mary et Chippendale. Voir p. 298. Les cuivres et les entrées de serrure sont d'époque. On les nomme : « bronzes au page » ou « bronzes au valet ». Couleur d'origine : brun foncé. Fin XVIIIᵉ siècle.

L. 3' 10"   H. 2' 9"   P. 2'
117 cm   84 cm   61 cm

BOIS : noyer.

(Coll. Archives Publiques du Canada, Ottawa, Ont.).

497. COMMODE ARBALÈTE, A PIÈTEMENT EN SPIRALES. FIN XVIIIᵉ SIÈCLE.

Commode à trois tiroirs de forme « Arbalète », ornée de pieds en spirales et à traverse inférieure chantournée, d'inspiration Chippendale et William & Mary. Les pieds en spirales, surmontés d'une fleur de lys, sont assemblés aux montants de la commode. Poignées abattantes, rosettes et entrées de serrure d'époque. Meuble curieux et rare. Voir p. 298. Fin XVIIIᵉ siècle.

L. 4' 4¼"   H. 2' 9"   P. 2' 3¼"
133 cm   84 cm   70 cm

BOIS : noyer tendre   PROVENANCE : Iberville, Qué.

(Coll. Mlle Barbara Richardson, Sainte-Agathe des Monts, Qué.).

498. COMMODE ÉTROITE, A TROIS TIROIRS A RESSAUT, D'INSPIRATION « BREAK-FRONT » AMÉRICAIN. FIN XVIIIᵉ SIÈCLE.

Petite commode à trois tiroirs avec ressaut central d'inspiration « break-front » américain. Ceinture chantournée, à spirales et de motif rocaille. Pieds ornés de feuilles d'acanthe. Les volutes des pieds manquent. Commode étroite, dont la forme n'est pas française, quoique d'inspiration Louis XV. Tiroirs restaurés. Fin XVIIIᵉ siècle.

L. 2' 4"   H. 2' 9"   P. 1' 9"
71 cm   84 cm   53 cm

BOIS : noyer tendre   PROVENANCE : Ile de Montréal

(Coll. Mme L.S. Bloom, Westmount, Qué.).

499. COMMODE RUSTIQUE, D'ESPRIT LOUIS XV. FIN XVIIIᵉ SIÈCLE.

Commode rustique, d'esprit Louis XV, à trois tiroirs, à panneaux latéraux et ceinture chantournés. Pieds galbés. Traverses de la façade lourdes. Fin XVIIIᵉ siècle.

L. 2' 8⅝"   H. 3' ⅝"   P. 2'
83 cm   93 cm   61 cm

BOIS : pin

(Coll. M. et Mme Ross McMaster, Saint-Sauveur des Monts, Qué.).

500. COMMODE ARBALÈTE, DE DÉTROIT. FIN XVIIIᵉ S.

Commode en arbalète de Détroit, à multiples influences et ornée de trois tiroirs. Les petits caissons sont inspirés du Dauphiné, le motif rocaille des pieds, les panneaux latéraux chantournés sont d'inspiration Louis XV, et la palmette de la ceinture est d'esprit Louis XVI. Pieds aux lignes très françaises, mais décoration générale surchargée, ce qui lui donne un aspect baroque. Ce meuble a été sauvé de l'incendie de la ville de Détroit vers 1820, et a toujours appartenu à la famille Moran. Nul ne sait où il fut exécuté, peut-être à Québec ou à Détroit par un artisan canadien. Voir la commode nᵒ 489, de Québec, qui semble avoir été fabriquée par le même artisan, d'après la mouluration des caissons et le décor de la traverse inférieure. Le plateau a été remplacé et le style de la moulure des bords jure avec le reste. Fin XVIIIᵉ siècle.

L. 2' 10¾" H. 2' 8" P. 1' 8¼"
88 cm   81 cm   52 cm

BOIS : noyer tendre

PROVENANCE : Détroit, Mich., États-Unis.

(Coll. Detroit Historical Museum, Détroit, Mich., États-Unis).

501. COMMODE ORNÉE DE FRISES A MOTIFS FLORAUX. FIN XVIIIᵉ SIÈCLE.

Commode à trois tiroirs ornés de frises de fleurs et de feuillages sculptés, d'esprit Louis XV. Chantournement des panneaux latéraux, pieds dont les volutes manquent mais décorés de feuilles d'acanthe. La traverse inférieure, chantournée, méritait d'être décorée. Le plateau ouvre comme un coffre et le tiroir supérieur est factice. Les méchantes poignées que l'on voit ici ont été heureusement remplacées. Peinte en blanc. Fin XVIIIᵉ siècle.

L. 3' 3¼" H. 2' 10" P. 2' ½"
100 cm   86 cm   62 cm

BOIS : pin   PROVENANCE : Pierreville, Qué.

(Coll. M. et Mme W.G. McConnell, Montréal).

502. COMMODE RUSTIQUE SINUEUSE. XIXᵉ SIÈCLE.

Commode rustique sinueuse, à six tiroirs et à montant central droit. L'espace perdu occasionné par les traverses massives hautes est une caractéristique bien canadienne. Disparité entre les montants droits et le galbe recherché des tiroirs. Il n'en reste pas moins que cette commode aux nombreux défauts possède une saveur de terroir. Boutons de bois d'époque. XIXᵉ siècle.

L. 2' 10⅝" H. 1' 11¾" P. 1' 1¾"
88 cm   60 cm   35 cm

BOIS : noyer tendre   PROVENANCE : Saint-Vallier, Qué.

(Coll. Canada Steamship Lines, Tadoussac, Qué.).

503. COMMODE-CHASUBLIER GALBÉE, DE L'ÉCOLE DE QUEVILLON. FIN XVIIIᵉ SIÈCLE OU DÉBUT XIXᵉ SIÈCLE.

Commode-chasublier galbée à deux vantaux ornés de fausses façades de tiroir. Les panneaux latéraux et la ceinture sont chantournés, à motifs rocaille d'esprit Louis XV, mais avec interprétation Rococo canadienne, à la manière de l'école de Quevillon. Voir p. 297. Les pieds surmontés de feuilles d'acanthe sont usés. Un faux-dormant appartient à un des vantaux et à l'intérieur se trouvent plusieurs tablettes pour ranger les chasubles et autres vêtements de culte. Surface du bois abîmée au décapage par un dissolvant trop puissant. Les poignées qui garnissaient les faux tiroirs, manquent; les boutons et le taquet de bois ne sont pas d'époque. Fin XVIIIᵉ ou début XIXᵉ siècle.

L. 4' 5¼"   H. 2' 11⅝" P. 2' 9½"
136 cm   90 cm   85 cm

BOIS : noyer tendre

PROVENANCE : Sacristie de la Chapelle de Notre-Dame de Lourdes, Montréal

(Coll. Musée de la Province, Québec).

504. COMMODE GALBÉE, A BASE AJOURÉE EN ROCAILLE, D'ESPRIT LOUIS XV. FIN XVIIIᵉ SIÈCLE.

Commode galbée à trois tiroirs à ressaut (breakfront), à panneaux latéraux galbés et chantournés et à ceinture ajourée en rocaille, ornée de feuilles d'acanthe, de spirales et de fleurs stylisées. On trouve des commodes dont la base est ajourée en rocaille dans le Languedoc et en Provence. Celle-ci est une commode typique de l'Ile de Montréal, inspirée de l'école de Quevillon. Les pieds galbés, surmontés d'une feuille d'acanthe et d'une fleur, sont rognés. Quelques-unes de ces commodes proviennent de Sainte-Geneviève de Pierrefonds. Exemple de style Louis XV-Rococo canadien, de la fin du XVIIIᵉ et du début du XIXᵉ siècle. Fin XVIIIᵉ siècle.

L. 2' 10"   H. 2' 9¼"   P. 1' 8¾"
86 cm   85 cm   52 cm
3' 6"
107 cm

BOIS : noyer tendre

PROVENANCE : région de Montréal mais trouvée dans le New-Hampshire

(Coll. Royal Ontario Museum, Toronto, Ont.).

505. COMMODE GALBÉE, A BASE AJOURÉE EN ROCAILLE. FIN XVIIIᵉ OU DÉBUT XIXᵉ SIÈCLE.

Commode galbée à base ajourée en rocaille. Les trois tiroirs sont à ressaut, inspirés des modèles « break-front » américain. Les montants sont ornés d'entrelacs, d'inspiration Louis XVI. La ceinture ajourée en rocaille est décorée de spirales, de feuilles d'acanthe et d'une petite palmette. Les pieds galbés, surmontés de motifs floraux, sont sculptés aux extrémités en forme de feuilles d'acanthe. Autre commode d'interprétation canadienne, inspirée de la sculpture des ateliers de Quevillon. Le plateau est fait d'une planche entière de noyer tendre. Les tiroirs ont déjà été restaurés et les queues-d'aronde manquent. Petit meuble baroque et agréable. Fin XVIIIᵉ ou début XIXᵉ siècle.

L. 3' 2⅜''   H. 2' 9½''   P. 2' ¾''
97 cm   85 cm   64 cm

BOIS : noyer tendre PROVENANCE : Ile Bizard, Qué.

(Coll. M. et Mme Eliot S. Frosst, Westmount, Qué.).

506. COMMODE A TROIS TIROIRS, D'INSPIRATION AMÉRICAINE. FIN XVIIIᵉ SIÈCLE.

Petite commode à façade plate, à trois tiroirs, à pieds galbés d'esprit Queen Anne à ceinture chantournée et ornée de coquilles, copiée des Dunlap, famille de menuisiers qui exercèrent leur profession à Bedford, New Hampshire, entre les années 1750 et 1790. Il semble que leurs décors eurent une certaine popularité au Canada français, à la fin du XVIIIᵉ siècle, car on rencontre souvent cette ceinture. Le plateau est galbé et chantourné. Entrées de serrure d'époque. Fin XVIIIᵉ siècle.

L. 3' 4½''   H. 2' 3½''   P. 2' ½''
103 cm   70 cm   62 cm

BOIS : merisier

(Coll. M. et Mme Peter Laing, Dorval, Qué.).

507. COMMODE GALBÉE A DEUX TIROIRS, D'ESPRIT LOUIS XV. FIN XVIIIᵉ SIÈCLE.

Commode galbée à deux tiroirs, à traverse inférieure chantournée et ornée d'une coquille, et à pieds galbés se terminant en sabot, détail typique de certains fauteuils de style Louis XV. La moulure supérieure du premier tiroir manque. Petit meuble élégant. Fin XVIIIᵉ siècle.

L. 2' 11''   H. 1' 8''   P. 1' 11''
89 cm   51 cm   58 cm

BOIS : pin PROVENANCE : Baie Saint-Paul, Qué.

(Coll. M. et Mme F.M. Hutchins, Pembroke, Ont.).

508. PETITE COMMODE COMPOSITE. DÉBUT XIXᵉ SIÈCLE.

Petite commode ornée de deux tiroirs décorés de guillochis et de rosettes; la ceinture appliquée, chantournée et guillochée rappelle le Chippendale chinois. Panneaux latéraux à pointes de diamant d'esprit Louis XIII. Pieds galbés rustiques Louis XV, mais à quatre volutes suggérant des griffes. Consoles des montants ornées de têtes de cygnes, d'esprit Regency. Ensemble composite intéressant. Début XIXᵉ siècle.

L. 3' 1''   H. 2' 8½''   P. 1' 10½''
94 cm   82 cm   57 cm

BOIS : noyer tendre
PROVENANCE : Saint-Benoît-du-Lac, Qué.

(Coll. Mme L.S. Bloom, Westmount, Qué.).

456. PETITE COMMODE, DE MME D'AIL-
LEBOUST. XVIIᵉ S.
SMALL COMMODE, FORMERLY OWNED
BY MME D'AILLEBOUST. 17th C.

457. COMMODE GALBÉE, A QUATRE TIROIRS. XVIIIᵉ S.
SERPENTINE-FRONTED COMMODE, WITH FOUR DRAWERS. 18th C.

458. COMMODE GALBÉE RUSTIQUE EN MERISIER ONDÉ,
D'ESPRIT FIN LOUIS XIV. FIN XVIIIᵉ S.
RUSTIC SERPENTINE-FRONTED COMMODE, OF WAVY
BIRCH, IN LATE LOUIS XIV MANNER. LATE 18th C.

459. COMMODE ORNÉE DE PALMETTES, D'INSPIRATION
LOUIS XVI. FIN XVIIIᵉ S.
COMMODE, WITH PALMETTES, IN THE LOUIS XVI
MANNER. LATE 18th C.

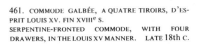

460. COMMODE RUSTIQUE, A TROIS TIROIRS.
DÉBUT XIXᵉ S.
RUSTIC COMMODE, WITH THREE DRAWERS.
EARLY 19th C.

462. PETITE COMMODE RUSTIQUE, A TROIS
TIROIRS. FIN XVIIIᵉ S.
SMALL RUSTIC COMMODE, WITH THREE DRAW-
ERS. LATE 18th C.

461. COMMODE GALBÉE, A QUATRE TIROIRS, D'ES-
PRIT LOUIS XV. FIN XVIIIᵉ S.
SERPENTINE-FRONTED COMMODE, WITH FOUR
DRAWERS, IN THE LOUIS XV MANNER. LATE 18th C.

463. COMMODE GALBÉE, A CURIEUSE CEIN-
TURE. FIN XVIIIᵉ S.
SERPENTINE - FRONTED COMMODE, WITH
UNUSUAL BOTTOM RAIL. LATE 18th C.

464. COMMODE A QUATRE TIROIRS, DE SAINT-
GERVAIS. FIN XVIIIᵉ S.
FOUR-DRAWER COMMODE, FROM ST
GERVAIS. LATE 18th C.

465. COMMODE ARBALÈTE, A TROIS TIROIRS,
D'ESPRIT LOUIS XV. FIN XVIIIᵉ S.
ARBALÈTE-FRONTED COMMODE, WITH THREE
DRAWERS, IN THE LOUIS XV MANNER. LATE
18th C.

COMMODE GALBÉE, A TROIS TI-
S. FIN XVIIIᵉ S.
ENTINE-FRONTED COMMODE, WITH
E DRAWERS. LATE 18th C.

467. COMMODE RUSTIQUE, ORNÉE DE
LOSANGES. FIN XVIIIᵉ S.
RUSTIC COMMODE, DECORATED WITH
LOZENGES. LATE 18th C.

468. COMMODE GALBÉE, D'ESPRIT LOUIS XV. FIN XVIIIᵉ S.
SERPENTINE-FRONTED COMMODE, IN THE LOUIS XV MANNER. LATE 18th C.

469. COMMODE GALBÉE, A TROIS TIROIRS, D'ESPRIT LOUIS XV. FIN XVIIIᵉ S.
SERPENTINE-FRONTED COMMODE, WITH THREE DRAWERS, IN THE LOUIS XV MANNER. LATE 18th C.

470. COMMODE GALBÉE, D'ESPRIT LOUIS XV, D'INSPIRATION DAUPHINOISE. FIN XVIIIᵉ S.
SERPENTINE-FRONTED COMMODE, IN THE LOUIS XV MANNER, SHOWING DAUPHINÉ INFLUENCE. LATE 18th C.

471. COMMODE A TROIS TIROIRS DE
TYPE ARBALÈTE. FIN XVIIIᵉ S.
COMMODE, WITH THREE DRAWERS, OF
ARBALÈTE TYPE. LATE 18th C.

472. COMMODE GALBÉE, DITE « RÉGENCE »,
EN ÉRABLE ONDÉ. FIN XVIIIᵉ S.
" RÉGENCE " SERPENTINE-FRONTED COM-
MODE, IN TIGER MAPLE. LATE 18th C.

473. COMMODE SINUEUSE, A TROIS TIROIRS,
D'ESPRIT LOUIS XV. FIN XVIIIᵉ S.
BROKEN-FRONTED COMMODE, WITH THREE
DRAWERS, IN THE LOUIS XV MANNER.
LATE 18th C.

474. COMMODE « TOMBEAU », A
CEINTURE D'INFLUENCE AMÉRICAINE.
FIN XVIIIᵉ S.
" TOMBEAU " COMMODE, WITH BOT-
TOM RAIL OF AMERICAN DERIVATION.
LATE 18th C.

475. DÉTAIL.
DETAIL.

476. COMMODE « TOMBEAU », A TROIS
TIROIRS. FIN XVIIIᵉ S.
" TOMBEAU " COMMODE, WITH THREE
DRAWERS. LATE 18th C.

477. COMMODE ÉTROITE ET GALBÉE, D'INSPIRATION LOUIS XV.
FIN XVIIIᵉ S.
NARROW SERPENTINE-FRONTED COMMODE, IN LOUIS XV
MANNER. LATE 18th C.

478. COMMODE GALBÉE, D'ESPRIT LOUIS XV, MAIS A
RESSAUT D'INFLUENCE AMÉRICAINE. FIN XVIIIᵉ S.
SERPENTINE-FRONTED COMMODE, IN THE LOUIS XV
MANNER, WITH PROJECTIONS SHOWING AMERICAN
" BREAK-FRONT " INFLUENCE. LATE 18th C.

479. COMMODE ARBALÈTE, A TROIS TIROIRS
FIN XVIIIᵉ S.
COMMODE, WITH THREE DRAWERS, OF
ARBALÈTE TYPE. LATE 18th C.

480. DÉTAIL.
DETAIL.
481. DÉTAIL.
DETAIL.

483. COMMODE GALBÉE, A PIÈTEMENT
FLUENCE CHIPPENDALE. FIN XVIIIᵉ S.
COMMODE, WITH SERPENTINE FRONT
FEET OF CHIPPENDALE DERIVATION.
18th C.

482. DÉTAIL.
DETAIL.

484. COMMODE DITE « TOMBEAU » OU « BOM-
BÉE » D'ESPRIT RÉGENCE. FIN XVIIIᵉ S.
" TOMBEAU " OR " BOMBÉE " COMMODE, IN
THE " RÉGENCE " MANNER.   LATE 18th C.

485. DÉTAIL.
DETAIL.

486. COMMODE A QUATRE TIROIRS, DE VER-
CHÈRES. DÉBUT XIXᵉ S.
COMMODE, WITH FOUR DRAWERS, FROM
VERCHÈRES.   EARLY 19th C.

487. COMMODE A QUATRE TIROIRS, MARQUÉE
DE MULTIPLES INFLUENCES. FIN XVIIIᵉ S.
COMMODE, WITH FOUR DRAWERS, SHOWING
VARIOUS INFLUENCES.   LATE 18th C.

488. DÉTAIL.
DETAIL.

489. COMMODE ARBALÈTE, A QUATRE TI-
ROIRS, D'ESPRIT LOUIS XV. FIN XVIIIᵉ S.
COMMODE, WITH ARBALÈTE FRONT AND
FOUR DRAWERS, IN THE LOUIS XV MANNER.
LATE 18th C.

492. COMMODE ARBALÈTE CANADIENNE. FIN
XVIIIᵉ S.
CANADIAN ARBALÈTE-FRONTED COMMODE.
LATE 18th C.

493. COMMODE LÉGÈREMENT GALBÉE, EN
ÉRABLE ONDÉ. FIN XVIIIᵉ S.
COMMODE, WITH SHALLOW BOW FRONT, IN
TIGER MAPLE. LATE 18th C.

494. COMMODE GALBÉE DE TYPE « TOM-
BEAU », EN ÉRABLE ONDÉ. FIN XVIIIᵉ S.
" TOMBEAU " SERPENTINE-FRONTED COM-
MODE, IN TIGER MAPLE. LATE 18th C.

495. COMMODE ARBALÈTE, ORNÉE DE CONSOLES
ET DE PIEDS ROCOCO CHIPPENDALE. FIN XVIIIᵉ S.
COMMODE, OF ARBALÈTE TYPE, WITH ELABORATE
BRACKET CORNERS AND CLAW-AND-BALL FEET,
IN THE CHIPPENDALE STYLE. LATE 18th C.

496. COMMODE ARBALÈTE, A PIÈTEMENT EN SPIRALES.
FIN XVIIIᵉ S.
ARBALÈTE-FRONTED COMMODE, WITH SPIRALLED FEET.
LATE 18th C.

497. COMMODE ARBALÈTE, A PIÈTEMENT EN SPIRALES.
FIN XVIIIᵉ S.
ARBALÈTE-FRONTED COMMODE, WITH SPIRALLED FEET.
LATE 18th C.

498. COMMODE ÉTROITE, A TROIS TIROIRS A
RESSAUT, D'INSPIRATION « BREAK-FRONT »
AMÉRICAIN. FIN XVIIIe S.
NARROW COMMODE, WITH DRAWERS SHOW-
ING AMERICAN " BREAK-FRONT " INFLUEN-
CE. LATE 18th C.

500. COMMODE ARBALÈTE, DE DÉTROIT.
FIN XVIIIe S.
COMMODE, WITH ARBALÈTE FRONT, FROM
DETROIT. LATE 18th C.

501. COMMODE ORNÉE DE FRISES A MOTIFS FLO-
RAUX. FIN XVIIIᵉ S.
COMMODE, WITH FLORAL MOTIF FRIEZES. LATE
18th C.

502. COMMODE RUSTIQUE SINUEUSE.
XIXᵉ S.
RUSTIC BROKEN-FRONTED COMMODE.
19th C.

503. COMMODE-CHASUBLIER GALBÉE,
DE L'ÉCOLE DE QUEVILLON. FIN
XVIIIᵉ S. OU DÉBUT XIXᵉ S.
ECCLESIASTICAL ROBE CHEST, WITH
SERPENTINE FRONT, IN THE MANNER
OF THE QUEVILLON SCHOOL. LATE
18th C. OR EARLY 19th C.

504. COMMODE GALBÉE, A BASE AJOURÉE EN ROCAILLE, D'ESPRIT LOUIS XV. FIN XVIIIᵉ S.
SERPENTINE-FRONTED COMMODE, WITH OPENWORK ROCAILLE BASE, IN THE LOUIS XV MANNER. LATE 18th C.

505. COMMODE GALBÉE, A BASE AJOURÉE EN ROCAILLE. FIN XVIIIᵉ S. OU DÉBUT XIXᵉ S.
SERPENTINE-FRONTED COMMODE, WITH OPENWORK ROCAILLE BASE. LATE 18th C. OR EARLY 19th C.

506. COMMODE A TROIS TIROIRS, D'INSPIRATION AMÉ-
RICAINE. FIN XVIIIe S.
COMMODE, WITH THREE DRAWERS, OF AMERICAN
INSPIRATION.   LATE 18th C.

507. COMMODE GALBÉE A DEUX TIROIRS, D'ESPRIT
LOUIS XV. FIN XVIIIe S.
SERPENTINE-FRONTED COMMODE, WITH TWO DRAW-
ERS, IN THE LOUIS XV MANNER.   LATE 18th C.

508. PETITE COMMODE COMPOSITE. DÉBUT XIXe S.
SMALL COMPOSITE COMMODE.   EARLY 19th C.

VANTAUX D'ARMOIRE, D'ESPRIT LOUIS XV. COULEURS D'ORIGINE. FIN XVIIIᵉ SIÈCLE.

PORTES

On trouve des portes d'intérieur et d'extérieur fort intéressantes dans les vieilles maisons de pierre qui longent le fleuve Saint-Laurent, de Montréal au Cap Tourmente, sur la rive nord, et jusqu'à la Rivière du Loup, sur la rive sud. On en trouve aussi dans les couvents et les églises, où elles sont plus ornées.

Ce sont des portes pleines ou à demi vitrées, à deux ou à multiples panneaux, que l'on rencontre le plus couramment dans ces maisons canadiennes et dans les maisons religieuses : « de la somme de 80 livres payé aux Sieurs Reiche et Du bois pour fason de deux porte vitré pour la Communaute »[1]. Elles datent, pour la plupart, de la fin du XVIIIᵉ et du début du XIXᵉ siècle. Elles sont d'esprit Louis XIII, à losanges ou à pointes de diamant, ou d'esprit Louis XV, avec chantournement des panneaux, décor de spirales et de rosettes. Les portes vitrées permettaient de laisser pénétrer dans les petites chambres à coucher, souvent mal éclairées, la lumière qui venait de la salle commune et, la nuit, la lueur vacillante du poêle ou de la cheminée.

A cette époque et même plus tard, dans les milieux ruraux français, les portes chantournées et ornées n'existaient à peu près pas. Comme les boiseries et les portes d'églises faisaient l'admiration des Canadiens, ils voulurent donner à leur maison l'élégance recherchée qu'ils trouvaient dans leurs églises. La plupart de ces portes, quand on les trouve, sont très abîmées et ont subi plusieurs mutilations et transformations au cours de deux siècles. Beaucoup étaient de facture très simple, souvent primitive. Là encore, l'habitant cherche à améliorer sa demeure, comme les gens des classes supérieures.

509. PORTES, DES URSULINES DE QUÉBEC. XVIIIᵉ SIÈCLE.

Deux portes aux belles proportions, avec de larges moulures en saillie et des panneaux profonds. Ces portes sont placées dans la salle de la Communauté des Ursulines de Québec. Poignée et entrée de serrure de fer forgé d'époque. XVIIIᵉ siècle.

L. 5' 8¼''   H. 6' 7''
174 cm   201 cm

BOIS : pin   PROVENANCE : Québec

(Coll. Monastère des Ursulines, Québec).

510. PORTE DE CHAMBRE, D'ESPRIT LOUIS XV. FIN XVIIIᵉ SIÈCLE.

Porte de chambre, d'esprit Louis XV, à quatre panneaux dans la partie supérieure et un panneau chantourné à traverse ornée d'un rinceau entre deux spirales. Les doubles spirales de la traverse inférieure sont françaises. Poignée de fer forgé d'époque. Exécutée en 1775, en même temps que la construction de la « maison Marcile », alors dans la paroisse de Longueuil. Fin XVIIIᵉ siècle.

L. 2' 7''   H. 6' 1''
80 cm   185 cm

BOIS : pin   PROVENANCE : Saint-Lambert, Qué.

(Coll. Mme Nettie Sharpe, Saint-Lambert, Qué.).

511. DEUX PORTES CHANTOURNÉES, D'ESPRIT LOUIS XV. XVIIIᵉ SIÈCLE.

Deux portes à panneaux chantournés, d'esprit Louis XV, aux traverses décorées de fleurs sculptées et de spirales gravées, de facture naïve. Fin XVIIIᵉ s.

L. 2' ⅝''   H. 6' 1 ½''
63 cm   187 cm

BOIS : pin

(Coll. M. et Mme A.F. Culver, Pointe-au-Pic, Qué.).

512. PORTE VITRÉE ET DÉCORÉE, DE SAINTE-GENEVIÈVE DE PIERREFONDS. DÉBUT XIXᵉ SIÈCLE.

Porte vitrée à deux panneaux chantournés et dont la traverse est décorée de rosettes, de palmettes, de coquilles et du chiffre « A.M. » (Ave Maria), chiffre que l'on retrouve dans les maisons des religieuses de la Congrégation de Notre-Dame ou des Sulpiciens. Cette porte provient probablement d'une de leurs anciennes maisons de la région de Sainte-Geneviève. Les palmettes ressemblent à celles du nᵒ 513. Poignée de fer forgé d'époque. Début XIXᵉ siècle.

L. 2' 4''   H. 5' 10¼''
71 cm   179 cm

BOIS : pin

(1) Livre des Recettes et dépenses de l'Hôpital-Général de Québec pour les années 1715-1716.

PROVENANCE : Sainte-Geneviève de Pierrefonds, Qué.

(Coll. M. et Mme David Yuile, Sainte-Geneviève de Pierrefonds, Qué.).

513. DEUX PORTES CINTRÉES A DÉCORS MULTIPLES. DÉBUT XIXᵉ SIÈCLE.

Deux portes cintrées à panneaux chantournés d'esprit Louis XV, et décorées de nombreux ornements sculptés : coquilles, palmettes, rosettes, framboises avec feuillage et campanules. Décor chargé et plutôt rococo. Interprétation très canadienne. Ces portes communiquantes, de salon, proviennent d'une ancienne maison de pierre de Sainte-Théodosie, Qué., et furent faites par un menuisier de Saint-Jean-Baptiste de Rouville, vers 1815 ou 1816, au moment de la construction de la maison. Ce menuisier allait de village en village et exécutait meubles et portes, à raison de vingt-cinq sous par jour, pension comprise. Il passait parfois plusieurs mois dans une maison. On a retrouvé de ses travaux dans cette région. Début XIXᵉ siècle.

L. 3' 6¾"   H. 6' 7"
   109 cm   201 cm

BOIS : pin   PROVENANCE : Sainte-Théodosie, Qué.

(Coll. M. et Mme Larry Hart, Senneville, Qué.).

514. PORTE DE CHAMBRE. FIN XVIIIᵉ SIÈCLE.

Porte de chambre ornée de cinq panneaux dont les motifs, en relief, sont cintrés et imitent les plis de serviette simplifiés. Poignée de fer forgé d'époque. Fin XVIIIᵉ siècle.

L. 2' 7⅜"   H. 6' 1½"
   80 cm   187 cm

BOIS : pin

(Coll. Mlle Barbara Richardson, Sainte-Agathe des Monts, Qué.).

515. PORTE DE CHAMBRE DÉCORÉE DE MULTIPLES SPIRALES. FIN XVIIIᵉ SIÈCLE.

Porte de chambre à panneaux chantournés, et dont les traverses sont décorées de multiples spirales. L'interprétation et la profusion des spirales lui donnent un caractère très régional canadien. Fin XVIIIᵉ siècle.

L. 2' 8¾"   H. 6' 2"
   83 cm   189 cm

BOIS : pin

(Coll. M. et Mme Leslie W. Haslett, Sainte-Marguerite, Qué.).

516. PORTE DE CHAMBRE VITRÉE, DE SAINTE-ANNE DE LA PÉRADE. FIN XVIIIᵉ SIÈCLE.

Porte de chambre vitrée aux chantournements très gracieux et élégants. Élargie aux quatre bords.

D'esprit Louis XV. Belle porte canadienne. Fin XVIIIᵉ siècle.

L. 2' 7½"   H. 6' 6"
   80 cm   198 cm

BOIS : pin

PROVENANCE : Sainte-Anne de la Pérade, Qué.

(Coll. M. et Mme J.W. McConnell, Saint-Sauveur des Monts, Qué.).

517. PORTE DE L'ANCIENNE CHAPELLE DE NOTRE-DAME DE LA VICTOIRE, MONTRÉAL. FIN XVIIIᵉ SIÈCLE.

Porte d'esprit Louis XV, de l'ancienne chapelle de Notre-Dame de la Victoire de Montréal, construite en 1713, démolie en 1900. Le panneau supérieur est orné d'un rinceau. Chantournement élégant. Malheureusement, la base a été amputée. Fin XVIIIᵉ siècle.

L. 2' 10¼"   H. 6' 2"
   87 cm   188 cm

BOIS : pin   PROVENANCE : Montréal

(Coll. Château de Ramezay, Montréal).

518. PORTE VITRÉE, A TROIS PANNEAUX. FIN XVIIIᵉ S.

Porte vitrée à traverse supérieure chantournée et à trois panneaux dont deux gravés en croix de Saint-André. Combinaison des motifs Louis XIII et Louis XV. Fin XVIIIᵉ siècle.

L. 2' 4"   H. 6' ¾"
   71 cm   185 cm

BOIS : pin

PROVENANCE : Sainte-Anne de la Pérade, Qué.

(Coll. M. et Mme Gordon Reed, Saint-Sauveur des Monts, Qué.).

519. PORTE, DE SAINTE-GENEVIÈVE DE PIERREFONDS. FIN XVIIIᵉ SIÈCLE.

Porte, de Sainte-Geneviève de Pierrefonds, à deux panneaux chantournés, d'inspiration Louis XV. C'est le style de porte que l'on rencontrait fréquemment dans les vieilles maisons de pierre qui longent le Saint-Laurent, entre Montréal et Sainte-Anne de la Pocatière. Bouton de fer d'époque, particulier à ces portes. Fin XVIIIᵉ siècle.

L. 2'10"   H. 6' 2½"
   86 cm   189 cm

BOIS : pin   PROVENANCE : Sainte-Geneviève
                             de Pierrefonds, Qué.

(Coll. Mlle Barbara Richardson, Sainte-Agathe des Monts, Qué.).

520. PORTE VITRÉE, ORNÉE D'UNE COQUILLE. FIN XVIIIᵉ SIÈCLE.

Porte vitrée dont la traverse supérieure, chantournée, est ornée d'une coquille et dont les deux panneaux verticaux sont chantournés. Porte classique, sauf pour la coquille qui fausse la courbe du chantourne-

ment et forme une excroissance maladroite. Fin
XVIIIe siècle.

L. 2' 8¼''   H. 5' 8¼''
82 cm   174 cm
BOIS : pin
PROVENANCE : Laprairie de la Madeleine, Qué.
*(Coll. M. et Mme Fred Mulligan, Pleasant Valley,
Henrysburg, Qué.).*

521. PORTE ORNÉE DE POINTES DE DIAMANT ET DE PLIS
DE SERVIETTE SIMPLIFIÉS. XVIIIe SIÈCLE.
Porte à quatre panneaux verticaux dont les motifs
sont à pointes de diamant et à plis de serviette simplifiés. Ornée d'un caisson horizontal à la traverse
centrale, et de caissons verticaux entre les panneaux.
Intéressante combinaison de la pointe de diamant,
inspirée du style Louis XIII, et du pli de serviette,
inspiré du Moyen Age. XVIIIe siècle.

L. 2' 6¾''   H. 5' 9⅝''
78 cm   152 cm
BOIS : pin   PROVENANCE : Saint-Barthélémy, Qué.
*(Coll. M. et Mme Wilson Mellen, Sainte-Agathe
des Monts, Qué.).*

522. PORTE VITRÉE, DÉCORÉE DE DEUX ROSETTES.
FIN XVIIIe SIÈCLE.
Porte vitrée à traverse supérieure chantournée,
ornée d'une rosette et à deux panneaux verticaux
chantournés. La traverse centrale est également
agrémentée d'une rosette, mais plus large que la
précédente. Comme dans la porte n° 520, la rosette
supérieure rompt le mouvement du chantournement.
Couleur récente : blanc et rouge. Fin XVIIIe siècle.

L. 2' 5⅝''   H. 5' 6⅝''
75 cm   169 cm
BOIS : pin
(Coll. M. et Mme Pierre Gouin, Saint-Sulpice, Qué.).

523. PORTE DE CHAMBRE VITRÉE. FIN XVIIIe SIÈCLE.
Porte vitrée, dont les arches et le panneau sont
chantournés. Le panneau est agrémenté de spirales
et de fleurs stylisées. Décor et proportions agréables.
Base restaurée. Fin XVIIIe siècle.

L. 2' 7¼''   H. 5' 7¼''
80 cm   171 cm
BOIS : pin
*(Coll. Le Sénateur et Mme H. de M. Molson, Lac
Violon, Sainte-Agathe des Monts, Qué.).*

524. PORTE DE CHAMBRE VITRÉE. FIN XVIIIe SIÈCLE.
Porte de chambre, vitrée, à traverse supérieure et à
panneaux chantournés, d'esprit Louis XV. Porte
vitrée commune et particulière aux vieilles maisons
de la vallée du Saint-Laurent. Remarquer les jolies

moulurations des châssis à verres. Bouton de fer
typique de l'époque. Fin XVIIIe siècle.

L. 2' 6''   H. 5' 10½''
76 cm   179 cm
BOIS : pin
*(Coll. Mlle Barbara Richardson, Sainte-Agathe des
Monts, Qué.).*

525. PORTE A MOTIF D'ESPRIT GOTHIQUE. XVIIIe SIÈCLE.
Porte de chambre à deux panneaux dont le motif,
à doubles spirales, rappelle des décors traditionnels
français, d'esprit gothique. Poignée de fer forgé
d'époque. XVIIIe siècle.

L. 2' 5''   H. 5' 9''
74 cm   175 cm
BOIS : pin
*(Coll. Mlle Barbara Richardson, Sainte-Agathe des
Monts, Qué.).*

526. PORTE DE CHAMBRE DÉCORÉE DE LOSANGES,
D'ESPRIT LOUIS XIII. XVIIIe SIÈCLE.
Porte de chambre à quatre panneaux rectangulaires,
décorés de losanges, et un panneau horizontal orné
d'un croisillon ou d'une croix de Saint-André.
Belle porte, d'inspiration Louis XIII. XVIIIe siècle.

L. 2' 9¾''   H. 5' 7½''
86 cm   171 cm
BOIS : pin
*(Coll. M. et Mme J.W. McConnell, Saint-Sauveur
des Monts, Qué.).*

527. PORTE DE CHAMBRE VITRÉE. FIN XVIIIe SIÈCLE.
Porte de chambre vitrée, ornée d'un panneau chantourné, d'esprit Louis XV. La plus large des deux
spirales rappelle, par son feuillage, les spirales de
certaines portes et panneaux d'église, de la fin du
XVIIIe siècle et du début du XIXe siècle, exécutés dans
les ateliers de Liébert ou de Quevillon. Montants
restaurés. Fin XVIIIe siècle.

L. 2' 8''   H. 6' 11¾''
81 cm   212 cm
BOIS : pin
*(Coll. M. et Mme J.W. McConnell, Saint-Sauveur
des Monts, Qué.).*

528. PORTE D'EXTÉRIEUR, D'ESPRIT REGENCY. DÉBUT
XIXe SIÈCLE.
Porte d'extérieur, à six panneaux et à pilastre central,
orné d'un rinceau, d'inspiration Louis XV. Les
panneaux supérieurs et inférieurs sont décidément
Regency. Les panneaux appliqués du centre sont
chantournés, d'esprit Louis XV, ornés d'un petit
rinceau à fleur de lys et ils ressemblent aux petits
panneaux du buffet deux-corps n° 126. Noter les
encadrements à losanges en chapelet. Déséquilibre
des traverses. Début XIXe siècle.

329

L. 2' 11 ½'' H. 5' 8 ½''
  90 cm   174 cm
BOIS : pin   PROVENANCE : Verchères, Qué.
(Coll. M. Russel J. Barret, Baie d'Urfé, Qué.).

529. PANNEAU DE PORTE, A MOTIFS ROCAILLE (DÉTAIL). DÉBUT XIXᵉ SIÈCLE.

Panneau de porte orné de spirales, de motifs rocaille, de motifs floraux avec crossettes de feuillage. Le meilleur exemple connu du travail de l'École Lié-bert ou Quevillon. Noter les spirales se terminant en crossettes de feuillage, caractéristique de ces ateliers. Cette porte provient de l'ancienne église de Saint-Laurent de Montréal. Début XIXᵉ siècle.

L. 2' 8'' H. 3' 11''
  81 cm   119 cm
BOIS : noyer tendre
PROVENANCE : Saint-Laurent de Montréal
(Coll. Mme R.S. Bloom, Westmount, Qué.).

530. PORTE D'EXTÉRIEUR, DE STYLE ADAM. DÉBUT XIXᵉ SIÈCLE.

Porte d'extérieur, à six panneaux ornés de rosettes et de cartouches elliptiques sculptées, inspirées du style des frères Adam, mais de facture rustique. Début XIXᵉ siècle.

L. 2' 9¾'' H. 6' 6''
  86 cm   198 cm
BOIS : pin
(Coll. Mme Richard R. Costello, Sainte-Agathe des Monts, Qué.).

531. PORTE D'EXTÉRIEUR. ART POPULAIRE. FIN XIXᵉ S.

Porte d'extérieur à sept panneaux décorés de motifs populaires : soleils, urnes reposant sur des tables ornées de plis de serviette, arbustes et rayons sur-montés d'oiseaux minuscules, etc. Facture naïve. Art populaire. XIXᵉ siècle.

L. 2' 8⅝'' H. 5' 10¾''
  83 cm   180 cm
BOIS : pin
PROVENANCE : Sainte-Hénédine de Dorchester, Qué.

(Coll. Russel J. Barret, Baie d'Urfé, Qué.).

532. PORTE D'ÉGLISE, DE STYLE LOUIS XIV. FIN XVIIIᵉ S.

Porte à quatre panneaux décorés d'ornements de style Louis XIV. Le panneau supérieur est orné d'une guirlande agrémentée de ruban. La rosace du panneau central est ornée de rubans et de fleurs et les motifs du cadre sont des perles et des rais-de-cœur. Les deux rosaces des panneaux inférieurs renferment des feuilles de vigne et des grappes de raisin et sont ornées de roses. Cette porte fut trouvée dans l'église de Sainte-Marie de Beauce et proviendrait d'une église de Québec. On a prétendu qu'elle daterait de la fin du XVIIᵉ siècle, et qu'elle viendrait de l'ancienne église des Jésuites de Québec, détruite, en partie, lors du bombardement de la ville, en 1759. Cette porte, à la vérité, est une porte d'inté-rieur. Il ne s'agit certainement pas d'une des portes que l'on voit dans la gravure de Short (intérieur de l'église des Jésuites après le bombardement) les-quelles sont cintrées. Il ne s'agit pas non plus d'une porte d'entrée, parce que celle qui devrait lui faire pendant est très dissemblable. XVIIIᵉ siècle.

L. 2'10'' H. 6' 11 ½''
  86 cm   212 cm
BOIS : noyer tendre   MONTANTS : noyer
PROVENANCE : Québec

(Coll. Musée de la Province, Québec).

509. PORTES, DES URSULINES DE QUÉBEC. XVIIIᵉ S.
DOORS, OF THE URSULINE CONVENT, QUEBEC.   18th C.

510. PORTE DE CHAMBRE, D'ESPRIT LOUIS XV.
FIN XVIIIᵉ S.
BEDROOM DOOR, IN THE LOUIS XV MANNER.
LATE 18th C.

511. DEUX PORTES CHANTOURNÉES, D'ESPRIT
LOUIS XV. XVIIIᵉ S.
TWO SHAPED DOORS, IN THE LOUIS XV
MANNER. 18th C.

512. PORTE VITRÉE ET DÉCORÉE, DE SAINTE-
GENEVIÈVE DE PIERREFONDS. DÉBUT XIXᵉ S.
GLAZED AND DECORATED DOOR, FROM ST
GENEVIÈVE DE PIERREFONDS. EARLY 19th C.

513. DEUX PORTES CINTRÉES A DÉCORS
MULTIPLES. DÉBUT XIXᵉ S.
TWO ARCHED DOORS, WITH VARIEGATED
DECORATION. EARLY 19th C.

514. PORTE DE CHAMBRE. FIN
XVIIIe S.
BEDROOM DOOR. LATE 18th C.

515. PORTE DE CHAMBRE DÉCO-
RÉE DE MULTIPLES SPIRALES. FIN
XVIIIe S.
BEDROOM DOOR, DECORATED WITH
MULTIPLE SPIRALS. LATE 18th C.

516. PORTE DE CHAMBRE VITRÉE, DE SAINTE-
ANNE DE LA PÉRADE. FIN XVIIIe S.
GLAZED BEDROOM DOOR, FROM ST ANNE
DE LA PÉRADE. LATE 18th C.

517. PORTE DE L'ANCIENNE CHAPELLE DE
NOTRE-DAME DE LA VICTOIRE, MONTRÉAL.
FIN XVIIIe S.
DOOR, FROM THE OLD CHAPEL OF NOTRE-DAME
DE LA VICTOIRE, MONTREAL. LATE 18th C.

518. PORTE VITRÉE, A TROIS PAN-
NEAUX. FIN XVIIIᵉ S.
GLAZED DOOR, WITH THREE
PANELS. LATE 18th C.

519. PORTE, DE SAINTE-GENEVIÈVE
DE PIERREFONDS. FIN XVIIIᵉ S.
DOOR, FROM Sᵗ GENEVIÈVE DE
PIERREFONDS. LATE 18th C.

RTE VITRÉE, ORNÉE D'UNE COQUILLE.
IIᵉ S.
DOOR, ORNAMENTED WITH A SHELL.
8th C.

521. PORTE ORNÉE DE POINTES DE DIAMANT
ET DE PLIS DE SERVIETTE SIMPLIFIÉS. XVIIIᵉ S.
DOOR, CARVED WITH DIAMOND POINTS AND
SIMPLIFIED LINEN FOLDS. 18th C.

522. PORTE VITRÉE, DÉCORÉE DE DEUX RO-
SETTES. FIN XVIIIᵉ S.
GLAZED DOOR, ORNAMENTED WITH TWO
ROSETTES. LATE 18th C.

523. PORTE DE CHAMBRE VITRÉE.
FIN XVIIIᵉ S.
GLAZED BEDROOM DOOR. LATE
18th C.

524. PORTE DE CHAMBRE VITRÉE.
FIN XVIIIᵉ S.
GLAZED BEDROOM DOOR. LATE
18th C.

525. PORTE A MOTIF D'ESPRIT GOTHIQUE.
XVIIIᵉ S.
DOOR, WITH DECORATIONS REMINISCENT OF
GOTHIC MOTIFS. 18th C.

526. PORTE DE CHAMBRE DÉCORÉE DE LO-
SANGES, D'ESPRIT LOUIS XIII. XVIIIᵉ S.
BEDROOM DOOR, CARVED WITH LOZENGES,
IN THE LOUIS XIII MANNER. 18th C.

527. PORTE DE CHAMBRE VITRÉE. FIN X
GLAZED BEDROOM DOOR. LATE 18t

528. PORTE D'EXTÉRIEUR, D'ESPRIT RE-
GENCY. DÉBUT XIXᵉ S.
EXTERIOR DOOR, IN THE REGENCY MANNER.
EARLY 19th C.

529. PANNEAU DE PORTE, A MOTIFS RO-
CAILLE (DÉTAIL). DÉBUT XIXᵉ S.
DOOR PANEL, WITH ROCAILLE MOTIFS (DE-
TAIL). EARLY 19th C.

530. PORTE D'EXTÉRIEUR, DE STYLE ADAM.
DÉBUT XIXᵉ S.
EXTERIOR DOOR, IN ADAM STYLE. EARLY
19th C.

531. PORTE D'EXTÉRIEUR. ART POPULAIRE.
FIN XIXᵉ S.
EXTERIOR DOOR, IN FOLK ART STYLE. LATE
19th C.

532. PORTE D'ÉGLISE, DE STYLE LOUIS
FIN XVIIIᵉ S.
CHURCH DOOR, IN THE LOUIS XIV MAN
LATE 18th C.

HORLOGES, ROUETS, LUSTRES

HORLOGES

Les horloges se trouvaient la plupart du temps dans la salle commune; les paysans canadiens vissaient au mur leur horloge pour équilibrer le balancier, les planchers n'étant souvent pas d'équerre.

Les premières horloges sont apparues au XVIIe siècle. Le mouvement et le cadran étaient alors fabriqués en France et, parfois, la gaine de pin, au Canada : (telle l'horloge de Mme de la Peltrie). Plusieurs personnes de condition ont ainsi apporté leur horloge de France. D'après les archives, le premier fabricant d'horloges apparaît vers 1730. Il s'agit de Henry Solo, établi à Québec. A Québec aussi Jean Ferment est mentionné, en 1734, et N. Gosselin, en 1758. Un inventaire de 1738 note : « une Pandule a Corde et Poids sans sonnerie faite par Dubois orloger En Cette Ville Prisée avec sa boete de Bois de Pin... »[1]. Aucune de ces horloges ne semble avoir subsisté. Nous ne connaissons que deux horloges de François Valin, serrurier et armurier à Québec, vers 1750 et qui fabriquait des horloges dont les mouvements étaient en acier. Autrefois, dans le presbytère de la Baie Saint-Paul, il y avait une pendule signée « Valin à Québec ». A Boston, il y a une horloge signée du même artisan.

Aucune gaine ou boîtier connu ne s'inspire des modèles de forme violon qui ne furent populaires en France que plus tardivement, à la fin du XVIIIe siècle [2].

Ce n'est qu'après la conquête que les horloges se répandirent dans les habitations bourgeoises ou paysannes.

Des horlogers anglais s'établirent dans le Québec et y apportèrent le style anglais qui dominait à l'époque, telles ces horloges de James Godfrey Hanna et de James Orkney, fabricants horlogers installés à Québec immédiatement après la conquête.

Aux Trois-Rivières, un canadien, C.S.H. Bellerose, fabrique des horloges, de la fin du XVIIIe siècle jusque vers 1843.

En 1821, des horlogers américains, les cinq frères Twiss, du Connecticut, s'établirent à Montréal. Leurs horloges sont en général signées J.B. et R. Twiss, et les mouvements sont de bois. Un grand nombre de ces horloges se répandirent à travers le pays; elles étaient fabriquées en série. Joseph Balleray à Longueuil, et C.J. Ardouin à Québec, fabriquèrent des horloges du même style. Ardouin d'ailleurs en a importé de France; on peut en voir une dans le parloir de l'Hôpital-Général à Québec. Nos habitants appelaient et appellent encore ces horloges à gaine *horloges grand-père*, traduction de l'anglais « grandfather clock ». Tous les cadrans étaient décorés de motifs floraux, quelques-uns ont été ornés de paysages canadiens par le peintre Cornelius Krieghoff.

Les pendules en bois plaqué n'apparaissent au Canada qu'au XIXe siècle. Elles étaient presque toutes fabriquées en Nouvelle-Angleterre.

L'horloge a toujours été un luxe dans les milieux paysans et a été considérée comme le meuble ayant le plus de valeur.

---

533. HORLOGE FRANÇAISE, A GAINE CANADIENNE.
XVIIe SIÈCLE.

L. 9¾''	H. 6' 8¾''	P. 8½''
25 cm	205 cm	22 cm

Horloge dont le mouvement de cuivre et d'acier est français et dont la gaine a été fabriquée au Canada, dite : « Horloge de Madame de la Peltrie ». Pour plus de détails, voir p. 23. XVIIe siècle.

BOIS : pin   PROVENANCE : Cap Rouge, Qué.

(Coll. M. et Mme Gordon Reed, Saint-Sauveur des Monts, Qué.).

---

(1) A J M. — Inventaire fait a la Reqte du Sr Mocquin du 31e mars 1738, Montréal. Greffe Chèvremont.

(2) Comme il est signalé dans la préface de M. Georges Henri Rivière, page 9.

534. HORLOGE A GAINE, OU « GRAND-PÈRE », D'ESPRIT ANGLAIS. DÉBUT XIXᵉ SIÈCLE.

Horloge à gaine ou *grand-père*, d'esprit anglais. Fabriquée vers 1820 et signée « James Godfrey Hanna ». Porte Chippendale. Début XIXᵉ siècle.

L. 1' 5½''   H. 7' 1¾''   P. 8¼''
  44 cm   218 cm   21 cm

BOIS : acajou   PROVENANCE : Québec

(Coll. Musée de la Province, Québec).

535. HORLOGE « TWISS », DÉBUT XIXᵉ SIÈCLE.

Horloge dont le mouvement est en bois de cerisier et la gaine de pin. D'esprit anglais. Voir p. 339. Début XIXᵉ siècle.

L. 1' 4¾''   H. 7' 1''   P. 9½''
  42 cm   216 cm   24 cm
1' ¼''
  31 cm

BOIS : pin   PROVENANCE : Montréal

(Coll. M. et Mme Georges-Etienne Gagné, Neuville, Qué.).

536. HORLOGE « BELLEROSE ». XIXᵉ SIÈCLE.

Horloge « Bellerose » de Trois-Rivières, dont le boîtier rappelle certaines horloges françaises. Une traverse est ornée d'une coquille en marqueterie. Mouvement de cuivre. Voir p. 339. XIXᵉ siècle.

L. 1' 6¼''   H. 7' 5''   P. 8''
  47 cm   226 cm   20 cm
1' 4¼''
  42 cm

BOIS : noyer tendre
PROVENANCE : Trois-Rivières, Qué.

(Coll. M. et Mme Robertson Fleet, Montréal).

537. HORLOGE « SAVAGE & SONS ». XIXᵉ SIÈCLE.

Horloge signée « Savage & Sons », Montréal. Le mouvement est de métal et le boîtier d'acajou. Fabriquée vers 1830. XIXᵉ siècle.

L. 1' 9''   H. 6' 11½''   P. 10''
  53 cm   212 cm   25 cm

BOIS : acajou   PROVENANCE : Québec

(Coll. Musée de la Province, Québec).

ROUETS

Le rouet n'est pas un meuble mais un instrument artisanal que l'on trouvait dans bien des maisons au XVIIIᵉ et surtout au XIXᵉ siècle. Comme il faisait partie de la vie quotidienne, on le mêlait aux meubles. Quand les travaux ménagers leur permettaient un moment de répit, les femmes filaient la laine et le chanvre. Il y avait deux principaux types de rouets au XVIIIᵉ siècle : l'un à grande roue que l'on actionnait à la main, la femme se tenant debout ; l'autre à petite roue, toujours actionnée à la main, mais près duquel la femme se tenait assise. Ce n'est que plus tard, à la fin du XVIIIᵉ siècle et au début du XIXᵉ, qu'apparaît le rouet à pédale, celui que nous connaissons aujourd'hui.

Le rouet est un objet désuet et pittoresque ; on a pratiquement cessé de filer depuis quelques années dans le Québec. Depuis quelques années aussi, des « ramasseurs » américains viennent avec d'énormes camions pour acheter à travers la province tous les rouets, les dévidoirs et les berceaux. Une fois ces objets décrottés et encaustiqués, ils prennent place chez des Américains aisés, émigrés depuis deux ou trois générations et qui éprouvent le besoin sentimental de se créer des ancêtres. Plusieurs fois, j'ai eu l'occasion de pénétrer dans des « living-rooms » de familles américaines et l'on me montrait avec beaucoup d'orgueil, placé près du foyer, le rouet que l'on me disait avoir appartenu à l'arrière-grand-mère. Il m'était facile de reconnaître en ces reliques ancestrales des rouets québécois sortant de nos greniers.

538. ROUET A PÉDALE. DÉBUT XIXᵉ SIÈCLE.

Rouet à pédale. Début XIXᵉ siècle.

BOIS : merisier   PROVENANCE : Québec

(Coll. Musée des Ursulines, Qué.).

539. PETIT ROUET A PÉDALE, AVEC QUENOUILLE. XVIIIᵉ SIÈCLE.

Petit rouet à pédale, avec quenouille, presque identique aux petits rouets normands et bretons. XVIIIᵉ s.

BOIS : merisier   PROVENANCE : Ile d'Orléans, Qué.

(Coll. Mme J.C. Pouliot, Manoir Mauvide, Saint-Jean, Ile d'Orléans).

540. ROUET A PÉDALE. XIXᵉ SIÈCLE.

Rouet à pédale, XIXᵉ siècle. Le plus connu de nos rouets. On en fabriquait encore dans ce style il y a quelques années. XIXᵉ siècle.

L. 3'   H. 3' 6¼''
  91 cm   108 cm

BOIS : merisier   PROVENANCE : Québec

(Coll. Musée de l'Hôtel-Dieu de Québec).

541. PETIT ROUET A PÉDALE. FIN XVIIIe SIÈCLE.

Petit rouet à pédale, aux montants tournés. Fin XVIIIe siècle.

L. 2' ½''   H. 2' 8¾''
62 cm   83 cm

BOIS : merisier   PROVENANCE : région de Québec
(Coll. Mme Louis Vachon, Sainte-Marie de Beauce, Qué.).

542. ROUET A PÉDALE. FIN XVIIIe SIÈCLE.

Rouet à pédale, rare au Canada et même en France. Fin XVIIIe siècle.

L. 1' 6''   H. 5'
46 cm   152 cm

BOIS : merisier
PROVENANCE : Les Éboulements, Qué.
(Coll. Canada Steamship Lines, Tadoussac, Qué.).

543. PETIT ROUET A PÉDALE. FIN XVIIIe SIÈCLE.

Petit rouet à pédale. Fin XVIIIe siècle.

L. 2'2''   H. 1' 11⅜''
66 cm   60 cm

BOIS : merisier
PROVENANCE : Région des Trois-Rivières
(Coll. Musée du Séminaire des Trois-Rivières, Qué.).

LUSTRES

Tout comme les rouets, les lustres ne devraient pas faire partie du mobilier, mais je les inclus dans cet ouvrage parce qu'ils témoignent du sens esthétique de nos menuisiers-sculpteurs d'église.

On trouve deux mentions de leur présence dans le « Livre de Comptes de la nouvelle Église de Saint-Augustin », près de Québec, en l'année 1731 : « ... Trois lustres de bois pour la messe de minuit dont deux sont tournés et lautre menuiserie qui na que six branches lautre huit lautre trente six » [1], et la seconde mention en 1734 : « payé à Jean Valin la somme de 100 l. pour le lustre de trente branches en façon bois tort » [2].

Depuis, quantité de lustres furent fabriqués et sculptés pour les églises de Saint-Pierre, Ile d'Orléans, en 1734; pour l'église du Cap-Santé, exécutés par Jean-François Godin en 1739; pour Lachenaie, en 1741; pour Charlesbourg, en 1749; et dans un grand nombre d'églises jusqu'en 1833. L'achat des lustres est indiqué dans les Livres de Comptes des différentes paroisses, et les noms des menuisiers-sculpteurs y figurent fréquemment. Ce sont : François Baillairgé, François Lepage, Georges et Daniel Finsterer, André Achim, François-Xavier Berlinguet, André Paquet, Séraphin Bertrand et Honoré Lorrin.

Le lustre canadien est un dérivé du lustre Louis XIV, en cuivre. Ce lustre Louis XIV en cuivre a pris son origine en Hollande, tel qu'on le voit dans les peintures d'intérieurs des Pays-Bas et en particulier dans les tableaux de Vermeer de Delft. Comme, au Canada, nous ne travaillions pas alors le cuivre, les sculpteurs les façonnèrent en bois du pays, en gardant les formes conventionnelles. La sculpture est ornée de pommes de pin et de feuilles d'acanthe. Les fils de fer sont courbes et ornés de boules au centre, et les bobèches sont encastrées aux extrémités pour porter les chandelles. Les lustres ont une, deux ou trois rangées de branches superposées et peuvent porter de huit à trente-six chandelles. L'expression « voir trente-six chandelles » viendrait-elle de ces lustres ?

Tous étaient dorés à la feuille et quelques parties étaient peintes d'un vert très foncé. Certaines églises en comptaient entre dix et vingt. L'éclairage à la chandelle produisait une clarté très spéciale, où le jeu des ombres et des lumières semblait chanter et cet éclairage n'avait rien de comparable avec celui que l'on connaît de nos jours. Un grand nombre de ces lustres étaient en fer-blanc mais de formes quelque peu différentes. Ils furent fabriqués par des forgerons et des ferblantiers. Les tiges ou les branches étaient ornées de feuilles d'arbre, en fer-blanc, dont les veines sont repoussées. Ces appareils d'éclairage ne trouvaient place que dans les grandes maisons et les églises où les plafonds sont surélevés; on y trouvait aussi des flambeaux, des chan-

(1) Livre de Comptes de la Fabrique de Saint-Augustin. Second Mémoire des ameublements qui sont venus à l'Eglise de St. Augustin depuis la fin de l'année 1713 jusqu'à la St. Michel 1731.
(2) Livre de Comptes de la Fabrique de Saint-Augustin pour l'année 1734.

deliers, des martinets en **argent ou en cuivre jaune**, et des lustres en cuivre comme celui illustré par la gravure « Canadian Minuet » extraite du livre « Travels through The Canadas » de George Heriot.

Dans la maison du paysan, la lampe de fer appelée, en France, *lampe d'âtre à harpon*, chez nous *bec de corbeau*, qu'on piquait sur les poutres de la salle commune était le moyen d'éclairage le plus courant; elle contenait de l'huile de marsouin blanc (beluga) ou de loup-marin (pourcil), dans laquelle on faisait tremper une mèche. Dans cette même maison, il y avait quantité de bougeoirs, de martinets, de lanternes de fer-blanc, de chandeliers et de flambeaux d'étain ou de bois, avec des branches de fil de fer. Le mot *fanal* est employé dans un inventaire de 1759. A cette époque on se servait de fanaux et de lanternes sourdes pour éclairer l'extérieur des maisons ou pour aller à l'étable. La lanterne sourde, en forme de poivrière, est percée de petits trous à motifs géométriques qui permettent à la fois de projeter la lumière et d'empêcher que le vent n'éteigne la flamme.

Nos lustres en bois sculpté sont considérés par les connaisseurs canadiens et étrangers comme une des plus belles créations canadiennes.

544. LUSTRE A TROIS RANGÉES DE BRANCHES. DÉBUT XIXᵉ SIÈCLE.

Lustre de bois tourné dont le fût est orné de feuilles d'acanthe, de godrons, d'anneaux, de pommes de pin et de trente branches. Un des rares lustre de ce genre à trois rangées de branches. Peint en vert foncé et doré à la feuille d'or. Bobèches remplacées. Début XIXᵉ siècle.

BOIS : pin

(Coll. de l'auteur, Montréal).

545. LUSTRE TOURNÉ, A TROIS RANGÉES DE BRANCHES. DÉBUT XIXᵉ SIÈCLE.

Lustre de bois tourné. Le fût, orné de godrons et de perles, est doré à la feuille d'or. Bobèches remplacées. Début XIXᵉ siècle.

BOIS : pin

(Coll. Dr et Mme Herbert T. Schwarz, Montréal).

546. LUSTRE EN BOIS SCULPTÉ, A SIX BRANCHES. DÉBUT XIXᵉ SIÈCLE.

Lustre en bois tourné et sculpté dont le fût est orné de feuilles d'acanthe, de pommes de pin et d'un gland. Peint en vert foncé et doré à la feuille d'or. Lustre très répandu dans les églises, au XVIIIᵉ et au XIXᵉ siècle. Deux branches manquent. Début XIXᵉ s.

BOIS : pin

(Coll. M. et Mme Victor Drury, Lac Anne, Qué.).

547. LUSTRE TOURNÉ, AUX MULTIPLES ORNEMENTS. DÉBUT XIXᵉ SIÈCLE.

Lustre de bois tourné. Le fût est orné de feuilles d'acanthe appliquées, de perles, de glands et de campanules ; les branches : de boules, de glands et de bobèches décorées de câbles. Probablement exécuté dans l'atelier de Quevillon ou par un de ses apprentis. Un lustre presque identique se trouve au Musée Mc Cord de Montréal. Début XIXᵉ siècle.

BOIS : pin   PROVENANCE : Ancienne église de Sainte-Thérèse de Blainville, Qué.

(Coll. Dr et Mme Herbert T. Schwarz, Montréal.)

548. LUSTRE EN BOIS, DE L'ANCIENNE ÉGLISE DE LONGUEUIL. DÉBUT XIXᵉ SIÈCLE.

Lustre à vingt branches, exécuté en 1826, par le menuisier-sculpteur André Achim pour l'église de Longueuil. On le décrit ainsi dans le livre de comptes de la Fabrique... « Lustre en bois et en fil de fer. Le fût est en bois sculpté et doré. Les tiges sont ornées de petites boules de bois. » C'est le type de lustre classique, de la fin du XVIIIᵉ siècle et du début du XIXᵉ. Orné de feuilles d'acanthe, de raisins ou de pommes de pin, avec ses nombreuses branches et ses boules. Peint vert foncé et doré à la feuille d'or, c'est une création canadienne, inspirée du lustre en cuivre Louis XIV ou hollandais. Début XIXᵉ siècle.

BOIS : pin

(Coll. Château de Ramezay, Montréal).

549. LUSTRE A HUIT BRANCHES, D'INSPIRATION LOUIS XIV. XVIIIᵉ SIÈCLE.

Lustre à huit branches, en bois sculpté et tourné. Le fût est orné d'une urne et d'une pomme de pin. Les branches sont décorées de feuilles d'acanthe et de spirales ; les bobèches, de feuillage incurvé et de perles. Selon la tradition orale des religieuses Ursulines, ce lustre était accroché devant l'autel du Sacré-Cœur, en 1739. Seul exemple que je connaisse d'un lustre datant du milieu du XVIIIᵉ siècle.

BOIS : pin

(Coll. Musée des Ursulines de Québec).

550. CHANDELIER RUSTIQUE EN BOIS TOURNÉ, A DOUZE BRANCHES. FIN XVIIIᵉ SIÈCLE.

Chandelier en bois tourné, à douze branches de fer et à bobèches en fer-blanc. Objet ne manquant pas de charme. Fin XVIIIᵉ siècle.

(Coll. M. et Mme F.M. Hutchins, Pembroke, Ont.).

533. HORLOGE FRAN-ÇAISE, A GAINE CA-NADIENNE. XVIIᵉ S. FRENCH CLOCK, WITH CANADIAN CASE. 17th C.

535. HORLOGE « TWISS ». DÉBUT XIXᵉ S. CLOCK, BY THE TWISS BROTHERS. EARLY 19th C.

537. HORLOGE « SAVAGE & SONS ». XIXᵉ S. CLOCK, BY SAVAGE & SONS. 19th C.

534. HORLOGE A GAI-NE, OU « GRAND-PÈ-RE », D'ESPRIT AN-GLAIS. DÉBUT XIXᵉ S. GRANDFATHER CLOCK, IN THE ENGLISH MANNER. EARLY 19th C.

536. HORLOGE « BELLEROSE ». XIXᵉ S. CLOCK, BY BELLE-ROSE. 19th C.

538. ROUET A PÉDALE. DÉBUT XIXᵉ S.
PEDAL-OPERATED SPINNING-WHEEL.
EARLY 19th C.

539. PETIT ROUET A PÉDALE, AVEC
QUENOUILLE. XVIIIᵉ S.
SMALL PEDAL-OPERATED SPINNING-
WHEEL, WITH DISTAFF. 18th C.

540. ROUET A PÉDALE. XIXᵉ S.
PEDAL-OPERATED SPINNING-WHEEL.
19th C.

541. PETIT ROUET A PÉDALE. FIN
XVIIIᵉ S.
SMALL PEDAL-OPERATED SPINNING-
WHEEL. LATE 18th C.

542. ROUET A PÉDALE. FIN XVIIIᵉ S.
PEDAL-OPERATED SPINNING-WHEEL.
LATE 18th C.

543. PETIT ROUET A PÉDALE. FIN
XVIIIᵉ S.
SMALL PEDAL-OPERATED SPINNING-
WHEEL. LATE 18th C.

544. LUSTRE A TROIS RANGÉES DE BRANCHES.
DÉBUT XIXᵉ S.
THREE-TIERED CHANDELIER.   EARLY 19th C.

545. LUSTRE TOURNÉ, A TROIS RANGÉES DE
BRANCHES. DÉBUT XIXᵉ S.
THREE-TIERED TURNED CHANDELIER.   EARLY
19th C.

546. LUSTRE EN BOIS SCULPTÉ, A SIX BRAN-
CHES. DÉBUT XIXᵉ S.
CARVED WOODEN CHANDELIER, WITH SIX
BRANCHES.   EARLY 19th C.

547. LUSTRE TOURNÉ, AUX MULTIPLES ORNE-
MENTS. DÉBUT XIXᵉ S.
TURNED CHANDELIER, WITH MULTIPLE
ORNAMENTS. EARLY 19th C.

549. LUSTRE A HUIT BRANCHES, D'INSPIRA-
TION LOUIS XIV. XVIIIᵉ S.
EIGHT-BRANCHED CHANDELIER, DERIVED
FROM LOUIS XIV MODELS. 18th C.

548. LUSTRE EN BOIS, DE L'ANCIENNE ÉGLISE
DE LONGUEUIL. DÉBUT XIXᵉ S.
WOODEN CHANDELIER, FROM THE OLD
CHURCH OF LONGUEUIL. EARLY 19th C.

550. CHANDELIER RUSTIQUE EN BOIS TOURNÉ,
A DOUZE BRANCHES. FIN XVIIIᵉ S.
RUSTIC CANDELABRA, WITH TWELVE BRAN-
CHES, IN TURNED WOOD. LATE 18th C.

OBJETS USUELS
ET MANTEAUX DE CHEMINÉE

OBJETS USUELS ET DÉCORATIFS

Des objets d'utilité courante agrémentent la maison canadienne. Bien qu'ils aient un but fonctionnel, l'habitant aimait à les enjoliver et à les décorer. Ce sont des cadres de miroir, des cassettes, des petits coffrets, des boîtes à sel, à peignes, à pipes, à couteaux, des petites pelles pour ramasser la poussière, des tablettes, etc. La plupart de ces objets étaient fabriqués par les paysans eux-mêmes pendant la veillée et sont d'allure simple et naïve. Quelques-uns sont faits par des sculpteurs de métier, on le reconnaît aux ornements.

Il existe de nombreux coffrets carrés, ronds et ovales qui furent façonnés par des Indiens ou à la manière indienne. Ils étaient ornés de dessins géométriques inspirés des motifs de leur folklore ou de motifs empruntés aux Européens.

Tous les objets usuels et décoratifs fabriqués par les paysans reflètent l'âme de notre terroir; bien qu'ils ne soient pas sophistiqués, ils montrent que ces paysans, même s'ils n'avaient pas d'éducation artistique, avaient un sens esthétique naturel.

551. COFFRET ORNÉ DE DESSINS GÉOMÉTRIQUES. XVIIIᵉ SIÈCLE.

Coffret sculpté, orné de dessins géométriques dont les motifs se retrouvent partout en Europe. A noter les molettes à rayons incurvés. La plupart de ces motifs ont été créés au bout du compas. Art populaire, ayant pris racine au Moyen Age. Ce coffret ferme à tirette. Il servait parfois de boîte à chandelles. XVIIIᵉ siècle.

BOIS : pin   PROVENANCE : Saint-Joachim, Qué.

(Coll. Mlle Barbara Richardson, Sainte-Agathe des Monts, Qué.).

552. COFFRET ORNÉ DE DESSINS GÉOMÉTRIQUES. XIXᵉ S.

Petit coffret orné de dessins géométriques. Art populaire. On retrouve quelques motifs populaires, tels que rouelles solaires, étoiles, dents de scies, dents de loup, treillis, plis de serviette simplifiés, losanges, etc. XIXᵉ siècle.

BOIS : pin

(Coll. Mme L.S. Bloom, Westmount, Qué.).

553. PETIT COFFRET AUX APPLIQUES SCULPTÉES. XVIIIᵉ SIÈCLE.

Petit coffret orné de sculptures appliquées : étoiles, cygnes, boucles, fleurs, cabochons, etc. Art populaire. XVIIIᵉ siècle.

L. 1'   H. 6''   P. 8''
31 cm   15 cm   21 cm

BOIS : noyer tendre

PROVENANCE : Trois-Rivières, Qué.

(Coll. Musée du Séminaire des Trois-Rivières, Qué.).

554. BOITE ORNÉE DE STRIES DIAGONALES. XVIIIᵉ SIÈCLE.

Boîte ornée de carreaux striés et gravés en sens opposés, produisant un effet de lumière particulier. Bordure en dents de loup. Rappelle les stries parallèles que l'on trouve dans certains meubles bressans. XVIIIᵉ siècle.

L. 5¼''   H. 2⅜''   P. 3⅜''
13 cm   6 cm   8 cm

BOIS : pin

(Coll. M. et Mme George-Etienne Gagné, Neuville, Qué.).

555. PETIT COFFRET-BAHUT. XVIIIᵉ SIÈCLE.

Petit coffret-bahut décoré de palmettes de sapin, de dents de loup, de guillochis et de losanges. Joli petit bahut canadien. XVIIIᵉ siècle.

BOIS : pin   PROVENANCE : Québec

(Coll. Musée de l'Hôtel-Dieu, Québec).

556. PETIT COFFRET SCULPTÉ, DES ÉBOULEMENTS. XIXᵉ SIÈCLE.

Petit coffret orné de panneaux sculptés représentant des cygnes, des canards, des oiseaux, des branches et des feuilles. XIXᵉ siècle.

L. 1' ¼''   H. 6½''   P. 8½''
31 cm   16 cm   22 cm

BOIS : pin   PROVENANCE : Les Éboulements, Qué.

(Coll. de l'auteur, Montréal).

557. BOITE OVALE, D'INSPIRATION INDIENNE. XVIIIe S.

Boîte de forme ovale façonnée en bois mince et courbe. Le couvercle est orné de dessins géométriques et de feuilles gravées à la gouge, à la manière indienne. Probablement fabriqué par un Huron de la Jeune-Lorette. XVIIIe siècle.

L. 1' 1"   H. 8"   P. 7⅜"
33 cm   20 cm   19 cm

BOIS : couvercle d'érable   PROVENANCE : Québec

(Coll. Musée de l'Hôtel-Dieu, Québec).

558. PETIT CADRE DE MIROIR, D'ESPRIT LOUIS XV ET LOUIS XVI. FIN XVIIIe SIÈCLE.

Cadre de miroir décoré d'une palmette Louis XVI, de crossettes de feuillage, d'esprit Louis XV. Fin XVIIIe siècle.

L. 1' 5"   H. 2' 3"
43 cm   69 cm

BOIS : noyer tendre

(Coll. Mlle Barbara Richardson, Sainte-Agathe des Monts, Qué.).

559. CADRE DE RELIQUAIRE CANADIEN. FIN XVIIIe S.

Cadre de reliquaire canadien provenant d'une église. Le cartouche ovale contenait la relique ; le cadre inférieur, le parchemin attestant l'authenticité de la relique. Cadre rococo orné de coquilles, d'étoiles, de volutes, de feuillage et d'une tête de chérubin. Il en existe d'autres, presque identiques, dans l'église de Saint-Jean Port Joli et à Notre-Dame de Montréal. Fin XVIIIe siècle.

L. 1' 6½"   H. 2' 6½"
47 cm   77 cm

BOIS : pin

PROVENANCE : Saint-Roch l'Achigan, Qué.

(Coll. M. L.V. Randall, Montréal).

560. CADRE DE MIROIR NAIF. ART POPULAIRE. XIXe S.

Cadre de miroir naïf, orné de personnages et d'animaux. Art populaire. XIXe siècle.

L. 1' 8"   H. 2' 4"
51 cm   71 cm

BOIS : pin

(Coll. Mme Richard R. Costello, Sainte-Agathe des Monts, Qué.).

561. CADRE DE MIROIR RUSTIQUE. XIXe SIÈCLE.

Cadre de miroir rustique avec petits ajours. XIXe s.

L. 1' 4⅝"   H. 2' ⅝"
42 cm   62 cm

BOIS : pin

(Coll. M. et Mme J.N. Cole, La Malbaie, Qué.).

562. PETITE CORNICHE, DE VERCHÈRES. FIN XVIIIe S.

Petite corniche, de Verchères, ornée de moulures, de rosettes et de canaux. Fin XVIIIe siècle.

L. 1' 10¼"   H. 8"   P. 4½"
57 cm   20 cm   11 cm

BOIS : pin

PROVENANCE : Petit Coteau, Verchères, Qué.

(Coll. Mme Nettie Sharpe, Saint-Lambert, Qué.).

563. CORNICHE, DE CHATEAUGUAY. FIN XVIIIe SIÈCLE.

Corniche, de Châteauguay, ornée de sculptures fines représentant des feuilles d'acanthe, des perles, des stries parallèles, des rinceaux, des feuilles de vigne, des rosettes et des roses. De la main d'un menuisier-sculpteur de métier. Fin XVIIIe siècle.

L. 4' 2"   H. 1' 1"   P. 7"
127 cm   33 cm   18 cm:

BOIS : pin et merisier

PROVENANCE : Châteauguay, Qué.

(Coll. Mme Nettie Sharpe, Saint-Lambert, Qué.).

564. TABLETTE, A MOTIFS SCULPTÉS ET APPLIQUÉS. XIXe SIÈCLE.

Tablette ornée de marguerites, de feuilles de fougère, de denticules et d'un câble. XIXe siècle.

L. 2' 8¼"   H. 1' 3"   P. 5¼"
82 cm   38 cm   13 cm

BOIS : pin   PROVENANCE : Caughnawaga, Qué.

(Coll. Canada Steamship Lines, Tadoussac, Qué.).

565. TABLETTE RUSTIQUE. ART POPULAIRE. XIXe SIÈCLE.

Tablette (art populaire) de la même main que la précédente, mais ornée d'une tête d'ange, apparemment de type indien, et fort probablement sculptée par un Iroquois de Caughnawaga. XIXe siècle.

L. 2' 3"   H. 1' 2½"   P. 5"
69 cm   37 cm   13 cm

BOIS : pin   PROVENANCE : Caughnawaga, Qué.

(Coll. M. et Mme P.T. Molson, Lac Violon, Sainte-Agathe des Monts, Qué.).

566. PETITE TABLETTE RUSTIQUE. XIXe SIÈCLE.

Petite tablette rustique à traverses chantournées, ornée d'une double rouelle solaire, de guirlandes de feuillage, de losanges sur la tablette inférieure et des initiales « A.b. ». XIXe siècle.

BOIS : pin

(Coll. M. et Mme Bronson Culver, Montréal).

567. CORNICHE, DE QUÉBEC. XVIIIe SIÈCLE.

Corniche, de Québec, ornée de denticules, d'oves et de festons. XVIIIe siècle.

L. 2' 4¾"   H. 6⅝"   P. 4⅝"
73 cm   17 cm   12 cm

BOIS : pin   PROVENANCE : Québec

(Coll. Mlle Barbara Richardson, Sainte-Agathe des Monts, Qué.).

568. CORNICHE A STRIES VERTICALES. XVIIIe SIÈCLE.

Corniche ornée de stries verticales et parallèles. XVIIIe siècle.

L. 4'   H. 6¾''   P. 4¾''
122 cm   17 cm   12 cm
BOIS : pin
(Coll. Canada Steamship Lines, Tadoussac, Qué.).

569. CORNICHE RUSTIQUE. XIXᵉ SIÈCLE.
Corniche rustique à motifs de losanges, de denticules et de câbles. XIXᵉ siècle.
L. 2' ¼''   H. 5⅝''   P. 4¾''
62 cm   14 cm   12 cm
BOIS : pin
(Coll. M. et Mme J.N. Cole, Montréal).

570. PETITE CORNICHE RUSTIQUE. XVIIIᵉ SIÈCLE.
Petite corniche rustique ornée de rais-de-cœur et d'oves. XVIIIᵉ siècle.
L. 1' 5⅜''   H. 7''
44 cm   18 cm
BOIS : pin
(Coll. M. et Mme J.N. Cole, Montréal).

571. BOITE A SEL RUSTIQUE. XIXᵉ SIÈCLE.
Boîte à sel rustique. XIXᵉ siècle.
BOIS : pin
(Coll. Mme L.S. Bloom, Westmount, Qué.).

572. BOITE A SEL, DE SAINT-DENIS-SUR-RICHELIEU. XIXᵉ SIÈCLE.
Boîte à sel, de Saint-Denis-sur-Richelieu, ornée d'un tiroir et surmontée de deux oies. XIXᵉ siècle.
L. 10½''   H. 1' 7''   P. 7''
27 cm   48 cm   18 cm
BOIS : pin
(Coll. Mme Nettie Sharpe, Saint-Lambert, Qué.).

573. BOITE A SEL RUSTIQUE. XIXᵉ SIÈCLE.
Boîte à sel rustique, à côtés chantournés. XIXᵉ siècle.
BOIS : pin   PROVENANCE : région de Québec
(Coll. M. et Mme Claude Bertrand, Outremont, Qué.).

574. BOITE A SEL RUSTIQUE, ART POPULAIRE. XIXᵉ S.
Boîte à sel rustique ornée de trois coqs et de trèfles, avec, sur le couvercle abattant, les initiales « LL ». XIXᵉ siècle.
BOIS : pin
(Coll. Mme L.S. Bloom, Westmount, Qué.).

575. BOITE A SEL RUSTIQUE. XVIIIᵉ SIÈCLE.
Boîte à sel rustique, ornée d'un couvercle abattant. XVIIIᵉ siècle.
BOIS : pin   PROVENANCE : région de Québec
(Coll. M. et Mme Claude Bertrand, Outremont, Qué.).

576. PELLE A POUSSIÈRE. XVIIIᵉ SIÈCLE.
Pelle à poussière. XVIIIᵉ siècle.
BOIS : pin   PROVENANCE : Québec
(Coll. Musée de l'Hôtel-Dieu, Québec).

577. PETITE URNE RUSTIQUE, A DOS PLAT. XVIIIᵉ SIÈCLE.
Petite urne rustique, ou boîte à sel à dos plat, décorée d'une coquille et dont la lèvre est chantournée. XVIIIᵉ siècle.
(Coll. M. et Mme P.T. Molson, Lac Violon, Sainte-Agathe des Monts, Qué.).

578. BOITE A COUTEAUX RUSTIQUE. XIXᵉ SIÈCLE.
Boîte à couteaux rustique, ornée de dessins géométriques peints et dont la partie supérieure est chantournée et ajourée. XIXᵉ siècle.
BOIS : pin
(Coll. Canada Steamship Lines, Tadoussac, Qué.).

579. BOITE A SEL RUSTIQUE, A LONGUE PLANCHETTE. XIXᵉ SIÈCLE.
Boîte à sel rustique, à longue planchette. Le gros sel est broyé sur la planchette. XIXᵉ siècle.
BOIS : pin
(Coll. M. et Mme H.J. Godber, Sainte-Agathe des Monts, Qué.).

MANTEAUX DE CHEMINÉE

Dans la description de la maison rurale canadienne, j'ai parlé de la cheminée. Les cheminées canadiennes étaient en pierre, presque toutes revêtues de crépi blanchi à la chaux, donc d'une très grande simplicité. La mode du manteau de cheminée se manifesta vers la fin du XVIIIᵉ siècle dans les maisons bourgeoises de Québec et de Montréal, dans les couvents et parfois dans les maisons des habitants.

Le manteau de cheminée est une boiserie revêtant la cheminée. Ainsi la cheminée, en plus d'avoir un rôle utilitaire, devient un ornement. Le foyer de la cheminée était protégé pendant la belle saison par des panneaux ou *portes d'été* qu'on enlevait pendant les mois où il était nécessaire de chauffer. Ces panneaux ou *portes d'été* présentaient de nombreux avantages, entre autres celui d'éviter que le froid ne pénètre dans la pièce, que le vent, en s'engouffrant dans la cheminée, ne projette la suie à l'intérieur, ou que les oiseaux n'envahissent la salle commune.

Quelques maisons de pierre de l'île de Montréal, vers la fin du XVIIIe siècle, avaient des cheminées revêtues de linteaux ornés de panneaux étroits et horizontaux; les panneaux de la hotte étaient verticaux; d'autres, chantournés, encadraient un grand panneau central. Quelques manteaux de cheminée, tels ceux d'une ancienne maison du Bout-de-l'Ile, de Montréal, du dispensaire de l'Hôpital-Général de Québec (œuvre de Pierre Emond) et de l'ancien presbytère de la basilique de Québec, étaient ornés de linteaux chantournés sous la tablette : linteaux dérivés de ces cheminées de marbre de style Louis XV, courantes en France.

Les pilastres du jambage de certains manteaux de cheminée canadiens s'inspiraient très souvent du style Adam, avec ses soleils et ses cannelures, et par la suite du style Regency. Presque toutes les maisons bourgeoises de Québec et de Montréal au début du XIXe siècle adopteront ces styles.

580. MANTEAU DE CHEMINÉE, D'INSPIRATION LOUIS XV. FIN XVIIIe SIÈCLE.

Manteau de cheminée, d'inspiration Louis XV, exécuté par Pierre Emond, menuisier-sculpteur, pour les religieuses de l'Hôpital-Général de Québec, entre les années 1770 et 1780. Pierre Emond s'est sans doute inspiré des linteaux de marbre des cheminées de style Louis XV. On peut encore voir cette cheminée dans la pharmacie de l'hôpital. Les poignées des « portes d'été » sont récentes. XVIIIe siècle.

L. 5' 1''   H. 4'
155 cm   122 cm
BOIS : pin   PROVENANCE : Québec

(Coll. Hôpital-Général, Québec).

581. MANTEAU DE CHEMINÉE, D'UNE MAISON DU BOUT-DE-L'ILE, MONTRÉAL. FIN XVIIIe SIÈCLE.

Manteau de cheminée à linteau chantourné, d'inspiration Louis XV, dont les pilastres du jambage sont d'inspiration Louis XVI ou Adam, avec des cannelures et des rosettes. Les panneaux de la hotte sont décorés de fleurs et d'oiseaux peints. Le grand panneau de la hotte et le panneau du foyer (lequel sert de « porte d'été ») sont ornés de soleils et de rayons. Ce manteau de cheminée provient d'une vieille maison de pierre du Bout-de-l'Ile, Montréal. Fin XVIIIe siècle.

L. 5'   H. 8' 5''
157 cm   257 cm
BOIS : pin   PROVENANCE : Bout-de-l'Ile, Montréal

(Coll. M. et Mme Jean Raymond, Westmount, Qué.).

582. MANTEAU DE CHEMINÉE, DE STYLE ADAM. FIN XVIIIe SIÈCLE.

Manteau de cheminée orné de plusieurs panneaux aux moulures appliquées, de corniches et de pilastres de style Adam. Les pilastres de la hotte sont décorés de losanges et lui donnent une allure rustique. Ce manteau de cheminée est placé dans la salle de la communauté du Monastère des Ursulines de Québec. Fin XVIIIe siècle.

L. 7'   H. 9' 6¾''
213 cm   291 cm

BOIS : merisier   PROVENANCE : Québec

(Coll. Monastère des Ursulines, Québec).

583. MANTEAU DE CHEMINÉE, DE L'ILE D'ORLÉANS. FIN XVIIIe SIÈCLE.

Manteau de cheminée dont les pilastres sont ornés de stries, en forme de chevrons, imitant les pointes de flèche. La sculpture de la corniche comprend un câble, des denticules et des canaux. Les deux panneaux sont décorés de fleurs de lys et de rosettes, mais les perles, chose curieuse, sont des pois incrustés dans le bois. L'influence Adam prédomine. Fin XVIIIe siècle.

L. 4' 6''   H. 5' 5½''
137 cm   166 cm
BOIS : pin   PROVENANCE : Ile d'Orléans.

(Coll. M. Russel J. Barret, Baie d'Urfé, Qué.).

584. MANTEAU DE CHEMINÉE, D'ESPRIT ADAM ET REGENCY. DÉBUT XIXe SIÈCLE.

Manteau de cheminée dont les panneaux, les « portes d'été », sont d'esprit Adam et dont les colonnades, ornées de cannelures, de godrons et de serviettes, sont d'inspiration Fin Regency. Des rinceaux de fleurs et de feuilles d'eau sont appliqués sur le linteau. Début XIXe siècle.

L. 4' ½''   H. 4' 8⅝''
123 cm   144 cm
BOIS : pin

(Coll. M. et Mme Eliot S. Frosst, Westmount, Qué.).

585. MANTEAU DE CHEMINÉE, D'ESPRIT ADAM. DÉBUT XIXe SIÈCLE.

Manteau de cheminée orné de pilastres cannelés, d'un linteau à rinceaux appliqués renfermant des fleurs et des feuilles d'eau, comme dans le manteau de cheminée précédent, le n° 584. La tablette et sa corniche sont ornées de câbles. D'inspiration Adam. Début XIXe siècle.

L. 4' 6½''   H. 4' 3¾''
138 cm   131 cm
BOIS : pin

(Coll. Mme Richard R. Costello, Sainte-Agathe des Monts, Qué.).

551. **COFFRET ORNÉ DE DESSINS GÉOMÉTRIQUES.** XVIIIᵉ S. CASKET, CARVED WITH GEOMETRIC DESIGNS. 18th C.

552. **COFFRET ORNÉ DE DESSINS GÉOMÉTRIQUES.** XIXᵉ S. SMALL CASKET, CARVED WITH GEOMETRIC DESIGNS. 19th C.

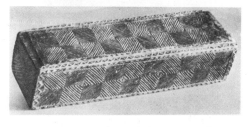

553. **PETIT COFFRET, AUX APPLIQUES SCULPTÉES.** XVIIIᵉ S. SMALL CASKET, WITH APPLIQUÉ CARVINGS. 18th C.

554. **BOITE ORNÉE DE STRIES DIAGONALES.** XVIIIᵉ S. BOX, CARVED WITH DIAGONAL REEDING. 18th C.

555. **PETIT COFFRET-BAHUT.** XVIIIᵉ S. MINIATURE TRUNK. 18th C.

556. **PETIT COFFRET SCULPTÉ, DES ÉBOULEMENTS.** XIXᵉ S. SMALL CARVED CASKET, FROM LES ÉBOULEMENTS. 19th C.

557. **BOITE OVALE, D'INSPIRATION INDIENNE.** XVIIIᵉ S. OVAL BOX, IN THE INDIAN MANNER. 18th C.

558. PETIT CADRE DE MIROIR, D'ESPRIT
LOUIS XV ET LOUIS XVI. FIN XVIIIᵉ S.
SMALL MIRROR FRAME, IN THE LOUIS XV
AND LOUIS XVI MANNERS. LATE 18th C.

560. CADRE DE MIROIR NAÏF. ART POPU-
LAIRE. XIXᵉ S.
NAIVE FOLK ART MIRROR FRAME. 19th C.

561. CADRE DE MIROIR RUSTIQUE. XIXᵉ S.
RUSTIC MIRROR FRAME. 19th C.

562. PETITE CORNICHE, DE VERCHÈRES. FIN
XVIIIᵉ S.
SMALL SHELF, FROM VERCHÈRES. LATE
18th C.

563. CORNICHE, DE CHATEAUGUAY. FIN
XVIIIᵉ S.
SHELF, FROM CHATEAUGUAY. LATE 18th C.

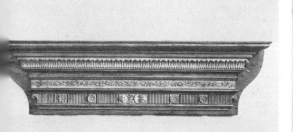

564. TABLETTE, A MOTIFS SCULPTÉS ET
APPLIQUÉS. XIXᵉ S.
SHELF, WITH CARVED AND APPLIQUÉ MOTIFS.
19th C.

565. TABLETTE RUSTIQUE. ART POPULAIRE.
XIXᵉ S.
RUSTIC SHELF, IN FOLK ART STYLE. 19th C.

566. PETITE TABLETTE RUSTI-
QUE. XIXᵉ S.
SMALL RUSTIC SHELF.   19th C.

567. CORNICHE, DE QUÉBEC.
XVIIIᵉ S.
SHELF, FROM QUEBEC.   18th C.

568. CORNICHE A STRIES VER-
TICALES. XVIIIᵉ S.
SHELF, ORNAMENTED WITH VER-
TICAL REEDING.   18th C.

569. CORNICHE RUSTIQUE.
XIXᵉ S.
RUSTIC SHELF.   19th C.

570. PETITE CORNICHE RUSTI-
QUE. XVIIIᵉ S.
SMALL RUSTIC SHELF.   18th C.

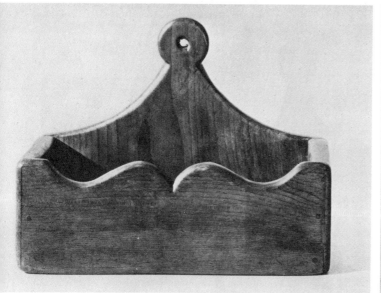

571. BOITE A SEL RUSTIQUE.
XIXᵉ S.
RUSTIC SALT BOX.   19th C.

572. BOITE A SEL, DE SAINT-DENIS-SUR-
RICHELIEU. XIXᵉ S.
SALT BOX, FROM ST DENIS-SUR-RICHE-
LIEU.   19th C.

573. BOITE A SEL RUSTIQUE. XIXᵉ S.
RUSTIC SALT BOX.   19th C.

574. BOITE A SEL RUSTIQUE, ART POPU-
LAIRE. XIXᵉ S.
RUSTIC SALT BOX, IN FOLK-ART STYLE.
19th C.

575. BOITE A SEL RUSTIQUE. XVIIIᵉ S.
RUSTIC SALT BOX.   18th C.

576. PELLE A POUSSIÈRE. XVIIIe S.
DUSTPAN. 18th C.

577. PETITE URNE RUSTIQUE, A DOS PLAT.
XVIIIe S.
SMALL RUSTIC URN, WITH FLAT BACK.
18th C.

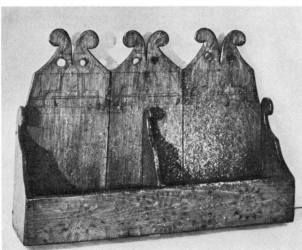

578. BOITE A COUTEAUX RUSTIQUE. XIXe S.
RUSTIC KNIFE-BOX. 19th C.

579. BOITE A SEL RUSTIQUE, A LONGUE PLAN-
CHETTE. XIXe S.
RUSTIC SALT BOX, WITH LONG BACK-BOARD.
19th C.

580. MANTEAU DE CHEMINÉE,
D'INSPIRATION LOUIS XV.
FIN XVIIIᵉ S.
MANTELPIECE, OF LOUIS XV
DERIVATION. LATE 18th C.

581. MANTEAU DE CHEMINÉE, D'UNE MAISON
DU BOUT DE L'ILE, MONTRÉAL. FIN XVIIIᵉ S.
MANTELPIECE, FROM A HOUSE IN BOUT-DE-
L'ILE, MONTREAL. LATE 18th C.

582. MANTEAU DE CHEMINÉE, DE STYLE
ADAM. FIN XVIIIᵉ S.
MANTELPIECE, IN ADAM MANNER. LATE
18th C.

583. MANTEAU DE CHEMINÉE, DE L'ILE D'OR-
LÉANS. FIN XVIIIᵉ S.
MANTELPIECE, FROM ILE D'ORLÉANS.   LATE
18th C.

584. MANTEAU DE CHEMINÉE, D'ESPRIT ADAM
ET REGENCY. DÉBUT XIXᵉ S.
MANTELPIECE, IN THE ADAM AND REGENCY
MANNERS.   EARLY 19th C.

585. MANTEAU DE CHEMINÉE, D'ESPRIT
ADAM. DÉBUT XIXᵉ S.
MANTELPIECE, IN THE ADAM MANNER.
EARLY 19th C.

SALLE COMMUNE.

COMPLÉMENTS TECHNIQUES
ET HISTORIQUES

ÉTOFFES D'AMEUBLEMENT

Pour vraiment connaître le meuble canadien dans son ambiance ancienne, il est indispensable de savoir quelles étoffes garnissaient et enrichissaient les chaises, les fauteuils, les lits, aux XVIIe et XVIIIe siècles.

Naturellement, ces tissus représentaient un luxe et montraient déjà le bien-être du paysan canadien. Pendant fort longtemps, ils furent importés de France, faute de laine, de toile, de cotonnade, et aussi parce que l'on ignorait le tissage ; les métiers et rouets étaient d'abord fort rares au Canada. L'industrie du tissage se développa avec les années, et l'on peut dater ses débuts des environs de 1700. Talon insista beaucoup pour que les habitants subvinssent eux-mêmes à leurs besoins, en ce domaine comme dans les autres.

Sous le régime français, la métropole s'opposa à la fabrication des textiles au Canada afin de protéger l'industrie française et les marchands de Paris, de Rouen, de Dieppe et de La Rochelle. Au début du XVIIe siècle la Compagnie des Cent Associés s'était engagée à encourager cette industrie et même à financer des écoles de tissage, mais elle n'en fit rien, préférant exporter des tissus qui se vendaient à un prix exorbitant. Par la suite, l'intendant Talon et ses successeurs firent des représentations au roi pour développer cette industrie, lui assurant que cela ne ferait aucun tort au commerce français. Ce n'est toutefois qu'en 1704 que le roi permit la fabrication des toiles et des étoffes et à condition que ce fût temporaire et « qu'on ne devait l'encourager qu'en autant qu'elle ne tournerait pas au détriment des manufactures de France » [1]. Des tisserands vinrent alors de France pour enseigner le tissage aux jeunes gens dans les villages. Il fallut importer de France des métiers, puisqu'on ne les fabriquait pas ici. Bref, les tissus coûtaient très cher, tant qu'ils étaient importés.

Vers 1705, une veuve persévérante, Mme Pierre LeGardeur de Repentigny, réussit, après plusieurs années d'essais, à établir une petite industrie à Montréal où l'on tissait de « grosses couvertures, de la toile, de la serge croisée, de la serge sur fil faite de la laine des bœufs illinois et du droguet de différentes couleurs » [2]. Elle se servait de bois, d'écorces, de racines ou de plantes, pour les teintures, recettes qu'elle avait empruntées aux Indiens. Ces étoffes grossières ne pouvaient remplacer les beaux tissus importés de France qui, malheureusement, devenaient de plus en plus coûteux. Les habitants s'en procurèrent à meilleur compte dans les colonies anglaises. Le marché illégal des tissus prit une telle ampleur que le roi, en 1731, donna ordre de fouiller toutes les maisons de Montréal et d'exiger une taxe sur chaque pièce d'étoffe de contrebande que l'on trouverait. A la suite de cette perquisition, cinquante-trois familles seulement n'eurent aucune taxe à payer.

Selon la fortune de l'habitant, les tissus étaient donc plus ou moins raffinés. Chez l'habitant aisé, les meubles étaient garnis de serge, de tapisserie, de toiles peintes aux couleurs vives, genre toile de Jouy. Dans les inventaires de l'époque, on trouve la description détaillée des tissus d'ameublement. On y lit que des fauteuils étaient garnis « en Crespine » (frange tissée et ouvragée par le haut) de serge bleue avec franges de diverses couleurs. Un fauteuil avait son « oreiller garni de Serge de Caen » (les serges de Caen étaient jaunes, bleues, vertes ou rouges et étaient aussi utili-

(1) A P C. — Rapp. 1899, p. 194.
(2) A P C. — Série F., vol. 22, p. 348.

sées pour les vêtements). Ailleurs, on mentionne « quatre sièges pliants, couverts de draps de Sceau gris avec frange de couleur » et, plus loin, on trouve « six chaises tournées garnye de même Estoffe que celle du lict en mocquette vert et blanc » (tissu en laine sur base de lin bouclé ou coupé, genre de velours coupé). On signale encore la présence de « Quatre fauteuils garnys de point de Hongrie ».

L'emploi très répandu d'oreillers ou de coussins pour garnir les sièges manifeste un souci de confort. Ces coussins et oreillers, ficelés au siège, accompagnaient surtout les fauteuils et chaises *à la Capucine* dont les sièges étaient en paille roulée ou en foin de grève roulé et tissés en pointes de diamant et, plus fréquemment, dans la région de Montréal, en écorce d'orme tressée en panier ou en *babiche* (lanières de peau d'orignal, de caribou ou de chevreuil). Quant aux lits, on mentionne « une garniture de lit de Serge d'aumale jaune ». Des tours de lits de « tapisserie de Bergame » (laine de couleur sur trame de fil écru), « de Point de Paris », de « drap de sceaux »... et puis on trouve « des lits à courtine de Point d'Hongrie » (tissu de plusieurs couleurs à motif fléché). Peut-être s'est-on inspiré de ce tissu pour nos ceintures fléchées ? On mentionne aussi des lits à courtines de « toile à carreau bleu ».

Pour les draps, les couvertures et les courtepointes, on trouve les mentions suivantes dans les inventaires : « Une couverture de Rouen blanche ». « Trois couvertures de Montpellier ». « Deux couvertes de Ville ». « Trois couvertes de Normandie, verte, l'autre jaune, l'autre blanche » (façon catalogne). « Une couverture de Bordeaux ». « Une courtepointe de toile pinte » (plusieurs des toiles étaient peintes ou imprimées, genre toile de Jouy). « Une petite Courtepointe anglaise ». « Une paire de toille de Beaufort ». « Une paillasse de toille de Meslye » (toile très forte, faite de cœur de chanvre, le fil bien lessivé de la région d'Olonne). « Un matelas de laine couverte de toile à petits carreaux ». « Une table avec son tapis bleu ou vert ».

Enfin, les produits canadiens font leur apparition, mais on les trouve surtout chez les gens d'humble condition : « Lit de plume de toile du pays ». « Un tour de lit de rassade ». « Lit couvert d'un « Coutil » avec un dessus Cattalogne » (appelée *lirette* dans le Poitou). La catalogne est souvent mentionnée dans les inventaires, mais sous forme de couverture et non de tapis, comme la coutume s'introduira plus tard. « Trois draps de toile du pays ». « Courtepointe de droguet du pays ». « Un lit de plume revêtu de peaux de chevreux ». « Une robe de bœuf avec une couverte de laine », « Une robe de bœuf Illinois (Buffalo) ». « Deux vieilles couvertures de poil de chien avec un lit quenouille ». « Deux peaux d'orignaux passés avec un Meschant chaslye ». « Un matelas de poil d'orignal ».»

Il serait intéressant de citer ici un passage de l'ouvrage de M. Joseph-Edmond Roy, ancien archiviste de la province de Québec : « Histoire de la Seigneurie de Lauzon ». M. Roy, après avoir dépouillé l'inventaire des biens du seigneur Étienne Charest, décédé en 1734, à la Pointe Lévy, a pu reconstituer la grande chambre du seigneur d'après les objets inscrits dans l'inventaire. On aura ainsi une image véridique de l'intérieur d'un manoir canadien du XVIIIe siècle et la description des tissus d'ameublement, de la lingerie et des meubles : « La maison bâtie autrefois par Bissot, sur le rivage de la pointe de Lévy, à l'ombre des grands ormes touffus, était devenue le manoir seigneurial. C'était une grande maison de pierre, longue de soixante pieds, aux murailles épaisses, blanchies à la chaux. A quelques centaines de verges du côté de l'est, s'élevaient la tannerie, bâtiment de quarante pieds de long, un moulin à eau, une boulangerie, une glacière, un pigeonnier, les granges et les écuries.

« Voici la grande chambre. Sur la muraille sont tendues des tapisseries de point de Hongrie. Au centre, une table de merisier aux pieds torses avec un fauteuil de même bois couvert de serge verte. Autour, six chaises dont les sièges sont couverts de maucade, quatre tabourets de même genre, une pendule dans une grande boîte de noyer, un grand miroir à cadre doré dont la glace a vingt-deux pouces de haut sur seize de large. Aux fenêtres, des rideaux de serge verte retenus par des vergettes de fer tamisent la lumière du jour. Tout au fond, le grand lit du seigneur, couchette en bois de merisier, à moitié enfouie sous des rideaux de serge verte que soutient un ciel de lit. Les matelas sont du meilleur duvet et les couvertures sont des peaux de caribous. De chaque côté de la cheminée, âtre immense où flambent les bûches d'érable, on voit deux placards pratiqués dans le mur. Dans l'un sont les linges qui servent à la table, les nappes et les serviettes en toile de Rouen, de Beaufort ou de Herbé. Dans l'autre, la porcelaine blanche et bleue avec un grand cabaret des Indes garni de huit tasses... » [1].

FERRURES ET CUIVRES

On a vu précédemment que tous les coffres, bahuts et buffets sont garnis de serrures. Est-ce qu'on se méfiait des voleurs ? Ou des Iroquois ? Il s'agissait plutôt d'une ancienne coutume française, coutume encore en usage de nos jours, en France, et qui consiste à tout mettre sous clef. Le paysan canadien français, depuis longtemps, a cessé d'être méfiant !

Beaucoup de nos meubles anciens n'avaient que des serrures en bois. On y faisait entrer une longue clef de bois qui pénétrait dans un trou carré percé dans le vantail du meuble. Cependant, la plupart des serrures étaient de fer et de type *ordinaire*. Beaucoup de coffres avaient une serrure de type *à battant*. Elles étaient toutes fabriquées à la main, par nos serruriers dont le métier s'étendait d'ailleurs au delà de la fabrication des serrures.

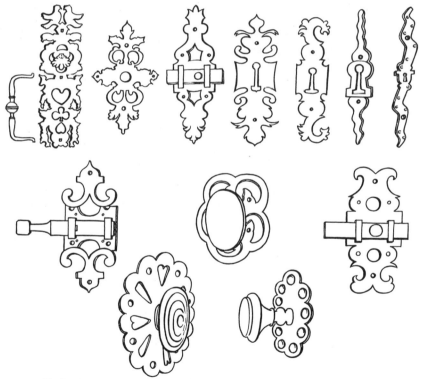

Fig. 9 - *Verrous ou targettes, entrées de serrures, poignées, boutons de portes et de tiroirs.*

(1) Roy, Joseph-Edmond. *Histoire de la Seigneurie de Lauzon.* Lévis, 1897-1904, 5 vol., p. 132-133.

Malheureusement, tôt ou tard, ces serrures vinrent à se briser. L'amateur aujourd'hui ne se donnera peut-être pas la peine de remplacer une clef si elle manque, et rarement il fera réparer la vieille serrure. Elle sera bien plutôt remplacée par des taquets de bois primitifs.

Quant aux entrées de serrures, elles sont généralement à dragon ou hippocampe stylisé ou en forme de flamme, découpées dans le fer et souvent ajourées. La clef ne passait que dans l'entrée du vantail de droite. Celle du vantail de gauche rétablissait simplement l'équilibre et l'harmonie, et n'était qu'une parure. Pour ouvrir le vantail de gauche, on n'avait qu'à glisser la main sur la tablette et à faire sauter le crochet. Au centre des tiroirs des buffets deux-corps, on posait les mêmes entrées de clefs, mais horizontalement. Parfois elles étaient complétées par un bouton de fer.

Les portes à battement des buffets et des armoires de l'époque exigeaient un type particulier de pentures, appelées fiches. Les fiches les plus courantes sont les fiches de fer dont les extrémités se terminent en *balustre*, ou en *vase à perles*. Le pivot de ces fiches est coulé en fer tandis que les tenons qui l'enveloppent sont de fer forgé. Le tenon de la moitié supérieure pénètre dans une mortaise pratiquée dans le montant du vantail, le tenon du gond est entaillé dans le montant du bâti. Nous avons la preuve de l'existence et de la fabrication de ces fiches grâce à de nombreux inventaires du XVIIIe siècle, dont celui de Jean Létourneau, maître-serrurier à Québec, daté de 1783. « Le dit Sieur Letourneau père aura en outre pour sa moitié des autres objets ci-après... quarante paires de fiches à croisées, seize paire de fiches tant à porte qu'à armoire... » [1].

Toutes ces ferrures semblent avoir été conçues pour ce genre de meuble traditionnel. Un autre genre de fiche que l'on trouve fréquemment sur les armoires et les buffets de la fin du XVIIIe siècle et du début du XIXe siècle est celle qu'on appelle au Canada *queue de rat*, traduction peut-être de l'anglais *rat tail*. Ces fiches étaient également répandues en Nouvelle-Angleterre. Nous sommes-nous inspirés de la Nouvelle-Angleterre ou de la Savoie et de la Lorraine, seules régions en France où j'ai vu ces fiches sur des meubles qui datent du XVIIIe siècle ?

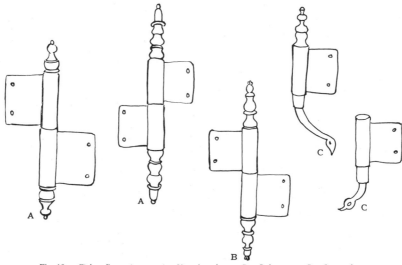

Fig. 10 - *Fiches d'armoires.* - *A.* - *Vase à perles.* - *B.* - *Balustre.* - *C.* - *Queue-de-rat.*

(1) A J Q, I O A. — Partage entre Jean Letourneau et les héritiers de Dame Marie Gaultier sa femme, 1er août 1783. Greffe J.A. Panet.

De la même façon que les ferrures habillent l'armoire, les poignées habillent la commode. Une commode sans poignées est à demi vêtue. Les poignées des tiroirs de tables ou de commodes se rabattent habituellement contre la face du tiroir; elles sont en fer ou en cuivre, généralement ornées de rosettes. Presque toutes, qu'elles fussent importées de France ou coulées au Canada, s'inspirent des modèles courants français, tels ces *bronzes au page* ou *ces bronzes au valet*, ou ces poignées fixes à motifs floraux d'esprit Louis XV.

Les serruriers, les orfèvres et même certains forgerons se faisaient à l'occasion fondeurs. Ils étaient outillés pour couler des objets délicats, en fer ou en cuivre. Ainsi les tiges des fiches étaient coulées et les tenons, forgés, s'enroulaient autour de la tige. Les orfèvres fondaient aussi les chérubins des lampes de sanctuaire, les Christs des croix de procession ou d'instruments de paix, en argent ou en cuivre. Il est permis de croire, quoique je n'aie point trouvé de document attestant la chose, que nos serruriers et nos orfèvres fondaient des poignées. Aujourd'hui encore, on fait couler ces objets délicats non seulement chez le fondeur, mais chez l'orfèvre.

Outre les entrées de serrure, les fiches, les boutons de tiroirs, les anneaux articulés, les pendentifs, les poignées de toutes sortes, il ne faut pas oublier de mentionner les targettes, les loquets, les poignées, les plaques écussons et les clenches de porte. Il exista toute une gamme de ces objets. Nos artisans nous en ont laissé des exemples charmants, exécutés pour la plupart par des forgerons. Il est certain que la variété de ces objets n'est pas aussi intéressante qu'en France. Mais on a constamment copié ces ornements d'après les modèles français, ils agrémentent nos meubles et leur donnent un caractère très « province française ».

BOIS D'ŒUVRE

La description des meubles cités dans les inventaires, nous a montré que de 1650 à 1760, la dominante des bois employés dans leur fabrication est le pin, le merisier et le noyer tendre. Il semble qu'à cette époque il y eut d'énormes quantités de ces arbres, très larges et très hauts. On sent la forêt présente autour de la maison du colon. Pourquoi préféra-t-on ces arbres pour la fabrication des meubles ? Parce qu'ils étaient « haut branchus » et qu'ils pouvaient fournir des planches très larges, de 16 à 26 pouces (40 à 63 cm), ayant jusqu'à 20 pieds (6 m) de longueur et libres de nœuds. Dans le cas du merisier, il s'agissait d'un bois dur mais très malléable en raison de son élasticité et de sa souplesse. Pierre Boucher, gentilhomme canadien, le décrit ainsi : « L'arbre appellé Merisier, devient gros & haut, bien droit. Son bois sert à faire du meuble & à monter des armes. Il est rouge dedans, & est le plus beau pour les ouvrages qu'il y ait en ces quartiers. Il ne porte aucun fruit. On l'a nommé Merisier, parce que son écorce est semblable aux Merisiers de France » [1]. Les pieds et ceintures de table sont habituellement de merisier alors que le plateau est en pin ou en noyer tendre. Les chaises et fauteuils de bois ou paillés sont généralement en merisier et, moins souvent, en érable à sucre ou en érable rouge; les fonds de chaises en bois sont surtout de pin. Presque toutes les armoires et buffets bas sont de pin ou de noyer tendre, sauf quelques anciens buffets deux-corps, fin XVIIe siècle, qui, selon les inventaires, sont faits de merisier solide. On peut encore voir certains de ces meubles.

Il y a tout de même des exceptions. Le chêne rouge fut utilisé, à Montréal, au début de la colonie. Sans doute pouvait-on alors obtenir de larges planches de ces arbres. Pierre Boucher nous les décrit : « Il se trouve deux sortes de chesnes; l'un est plus poreux que l'autre. Le poreux est propre pour faire du meuble & autre travail de menuiserie & de charpente; l'autre est propre à faire des vaisseaux pour aller sur l'eau; ces arbres viennent hauts, gros & droits, & sur tout vers le Mont Royal » [2]. Il ne fut pas utilisé longtemps, si l'on s'en rapporte aux inventaires. Quelques rares petites chaises anciennes ont été faites en chêne, mais aucun meuble important fabriqué avec

---

(1) Boucher, Pierre. *Histoire Véritable et Naturelle des Mœurs et Productions du Pays de la Nouvelle-France*, Paris, 1664, p. 45.
(2) idem, pp. 45-46.

ce bois n'a survécu. Aujourd'hui, notre chêne est petit et ne fournit que des planches étroites. Il sèche difficilement et a tendance à gondoler et à se fendre. Les fabricants de meubles n'utilisent plus que le chêne importé des États-Unis.

De rares petits meubles en orme sont cités dans les inventaires. Ce bois, semble-t-il, ne fut pas populaire. Cela explique peut-être la description qu'en donne Pierre Boucher : « Il y a des ormes qui viennent fort gros & hauts, le bois en est excellent, & les charrons de ce pays s'en servent fort »[1]. On ne l'emploie aujourd'hui que lorsqu'il est soutenu, pour les plinthes et les cadrages, par exemple, et non pour la fabrication de meubles, car il a tendance à gondoler et à se tortiller en toutes saisons, à cause de l'humidité.

Au début du XVIII⁰ siècle, on a fabriqué aussi quelques meubles en érable rouge, ou érable tendre, qu'on appelait *plaine*. Pierre Boucher le mentionne : « Une autre espèce d'arbre, que l'on appelle de la Plaine, est quasi comme l'Hérable; mais un peu plus tendre, qui sert à brûler... »[2]. Le bois de cet arbre est plus tendre que le bois de l'érable à sucre et se travaille plus facilement. On choisissait uniquement les arbres dont les planches étaient ondées, frisées ou mouchetées.

Ce n'est que plus tard que l'érable blanc (il s'agit de l'érable à sucre) est mentionné dans les inventaires. Toujours selon Pierre Boucher : « Il y a une autre espèce d'arbre, qu'on appelle Herable, qui vient fort gros & haut : le bois en est fort beau, nonobstant quoy on ne s'en sert à rien qu'à brûler, ou pour emmancher des outils, à quoi il est très propre, à cause qu'il est extrêmement doux & fort »[3]. L'érable blanc n'est vraiment employé pour les meubles qu'à la fin du XVIII⁰ et au XIX⁰ siècle. Ce bois est aussi apprécié que celui de l'érable rouge (plaine) quand il est ondé, moucheté ou frisé. Mais il n'est pas très populaire, parce qu'il est dur à travailler et qu'il a une tendance à se fendre pendant qu'on le façonne. De nos jours, l'érable blanc pose les mêmes problèmes et les menuisiers se voient souvent forcés de recommencer leur travail. Malgré ces difficultés, le bois de l'érable blanc donne au meuble un ton et un pittoresque auxquels nul autre bois canadien ne peut prétendre. Ces érables sont des arbres typiques de l'est du Canada et des États-Unis; ils furent utilisés dans la fabrication du meuble massif. En France on ne s'en sert qu'en placage.

Le frêne n'est mentionné que très rarement. Il devint très populaire au milieu du XIX⁰ siècle, dans la fabrication des tables, tables de toilette et autres petits meubles.

Les meubles en cèdre, en sapin et en tilleul ne font l'objet que de rares mentions. Il ne semble pas que les meubles construits avec ces bois se soient révélés pratiques, bien que le tilleul ait été largement utilisé au milieu et à la fin du XIX⁰ siècle, quand on se mit à fabriquer les meubles en série dans les premières manufactures.

Le cerisier d'automne ne fut pas, non plus, très exploité. Assez peu répandu, il est extrêmement difficile d'en obtenir de larges planches, sauf dans l'Ouest canadien et aux États-Unis où ces arbres sont plus gros et plus communs. On rencontre ce bois dans des petits meubles du XVIII⁰ et du XIX⁰ siècle. Il se rapproche beaucoup du merisier français par son grain et sa tonalité.

Le hêtre est très répandu dans la région de Montréal. Il ressemble beaucoup, lui aussi, à son cousin français, mais il est beaucoup plus dur. Pierre Boucher écrit : « Il y a aussi du bois de hestre, fort beau & bon, qui porte de la fayne comme en France; mais l'on ne s'en sert qu'à brûler »[4]. Les meubliers et les sculpteurs prétendent qu'il est trop dur à travailler. Cet arbre ne donne pas de planches très larges et, comme notre orme, après avoir été scié et plané, il subit toutes les variations de température de notre climat. On ne l'utilise que lorsqu'il est soutenu. Il sert surtout à la fabrication de manches d'outils, de marteaux, de haches, etc. Les charrons l'employaient parfois pour les rais de roues et les brancards des voitures. C'est un bois très dur à sécher. Je n'ai jamais vu une seule fois, dans un inventaire, la mention d'un meuble fait de ce bois. Nous pouvons donc conclure que les fauteuils Louis XIV et Louis XV de bois de hêtre que nous trouvons au Canada ont été fabriqués en France.

(1) Boucher, Pierre. *Histoire Véritable et Naturelle des Mœurs et Productions du Pays de la Nouvelle-France*, Paris, 1664, p. 47.
(2) idem, p. 47.
(3) idem, p. 44.
(4) Idem, p. 45.

IDENTIFICATION DES BOIS

Il est important pour les collectionneurs de pouvoir distinguer les meubles traditionnels fabriqués au Canada des meubles européens. Beaucoup de nos meubles ressemblent à des meubles français, quoiqu'ils soient rarement des copies serviles. C'est grâce au bois qu'on pourra parfois les distinguer les uns des autres. Évidemment, il est plus facile de reconnaître un meuble, une fois la peinture ou la teinture enlevée. Si le meuble est peint, il suffit de gratter la peinture dans une zone réduite pour découvrir le bois.

PIN BLANC

Notre pin blanc offre une texture que nous ne retrouvons dans aucun des bois résineux français. Il est moins veiné que les bois résineux français et sa surface est plus uniforme. Les anciens menuisiers faisaient scier les billes de pin de façon que leur surface ne fût pas trop veinée. Ils l'appelaient le *pin jaune*.

Le bois résineux français qui se rapproche le plus de notre pin, est le sapin avec lequel on a exécuté de beaux meubles traditionnels en Normandie, plus particulièrement dans le pays cauchois. La surface de ce bois est veinée et ressemble à s'y méprendre à notre *pruche* (tsuga). Quelques rares meubles canadiens de *pruche* ont été pris pour des meubles français. Les veines du sapin français sont plus foncées que celles du tsuga et les champs, entre les veines, sont plus blancs. Donc, on ne peut confondre notre pin blanc avec le sapin français, le contraste est trop marqué.

NOYER TENDRE

On peut facilement confondre notre noyer tendre avec le noyer français ou américain. L'unique moyen de les distinguer est d'essayer d'enfoncer l'ongle du pouce dans le bois. S'il pénètre et laisse une marque, il s'agit du noyer tendre canadien, si l'ongle ne pénètre pas facilement ou s'il glisse, c'est du noyer français ou américain. Il est à noter que l'ongle trouvera plus de résistance dans l'aubier que dans le cœur. Cela prête à confusion parce que l'on peut croire à du noyer dur. Le cœur du noyer tendre est orné de veines et est plus mou sous l'ongle; quant à l'aubier, son grain est plus droit, il est aussi plus dur. Une fois décapé, le noyer tendre prend une très belle tonalité, et présente une couleur légèrement paillée. Il n'existe pas en Europe. Selon Pierre Boucher : « ... Il y a des Noyers de deux sortes, qui apportent des nois; les uns les apportent grosses & dures; mais le bois de l'arbre est fort tendre, & l'on ne s'en sert point, sinon à faire des sabots, à quoy il est fort propre : de celui-là il y en a vers Quebec & les Trois-Rivières en quantité : mais peu en montant plus haut; l'autre sorte de Noyers, apporte des petites noix rondes qui ont l'écale tendre comme celles de France; mais le bois de l'arbre est fort dur, & rouge dedans; on commence d'en trouver au Mont-Royal, & il y en a quantité dans le pays des Iroquois » [1]. (Cela explique peut-être pourquoi, aujourd'hui, le noyer est importé des États-Unis, le pays des Iroquois étant situé dans l'État de New York.)

MERISIER

Le merisier jaune canadien, dont le véritable nom devrait être *bouleau jaune*, ne peut être confondu avec le merisier français; il est plus blanc que ce dernier. Le bois du merisier français est roussâtre. Une fois fini et teint, il a une tonalité dorée qui rappelle beaucoup celle des fruitiers. D'ailleurs c'en est un. On distingue parfois à la surface des meubles français faits de merisier, des petits nœuds minuscules, rouge foncé, qu'on ne rencontre jamais dans notre merisier. Une autre particularité que l'on trouve dans le merisier canadien, si on l'examine de très près, ce sont des ondulations très subtiles que la lumière mettra en relief dans certaines sections du bois. Certains meubles canadiens ont été faits de planches choisies pour leur ondulation, d'où le nom : *merisier ondé* ou *frisé*.

(1) Boucher, Pierre. *Histoire Véritable et Naturelle des Mœurs et Productions du Pays de la Nouvelle-France*, Paris, 1664, p. 47.

PARASITES

Un grand nombre de chaises, de fauteuils et de tables apportés de France sont vermoulus. On y distingue, à la surface du bois, des petits trous très ronds. Ce sont des parasites ou vers de bois (*Anobium tesselatum*, de l'espèce coléoptère) qui ont creusé ces trous, rongeant le bois et s'en nourrissant, à tel point que le bois finit par se désintégrer. C'est un fléau, en France, mais le climat froid de notre pays nous en préserve. On ne rencontre ces vers, dans les bois de noyer, qu'à partir du sud de l'État du Vermont. Il arrive de trouver quelques piqûres ou vermoulures dans les madriers de noyer tendre importé des États-Unis; jamais dans celui de la région de Montréal ou des Trois-Rivières. Les petits trous sont identiques aux piqûres des meubles français mais, une fois le bois employé, les vers cessent d'être actifs. D'autres vers, plus gros, se fraient des galeries dans l'aubier des bois résineux, dans le pin blanc, par exemple. Ces vers ne semblent pas s'acclimater une fois que les planches ont été transformées en bois d'œuvre. Nous avons souvent vu ce bois de qualité inférieure dans les fonds postérieurs des armoires et des commodes de nos anciens meubles. Au cours de longues années d'observations et de recherches, je n'ai vu que deux meubles canadiens légèrement piqués : une console d'appui du XVIIIe siècle, en noyer tendre, et un fauteuil paysan de merisier du début du XIXe siècle. D'après les experts que j'ai consultés, on peut supposer que ces meubles ont été contaminés par le voisinage de meubles français ou européens, surtout s'ils se trouvaient dans un endroit humide. On peut donc assurer que, dans la presque totalité des cas, les meubles vermoulus sont d'origine européenne.

FABRICATION DES MEUBLES

Imaginons un habitant de Beauport, Augustin Parent, se promenant sur ses terres un dimanche après-midi d'automne, vers 1726, fusil au bras, accompagné de son chien. Il est songeur car il a plusieurs filles à marier donc, beaucoup de bois à couper, ses filles devront apporter en dot des coffres et des armoires. Le chien fait lever une perdrix. Trop tard, Augustin Parent voit l'oiseau s'éloigner à travers les branches d'un grand pin. Il ne peut s'empêcher d'admirer cet arbre. Peut-être fournira-t-il le bois d'œuvre nécessaire à la fabrication des coffres et des armoires dont il aura bientôt besoin ? C'est vraiment un chef-d'œuvre de la nature. Il est grand, élancé, il semble se perdre dans le ciel. Il fournira des planches très larges et « claires de nœuds ». Demain, l'arbre sera abattu, puis il sera scié en billes et transporté pendant l'hiver, sur la berge de la rivière voisine. Il baignera dans l'eau, du printemps à l'automne, pour perdre sa sève. Ensuite, il sera porté chez les scieurs de long qui le débiteront en madriers. Puis le bois séchera pendant un an, près de l'étable.

Les années passent... Augustin Parent vient de fiancer une de ses filles qui désire apporter une armoire en dot, comme c'est la coutume. Il apprécie beaucoup le travail du cousin de sa femme, Claude Filliau, maître-menuisier qui tient boutique à Québec, côte de la Canoterie, et à qui il a déjà confié son bois une fois séché pour le faire couper en planches et sécher de nouveau plus à fond dans son hangar. Le père et la fille vont donc trouver le cousin pour l'armoire de mariage. Dès leur entrée dans la boutique de maître Filliau, ils admirent l'ordre et la propreté qui règnent partout. Un compagnon et deux apprentis s'affairent au montage d'un lit à quenouille. Un grand nombre d'instruments de travail sont accrochés au mur et sur le côté de l'établi. Sur un autre mur, on voit, pendant à de nombreux clous, des gabarits. Ce sont, découpés en bois mince, des modèles de pieds de table, de montants de buffets, de dossiers de chaises, d'accoudoirs de fauteuils, etc. Au fond de l'atelier, on distingue le tour avec sa grande roue et sa courroie de cuir.

Il y a des planches de différents bois adossées au mur. D'autres reposent au plafond sur des gaules reliant les poutres. On voit quelques chevalets, petits et grands, mais la pièce maîtresse de l'atelier est le grand établi, table massive, en merisier très épais, supportée par six robustes pieds. A même le plateau de l'établi : le valet, l'étau et le crochet... Dans un coin, la meule de grès pour affiler les fers des outils tranchants.

Claude Filliau accueille ses cousins, revêtu de son tablier de grosse toile du pays. Après les salutations d'usage, ils s'accoudent sur un coin de l'établi et la jeune fille explique ce qu'elle veut : une armoire à deux vantaux, ayant chacun deux panneaux décorés de pointes de diamant. Le menuisier, tout en faisant un croquis, suggère deux tiroirs, à la base, et trois panneaux sur chaque vantail. Les pointes de diamant du panneau central seront horizontales.

On discute et l'on s'entend sur le prix. L'armoire est promise pour le mariage qui aura lieu dans cinq mois.

Claude Filliau, peu après, commence l'armoire. Il trace d'abord au crayon, à l'aide de poncifs et de gabarits, les différentes pièces de bois qui composeront l'armoire. Ensuite, il débite les bois massifs pour les montants, les planches pour les traverses supérieures, inférieures et latérales, le bois pour les portes et leurs cadres, pour les façades des tiroirs, celui des corniches, les planches des panneaux et enfin, avec du bois de moindre qualité, il prépare les fonds postérieurs, inférieurs et supérieurs qui, le plus souvent, ne sont pas dégrossis sur leurs faces invisibles.

Notre artisan travaille avec beaucoup d'application et de méthode. Il débite le bois dans le sens du fil, à l'aide de la scie à débiter et de la scie à traverse. Il le corroie, c'est-à-dire qu'il égalise le bois, lui enlève les reliefs laissés par les scies, puis il le plane au rabot.

Les pièces achevées, Claude Filliau procède avec soin à leur assemblage. Cette opération délicate consiste à façonner les tenons des traverses et des portes, les mortaises des montants et les chevilles. Avec l'aide de serre joints, d'équerres et d'un maillet, le maître menuisier fait un montage temporaire, puis il y trace les profils des moulures, de la corniche, de la ceinture inférieure, des deux pieds antérieurs, ainsi que ceux des moulures des cadres et des panneaux. A ce stade, l'armoire sera démontée. Claude Filliau procède maintenant à la gravure des pointes de diamant sur les panneaux des portes et les panneaux latéraux. Chaque type de moulure est poussé avec un fer spécial. Ces opérations terminées, le montage définitif a lieu. Toutes les pièces sont de nouveau assemblées, les fonds sont encastrés dans les rainures des traverses et des montants et le tout est chevillé. On place les tablettes. Enfin, les portes et leurs cadres, qui auront été joints, sont posés avec leurs fiches et leurs entrées de clef. En dernier lieu, notre habile menuisier, après avoir poncé le meuble soigneusement, en fait la mise en couleur, utilisant une teinture brune, foncée, qu'on applique sur le bois à l'aide de liège et de tampons de laine.

Claude Filliau n'a ménagé ni son temps ni sa peine. En plus d'avoir gagné sa vie, il a la satisfaction d'avoir fait un meuble utile et durable. Il est extraordinaire de constater l'amour du « métier » que les hommes de ce temps avaient dans l'âme. Malgré la grande insécurité de l'époque, guerres, épidémies, maladies, famines, malgré les difficultés d'adaptation dans un pays encore en friche, ces hommes construisaient leur vie en fonction des siècles. Claude Filliau a créé un meuble qui peut défier le temps; le père de la jeune fille a songé, des années d'avance, à couper le bois devant servir à la dot de sa fille qui déjà prépare son avenir... *Tous ces hommes avaient foi en la Providence.*

Voici les outils que Claude Filliau a laissés dans sa boutique :

« Une paire de bouvets a planche, une mouchette avec son rabot rond assorty, une verloppe a onglette, un petit compas a de signer de cuisvre, une petite équaire de fer, un bec de canne avec un bec de corbin appareillé, un guillaume avec une scie a raser, deux guillaumes quarrés, une diligente a arondir des bois de chassis, un bouvet a approfondir, un feuilleret, un rabot ceintre, un rabot a replenir, une paire de bouvais a planche, une scie a cheville, un grand compas de fer avec un gratoir.

Deux guillaumes quarré, un guillaume a platte bande, une doucine, une diligente, un petit feuilleret a chassis, deux feuillerets, trois rifloirs, une scie a refendre de service, une scie a tourner et une autre a debiter, deux petites scies a raser, un grand Sergent, un moyen sergent, un petit sergent.

Une villebrequin de fer avec un de bois garny de sa mesche de fer, un petit Etoc de fer, deux triangles a onglettes, deux equaires a oreilles avec un triangle a queue d'aronde, deux petites haches a main, sept trusquins, deux scisaux, deux bec d'anne et deux gouges, deux petits terriers, quatre rapes, deux limes, deux vallets, une herminette, un poelon de cuivre servant pour Lacole, Une Etably a menuisier, trois grais et deux pierres a afiler, seize morceaux de trois débités pour des chaises, une couchette de bois de pin neuf » [1].

(1) A J Q. I O A. — Inventaire des biens feu Claude Filliau, 18 décembre 1730. Greffe Pinguet : « Suit ce qui s'est trouvé dans la susdite chambre et les outils cy après nommés et de par et par Lots assortis afin d'en procurer une hérite plus avantageuse par les Srs Cliche et gagnié menuisiers appellés a cet effet. »

LES MENUISIERS

De nombreux artisans vinrent se joindre de bonne heure aux paysans qui s'étaient établis au Canada. Certains seigneurs à qui on avait concédé des fiefs, amenaient avec eux leurs censitaires et des artisans : c'étaient les représentants de nombreux corps de métiers : maçons, forgerons, charpentiers, menuisiers [1], etc. Ils venaient des provinces et parfois même de Paris. Le premier menuisier venu au pays et dont il est fait mention dans un contrat d'engagement, s'appelait « Jehan Hanin, compagnon menuisier à Paris ». Il se joignit en 1606 à l'expédition de M. de Monts pour l'Acadie. L'esprit d'aventure menait ces artisans ou l'espoir de trouver une vie plus facile dans un pays riche de possibilités. Ils étaient habituellement engagés pour une période d'au moins trois ans. Ils venaient avec leurs familles. Parfois, ils attendaient d'être établis, et leur familles les rejoignaient.

Tous les colons pouvaient exercer tous les métiers du bâtiment et étaient bricoleurs à leurs moments de liberté. Ils fabriquaient les objets les plus simples, utiles à la vie du ménage, tels que des petits meubles qui ne demandaient pas d'assemblage savant, car ils n'avaient ni les connaissances nécessaires ni les outils pour fabriquer des meubles d'importance. Il existait donc, au début de la colonie, deux genres de fabrication, l'une dite de *main de métier*, l'autre de *main fruste et robuste*.

Les menuisiers professionnels étaient des maîtres qui possédaient une connaissance approfondie de leur métier. Ils avaient fait leur apprentissage et exercé leur profession en France. Lorsqu'ils étaient choisis pour venir au Canada, ils devaient subir une sélection avant de signer leur contrat. A cette époque, la menuiserie, comme la charpenterie, était un métier très complet. Ainsi, certains charpentiers et maçons étaient appelés architectes et pouvaient tirer des plans. Ce qui s'applique au charpentier peut aussi s'appliquer au menuisier qui était chargé de fabriquer tout ce qui avait trait à la boiserie dans les maisons : lambris, plafonds, planchers, encadrements, assemblages, placards, armoires et meubles de toutes sortes. Le menuisier de l'époque n'est pas seulement « un assembleur de planches », comme aujourd'hui, mais il connaît à fond toutes les techniques de l'assemblage à clés, à onglet, à tenons et à mortaises, etc. « ... de la Somme de 300 L payé aux Sieurs Reiche pour fason de cinq armoires deux grande et trois moienne et six croisé garny de volets pour la communauté et la dépence » [2].

Il ne faut pas oublier que la plupart de nos sculpteurs d'église étaient aussi des menuisiers qui pouvaient fabriquer des sièges, des meubles, des boiseries aussi bien que des statues et des retables. Dans un pays où les besoins étaient pressants et variés, les artisans ne pouvaient se restreindre à une spécialité. Nous savons que les Levasseur, les Baillairgé, les Emond, les Quevillon, excellaient dans tous les ouvrages, François et Thomas Baillairgé, ainsi que Louis Quevillon, étaient même architectes.

Dans certains cas, le menuisier ne fabriquait pas le meuble en entier, parce qu'il n'avait pas les outils nécessaires pour le tournage, ou parce qu'il préférait confier ce travail à un confrère, maître tourneur. Dans d'autres cas, s'il n'était pas habile sculpteur, il abandonnait cette partie de l'ouvrage à un maître sculpteur. « ...Le 17 décembre 1793, Livrez a Mr McCautchen un dossier de chaise sculpté vaut trois chelins » [3]. M. McCutcheon était un ébéniste anglais, récemment arrivé à Québec, et le sculpteur était François Baillairgé.

Les menuisiers de métier avaient un atelier fixe dans une ville ou dans un village. Quelquefois, ils se transportaient avec leur établi chez les particuliers.

On a même connu des menuisiers ambulants, sortes de coureurs des bois qui allaient de *côte en côte*, incapables de rester en place. On peut ainsi trouver dans les maisons d'un même *rang* toute une série de meubles où l'on reconnaît la même main. Cet artisan, malgré son instabilité, restait parfois plusieurs mois chez l'habitant où il était logé, nourri et payé à façon ou à gages. Il fabriquait ainsi un grand nombre de meubles traditionnels. Il m'est arrivé, quand je

(1) Tels ces colons et ces artisans, qui accompagnèrent, en 1671, le seigneur Jean-Baptiste-François des Champs, Sieur de la Bouteillerie (Rivière Ouelle). Saint-Pierre, Marquis de Grosourdy de. *Un cousin canadien en Normandie au XVIIIe siècle. Nova Francia*, vol. II, n° 1, Paris 1926, p. 26.
(2) Compte de la Recette et Dépense des biens de l'Hôpital-Général, Québec, 1er janvier 1715.
(3) I O A. — Journal de François Baillairgé, 1784-1800.

visitais des fermes, d'entendre un habitant me dire que l'armoire que j'admirais avait été construite par un de ces menuisiers ambulants. De père en fils, on racontait que ce menuisier avait mis six mois pour faire cette armoire. Une autre fois, on me parla d'un menuisier, originaire de Saint-Jean-Baptiste de Rouville, qui voyageait au début du siècle dernier avec ses outils, allant de « rang à rang », s'arrêtant dans les maisons et s'engageant à fabriquer des meubles, à raison de vingt-cinq sous par jour, pension comprise. Parfois il séjournait plusieurs mois dans une maison. Ainsi, de tous ces souvenirs, une tradition orale est née qui peut nous permettre de comparer le menuisier de nos ancêtres au compagnon du tour de France. En effet la même coutume existait en France, et le compagnon menuisier, au XVIIIᵉ siècle, allait ainsi de ville en ville et de village en village, apprenant différentes techniques dans les boutiques des maîtres-menuisiers de province.

Ces menuisiers ambulants nous ont laissé des preuves tangibles qu'ils exécutaient des armoires dans la maison même. Avant même sa fabrication, l'habitant prévoyait souvent l'endroit où l'armoire serait placée, dans la salle commune ou dans une chambre. Et lorsqu'un des côtés devait être placé contre la cloison ou contre le mur, le menuisier ne se donnait pas la peine de l'assembler à panneaux, il se contentait de simples planches *embouvetées* et omettait la corniche latérale. Tout ceci avec l'assentiment du propriétaire, pour réaliser une économie de temps et de moyens.

LES ÉCOLES D'ARTS ET MÉTIERS

Mgr de Laval désirait qu'un grand nombre de menuisiers et de sculpteurs prissent part à la construction simultanée de plusieurs églises. Il manquait d'artisans, alors que la population, elle, augmentait à un rythme accéléré. En conséquence, il décida de fonder une école d'Arts et Métiers. Il fit venir de France, en 1675, plusieurs artisans, menuisiers, sculpteurs, maçons, tailleurs de pierre :

« Guillaume Jourdain, dit Labrosse, menuisier,
Michel Fauchois, apprenti sculpteur loué pour 4 ans à 100 francs par an,
Samuel Genner, sculpteur engagé pour trois ans... il gaigne 300 livres pour chacune année,
Dusmaret, charpentier,
Léonard Lureken, menuisier,
Pierre Rivière, menuisier engagé pour 3 ans,
Michel Leblond dit le Picard, menuisier engagé pour 3 ans » [1].

Toutes ces personnes arrivèrent sur le même navire, le 21 septembre 1675, pour enseigner dans deux écoles, l'une au Cap Tourmente et l'autre au Séminaire de Québec. Il est presque certain que ces écoles existaient déjà, puisque l'Intendant Jean Talon écrivait au roi, le 2 novembre 1671, que « Les jeunes gens se desvoüent et se jettent dans les écholes pour les sciences, dans les arts, les mestiers, et surtout dans la marine, de sorte que si cette inclination se nourrit un peu, il y a lieu d'espérer que ce pays deviendra une pépinière de navigateurs, de pescheurs de matelots ou d'ouvriers tous ayant naturellement des dispositions à ces emplois » [2].

Le Père de Charlevoix, après avoir observé les méthodes de formation de la jeunesse canadienne, remarque que « personne, ne peut leur contester un génie rare pour les Mécaniques ; ils n'ont presque pas besoin de Maîtres pour y exceller, et on en voit tous les jours qui réussissent dans les Métiers, sans en avoir fait l'apprentissage » [3]. Et l'abbé Bertrand de La Tour dans ses *Mémoires sur la Vie de M. de Laval*, parlant des talents des jeunes Canadiens, affirme en particulier : « Ils réussissent beaucoup mieux dans les ouvrages des mains ; les arts y sont portés à une grande perfection, on y trouve en tout genre de fort bons ouvriers ; les moindres enfans montrent de l'adresse... » [4].

Ces écoles furent les premières écoles « d'Arts et de Manufactures » non seulement au Canada français, mais dans toute l'Amérique du Nord. Les professeurs de l'École des Arts et

(1) A S Q. — Livre de Raison, 1675-1676.
(2) A P Q, A N C. — "A3 Mémoire de Talon au Roi sur le Canada (2 novembre 1671).
(3) Charlevoix, François-Xavier de, s.j. *Histoire et Description Générale de la Nouvelle-France*. Paris 1744, p. 174.
(4) *Mémoires sur la Vie de M. de Laval*, Cologne 1761, p. 99.

Métiers du Séminaire de Québec et du Cap Tourmente, à Saint-Joachim, furent Guillaume Jourdain, dit Labrosse, arrivé en 1675, ainsi que Denys Mallet et Jacques Le Blond de Latour, celui-ci d'origine bordelaise. Tous ces maîtres enseignèrent au Séminaire ou au Cap Tourmente la menuiserie et la sculpture. Ce sont les propres élèves de ces maîtres qui exécutèrent les sculptures et les boiseries de la chapelle du séminaire, telles que décrites par Bacqueville de la Potherie : « La Sculpture, que l'on estime dix mille écus en est très belle; elle a été faite par les Séminaristes qui n'ont rien épargné pour mettre l'ouvrage dans sa perfection. Le maître Autel est un ouvrage d'Architecture à la Corinthienne; les murailles sont revêtues de Lambris & de Sculpture, dans lesquelles sont plusieurs grands Tableaux, les Ornemens qui les accompagnent se vont terminer sous la corniche de la voûte qui est à pans, sur lesquels sont des compartimens en Losange, accompagnez d'ornemens de sculpture peints & dorés » [1].

L'intendant de Meulles, en 1685, écrivait : « L'on y établira aussi des métiers pour les faire apprendre aux enfants du pays, et l'on enseigne actuellement la menuiserie, la sculpture, la peinture, la dorure, pour l'ornement des églises, la maçonne et la charpente » [2]. Mgr de Saint-Vallier, lors d'une visite pastorale à la Côte de Beaupré, vers 1685, écrit dans son journal : « mon principal soin dans le Cap Tourmente fut d'examiner l'un après l'autre trente neuf enfans que deux Ecclésiastiques du Séminaire de Québec y élevaient et dont il y en avait dix neuf qu'on appliquait à l'étude et le reste à des métiers... » et plus loin « Et si on avait des fonds pour soûtenir ce petit séminaire, on en tirerait avec le temps un bon nombre de saints Prêtres et d'habiles artisans » [3].

Ces écoles d'art et de métiers ne durèrent malheureusement pas très longtemps; d'après Marius Barbeau, l'école de Mgr de Laval « n'atteignit son apogée qu'entre les années 1692-1701 » [4]. Les élèves, cependant, transmirent une tradition qui joua une grande influence non seulement dans l'ornementation des églises mais aussi dans la confection du mobilier. N'est-il pas étonnant qu'en si peu d'années, tant d'artisans aient été formés, chacun dans son métier, et qu'ils aient laissé en Nouvelle-France un héritage qui s'est perpétué pendant plusieurs générations ?

Il y eut plusieurs dynasties familiales de menuisiers au Canada français, pendant le XVIIIe siècle. La famille de Guillaume Jourdain dit Labrosse en est un exemple. Son fils Denis et ses descendants : Denis, Paul-Raymond, Basile et Antoine continuèrent leur métier, tant à Québec qu'à Montréal. Les Jourdain dit Labrosse (ils s'appelleront Labrosse par la suite) appartenaient non seulement à une importante lignée de menuisiers et de sculpteurs mais ils étaient aussi d'excellents artisans, comme en témoigne Mme Bégon qui écrit de Rochefort, en 1750, à son gendre alors en Louisiane : « Il n'y a pas, dans cette ville, un ouvrier qui valle Labrosse... » [5]. Canadienne de naissance et ayant vécu toute sa vie à Montréal, elle avait fait exécuter des meubles par Paul Labrosse qui était un menuisier-sculpteur de renom. Le grand crucifix de bois sculpté, à Notre-Dame de Montréal, est de lui. D'autres dynasties de maîtres-menuisiers et de menuisiers-sculpteurs se succédèrent pendant plusieurs générations, et formèrent un grand nombre d'apprentis et de maîtres. Les plus célèbres furent les Le Vasseur, dont le premier fut Jean Le Vasseur, maître-menuisier de Paris, établi en Nouvelle-France avant 1660 et ancêtre de toute une lignée de menuisiers et de sculpteurs dont les plus remarquables furent Noël, François-Noël, Pierre-Noël et Jean-Baptiste-Antoine. Une autre famille qui se distingua fut celle des Baillairgé. Le maître-menuisier Jean Baillairgé fut le premier à s'établir à Québec, en 1741, et ses descendants, François, Pierre-Florent et Thomas, comptent parmi les plus doués de nos artisans. Il y eut aussi la dynastie des Berlinguet, Louis-Thomas, Flavien et François-Xavier, qui continuèrent la tradition des Baillairgé en plein XIXe siècle.

Il est intéressant de noter que ces métiers artisanaux se transmettaient, au Canada comme en France, de père en fils. Il est tragique que cette coutume ait presque disparu chez nous. Aujourd'hui, il est rare de voir le fils suivre les traces de son père, artisan. Les liens entre le père et le fils ne sont plus les mêmes !

Le 14 avril 1694, Louis XIV donna son approbation à François Charon de la Barre pour

(1) La Potherie, Bacqueville de. *Histoire de l'Amérique Septentrionale*. Paris 1753, vol. 1, p. 235.
(2) Cité par l'abbé Amédée Gosselin dans : *L'instruction au Canada sous le régime français*. Québec, 1911, p. 354.
(3) M. l'Évêque de Québec. *Estat présent de l'Eglise et de la colonie française dans la Nouvelle-France*, pp. 53-54.
(4) Barbeau, Marius. *Québec où survit l'ancienne France*, p. 28.
(5) R A P Q. — *Correspondance de Mme Elisabeth Bégon*. (Lettre du 29 octobre 1750). Québec, 1934-1935, p. 247.

l'établissement à Montréal d'un hôpital « ... où ils retireront les pauvres enfans, orphelins ... faire apprendre des métiers aux dits enfants et leur donner la meilleure éducation que faire se pourra le tout pour la plus grande gloire de Dieu et pour le bien et utilité de la colonie » [1]. Cinq ans plus tard, les Frères Charon ou « Frères Hospitaliers de Saint-Joseph de La Croix » obtinrent de Louis XIV les lettres patentes leur donnant « la permission d'établir des manufactures d'Art et Métier dans leur maison et enclos » [2]. En 1701, le maître menuisier Martin Noblesse, le peintre Pierre Le Ber et le maître-menuisier-sculpteur Charles Chaboillez furent les professeurs de cette école. Le maître Charles Chaboillez se donna aux frères hospitaliers « pour servir Dieu et les pauvres, en tout ce qu'il pourra de son art de sculpteur ainsi que dans la conduite de la menuiserie qui se ferait dans la communauté » [3]. L'école des Frères Charon, malheureusement, eut une brève carrière. Charles Chaboillez, célibataire, ne resta pas longtemps chez les Frères Charon. Peut-être la vie régulière ne convenait-elle pas à un tel artiste ? Il en sortit et épousa, à soixante ans passés, une toute jeune fille et fut père de deux enfants dont la progéniture s'illustra. Le Carré Chaboillez, à Montréal, fut ainsi nommé, en l'honneur de son petit-fils, célèbre traiteur de fourrures.

Mgr Pierre Dosquet, qui fut nommé évêque coadjuteur de Québec en 1729, et évêque en 1734 s'intéressa aussi aux Arts et Métiers. Peu après son arrivée au Canada il fit venir plusieurs artisans des Flandres et du nord-est de la France.

On peut conclure qu'il y eut vraiment un grand besoin de former des artisans a même les éléments autochtones en Nouvelle-France, à cette époque. Cela dispensait de faire appel constamment à ceux de la mère patrie.

L'APPRENTISSAGE

En dehors des écoles que nous avons mentionnées, il existait des menuisiers et des sculpteurs à Montréal, Québec et Trois-Rivières, qui tenaient boutique et guidaient des jeunes gens dans leur apprentissage. Plusieurs brevets d'apprentissage dressés devant notaire et que l'on trouve dans les greffes conservés aux Archives Judiciaires en font foi.

En France, au XVIIe siècle, la maîtrise dans l'artisanat n'était pas seulement une question de capacité mais de privilège. Un bon apprenti, devenu ensuite compagnon, n'accédait pas automatiquement à la maîtrise. Au Canada, il ne s'agissait nullement, à cette époque, de privilège mais uniquement de capacité. En fait, tout jeune garçon qui désire exercer la profession de menuisier, de sculpteur, etc., est le bienvenu comme apprenti et lui-même pourra devenir maître un jour, s'il est doué. Les besoins du pays étant trop grands pour qu'on se permette d'éliminer de bons sujets.

L'apprentissage durait en général de trois à sept ans. Un jeune homme doué entrait dans l'atelier du maître entre douze et quatorze ans. Une fois que le maître l'avait admis comme apprenti, un brevet d'apprentissage était passé devant notaire. Un brevet passé devant notaire consigne, par exemple, que le jeune Pierre Marin fut engagé « aux sieurs Armand Joseph Chaussat et Jean Baillairgé, Maîtres menuisiers de profession demeurant en cette ville au Faubourg St-Jean... qui respectivement et faisant boutique ensemble... promettent ensemblement et solidairement montrer et enseigner leurd. métier et profession de menuisier et tout ce dont Ils se meslent Et entremeslent en lad. profession, sans lui En Rien cacher Et led aprenty de sa part, promis aprendre de son mieux, Servir et obeir fidellement asesd. maîtres ou l'un d'Eux en Tout ce qu'ils lui Commanderont d'honnestre et de licite pour le fait de lad. profession leur service particulier... de Nourrir et héberger led. Engagé selon son Etat et Condition de faire blanchir son linge Raccommoder ses hardes, de le traitter humainement. Et luy donner les jours de festes et les Dimanches, le temps Convenable pour assister aux Saints offices et Instructions chrétiennes, Et En outre de luy Bailler et payer pour gage pendant lesd : Trois années Scavoir La première la somme de Trente

(1) A P Q. — Edits, Ordonnances Royaux, Déclarations et Arrêts du Conseil d'Etat, Québec, 1854, pp. 277-278.
(2) A S Q. — Viger, Jacques. Saberdache E., p. 193.
(3) Inventaire des greffes de notaire. Frères Hospitaliers de Montréal. Conventions entre Charles Charon (le 6 mai 1701). Greffe Adhémar.

livres, la seconde Cinquante Livres et la Troisième et dernière celle de soixante dix livres le tout argent du Cours dece Lieu... » [1].

Au Canada, tous les corps de métier jouissaient d'une grande liberté, à la différence de ceux de la mère patrie soumis à beaucoup de restrictions, dictées par la Jurande (les jurés chargés de veiller aux intérêts des corps de métiers). Chacun était libre de s'épanouir à sa guise, à condition qu'il fût doué, et qu'il acceptât de respecter les règles de *la belle ouvrage*. En cela, les artisans canadiens respectaient les statuts de Paris, de 1581 et de 1743 : « Tous bureaux commodes en pied de biche, en tombeau ou autres de quelque forme ou façon que ce soit, armoires... secrétaires... pulpitres de toute façon, boëtes d'horloge, encoignures... chaises percées, guéridons et tous autres ouvrages en bois de merisier, noyer, chêne, sapin, hêtre, poirier, olivier, cèdre... et autres non plaqués seront bien et dûment faits tant en assemblage que contour, chantournements, profils, tournure, sculpture ou autres ornements de quelque forme, matière ou façon que ce soit, observant les tenons, mortoises, queues, épaulements, enfourchemens et autres liaisons que l'art requiert pour la bonne solidité et propreté desdits ouvrages, et les tiroirs tant pour iceux que pour tous autres seront bien assemblés à queue d'hirronde ; les fonds desdits tiroirs, ainsi que les dessus de bureaux, de tables, de commodes, panneaux et autres où il faut rassembler plusieurs largeurs de planches ensemble, seront bien et dûment joints en languettes et rainures, sous les mêmes peines. » Il est remarquable que les menuisiers canadiens aient toujours respecté ces statuts, bien qu'aucune contrainte ne les y obligeait. La *belle ouvrage* était en quelque sorte, pour eux, un point d'honneur. Ce n'est pas un hasard si le verbe *chef-d'œuvrer* est encore en usage au Canada. J'ai souvent entendu vanter des menuisiers qui avaient la réputation d'exécuter des meubles avec soin et avec art : on dit qu'ils *chef-d'œuvrent* ou qu'ils sont *chef-d'œuvreux*.

LA CONFRÉRIE DE SAINTE-ANNE

Chaque corps de métier, en France, avait son saint patron : saint Joseph était le patron des charpentiers et sainte Anne la patronne des menuisiers. Marius Barbeau, dans son *Mémoire sur la Confrérie de Sainte-Anne au Canada*, écrit : « Certains maîtres menuisiers de Québec, ayant appartenu à la fameuse confrérie de Sainte-Anne de Paris, songèrent bientôt à implanter au pays un rameau de leur confrérie... »[2]. Cette confrérie, comme toutes les autres, se recommandait à un saint patron. Ses membres avaient comme mission de pratiquer la religion, d'aider les confrères dans le besoin et d'assurer la haute tenue du métier.

A Québec, au début de la colonie, comme l'usage se pratiquait en France, il y avait chaque année la procession du Saint-Sacrement où chaque corps de métier était représenté, bannière en tête. La première procession où l'on relate la présence des menuisiers date de 1648. « Le 11, feste du St. Sacrement, se fit la procession au temps & en la manière des années précédentes... Nostre F. Nicolas porta la croix, & Joliet & Costé, deux petits garçons en surplis, aux costés de la croix avec couronne de fleurs en teste. Suivaient les sauvages, conduits par le P. le Jeune en surplis & estolle ; en suite douze torches de 12 mestiers (tourneur, menuisier, cordonnier, tonnelier, serrurier, armurier, charpentier, masson, taillandier, boulenger, charon, & cloutier)... » [3].

Le 1er mai 1658, la Confrérie de Sainte-Anne prit naissance en Nouvelle-France comme en témoigne ce document « ... En ce pays érigeons et établissons et déclarons être érigée et établie la Confrairie des Menuisiers de Madame Ste Anne leur patronne en notre église parochiale et en la chapelle de Ste-Anne dite aussi du Rosaire » [4]. En 1660, les premiers membres de cette confrérie furent à Québec les maîtres menuisiers suivants : « Jean Le Vasseur Me Menuisier aparis, Doyen de la Confrairie de Saincte Anne Esrigée dans l'Esglise Parroichiale de Nre Dame de Quebecq,

(1) A J Q, I O A. — Minutier de Mtre C. Barolet, n° 2692, 22 octobre 1752 - Engagement Pierre Marin.
(2) Barbeau, Marius. *La Confrérie des menuisiers de Madame Sainte-Anne.* (Les Archives de Folklore, vol. III) Montréal, 1946, pp. 35-52.
(3) *Journal des Jésuites.* Québec, juin 1648, pp. 109-110.
(4) A S Q. — Collection Faribault, cité par Marius Barbeau.

et Pierre Biron, Pierre LeVasseur, de présent Mes Confraires de la dite Confrairie, Raymont pagets dit Carcy, Pierre Minville, Guillaume Loyer, Anciens Maîtres... et Jean Le-Messlin... » [1].

Ainsi, dès le début de la colonie, l'association des menuisiers, comme les autres associations artisanales, prit une part active à la vie de la Nouvelle-France. Tant par leur esprit de corps que par leur esprit religieux, ces artisans contribuèrent à perpétuer les traditions françaises en Amérique.

ACCESSOIRES DE CHEMINÉE ET POÊLES

Puisque nous avons parlé des cheminées et des manteaux de cheminée, il serait peut-être intéressant pour le lecteur de connaître les nombreux accessoires qui en faisaient partie, au temps de nos ancêtres. On peut en distinguer quelques-uns dans la cuisine ancienne, illustrée en couleurs dans ce livre. Ces objets sont signalés dans presque tous les inventaires.

On y trouve « une pelle à feu, une paire de chenets, un soufflet, des pincettes à feu, une paire de tenailles aussy a feu, des trépieds, un gril de fer, des marmittes rondes de fer, des chaudières, des broches à rostir, une crémaillère avec une grosse grille de fer au contrecœur de la cheminée, à quatre barres & deux traverses... trois petites marmittes de cuivre rouge... une chaudière de deux seaux de cuivre rouge... deux raichaux de cuivre... un tourne broche de fer avec toute sa garniture... une perche à rostir... »

Un auxiliaire de la cheminée fera son apparition au XVIIᵉ siècle : le poêle. Dans ce pays au froid rigoureux, les cheminées ne suffisaient pas à chauffer les maisons. Aussi fit-on appel aux poêles. La Mère Marie de l'Incarnation, écrivant à son fils en 1644, nous donne une excellente idée de ce qu'était le chauffage à cette époque : « Nôtre cheminée est au bout pour échauffer le dortoir & les cellules, dont les séparations ne sont que de bois de pin, car autrement on ne pourrait pas y échauffer ; encore ne croyez pas qu'on y puisse demeurer longtemps en hiver sans s'approcher du feu ; ce serait un excès d'y demeurer une heure, encore faut-il avoir les mains cachées & être bien couvert. Hors les observances, le lieu ordinaire pour lire, écrire & étudier est de nécessité auprès du feu, ce qui est un assujettissement fort incommode, particulièrement à moy qui me chauffais jamais en France... A quatre cheminées que nous avons, nous brûlons par an 175 cordes de gros bois, & après tout quoique le froid soit si grand, nous tenons le chœur tout l'hiver, mais l'on y souffre un peu... » [2]. Ce n'est qu'en 1668, qu'on installe dans le Couvent des Ursulines de Québec le premier poêle : « ... Alors un poêle fut placé dans le grand dortoir des religieuses par ordre des supérieurs... » [3]. C'était ces poêles aux plaques de fonte très épaisses qui ont gardé leur popularité au Canada jusqu'à nos jours. Ils avaient cet avantage qu'ils produisaient une grande chaleur à cause de l'épaisseur de leurs plaques, du nombre de bûches d'érable, de merisier ou de bouleau qu'ils pouvaient contenir et par leur excellent tirage. Ces poêles étaient un luxe au XVIIᵉ siècle ; ils venaient tous de France. D'après M. E.Z. Massicotte, quelques colons seulement en possédaient et « on les plaçait dans les cheminées tellement on les craignait ».

Quels étaient ces poêles et pourquoi aucun ne nous a-t-il été conservé ?

Au début du XVIIIᵉ siècle, on les signale dans les inventaires : « un poele de fer en palme avec Trois lyons... » [4]. C'est le poêle *palmier* mentionné très souvent, sans doute à cause des palmiers qui le décorent, en relief, sur ses plaques. Un autre nous est aussi très souvent décrit : « Un poesle de fer Représentant La Samaritaine (la scène de la Samaritaine avec Jésus auprès du puits de Jacob) sur les Plaques et Cotés. Et les trois Lyons sur les Plaques de devant et derrière » [5]. Et ce poêle d'un tout autre genre : « ... un poille de Brique Sa Plaque, son tuiaux de quatre feuille Compris le Recoude La porte du poile et son Chassy » [6]. Il semble que ce soit une cuisinière plutôt qu'un poêle pour chauffer.

(1) Barbeau, Marius. Loc. cit.
(2) *Lettres de la Vénérable Mère Marie de l'Incarnation*, Paris, 1681, p. 384-385.
(3) *Les Ursulines de Québec depuis leur établissement jusqu'à nos jours*, tome premier, Québec 1878, p. 86.
(4) A J M, I O A. — Inventaire des Biens de defunt Sieur Pierre Forestier 26ᵉ aoust 1732. Greffe Chaumont.
(5) A J M, I O A. — Inventaire des Biens de feu Sieur Jullien Trottier DesRivières faite a la Reqte et Dlle Marie Catherine Raimbault Sa veuve, le 30 avril 1738. Greffe Chèvremont.
(6) A J M, I O A. — Invantaire des Biens de La Communeauté dentre feu Michel Dufraine et Geneviève Caty - Le 22ᵉ Xbre 1751, Greffe Comparet.

Les deux premiers poêles cités plus haut doivent ressembler étrangement, avec leurs plaques sur les quatre faces, à nos poêles rectangulaires, en forme de boîte, ou à nos poêles à *deux ponts*, avec motifs en relief. Auraient-ils été fabriqués en France spécialement pour le Canada ? J'ai vu plusieurs de ces poêles et plaques de poêles en fonte dans les musées de Colmar et de Nancy. Ils ont été fabriqués pour la plupart à Zinzwiller, près de Strasbourg, au XVIIIe siècle. Au musée de Colmar, l'un est orné, sur ses plaques de côtés, de bas-reliefs représentant la scène biblique des « Noces de Cana ». Serait-ce ce même poêle dont fait état un inventaire de 1753 : « ... un poille de Fer Nopce de Cana... »[1] ?

On ne semble pas avoir fabriqué de poêles dans la colonie avant 1744, car pendant nombre d'années, sous les intendances de Talon, De Meules, Raudot, Dupuy, Hocquart, on ne cessa de rechercher le minerai de fer, et quoiqu'on en eût trouvé à la Baie Saint-Paul et aux Trois-Rivières, on mit longtemps à mettre au point l'établissement de forges. Ce n'est que vers 1733 qu'on fit les premiers essais de fonte du minerai, à Trois-Rivières. En 1744, on coula cinquante-neuf poêles à chauffer « qui ont passablement réussi pour un premier essai. Les habitants les préfèrent à ceux de Hollande pour cela seul qu'ils sont moins sujets à casser... »[2]. En 1747, on coula « plus de deux cents poêles pour les habitants qui les achetaient avant même qu'ils fussent coulés tellement la demande était grande »[3].

On appelait aussi ces poêles : *poêles de fer Simple, poêles de fer Double, à la Balance, au Balancier*[4]. Je n'ai vu que deux reliques des Forges Saint-Maurice datant du XVIIIe siècle. L'une, plaque d'un petit poêle appartenant aux Ursulines des Trois-Rivières, très usée et effacée par suite d'un incendie et dont le motif, en bas-relief, pourrait représenter le baptême d'un sauvage par un

Fig. 11 - *Poêles de fer canadiens*
A gauche : poêle à trois ponts XIXe s. (cuisinière et poêle à chauffage)
A droite : poêle des Forges Saint-Maurice. Début XIXe s. (poêle à chauffage)

(1) A J M, I O A. — Invantaire des Biens de la Communauté qui a Esté Entre Sr pierre brien Et deffunte Elisabethe des Roche - Le Neuf 8bre 1753. Greffe Comparet.
(2) Cité par Mgr Albert Tessier : *Les Forges Saint-Maurice* 1729-1883. Trois-Rivières, 1952, page 89.
(3) A P C. — Corr. Générale C11A, vol. 88, pp. 93-94.
(4) B R H. — Massicotte, E.Z., vol. XLVIII, mars 1942, n° 3, pp. 79-80.

CUISINE. XVIIIᵉ SIÈCLE.

missionnaire jésuite. L'autre, une plaque cintrée de cheminée, ayant pour motif le blason de la monarchie française : cartouche avec fleurs de lys et feuilles de laurier. Ces deux objets furent trouvés aux Trois-Rivières. J'ai vu plusieurs poêles à deux ponts des Forges Saint-Maurice, estampillés et datant du milieu du XIXᵉ siècle. Depuis, plusieurs fondeurs, par tout le pays, ont fabriqué des poêles de ce genre, à *deux ponts* et à *trois ponts*, toujours ornés de bas-reliefs floraux ou de dessins géométriques. Les deuxième et troisième ponts ont des portes qui, refermées, peuvent servir de four à rôtir les viandes ou à cuire le pain et la pâtisserie. Ces poêles ont presque totalement disparu; d'autres, chromés et émaillés, les ont remplacés. Les ménagères les trouvent plus pratiques que les anciens poêles, quoique toutes s'accordent à regretter la chaleur intense qu'ils dégageaient.

Dans la salle commune, les poêles étaient placés de préférence près d'une cloison. Souvent la cloison était trouée pour permettre à la chaleur de se répandre dans une autre pièce. Un trou percé dans la cheminée, près du plafond, recevait le tuyau du poêle.

CONSERVATION ET RESTAURATION DU MEUBLE

Nous avons vu que de 1650 à 1750, le mobilier du Canada français s'inspirait surtout du style Louis XIII. On constate, après avoir consulté les archives, que la plupart des meubles de cette époque étaient teints plutôt que peints. Dès que le menuisier avait fini son meuble, il en faisait la mise en couleur, avec des teintes transparentes ou opaques qui imitaient le noyer français ou le vieux chêne, comme il était de tradition en province française. Nos bois étant blancs à l'origine, on ne pouvait laisser le meuble dans cet état; il serait devenu sale et gras. Exceptionnellement, le meuble était fini en bois naturel, puis légèrement passé au vernis clair, ceci pour protéger le bois qui était tout blanc et donc sensible aux marques de doigts ou au moindre effleurement d'un corps étranger. L'armoire à pointes de diamant de la Mère d'Youville, conservée dans la crypte des Sœurs Grises à Montréal, est un des rares exemplaires qui nous restent d'armoires en bois naturel. Dès le début, protégée par son vernis clair, elle a pris un très beau ton doré. Il est intéressant de noter que les religieuses, en quittant leur ancien hôpital général, place d'Youville, ont transporté avec elles, intégralement, la chambre de leur fondatrice. Dans un grand désir d'authenticité, elles ont remonté les portes, planchers, ainsi que les meubles et poutres de la chambre de la mère d'Youville. Le tout a été recréé tel quel dans la Crypte de leur nouvel hospice, rue Dorchester.

MEUBLES PEINTS

A partir de 1745, on rencontre, dans les inventaires, des meubles peints, dont plusieurs en rouge. Plus tard, presque tous les meubles durent être peints. On retrouve certaines de ces couleurs conventionnelles sur des trumeaux, des lustres et des fauteuils du XVIIIᵉ siècle en France.

1) Un bleu-vert très foncé.
2) Un bleu-vert subtil, rappelant la couleur des œufs de rouge-gorge.
3) Un blanc teinté d'ocre jaune.
4) Une couleur à l'ocre rouge ou oxyde de fer. Cette dernière couleur fut très en vogue à la fin du XVIIIᵉ et au début du XIXᵉ siècle. « Une petite table quarrée de bois peints en rouge... » [1].

Dans certaines régions de notre pays, plus particulièrement dans la région des Trois-Rivières, les habitants ramassaient de la terre rouge dans les champs et la broyaient dans de l'huile de lin. On la mélangeait encore avec du lait écrémé. Une autre peinture fort employée dans les meubles et boiseries au siècle dernier et encore aujourd'hui, plus particulièrement dans les églises et couvents, imitait les veines du bois. Il est ridicule de vouloir imiter les veines du bois, quand le bois véritable est en dessous. Ceci nous rappelle que, pendant le siècle dernier, nous avons été de grands imitateurs. On dirait que cette mauvaise habitude s'est implantée dans nos mœurs.

(1) A J Q, I O A. — Partage entre Jean Letourneau et les héritiers de Dame Marie Gauthier sa femme : 1ᵉʳ août 1783. Greffe J.A. Panet.

LOCALISATION ET ÉTAT DES MEUBLES ANCIENS

Il serait bon de signaler ici dans quels endroits et en quel état la plupart de nos meubles anciens ont été trouvés . Le plus généralement, on les découvre à la campagne. rarement dans les chambres des maisons, mais bien plutôt relégués au grenier, dans la cave, le hangar, la grange et même dans le poulailler... Inutile de dire qu'ils sont dans un piètre état, recouverts de saleté, et enduits de nombreuses couches de couleur : peintures de bâtiment, peintures à l'émail passant des teintes les plus foncées aux teintes les plus criardes. Inutile de dire aussi que la plupart des meubles que l'on trouve dans ces endroits sont abominablement mutilés. Ils sont amputés de leurs plateaux, de leurs corniches, de leurs moulures ou de leurs pieds. Leurs fiches, après avoir été arrachées, ont été remplacées par de grossières charnières ou des pièces de cuir vissées, clouées n'importe où dans les panneaux et les montants. Parfois les meubles ont été rongés par les rats et l'on voit d'énormes trous aux angles des tiroirs ou des vantaux . Presque toujours on trouve des traces de clous, de taches d'encre, de teinture, de brûlures, de profondes marques de coups de marteaux, voire, et l'on ne sait pourquoi, d'incisions causées par la scie ! Quant aux traverses inférieures, si on ne les a pas sciées, on s'est acharné à leur administrer des coups de pieds et à faire sauter leurs chantournements. Il m'est arrivé de découvrir une armoire, à la Côte de Beaupré, ornée sur toute sa surface de dessins géométriques gravés, une armoire hors de pair, mais sciée en plein milieu des vantaux et tout à fait irrécupérable. Combien de fois n'avons-nous pas été témoins de telles mutilations .

COULEUR D'ORIGINE

Si on a la chance de mettre la main sur un meuble qui est encore revêtu de sa première couche de peinture, il vaut mieux ne pas le décaper, mais simplement le nettoyer ou le laver pour lui enlever ses saletés sans attaquer la peinture. Nous aurons ainsi un meuble tel qu'il fut conçu et apprécié à l'époque. J'admets qu'une armoire décapée, découvrant un ton orangé laissé par l'huile de lin qui s'est imprégnée dans le bois à l'origine, pourra être de bon goût. Placée contre un mur blanc ou coloré, l'effet sera heureux mais ce sera le contraire si elle se confond avec une cloison de bois de même ton. Efforçons-nous, cependant, de conserver le meuble le plus près possible de son état originel, comme on l'a fait dans certains musées et chez les *vrais* collectionneurs, qui respectent l'état général du meuble. Le Musée de Detroit a même pris l'initiative de repeindre plusieurs meubles dont la peinture d'origine était dans un état lamentable.

Si la couleur de fond est agréable, cela vaut la peine de la conserver. Quant à rattraper la couleur d'origine, c'est un travail très délicat, qui demande une patience extraordinaire et une technique comparable à celle du restaurateur de tableaux qui nettoie lentement, au tampon, avec des dissolvants spéciaux, chaque centimètre de la surface, l'un après l'autre. J'ai vu des statuettes ainsi nettoyées avec le plus grand succès. Dans le cas où l'on veut reconstituer la couleur d'origine, on ne la trouvera pas toute préparée dans le commerce; il faut composer soi-même le mélange et, là encore, cela demande beaucoup de patience et d'habileté. Certaines de ces couleurs anciennes étaient un mélange de couleurs en poudre et de lait écrémé (espèce de caséine). C'est pourquoi elles sont devenues très dures, presque vitrifiées et difficiles à enlever sans grattoir.

DÉCAPAGE

Si l'on doit décaper entièrement un meuble, voici comment l'on doit procéder : il faut que l'on évite d'employer le grattoir ou le couteau, ainsi que tout objet tranchant; on doit laver le meuble avec des dissolvants tels qu'alcool, soude caustique diluée ou tout bon dissolvant qu'on trouve dans le commerce, mais ici il faut s'armer de beaucoup de patience et ne pas espérer un miracle, c'est-à-dire s'attendre à décaper toutes les couches de peinture à la fois. Un pinceau aux poils synthétiques est recommandé pour ce travail. On enduira généreusement de dissolvant la surface à décaper. Et par la suite, on brossera la surface toujours avec le même pinceau qu'on trempera souvent dans le dissolvant jusqu'à ce que la couche de couleur se désintègre et s'enlève au pinceau, opération qu'on répétera sans cesse. En outre, la surface à décaper devra toujours être placée à plat pour que le dissolvant ait le temps de pénétrer et ne se perde pas. Il est parfois nécessaire, lorsque la peinture est rebelle, de la couvrir de dissolvant plusieurs fois et pratiquement

de la tremper jusqu'à ce qu'elle finisse par craqueler. Souvent, cela met deux jours avant que cette peinture presque vitrifiée commence à se désagréger. Pour les nombreuses et épaisses couches de couleur, il est permis de se servir d'un grattoir, mais il faut le mettre de côté sitôt qu'on a atteint le bois.

Je sais que pour des petites chaises rustiques il est parfois presque impossible d'obtenir un résultat en les lavant seulement avec le dissolvant et le pinceau, le dissolvant ne pouvant adhérer aux barreaux; on a donc recours au grattoir. Encore faut-il en user avec prudence.

Certains meubles dont la couleur de fond n'est pas trop foncée méritent parfois d'être lavés à la lessive : procédé à déconseiller dans la plupart des cas, à moins d'agir avec grande prudence dans le dosage de la lessive que l'on mélange à un seau d'eau. Nous connaissons des collectionneurs sérieux qui, avant de nettoyer un meuble important à la lessive, feront un essai sur un objet de peu de valeur, tellement ils craignent de faire lever le grain du bois et de le brûler. Une fois le dosage contrôlé, l'on se mettra à l'aise dans sa cour, de préférence à la campagne, comme on lave une voiture, muni de bottes et de gants de caoutchouc et de lunettes protectrices, d'un tuyau d'arrosage, de balais, de brosses de fibres synthétiques et on lavera le meuble sur toutes ses faces jusqu'à ce qu'il soit nettoyé au complet, on le frottera avec le balai entre deux applications de lessive et on rincera fréquemment avec le tuyau d'arrosage. Il est très important de ne pas s'interrompre pendant le travail, car les bavures de la lessive marqueraient le bois pour toujours. Ce procédé, nous le répétons, exige d'infinies précautions. Une fois que le meuble est sec, il faut le passer au papier de verre fin et au fil d'acier. Une méthode qu'il ne faut jamais employer pour décaper le meuble, c'est la torche à essence. On y laisse quelquefois des taches de bois roussi qui pénètrent profondément. Un exemple frappant de cette méthode malheureuse, c'est une très belle commode française, type tombeau, exposée dans un musée. Cette commode qui était revêtue d'une teinture et d'un vernis magnifique et authentique fut décapée à la torche sans aucune raison apparente. Résultat : elle est toute striée de marques de brûlures.

Il est nécessaire d'entretenir ces meubles par un encaustiquage fréquent, non seulement pour préserver le bois de la poussière et des marques, mais aussi pour donner un beau ton au bois. Les connaisseurs emploient de préférence la cire d'abeille qu'ils préparent eux-mêmes.

RESTAURATION

Deux théories s'opposent actuellement, au Canada, sur la façon de restaurer le meuble traditionnel. L'une préfère conserver l'usure et les taches causées par le temps (brûlures de plats, taches d'encre, marques laissées par le compas ou le trusquin, dessins d'enfants exécutés au couteau, laminures causées par l'humidité et autres marques de longévité et de contact quotidien). L'autre préfère un meuble immaculé, chose impossible pour un meuble qui a deux siècles d'existence ! Pour obtenir cet effet, on est prêt à sacrifier les saillies et les cavités de la mouluration et des ornements, quitte à appliquer par la suite une teinture pour retrouver le ton original du bois gratté trop en profondeur. Il vaudrait mieux reproduire le meuble que d'effacer « la main de l'artisan » et la patine, témoignages de la présence encore vivante de nos aïeux.

Il est très important, lorsqu'il y a lieu de restaurer un meuble, de le confier à un artisan qui a l'expérience de la restauration. Avant toute chose, que cet artisan comprenne l'esprit et le style du meuble. J'ai vu des meubles gâchés à jamais par des artisans incapables de voir la beauté du meuble qu'ils devaient restaurer. Pour eux, le travail des artisans du passé était sans importance, parce qu'ils n'en appréciaient pas le sens esthétique et humain. Il y a par exemple des cas où les moulurations furent enlevées au grattoir, où des clous furent plantés dans des endroits très visibles; et, lorsque le bois manquait, on n'hésitait pas à le remplacer par un bois d'une autre essence.

Lorsqu'une section du meuble est absente (corniches, pieds ou traverses chantournées, etc.) quand il y a doute, il vaut mieux au préalable exiger de l'artisan des essais provisoires à l'aide de poncifs, de gabarits et ainsi se rendre bien compte de l'effet désiré et être assuré que le tout s'harmonise avec le reste du meuble. Une fois que, de part et d'autre, on est d'accord sur la marche du travail à suivre, la restauration du meuble peut commencer. Il ne faut jamais trop se presser. Un grand nombre de façades de tiroirs de commode sont trouvées très mutilées. Parfois il y manque les extrémités où de larges éclats ont sauté. Quand il s'agit d'un bois veiné, il est délicat d'y joindre un autre bois, cela demande de patientes recherches avant de trouver la pièce de bois dont les veines épouseraient celles de la pièce voisine. J'ai vu récemment une de ces façades de tiroirs dont les extrémités ont été remplacées et les veines se fondant si bien les unes dans les autres que l'on distinguait à peine le joint. L'artisan qui l'a fait en était très fier et avec raison.

Nous avons dit précédemment où se trouvaient ces meubles. Tout a été fouillé et bazardé ou détruit, il ne reste plus grand-chose, sauf quelques bonnes pièces dans des demeures paysannes dont les propriétaires sont restés attachés à l'héritage de leurs ancêtres. Ils méritent notre admiration parce qu'ils sont parmi les rares qui apprécient vraiment leur patrimoine. Hélas, le glas a sonné . Il ne reste plus de belles pièces à acheter, sauf des berceaux, des huches, des rouets, des tables de toilette ou des armoires à panneaux carrés et à moulures appliquées, de la seconde moitié du XIXᵉ siècle. Enfin, que les amateurs s'estiment heureux, si une demi-douzaine de belles pièces apparaissent à travers la province chaque année. Il est certain qu'avec les meubles aux formes simples et rustiques cités précédemment, l'on peut quand même se créer un charmant intérieur, et ceci, sans frais excessifs.

Cette étude de la conservation et de la restauration peut être résumée ainsi que le fait M. Pierre Verlet, Conservateur en chef du département des objets d'art du Musée du Louvre : « La conservation parfaite est impossible. On ne maintient pas, on ne recrée pas le passé, mais on peut, avec prudence, avec respect, avec goût, se rapprocher de l'état ancien et maintenir dans la propreté une harmonie que le temps a plus ou moins donnée. Tout ce que cela comporte de servitudes, d'attention, de compréhension dans la manière dont évoluent les vieilles choses, de maintien scrupuleux du passé, peut sembler pratiquement irréalisable et paradoxal en notre siècle. C'est l'austère leçon d'amour que donnent les anciens meubles à ceux qui veulent vivre avec eux »[1].

IDENTIFICATION DES MEUBLES

Qu'on ne s'attende pas à apprendre en une leçon la façon de reconnaître un original d'un faux dans les meubles régionaux canadiens des XVIIᵉ et XVIIIᵉ siècles. Non, cela demande souvent des années d'observation et de familiarisation avec ce genre de meuble. Toutefois, l'amateur averti pourra déceler de prime abord si un meuble est bon ou non, souvent même sans l'examiner de près, sans le scruter en tous sens. Mais il est des cas où il est nécessaire de l'examiner presque au microscope tellement l'illusion est habile. J'ai connu des collectionneurs possédant des meubles canadiens qu'ils croyaient authentiques alors que ces meubles avaient subi tant de restaurations ou de transformations qu'ils n'étaient plus originaux. On remplacera les panneaux d'armoires, de buffets ; on chantournera les traverses inférieures, on y ajoutera des ornements, etc. ; des armoires coupées en deux subiront de multiples transformations et deviendront des buffets bas ; une table trop longue sera aussi coupée pour en obtenir un deuxième exemplaire, mais il sera nécessaire de refaire le piètement à l'une des extrémités voire, d'imiter le piètement original.

Il est parfois permis de modifier une table ou une armoire trop lourde ou monumentale, de raccourcir une encoignure, un buffet bas s'ils sont trop hauts ou mal équilibrés ou s'ils sont trop abîmés.

L'antiquaire honnête et consciencieux, désirant se créer et conserver une clientèle, indiquera au client toutes les transformations apportées et le préviendra qu'il a affaire à un meuble non authentique.

Voici quelques renseignements utiles à la connaissance des meubles régionaux canadiens anciens.

PLANCHES, MADRIERS

Les planches avec lesquelles on fabriquait les meubles traditionnels, aux XVIIᵉ et XVIIIᵉ siècles, étaient toujours très épaisses parce que sciées de long. Les anciens menuisiers n'utilisaient pour les plateaux, les traverses, les vantaux, que du bois ayant 1 ¼'' (32 mm) à 1 ½'' (38 mm) d'épais-

---

(1) Verlet, Pierre. *Les Meubles Français du XVIIIᵉ siècle. II Ebénisterie.* Paris, Presses Universitaires de France, 1956 (Coll. l'Œil du Connaisseur), p. 96.

seur et même plus, comme c'est le cas pour les façades de tiroirs de commode galbée, mesurant jusqu'à 5'' (13 cm) d'épaisseur, ou pour les traverses inférieures d'armoire, mesurant plus de 2'' (50 mm) d'épaisseur. Aujourd'hui, ces mêmes planches mesurent moins d'un pouce d'épaisseur, soit 7/8'' (22 mm) ou 25/32'' (20 mm) ou même moins, les standards ayant changé depuis l'avènement de la scie circulaire, vers 1840. Avant cette date, chaque habitant ou menuisier faisait scier ses planches selon ses desiderata. C'est pourquoi l'on trouve des écarts sensibles dans l'épaisseur des planches de chaque catégorie de nos meubles anciens. Mais on peut quand même, pour brouiller les pistes, débiter des madriers de pin, de merisier ou de noyer tendre dans le but de retrouver les standards anciens.

Mais il sera très simple de découvrir la fraude et si l'on doute de la vétusté du bois, qu'il soit standard ou non, on n'aura qu'à gratter une toute petite section avec un canif. Si le bois est blanc sous la patine ou la peinture, c'est qu'il est récent; le vieux bois a acquis un ton chaud et orangé.

VIEUX BOIS

Cela n'empêche pas les imitateurs de fabriquer de faux meubles avec du bois tiré des meubles anciens sans intérêt ou avec du bois tiré des planches ou madriers de vieux pin trouvé chez les entrepreneurs en démolition. On examinera scrupuleusement s'il y reste des traits de scie circulaire ou à ruban sous les traverses ou au revers des traverses, au revers des façades de tiroirs, etc., et aux joints des traverses ou des queues d'aronde. A ces endroits, le bois debout, scié, est presque du bois neuf et l'on distinguera la surface rude causée par la scie. Si les joints renferment de la colle, ce sera une raison de plus de se méfier, les anciens menuisiers n'usaient presque jamais de colle.

Dans les façades de tiroirs faits de madriers de vieux pin, achetés chez les démolisseurs, on découvrira presque toujours, à la surface, des taches noirâtres ou des taches de rouille, vestiges des trous de clous. J'ai vu une fausse commode fabriquée ainsi et vendue à un collectionneur à un prix astronomique, comme étant un meuble authentique. Un seul regard posé sur les tiroirs suffisait à juger le meuble.

SURFACE DES BOIS ANCIENS

Les bois des meubles régionaux anciens présentent une surface différente de celle des meubles fabriqués depuis l'avènement de la raboteuse et de la ponceuse, vers le milieu du XIXe siècle. Si l'on examine la surface du bois sous un certain angle, on distinguera les marques laissées par le rabot poussé à la main. Il arrive qu'avec le temps les sillons ou concavités causés par le rabot aient disparu dans les parties du meuble les plus exposées à l'usure; il suffira de remarquer les parties moins usées ou, plus particulièrement, le revers et l'on verra des sillons. On peut encore discerner les sillons du rabot sur les panneaux des armoires ou les panneaux latéraux des commodes du XVIIIe siècle.

PLATEAUX

Pour les plateaux de tables, de buffets bas et les volets de tables pliantes, etc., les anciens menuisiers employaient de préférence des planches de plus d'un pouce d'épaisseur (25 mm) et jusqu'à 26'' (66 cm) de largeur et même plus, comme nous en avons vu sur certaines commodes. Presque toujours ils choisissaient un bois sans nœuds. Si un plateau de table devait recevoir deux ou trois planches elles étaient invariablement assemblées à rainures et à languettes. Dans ce dernier cas la colle est employée pour empêcher les planches de gondoler mais on n'en retrouve pas de vestiges, les lessives l'ayant fait disparaître.

QUEUES-D'ARONDE

Les queues-d'aronde anciennes ne sont jamais symétriques, parce que taillées à la main, à l'aide d'une scie et d'un ciseau. Dans les côtés de tiroirs des commodes canadiennes, l'on trouvera, le plus souvent, une énorme queue-d'aronde centrale, consolidée d'un clou forgé à la main, avec deux demi-queues-d'aronde, l'une dans le haut, l'autre dans le bas. D'autres tiroirs seront ornés de quatre queues-d'aronde moyennes **mais elles ne seront** jamais égales. Des coffres du XVIIIᵉ siècle auront, aux angles, plusieurs queues-d'aronde de proportions variées. Depuis assez longtemps, les manufacturiers et certains menuisiers se servent de machines spéciales pour les exécuter et lorsqu'on les examine de près, on s'aperçoit qu'elles se ressemblent toutes et sont disposées à intervalles réguliers. Il est bon de se rappeler que les menuisiers d'antan ne se préoccupaient pas de la symétrie. On peut s'en rendre compte souvent dans les assemblages, dans les moulurations qui varient d'une porte d'armoire à l'autre et même dans les ornements où parfois on est charmé par l'absence de symétrie. Le menuisier d'aujourd'hui, qui désire imiter les anciennes queues-d'aronde, peut encore les tailler à la main en employant du vieux bois pour simuler l'ancien, mais le bois debout, nouvellement scié, et l'absence des marques de rabot trahiront la supercherie.

TOURNAGE

Le tournage irrégulier et asymétrique est aussi une caractéristique du meuble ancien. Qu'on examine de près le piètement d'une table ou d'un fauteuil de style Louis XIII. On remarquera toutes les irrégularités du tournage, lequel ne sera jamais uniformément rond. Les tours, à l'époque, étaient actionnés par une pédale ou par une énorme roue qu'un aide-apprenti faisait tourner à la manivelle. Encore là, les balustres, les cubes chanfreinés, les toupies des pieds ne seront pas identiques. On y distinguera parfois des surfaces aplaties parce que le bois fut débité plus mince par mégarde. Enfin il est intéressant de noter que dans un ensemble de chaises semblables exécutées en même temps, pas une ne sera tournée de la même façon que la suivante. On trouvera dans chacune des variantes.

FONDS POSTÉRIEURS ET FONDS DE TIROIRS

Les dos ou les fonds postérieurs, fonds inférieurs et fonds supérieurs des armoires, des buffets et des commodes sont en général faits de larges planches taillées, aux bouts, en biseau ou à la hache et s'ajustant horizontalement dans les coulisses des montants postérieurs. Pour les poser, on les faisait glisser, lors de l'assemblage final, de haut en bas. Ces planches n'étant pas apparentes, le bois extérieur de ces dos n'est souvent pas dégrossi et l'on y distingue tous les traits laissés par la scie de long ou des marques de hache si les planches ont été équarries. Dans les commodes et les armoires moins rustiques et mieux finies, le menuisier ornait les planches du dos de plates-bandes, comme dans les panneaux d'armoire, les glissait dans les coulisses des montants ou même se donnait la peine de les assembler à tenons et mortaises avec des chevilles, mais en ayant soin d'y mettre de robustes traverses à différents intervalles.

Quant aux fonds de tiroirs, ils seront toujours faits d'une large planche ou de deux planches jointes à rainures et à languettes, lesquelles, biseautées tout autour, entreront à coulisse dans le cadre du tiroir. On sentira aussi, dans les fonds, les sillons du rabot. Les fonds inférieurs des armoires, des buffets et des commodes seront assemblés de la même façon, dans les traverses et les montants.

PORTES

Les portes des armoires et des buffets étaient invariablement à battement, c'est-à-dire que les bords battaient : elles frappaient en se refermant sur les traverses, les montants et le dormant, à l'inverse des portes rentrées à vif du XIXᵉ siècle, lesquelles affleuraient les montants et les traverses. Comme nous l'avons vu plus haut les portes anciennes, à battement, exigeaient des fiches particulières ; les portes rentrées à vif : des charnières vissées à l'intérieur.

Pour que des portes provenant d'une autre armoire et ayant été raccourcies puissent prendre place dans un buffet bas, il faudra forcément percer de nouvelles mortaises pour recevoir les tenons des fiches car il est pratiquement impossible de trouver des portes ayant exactement les mêmes dimensions et dont les tenons des fiches puissent s'ajuster dans les anciennes mortaises. Ainsi l'on aura la preuve que ces pièces ont été rapportées. En outre les tenons des fiches étaient toujours tenus par des clous forgés à la main dont les têtes sont martelées et ont rouillé avec le temps. Il est donc facile de discerner s'ils ont été déplacés ou substitués.

CHEVILLES

Tous les meubles traditionnels de menuiserie d'assemblage des XVIIᵉ et XVIIIᵉ siècles sont assemblés à tenons et à mortaises et chevillés. Les chevilles, nous l'avons vu, sont enfoncées dans les trous percés au vilebrequin dans les montants, et traversent les trous des tenons pour tenir les pièces ensemble. Les anciens menuisiers taillaient eux-mêmes leurs chevilles à l'aide d'un ciseau ou d'une hachette; elles étaient comme équarries, plutôt carrées que rondes. Les fournisseurs de bois d'aujourd'hui fabriquent de longues baguettes tournées et parfaitement rondes pour servir de chevilles. Le menuisier n'a qu'à scier ces baguettes en chevilles.

MOULURES

Les moulures encadrant les panneaux d'armoires font invariablement partie intégrante des montants et des traverses. Ce n'est qu'au XIXᵉ siècle que les moulures sont appliquées et fixées à l'aide de colle et de petits clous. Pour vérifier si la moulure est appliquée, on n'a qu'à introduire la lame d'un canif entre la moulure et la traverse ou le montant. Si la lame pénètre dans le joint, c'est que la moulure est appliquée; si la lame ne peut pénétrer, c'est qu'il n'y a pas de joint.

CORNICHES

Dans la plupart de nos meubles, la corniche moulurée est en trois parties, assemblée à onglet et fixée à l'aide de longs clous forgés. De rares armoires sont ornées d'une corniche faite tout d'une pièce, comme cela est fréquent en France, faisant penser à une couronne que l'on pose sur l'armoire. Aucun clou, aucune vis ne la tient en place tellement elle est bien ajustée.

SCULPTURE DES PANNEAUX

Parfois on peut douter de l'authenticité des losanges et des croix de Saint-André gravés sur les panneaux d'armoires ou de buffets bas. Pour ajouter à la décoration d'un meuble de façon à le vendre plus facilement, on grave ces dessins à même les panneaux simples et unis. Il est quand même facile de découvrir si les décors sont récents. Les canaux des losanges ou des croix de Saint-André, creusés dans le bois du panneau, seront plus blancs que le bois de la surface dont le ton est plus orangé. Plus on creuse un vieux bois, plus il devient blanc. Lorsqu'une teinture, mélangée à de la cire habilement posée, voudra dissimuler le bois plus pâle, on n'aura qu'à enlever la teinture avec un peu d'alcool ou de dissolvant et on découvrira un bois plus pâle que la surface. Dans les meubles aux panneaux ornés de motifs floraux ou fruitiers, les menuisiers d'autrefois sculptaient le panneau en bas-relief, c'est-à-dire que la sculpture était soulevée mais que les aplats étaient creusés uniformément en retrait. Aujourd'hui, quiconque veut décorer un panneau simple de motifs sculptés, cerne le relief en le creusant à la gouge, mais en ayant soin de ne pas amincir les bords parce que les plates-bandes sont presque à affleurement de la surface du panneau. Les anciens menuisiers débitaient des panneaux plus épais pour la sculpture en bas-relief, mais creusaient uniformément toute la surface non sculptée du panneau.

Ainsi, on reconnaîtra qu'un panneau simple d'armoire fut sculpté après son exécution, que la sculpture fut ajoutée pour rendre le meuble plus attrayant.

USURE

L'usure des quarts-de-rond renversés des bords d'une table, d'une porte d'armoire, l'usure du cordon d'une ceinture ou d'une traverse inférieure, de l'extrémité des pieds d'une table ou d'un fauteuil, etc., est apparente sur tous les meubles traditionnels des XVIIᵉ et XVIIIᵉ siècles. Il est à remarquer que ces marques d'usure sont plus prononcées aux endroits exposés aux contacts humains: contact de la main sur les portes d'armoire, sur les tiroirs, des mains et des coudes sur les bords d'une table, des pieds sur les barreaux d'une chaise, des balais sur les ceintures inférieures, etc. Les listels des quarts-de-rond des bords de tables ont souvent presque disparu mais on y devine presque toujours la trace originelle. Les coins aussi sont toujours très usés par le frottement. Si les marques d'usure faites récemment à la râpe sont placées à intervalles réguliers ou dans des endroits moins exposés au frottement, c'est qu'elles sont fausses. A force d'observer les anciens meubles, on arrive à identifier la véritable usure de la fausse.

CUIVRES ET FERRURES D'ÉPOQUE

Les poignées de cuivre originales, j'entends celles qui ont été posées sur les façades des tiroirs de commodes au moment de l'exécution, sont facilement reconnaissables. Aucune autre empreinte ou trou de clou, ou de vis ou de cheville ne doit être apparente dans le bois de la façade. Si d'autres cicatrices laissées par des garnitures antérieures sont visibles, c'est que les cuivres originaux ne sont plus et ont été remplacés. Les mêmes observations s'appliquent pour les armoires et les buffets deux-corps, aux entrées de serrure, aux anneaux, aux boutons de fer des tiroirs.

LES PLUS GRANDS EXPERTS MÊME...

Muni de ces renseignements et avec un bon sens de l'observation, on peut arriver à distinguer le vrai du faux. Et pour terminer cette étude incomplète sur l'identification des meubles, nous sommes forcés d'admettre que tout peut être imité si on s'en donne la peine et presque à la perfection. Nous n'en sommes pas encore arrivés là au Canada !

On aura beau truquer, la vérité sera là, cachée, prête à être dévoilée. Je me rappelle avoir vu en France six fauteuils cannés Louis XV, dont quatre étaient d'époque et deux de parfaites copies des originaux. Impossible de les différencier les uns des autres tellement ils se ressemblaient : même les imperfections, les irrégularités, les gaucheries qu'on trouve dans chaque fauteuil ancien faisant partie d'un ensemble, étaient en même temps reproduites. Le menuisier parisien qui avait exécuté ces deux contrefaçons s'était servi de vieux bois de hêtre comme le bois des fauteuils originaux. Il avait même pris soin de ne pas faire une réplique exacte d'un des fauteuils mais plutôt de l'imiter tout en y introduisant des variantes subtiles dans la sculpture. Ainsi, ces fauteuils étaient tous semblables sans être identiques. Seul le poids du fauteuil permettait de déceler l'imitation. Le bois de hêtre dont s'était servi le menuisier n'était pas aussi vieux que celui des fauteuils originaux. Comme l'homme, les bois deviennent plus légers en vieillissant.

Et si notre menuisier avait utilisé un bois aussi ancien que celui des fauteuils qu'il imitait ? Même les plus grands experts...

CONCLUSION

VANDALISME

Nous avons déjà mentionné que le vandalisme et les incendies étaient responsables de la disparition des quatre-cinquièmes de notre mobilier ancien et de nos objets d'art. Les incendies étaient la conséquence inévitable d'une civilisation du bois et du froid et, surtout, de la négligence, comme c'est encore le cas aujourd'hui. Quant au vandalisme, les causes en sont moins excusables. C'est un phénomène universel. Tous les pays en ont été victimes; on ne peut imaginer à quel degré. C'est comme si chaque époque voulait renier la précédente. Ici, au Québec, nous étions à peine sortis de l'ère des pionniers que nous cherchions à détruire tout ce qui nous rappelait le passé. Le vandalisme est encore, hélas, le résultat de l'ignorance, du manque d'éducation ou, tout simplement, du manque de goût. Chez nos gens, on croirait qu'il existe une sorte d'irritation, de honte ou de haine, à l'égard du passé. L'image de Québec, projetée par Louis Hémon dans son roman *Maria Chapdelaine*, n'a jamais été appréciée universellement dans notre province. On craint qu'à l'étranger, on ne s'imagine que nous sommes encore un peuple de défricheurs.

Au cours des trente dernières années, je fus témoin d'un nombre incalculable d'actes de vandalisme contre lesquels je ne pouvais rien. On se moque de ceux qui veulent épargner de la destruction ces « vieilleries » ou ces « cochonneries », selon les expressions courantes, hélas, lorsqu'il s'agit de nos maisons ou de nos meubles anciens.

Que de vieilles maisons, que d'émouvantes églises à l'échelle humaine, que de vieux moulins, n'avons-nous pas vu démolir ou tomber en ruines ? Et si, loin de les démolir, leurs propriétaires les transforment, les plus hideux appendices viennent les défigurer, sans aucun souci des proportions ou du style.

C'est une rage de s'attaquer à l'héritage du passé, quand il serait si simple — s'il y a lieu d'agrandir une église, un hôpital, une maison — de respecter l'architecture initiale, tout en aménageant l'intérieur d'un édifice avec tout le confort que notre siècle réclame. En France, beaucoup de bâtiments, plus spécialement des hôpitaux des XVIe et XVIIe siècles, ont conservé leur style original, malgré les agrandissements ultérieurs.

Que de sites au décor naturel enchanteur n'avons-nous pas gâchés . A Québec, par exemple, on ne peut contempler le fleuve, les montagnes, les îles, sans être constamment conscient du premier plan : affreuse anarchie de lucarnes bouchées, de cabanes sur les toits, de panneaux publicitaires géants, d'usines crachant la fumée, de hangars aux toits plats couverts de papier goudronné, de monstrueux élévateurs à grains et de réservoirs à pétrole. Pourtant, c'est un des sites les plus grandioses au monde . Et à Montréal, où est-il donc ce « Grand Fleuve de Saint-Laurent » ? On ne peut l'apercevoir que du sommet de la montagne, et bientôt les gratte-ciel nous le cacheront tout à fait ...

Pourquoi avons-nous perdu contact avec la magnifique nature de notre pays ? Pourquoi avons-nous la faculté de tout enlaidir autour de nous ? Pourquoi avons-nous défiguré nos villes, nos villages, nos banlieues, les rivages de notre fleuve, nos ports de mer ? Le progrès n'est pas une excuse. Il y a, à l'étranger, des ports de mer où le décor naturel est jalousement préservé, où l'on peut toujours voir la mer, se promener, s'attabler à une terrasse au bord de l'eau. Qu'on aille à Lisbonne ou à Naples !

J'ai vu aussi, hélas, des petits ports de pêche charmants, en Gaspésie et en Acadie. Chaque fois que je retourne dans ce pays, j'ai des serrements de cœur . Un livre ne suffirait pas pour décrire toutes les formes du vandalisme qui affligent les paysages comme les monuments, les maisons ou les meubles. C'est d'ailleurs un phénomène propre à toute l'Amérique du Nord.

Un jour, à la campagne, je fus témoin de la destruction d'une armoire magnifique et rare; on achevait d'y mettre la hache lorsque j'arrivai. Je demandai le pourquoi de cette destruction. On me répondit que le vieux pin sec ferait d'excellentes éclisses pour allumer le poêle. J'ai vu ailleurs, dans une cour de ferme, toute une famille danser la ronde autour d'un énorme brasier; on y distinguait encore des lits à quenouilles, des armoires, des commodes, des fauteuils, entassés en bûcher, au milieu des flammes. En causant avec ces gens, j'appris qu'ils venaient d'hériter, de l'oncle célibataire, la vieille maison de pierre et tout son contenu, qu'ils se débarrassaient de tout son *butin* et, qu'après tout, ce n'était là que des «vieilleries». Ils avaient remeublé cette maison avec du «neuf». J'avais connu l'oncle, autrefois, et je me rappelais ses anciens *meubles* qu'il aimait et conservait pieusement. Combien de fois avait-il refusé de les vendre! Cette danse autour du feu faisait songer à une sorte de rite de sacrifice, symbole de rupture avec le passé. On me fit ensuite entrer dans la maison pour admirer le mobilier dernier cri : tables et chaises chromées, lits, divans, fauteuils de métal imitant le bois de rose.

Que dire aussi des statues, des retables et des boiseries d'église qui servirent de bois de chauffage. Que dire de cette statue de saint patron qu'on avait laissée dans sa niche pendant qu'on dynamitait les murs d'une de nos plus belles et de nos plus anciennes églises. Elle se fracassa en mille miettes au milieu des pierres et du crépi. J'en ai recueilli quelques débris. Que dire aussi de cette lampe de sanctuaire aplatie, signée François Ranvoyzé et servant de crachoir à son propriétaire. De ce magnifique calvaire naïf en bois sculpté, détruit pendant la nuit à coups de hache par des jeunes gens, à l'instigation de la personne qui aurait dû en avoir la garde, parce qu'on en avait honte dans la paroisse, parce qu'on trouvait le Christ «ben laitte». L'artisan avait sculpté cette œuvre d'art avec amour, dans un esprit religieux, et il en avait fait don à sa paroisse. Je n'ose songer au sort qu'on aurait fait au Dévôt Christ de Perpignan!

Qu'on ait enlaidi ou masqué nos plus beaux sites, qu'on ait abattu outre mesure nos maisons, nos églises, nos sculptures, notre mobilier, qu'on ait même rasé des rues entières pour ériger des gratte-ciel ou pour aménager des parcs de stationnement, c'était compréhensible jadis; l'ignorance alors servait d'excuse. Mais que de tels actes se perpétuent, c'est impardonnable. La destruction du patrimoine national devrait relever de la justice.

TRADITION ET ESTHÉTIQUE

Il y a plus de trois siècles que nos ancêtres arrivèrent au Canada. Nous avons donc plus de trois siècles de traditions léguées par eux. Ces pionniers d'un nouveau monde et d'une vie qui se voulait meilleure étaient des hommes de goût. Ces hommes du peuple, qui furent des artisans, s'adressaient à d'autres hommes du peuple et ils nous ont transmis une culture populaire qui trouve son véritable visage dans le meuble, objet traditionnel, à la fois utilitaire et décoratif. Ces hommes frustes et simples avaient apporté dans leur cœur les traditions folkloriques des diverses provinces de France. A leur tour, ils surent faire œuvre de créateurs dans leur nouveau pays, en y ajoutant une note personnelle. De leurs mains, sont sortis des meubles qui témoignent de l'humble vie de tous les jours, meubles pour ranger le linge, la vaisselle ou les aliments, meubles pour faire le pain, meubles pour manger, pour dormir, meubles pour s'asseoir près de la cheminée en fredonnant des chansons au dernier-né ou en fumant sa pipe...

Ces artisans ne se contentaient pas d'un vulgaire assemblage de planches; il leur semblait naturel de donner une personnalité à leur mobilier en le décorant. Les objets avec lesquels on allait vivre devaient exprimer de la joie, de l'harmonie. Du plus humble paysan au plus riche seigneur, du petit curé de campagne à l'évêque, cette préoccupation de la beauté des objets était primordiale. Le bon goût ne connaissait pas de barrières sociales. Je pense à Jacques Panet, curé de l'Islet, qui, en 1781, de son argent personnel, fait façonner par l'orfèvre François Ranvoyzé plusieurs «vases et meubles d'or»[1] qu'il lègue à la Fabrique, non sans s'être donné beaucoup de mal pour que ces objets du culte soient d'une grande beauté. Je pense aussi au curé Pierre Conefroy, homme d'une haute culture artistique, qui construisit l'église de Boucherville et fut l'architecte des églises de Saint-Roch de l'Achigan, de l'Acadie et de plusieurs autres; à Mgr Briand qui, dès son arrivée au Canada, s'intéressa aux arts et commanda des meubles aux artisans; à l'intendant Jean Talon

(1) Journal manuscrit de Jacques Panet, curé de l'Islet (cité par Marius Barbeau).

qui demanda à Colbert « des sculpteurs pour faire les termes (figures de proue) du vaisseau qui se bastit en Canada ou si on le fera venir (en France) sans ornemens » [1]. Il s'agissait de la construction, à Québec, du navire de 400 tonneaux commencé en 1671. Oui, autrefois, il existait une élite et le bon goût instinctif était généralisé. Que s'est-il donc passé au XIXe siècle pour que d'aussi fortes traditions se désintègrent et disparaissent totalement ?

Il est évident que la pauvreté, la misère occasionnées par les guerres entre la France et l'Angleterre pour la prise de possession de la colonie française en Amérique ne furent pas de nature à favoriser l'essor de notre artisanat. Tout le pays fut mobilisé, y compris les vieillards et les enfants, pour la défense du territoire et ce n'est qu'après le Traité de Paris, en 1763, que l'on put respirer de nouveau. Durant la période de reconstruction qui suivit, période de paix et de prospérité, les architectes, les maçons, les charpentiers, les menuisiers, les sculpteurs, les orfèvres, etc., travaillèrent d'arrache-pied et continuèrent la tradition. Les influences des styles Régence et Louis XV venaient à peine de se faire sentir en Nouvelle-France, entre les années 1740 et 1760, et nos menuisiers s'en donnèrent à cœur joie avec la profusion des chantournements, des spirales, des rinceaux et des coquilles. Le mobilier traditionnel au Canada français connut donc son épanouissement technique et atteignit son apogée entre les années 1785 et 1820.

D'autres influences et non les moindres, dont nous avons parlé précédemment, vinrent s'ajouter aux influences françaises lorsqu'un grand nombre de réfugiés politiques, les loyalistes restés fidèles à la Couronne britannique, quittèrent leurs foyers à la suite de la Révolution américaine et s'établirent parmi nous, à Québec, à Montréal et ailleurs, en même temps que des menuisiers-ébénistes venus d'Angleterre et d'Écosse. Nos artisans s'empressèrent de les imiter et de fabriquer des meubles à la mode anglaise et américaine tout en conservant les caractéristiques les plus fortes de leur métier de tradition française. Ils réussirent d'intéressantes combinaisons où les styles français se mélangent aux styles anglais. Nous retrouvons ces combinaisons surtout dans les commodes, les armoires et les encoignures, les unes retenant leurs caractéristiques françaises mais avec des emprunts au style William and Mary; d'autres, dont les emprunts sont des échos de Chippendale; armoires et encoignures inspirées des frères Adam, du style Regency; tables aux pieds en gaine, de style Sheraton, etc.

À partir de 1820, presque tous nos meubles ont perdu leur caractère français et sont inspirés des styles anglais et américains; le meuble traditionnel d'esprit français a presque cessé d'exister. À l'avènement de l'ère industrielle, il disparaîtra complètement.

Nous ne voulons pas minimiser l'importance et la valeur artistique du mobilier anglais, mais, en Angleterre, en Nouvelle-Écosse et aux États-Unis, il était le fruit d'une culture. Ceux de nos menuisiers qui s'en inspirèrent, de 1785 à 1820, nous en ont sans doute laissé de jolis modèles en pin, en noyer tendre ou en érable, mais par la suite le résultat ne fut pas très heureux, même si certains de ces meubles ne manquaient pas de charme, et, après 1820, ce fut le commencement de la décadence. Chose certaine, dans les années suivantes, il se produisit une perte sensible du sens esthétique, qui provoqua une rupture complète avec la tradition. Seuls quelques menuisiers-sculpteurs d'église perpétuèrent les traditions artisanales françaises jusque vers 1850. Cette rupture qui ne pouvait se produire du jour au lendemain puisque, nous l'avons vu, nos menuisiers étaient déjà en possession de leur métier et continuèrent à produire selon les normes traditionnelles françaises. Mais la brèche s'élargit chaque année jusqu'à ce qu'il fût trop tard pour la fermer. Les causes de cette rupture furent également politiques et, disons-le, philosophiques. Par suite de l'absence totale de liens et de communications avec la France, immédiatement après la conquête, les Canadiens français restaient coupés de leur source naturelle de culture. Mais il y eut plus : la Révolution française n'était pas de nature à susciter une reprise de contacts culturels avec l'ancienne mère patrie. Son idéologie radicale, son influence dynamique, furent soigneusement tenues à l'écart et ne purent pénétrer chez nous.

Le clergé canadien, quoiqu'il eût toujours été canadien avant tout et indépendant de la métropole, restait attaché au système qu'il avait toujours connu et dont il s'était bien accommodé : le régime de l'absolutisme royal. Les prêtres émigrés, chassés par la Révolution, vinrent confirmer cette façon de penser. Quant aux Anglais, ils craignaient tout autant les répercussions de la Révo-

---

(1) A P Q, A N C. — c'' A3. — Extrait de ce que M. Talon demande à monseigneur pour le Canada.

lution française et ne voulaient, pas plus que le clergé, favoriser les rapprochements avec la France. Lorsque Napoléon apparut sur la scène, cette mise en quarantaine s'accentua et se prolongea jusqu'au XXᵉ siècle. A notre sens, cette rupture totale avec l'ancienne mère patrie, rupture qui datait déjà d'une soixantaine d'années, fut une des causes principales de l'abandon du grand élan qui avait favorisé l'éclosion du mobilier traditionnel canadien, d'inspiration française, désastre culturel dont nous ne nous sommes jamais relevés. Nous avons perdu le fil de précieuses traditions qui nous auraient permis d'évoluer normalement vers des réalisations originales et fortes. Cette exubérance et cette fantaisie dont nous étions si friands auraient pu se perpétuer, s'épanouir et orienter aujourd'hui notre production artisanale vers un style canadien authentique.

Cette constatation s'applique aux meubles comme à l'architecture, à l'orfèvrerie, au tissage, au fer forgé, à la sculpture, à la peinture, etc. La rupture fut même si profonde que tout notre patrimoine, dans ce domaine, s'engloutit dans l'oubli le plus total. Jusqu'en 1925, on ne soupçonnait pas qu'il y eût un mobilier canadien traditionnel original. On avait oublié jusqu'à son existence.

Dans le domaine de l'architecture, le néo-gothique anglais s'était implanté rapidement au Canada. En 1824, on fit venir un architecte de New York pour tracer les plans de la nouvelle église Notre-Dame de Montréal qui devait remplacer l'ancienne église paroissiale, située à la Place d'Armes au milieu de la rue Notre-Dame. Cette bâtisse, œuvre de l'ingénieur-architecte du roi, Chaussegros de Léry, fut démolie, à l'exception du campanile abritant les cloches, qui servit jusqu'à ce que les nouvelles tours fussent complétées vers 1842. Charles Dickens, de passage à Montréal cette année-là, nous a laissé cette description : « Il existe ici une grande cathédrale catholique récemment érigée, flanquée de deux tours dont l'une est inachevée. Devant cet édifice, sur la place, s'élève, solitaire et austère, une étonnante tour carrée d'aspect bizarre, et que les pontifes (wiseacres) de l'endroit ont donc décidé d'abattre sans tarder. »[1]

On offrit la direction des travaux à Thomas Baillairgé, architecte-menuisier-sculpteur. Celui-ci ne se crut pas à la hauteur de la tâche et refusa, habitué qu'il était aux traditions romanes de notre architecture[2].

Nous avions édifié depuis plus d'un siècle, selon Gérard Morisset, « un genre d'architecture parfaitement adapté à notre climat, à nos moyens constructifs et aux habitudes de métier de nos maîtres d'œuvre... »[3]. Rien d'étonnant qu'un artisan comme Thomas Baillairgé ne pût s'adapter, du jour au lendemain, à une nouvelle technique de construction, tout à fait étrangère à nos habitudes, à nos conceptions et à nos besoins.

Ce sera le commencement de la décadence de notre architecture. Les styles très personnels et charmants de nos maisons et de nos églises, qui font aujourd'hui l'admiration des connaisseurs, furent rapidement oubliés. Les ahurissantes églises que nous construisons depuis longtemps en témoignent.

Notre élite du XIXᵉ siècle s'emballera hélas, comme c'est encore le cas aujourd'hui, pour tout ce qui est nouveau, tout ce qui vient du dehors. On verra des armoires à maigres panneaux gothiques, des tables et des fauteuils abracadabrants pénétrer dans les demeures rurales. On s'inspirera indistinctement des exemples les plus hideux de ces styles bâtards que le XIXᵉ siècle amoncelait en un fatras indescriptible. Toutes les provinces canadiennes furent d'ailleurs atteintes par cette épidémie de mauvais goût.

Dans le Québec, ce fut le coup de grâce du mobilier régional. Cet engouement pour les styles nouveaux en même temps que ce rejet de notre culture traditionnelle, furent les causes profondes de la perte de notre identité, de notre caractère propre. Il était inévitable qu'une réaction se produisît un jour. Quelques rares Canadiens anglais, dont des militaires, commencèrent, dès la fin du XIXᵉ siècle, à collectionner notre mobilier traditionnel : mais un intérêt soutenu ne se manifesta que vers 1925, alors que des collectionneurs Canadiens Anglais et américains redécou-

(1) Dickens, Charles. *American Notes.* New York, 1842, p. 77.
(2) Dans l'hiver de 1824, il répondit aux syndics de Notre-Dame : « Votre bâtisse devant être gothique et n'ayant étudié que l'architecture grecque et romaine, ce que j'ai cru suffisant pour le pays, je n'ai pris qu'une connaissance superficielle du gothique et je me crois de ce côté au-dessous de cette tâche. » Cité par Gérard Morisset dans son ouvrage : *L'Architecture en Nouvelle-France.* Québec, 1949, p. 87.
(3) Idem, p. 56.

vrirent, les premiers, nos œuvres d'art et notre mobilier. Et vers les années 1935, des conférenciers Canadiens français prêchèrent un retour à la petite industrie, aux métiers artisanaux en voie de perdition; et des personnes bien intentionnées, croyant sincèrement se rattacher aux traditions du passé, lancèrent dans tout le Canada français un mouvement de renouveau artisanal. Ce mouvement, malheureusement, démarra sans directives sérieuses et sans que l'on eût, au préalable, fait un inventaire de notre patrimoine dans ce domaine. Il en résulta des créations de mauvais goût empruntées aux sources les plus disparates. Ce renouveau artisanal s'avilit davantage quand on s'est mis à imiter sans discernement les nouveautés qui nous envahirent depuis la guerre.

Contrairement à l'opinion de certaines gens, je crois que pour innover, pour créer, il faut s'appuyer sur une tradition, comme l'ont fait tous les pays d'Europe dont la culture s'est développée durant plusieurs siècles, à partir de leurs arts et traditions populaires.

Il n'est pas question de retourner en arrière, d'imiter servilement le passé, mais de le reconnaître, de le respecter et de l'assimiler. En effet, si l'on se donne la peine de la bien comprendre, la véritable tradition est vivante, par conséquent « moderne ». Cela permettrait une révision de nos valeurs, un plus libre choix, un plus juste inventaire de nos possibilités à l'égard des créations futures.

Notre sentiment d'infériorité actuel, dont beaucoup voudraient se débarrasser, pourrait facilement se guérir grâce à une meilleure connaissance de nous-mêmes. Le mobilier, auquel est consacré ce livre, prouve de façon éclatante qu'un style canadien, rejeton de celui de l'ancienne France, s'est développé sur les rives du Saint-Laurent. Peu importe que ce style, partie intégrante de notre culture, ait existé à une époque lointaine, le principal est que nous soyons conscients de son existence, liée à notre histoire et à notre vie nationale.

Pour reprendre foi en notre culture, il faudrait donc nous débarrasser de beaucoup de préjugés et nous libérer de ces valeurs soufflées qui nous ont engagés sur une fausse route pendant si longtemps, il faut surtout nous rééduquer de fond en comble. Ce problème ne se limite pas au Canada français; il est d'envergure nationale.

Depuis quelques années, les Canadiens anglais sont obsédés, et avec raison, par l'absence d'une personnalité canadienne distincte. Si l'on considère l'expansion vertigineuse de notre pays, le développement extraordinaire en notre siècle des agents de diffusion massive : presse, cinéma, radio, télévision et la pression gigantesque dans ce domaine venant de nos puissants voisins, l'édification d'un caractère propre est de plus en plus compromise.

D'une part, un grand nombre de Canadiens anglais reconnaissent que les Canadiens français sont les seuls qui aient conservé un caractère distinct au sein de la culture anglo-saxonne de l'Amérique du Nord, d'autre part, les Canadiens français s'inquiètent parce que cette culture risque d'être submergée complètement par des valeurs étrangères au génie de leur race.

Il est bouleversant de parcourir les provinces de notre pays, comme je l'ai fait depuis de nombreuses années, et d'observer les jeunes gens de nos villes et de nos campagnes. On est vite conscient de leur ignorance, de leur incuriosité à l'endroit des choses et des gens de notre milieu. Les jeunes semblent ne plus rien connaître de la petite histoire, de la géologie élémentaire, de la faune, de la flore, de la beauté des sites, des lieux historiques, de l'architecture, des légendes et du folklore de leur village ou de leur région. Au Canada français, il est urgent de faire un inventaire de notre patrimoine culturel et de mettre à la disposition des parents et des maîtres une documentation abondante et intelligente sur la civilisation ancienne du Québec, son milieu matériel, ses arts et métiers, son histoire naturelle, son folklore. Ainsi la jeunesse pourrait acquérir l'orgueil de son pays, consciente du fait que ses ancêtres, simples colons, coureurs de bois, explorateurs, artisans, missionnaires ou soldats, avaient édifié ici une civilisation dont elle a lieu d'être fière. Si cette civilisation s'est effritée, nous ne devons en blâmer que nous-mêmes. Mais il n'est jamais trop tard. Il ne dépend que de nous de redécouvrir avec ferveur une part de notre héritage, en appréciant « l'ouvrage bien faite » de l'artisan, notre ancêtre.

Il serait tragique que cette culture d'un peuple, qui jadis marqua une époque, ne survive qu'à l'état de témoignage.

APPENDICE

INFLUENCES RÉGIONALES FRANÇAISES ET CARACTÉRISTIQUES RÉGIONALES CANADIENNES

Le lecteur trouvera en consultant d'une part, l'index sous ces rubriques, les noms des lieux, régions ou provinces de France qui ont influencé à divers degrés le mobilier traditionnel canadien et, d'autre part, les noms des lieux et régions du Canada d'où sont issues certaines caractéristiques. Ces références, dispersées un peu partout dans le catalogue raisonné, correspondent à certaines particularités des meubles reproduits dans cet ouvrage.

Les influences régionales françaises les plus fréquentes dans le mobilier canadien proviennent surtout des lieux d'origine des colons, des soldats, et des artisans, ancêtres des Canadiens, c'est-à-dire des provinces du Nord et de l'Ouest : la Picardie, la Normandie, le Maine, l'Orléanais, l'Anjou et la Haute-Bretagne (région de Rennes), de l'Ouest Atlantique : la Guérande, la vallée de la Loire, la Touraine, la Vendée, le Poitou, l'Aunis, la Saintonge, la Guyenne, la Gascogne, le Béarn et même le Languedoc. Par ailleurs, diverses autres influences se rencontrent qui viennent de Lorraine, de Savoie, du Dauphiné, de la Bourgogne, de la Bresse et même de certaines contrées de Provence.

En ce qui concerne les différentes caractéristiques régionales canadiennes, l'index sera d'un grand secours pour se référer aux observations et analyses du catalogue raisonné et pour se reporter à certains détails des meubles qui sont reproduits.

Il est intéressant de noter qu'il n'y a vraiment que deux régions dans la province de Québec dont le mobilier se distingue : Québec et Montréal. Dans la première, on observe généralement que les meubles sont plus légers, plus élégants et moins chargés que ceux de la région de Montréal, plus lourds et plus baroques au sens où ils sont plus ornés et révélant même, dans bien des cas, de malencontreuses gaucheries ou combinaisons de style genre « nouveau riche » du fait que cette partie du pays était devenue le chef-lieu prospère des magnats de la traite de fourrure et le carrefour en Nouvelle-France des Grands Lacs, des pays de l'Ouest, des Illinois et du Mississippi.

Il y a cependant une exception, pour des raisons qui restent obscures, concernant la région de Lotbinière où toute une gamme de meubles charmants ont été découverts. Y a-t-on conservé davantage les traditions artisanales parce que ce pays resta isolé plus longtemps à la rive nord du Saint-Laurent où passait presque tout le trafic routier et fluvial entre Montréal et Québec? Ceci expliquerait aussi que tant de meubles y aient été conservés et y aient échappé au vandalisme.

Il est cependant dangereux de généraliser lorsqu'il s'agit de provenance. Comme je l'ai dit dans l'avant-propos, un grand nombre de meubles ont été transportés très loin de leur lieu d'origine. Beaucoup de pièces, exécutées dans la région de Montréal, ont été retrouvées près de Québec, d'autres dans le bas du fleuve, certains même en Gaspésie et au Nouveau-Brunswick. A partir du XVIIIe siècle, jusqu'à une époque récente, les Canadiens français se déplaçaient fréquemment. Les fils des familles nombreuses émigraient vers des terres nouvelles

ne pouvant plus gagner leur vie dans leur village ou leur terroir natal. L'ouverture de la vallée de l'Outaouais, des Cantons de l'Est et plus tard du Saguenay, du lac Saint-Jean et de l'Abitibi, donnèrent lieu à de grandes migrations. Au milieu du siècle dernier, de nombreux cultivateurs et autres émigrèrent aux États-Unis et y emportèrent des meubles dont plusieurs furent découverts ces dernières années en Nouvelle-Angleterre, ce qui prouve que des échanges eurent lieu continuellement entre anciennes et nouvelles résidences.

Néanmoins, en ce qui concerne certaines caractéristiques régionales, je puis sans risque d'erreur affirmer, d'après mes observations, que les chaises et fauteuils de menuiserie d'assemblage c'est-à-dire assemblés à tenons et à mortaises (dérivés des chaises de Lorraine) proviennent uniquement de la Côte de Beaupré, de l'Ile d'Orléans et de la région avoisinant la ville de Québec. D'autres types de chaises du genre « sabre leg » (corruption du Directoire américain) sont trouvés seulement aux environs de Montmagny, cap Saint-Ignace et Kamouraska; les chaises et fauteuils à la Capucine à sièges d'écorce d'orme entrelacée ont été très répandus dans la région de Montréal; les petites chaises contemporaines à siège dit « violon » viennent de la Baie Saint-Paul, de Saint-Urbain et de La Malbaie. A La Malbaie aussi on trouve des chaises et fauteuils de menuiserie, type Côte de Beaupré, Ile d'Orléans, mais avec certains ajouts de styles anglais apportés par les colons écossais après la Conquête. Les tables à plateau basculant étaient surtout répandues le long de la Côte de Beaupré et dans le comté de Charlevoix; c'était la table de la salle commune dans presque toutes les maisons des Eboulements et de l'Ile aux Coudres. En outre, il existe des fauteuils paysans typiques des régions de Saint-Joachim, Saint-Féréol et d'autres typiques de l'Ile aux Coudres et de la Petite Rivière Saint-François. Il ne faut pas oublier non plus les petites chaises inspirées du mobilier « shakers » de la Nouvelle-Angleterre qu'on trouvait partout à Saint-Hubert, Chambly, Saint-Jean d'Iberville et près de la frontière américaine. D'autre part, les commodes très françaises du genre arbalète à piètement à griffes et à boule (d'influence anglaise, hollandaise ou vénitienne) ont presque toutes été exécutées dans la région de Montréal, et les commodes à façades de tiroirs à ressaut (break-front anglais ou américain) à ceinture inférieure et cartel sculptés et ajourés (inspirées des commodes d'esprit Louis XV de la région de Grasse en Provence) proviennent presque toutes des régions de Saint-Geneviève de Pierrefonds, de l'Ile Perrot, de l'Ile Jésus et auraient été, selon mes recherches, exécutées soit dans les ateliers des Liébert, des Quevillon, des Pépin, soit par leurs élèves.

Pour terminer cette nomenclature, je ne puis omettre de mentionner les berceaux aux patins courbes très lourds, typiques du bas Saint-Laurent, et les armoires et buffets bas dont les montants et les traverses renferment de petits panneaux étroits, caractéristiques particulières à la région de Lotbinière.

LISTE DES MAÎTRES-MENUISIERS
MENUISIERS ET SCULPTEURS

Voici une liste, forcément incomplète, de nombreux maîtres-menuisiers, menuisiers et sculpteurs qui ont travaillé et vécu de leur métier au Canada français aux XVIIe, XVIIIe et XIXe siècles. Les dates qui suivent le nom d'un artisan et qui sont placées entre parenthèses indiquent les années de naissance et de mort de cet artisan, ou, parfois, les années pendant lesquelles il a été actif. Certaines dates n'indiquent que l'année où les objets ont été exécutés, ou celle pendant laquelle l'artisan exerçait son métier. Cette liste put être constituée grâce aux livres de Comptes des fabriques de paroisses, aux livres de Recettes et Dépenses des ordres religieux, des Archives Publiques du Canada, des Archives Judiciaires, de l'Inventaire des Œuvres d'Art de la province de Québec, des ouvrages de Marius Barbeau et de l'ouvrage d'Emile Vaillancourt : Une maîtrise d'Art au Canada, donnant la liste des apprentis de Louis Quevillon.

ACHARD, Charles. 1701 : Montréal, Hôtel-Dieu, Congrégation de Notre-Dame.

ACHIM, André. Longueuil, 1819, *baptistère* ; 1826, *lustres.*

ADAM, Jean. Beaumont, 1699-1700, *autel*; 1705, *confessionnal.*

AUBRY, Ambroise. Contrecœur, 1818, *bancs.*

BAILLAIRGÉ, Jean, (1726-1805). Québec, Notre-Dame de Québec, *balustrade,* etc. Associé de Armand-Joseph Chaussat, Montmagny, 1790, *chaire.*

BAILLAIRGÉ, François, fils de Jean, (1759-1852). Québec, Notre-Dame de Québec, Baie Saint-Paul, Saint-Joachim, 1815-1825.

BAILLAIRGÉ, Thomas, fils de François, (1791-1859). Québec, Notre-Dame de Québec, Sainte-Anne-de-la-Pocatière, *balustrade, table de communion.* Apprenti de Louis Quevillon.

BAILLAIRGÉ, Pierre-Florent, frère de François, (1761-1812). Québec, Bon-Pasteur, *autels*; Sainte-Famille, I.O., 1791.

BARET, Jean-Baptiste. 1820 : Saint-Vincent-de-Paul. Apprenti de Louis Quevillon.

BARETTE, Antoine. 1822 : Tanneries des Bélair. Apprenti de Louis Quevillon.

BEAUPRÉ, Sieur. Lanoraie, 1786-1787, *balustres.*

BÉDARD, Jacques. Charlesbourg, 1702.

BELLANGER, Sieur. Saint-Pierre (M), 1755, *chaire.*

BELLEAU, Sieur. Baie du Febvre, 1787, *chandeliers.*

BELLECOURT, Sieur. Baie du Febvre, 1818, *balustres.*

BELLEMARE, Paul. Yamachiche, 1809-1810, *balustrade.*

BERCIER, Étienne. Beaumont, 1809, *chaire et banc d'œuvre* ; 1848, *armoire.*

BERLINGUET, Louis-Thomas, (1789-1863). Saint-Joachim, 1833; Saint-Rémi-de-Napierville, *autels*; Beauport. Apprenti de Joseph Pépin.

BERLINGUET, Laurent-Flavien. Saint-Rémi-de-Napierville, 1845-1854, *autels.*

BERLINGUET, François-Xavier. Saint-Pierre (I.O.), 1852, *façon lustres.* Fils de Louis-Thomas Berlinguet. Apprenti de Thomas Baillairgé.

BERTRAND, Séraphin. L'Acadie, 1831, *lustres.*

BIENVENU, Philippe. Kaskakia, Missouri, 1723.

BIRON, Pierre. 1660 : Québec, Confrérie de Sainte-Anne.

BOISVERT, Pierre. 1821 : Québec, Confrérie de Sainte-Anne.

BOLVIN, Gilles, (1711-1768). Trois-Rivières, Lachenaie, Berthier-en-Haut, Sainte-Anne-de-la-Pérade, *retable, maître-autel.*

BOUCHARD M. 1835 : Notre-Dame de Montréal.

BOURGUIGNON, Sieur. 1743 : Lachenaie.

BOUTEILLETTE, Charles. Contrecœur, 1818, *bancs.*

BRASSARD, Jean-Baptiste. 1743 : Québec, Confrérie de Sainte-Anne.

BRIEN (dit Desrochers), Urbain. Varennes, 1816-1818, *bancs*; Saint-Grégoire-de-Nicolet, 1812, *autels.*

BRIEN (dit Desrochers), Joseph. 1810 : Varennes; Pointe-aux-Trembles (M).

BUSSIÈRES, Jean. 1756 : Saint-Pierre, I.O.

CAMBAS, Jean-Baptiste, (1735-1784). Saint-Louis, Missouri.

CARTIER, Jean-Baptiste, (1770-1784). Saint-François-du-Lac, *chaire*; Yamaska, *menuiserie.*

CASTONGUAY, Sieur. 1705 : Québec.

CAVELLIER, Baptiste. Montréal, 1722, *travail fabrique,* Notre-Dame de Montréal.

CHABOILLEZ, Charles. 1699 : Montréal. École des Frères Charon et Hôtel-Dieu, *travaux de menuiserie et sculptures.* Église des Récollets, 1702.

CHABOT, François. Saint-Pierre, I.O., 1724-1726, *façon de chœur.*

CHALOU, Pierre. 1743 : Québec, Confrérie de Sainte-Anne.

CHAMPAGNE, Sieur. Saint-Denis-sur-Richelieu, 1772, *autels.*

CHAPELAIN, Louis. Notre-Dame de Québec, *balustres.*

CHARRON, Amable. Saint-Roch-des-Aulnaies, 1811, *retable*; L'Islet, 1816. Apprenti de Quevillon.

CHARTRAND, Vincent. Ile Dupas, 1831, *confessionnal;* 1836, Sault-au-Récollet, *chaire.* Apprenti de Louis Quevillon.

CHAUSSAT, Armand-Joseph. 1752 : Québec, associé de Jean Baillairgé.

CIRIER, Antoine. 1746 : Varennes, Repentigny.

CIRIER, Martin. Longue-Pointe, 1731, voûte; Pointe-aux-Trembles (M), chaire.

CLÉMENT, Sieur. Ursulines, Québec, 1751, tables.

CLICHE, Sieur. Québec, Varennes, 1730-1740, porte et lutrin; 1730, présent à l'inventaire de Claude Filliau.

COLLET, Sieur. Saint-Vallier, 1778-1779, chaire.

CONTANT, Marc (Récollet). Saint-Damase, L'Islet, 1800-1802, chaire.

CORBIN, Michel. Berthier-en-Haut, 1802-1803, balustres.

COUTURE, Guillaume. Lauzon, 1725, autels.

COUTURIER, Sieur. Lachenaie, 1744, deux armoires.

CRÉPEAU, Basile, (1736-1786). Château Richer, chandeliers.

CRÉQUY, Liénard. 1728.

CUREUX, Michel. 1743 : Québec, Confrérie de Sainte-Anne.

DAVID, David-Fleury. Sault-au-Récollet, 1816, retable.

DAVID, Louis-Basile. Saint-Jean, I.O. 1810, décors. Apprenti de Louis Quevillon; sculptures, dorures. Kamouraska, 1813,

DENIS, Jacques. 1765, Saint-Louis, Missouri.

DESLAURIERS, Sieur. Notre-Dame de Québec, 1743, balustrade.

DESROCHERS, Vital, Saint-Eustache, 1841, armoire.

DORE, Joseph. 1785, balustrade; Les Écureuils, retable.

DOYON, Louis. 1820, Notre-Dame de Montréal.

DROUIN, Charles. 1839, Québec, Confrérie de Sainte-Anne.

DUCHAINE, Christophe. 1821, Saint-Vincent-de-Paul. Apprenti de Louis Quevillon.

DUFRESNAY, Louis. Baie Saint-Paul, 1801, chandelier pascal.

DUGAL, François. 1842-1843, Terrebonne. Lachenaie, autel. Apprenti de Louis Quevillon.

DUGAL, Olivier. 1824, Saint-Mathias. Apprenti de Louis Quevillon.

DUMAS, Jean-Baptiste. Saint-Pierre (M), 1819, lustre.

DUMAS, Jean-Romain. 1820, Saint-Vincent-de-Paul. Apprenti de Quevillon.

DUMONTIER, Sieur. Sainte-Anne-de-Beaupré, 1782-1783, confessionnal, armoire.

DUVERNAY, Sieur. Verchères, 1790, balustres.

ÉMOND, Pierre, (1738-1808). Québec, Notre-Dame de Québec, buffets, consoles; Hôpital-Général, Séminaire de Québec, armoires, boiseries.

ÉNOUILLE, Louis. 1743, Québec, Confrérie de Sainte-Anne.

FAUCHOIS, Michel. 1675, Québec, Séminaire, École du Cap Tourmente.

FÉRÉ, Jean-Baptiste. Menuisier-sculpteur, 1797, Sainte-Croix de Lotbinière.

FILLIAU, Claude. 1730, Québec, inventaire.

FILLIAU (dit Dubois), François, (1760-1834). Longue-Pointe, chandeliers.

FILLION, Joseph. 1743, Québec, Confrérie de Sainte-Anne.

FINSTERER, Daniel. L'Acadie, 1812, petite armoire.

FINSTERER, Georges. L'Acadie, 1806, lustres.

FISET, Louis. 1839, Québec, Confrérie de Sainte-Anne.

FORTIER, Charles. Saint-Roch-des-Aulnaies, 1787, banc d'œuvre.

FORTIN, Gabriel. 1794, Saint-Roch-des-Aulnaies.

FORTIN, Pierre. L'Islet, 1798, coffre.

FOURNIER, Claude. 1820, Laprairie. Apprenti de Louis Quevillon.

FOURNIER, Louis. Lachenaie, 1782, chaire.

FOURREUR (dit Champagne), Louis. Lachenaie, 1782-1786, autel.

FRANCHÈRE, Jacques. 1779, Québec (inventaire Michel Létourneau).

FRÉCHET, Étienne. 1743, Québec, Confrérie de Sainte-Anne.

GAGNIÉ, Jean. Québec, Séminaire, 1740, meubles, boiseries, tables.

GARIÉPY, F. 1660, Québec, Confrérie de Sainte-Anne.

GAUTHIER, Amable. Saint-Barthélémy, 1823, autel. Apprenti de Louis Quevillon.

GAUTHIER, Léon. 1820, Saint-Vincent-de-Paul. Apprenti de Louis Quevillon.

GENNER, Samuel. 1675, Québec, Séminaire, École Cap Tourmente.

GIASSON, Sieur. Montréal, 1712, banc.

GIBEAULT, Étienne. 1724, Montréal, Notre-Dame de Montréal.

GIRARDIN, Sieur. Saint-Ours, 1761, chaire.

GIRARDIN, Antoine, (1728-1802). Prairie-du-Pont, Illinois.

GIROUX, Sieur. Québec, 1715, porte, Hôpital-Général.

GODÉ, Nicolas. Montréal, 1657, table et coffre.

GODIN, Jean-François. Québec, 1739; Cap-Santé, lustres.

GOGUET, Sieur. Saint-Mathias, 1834, chandeliers.

GOSSELIN, Gabriel, (1734-1786). Saint-Laurent, I.O., Saint-François, Sainte-Famille, I.O., tabernacles, etc.

GOSSELIN, Jean. Sainte-Anne-de-la-Pocatière, 1785, bancs marguilliers, etc.

GOSSELIN, Laurent. Saint-Pierre, I.O., 1778, balustrade.

GOURDEAU, Sieur. 1812, Québec.

GOYET, Joseph. Belœil, 1819-1823, balustres.

GRAVEL, Charles. Charlesbourg, 1767, boiseries.

GRÉGOIRE, Louis, (1769-1811). Sainte-Marie-de-Beauce, bancs.

GUAY, J.-B. (père). 1733, Québec, Confrérie de Sainte-Anne.

GUERNON (dit Belleville), François. 1754, Pointe-aux-Trembles (M). Saint-Sulpice, 1793, banc d'œuvre ; Saint-Sulpice, 1774, chaire; 1774, Varennes.

GUIBORD, Charles. 1821, Pointe-aux-Trembles (M). Apprenti de Louis Quevillon.

GUINIÈRE, Louis. 1743, Québec, Confrérie de Sainte-Anne.

HAGUENIER, Louis, (1719-1755). La Prairie de la Magdelaine, *armoires, portes, autels, balustres,* Kaskakia, Société des Illinois.

HAINS, Sieur. 1743, Québec, Confrérie de Sainte-Anne.

HARDY, Jean-Baptiste. 1768-1772, Varennes, Lachenaie; Yamaska, 1773-1774, *balustrade.*

HARDY, Pierre. Yamachiche, Saint-Antoine-de-Tilly, 1754, *bancs;* Varennes, *sculptures.*

HAY, Pierre, (1661-1708). Boucherville.

HILAIRE, Sieur. Saint-Eustache, 1790, *banc d'œuvre.*

HUOT, Augustin. 1839, Québec, Confrérie de Sainte-Anne.

HURTUBISE, Joseph. 1821, Montréal, Côte Saint-Antoine. Apprenti de Louis Quevillon.

JACQUES, Louis. Charlesbourg, 1701, *baptistère, chœur;* Saint-Pierre I.O., 1720, *chaire, meubles.*

JACQUIÉ (dit Leblond), Jean. 1677, Montréal; Trois-Rivières, Ursulines, 1716, *autel.*

JACSON, Antoine. 1770, Québec, Lachenaie, Saint-Pierre, I.O.; Saint-François (M), 1786, *boiserie.*

JARED, Jean-Baptiste. La Présentation, 1808, *chandelier pascal.*

JOLICŒUR, Sieur. 1848, Lotbinière.

JOURDAIN (dit Labrosse), Guillaume (père). 1690, Québec, Séminaire et école du Cap Tourmente.

JOURDAIN (dit Labrosse), Denis, (1671-1743). Maître-menuisier Montréal, 1729; Varennes, *retable.*

JOURDAIN (dit Labrosse), Paul-Raymond (fils de Denis), né en 1697. 1746, Montréal, Laprairie; Varennes, 1730-1732, *balustrade et retable.*

JOURDAIN (dit Labrosse), Basile. 1772, Laprairie.

LABELLE, Joseph. 1821, Saint-Charles-sur-Richelieu.

LABERGE, François. Varennes, 1777, *chandeliers.*

LAFLEUR, Sieur. Verchères, 1752, *chaire.*

LAGARENNE, Sieur. Québec, Notre-Dame-des-Victoires, 1733, *boiseries.*

LAMBERT, Sieur. 1776, Sainte-Geneviève-de-Pierrefonds.

LA PALME, Sieur de. Montréal, 1712, *portail* Notre-Dame.

LARCHEVÊQUE, Jean-Baptiste. 1743, Québec. Confrérie de Sainte-Anne.

LASELLE, Jacques. Montréal, 1717, *banc de la Justice.*

LATOUR DE, Jacques Leblond. 1672-1700, Québec, Séminaire de Québec; École du Cap Tourmente, 1690, l'Ange gardien, *retable.*

LATOUR, Jean. 1677, Montréal.

LAURENCE, Sieur. Saint-Paul-de-Joliette, 1821, *chandeliers.*

LAVOYE, Joseph. L'Acadie, *tabernacle.*

LEBEAU, Sieur. Montréal, 1717, *prie-dieu de l'Intendant général.*

LEBLANC, Augustin. Sorel, 1833, *décors.*

LEBLOND (dit Picard), Michel. 1675, Québec, Séminaire.

LECLAIRE, François. 1820, Saint-Eustache. Apprenti de Louis Quevillon.

LECOURT, Louis. 1818, Terrebonne. Lachenaie, 1825, *bancs.* Apprenti de Louis Quevillon.

LEDROIT François. 1821, Québec, Confrérie de Sainte-Anne.

LEFEBVRE, Pierre. 1743, Québec, Confrérie de Sainte-Anne.

LEMELIN, Jean. 1660-1661, Québec, Confrérie de Sainte-Anne; Notre-Dame de Québec, *retable.*

LEMIEUX, François. l'Islet, 1829, *fauteuil.*

LENOIR, Antoine. Lachenaie, 1733, *balustrade et prie-dieu.*

LENOIR, Jean. Lachenaie, 1733-1737, *confessionnal, banc d'œuvre.*

LENOIR (dit Letourangeau), Vincent. Montréal, Notre-Dame de Montréal, 1694, *armoire pour Louis Hurtebise;* 1697, *tables de l'Hôtel-Dieu de Montréal.*

LEPAGE, François. Saint-François, I.O., 1797, *lustre.*

LEPROHON, Alcibiade. 1820, Apprenti de Louis Quevillon, Montréal.

LESCAULT, Louis. 1821, Montréal. Apprenti de Louis Quevillon.

LETOURNEAU, Michel. 1783, Québec; 1779, inventaire.

LE VASSEUR (dit Lavigne), Jean, (1622-1686). Maître-menuisier, doyen de la Confrérie de Sainte-Anne à Québec.

LE VASSEUR, Pierre. (1629-1686). Maître-menuisier, frère de Jean. Québec.

LE VASSEUR (dit Lavigne), Noël, (1654-1731). Québec.

LE VASSEUR, Pierre, fils de Pierre, maître-menuisier, (1661-1731). Québec.

LE VASSEUR, Pierre, (1679-1737). Kamouraska.

LE VASSEUR, Noël, maître-sculpteur (1680-1740). Québec (fils de Noël dit Lavigne. Ursulines, Québec; Sainte Famille. I.O.

LE VASSEUR, Pierre, maître-menuisier (1684-1747). Québec (fils de Noël, dit Lavigne).

LE VASSEUR, Pierre Noël, (1690-1770). Maître-sculpteur, Québec; (fils de Pierre Le Vasseur).

LE VASSEUR (dit Chaverlange), François, (1700-1747). Boucherville, maître-menuisier, (fils de Pierre Le Vasseur).

LE VASSEUR (dit Borgia), François-Louis. Boucherville, 1707, menuisier (fils de Pierre Le Vasseur).

LE VASSEUR, Denis-Joseph. menuisier, 1712, Trois-Rivières, (fils de Pierre Le Vasseur).

LE VASSEUR, François-Noël, maître-sculpteur (1702-1794). Cap Santé, 1770, Saint-François, I.O., 1771.

LE VASSEUR (dit Delort), Jean-Baptiste-Antoine. Maître-sculpteur, 1717, mort après 1777. Saint-Damase, L'Islet, 1762.

LE VASSEUR, Charles. Maître-sculpteur, 1723, Québec.
LE VASSEUR, René-Michel. Maître-menuisier, 1724, Sorel.
LIÉBERT, Philippe, (1732-1804). Vaudreuil, église Saint-Cuthbert, *autel,* etc.
LORRIN, Honoré. Sainte-Geneviève de Pierrefonds, 1833, *lustres.*
LOYER, Guillaume. 1657, Québec, Confrérie de Sainte-Anne.
LUPIEN (dit Baron), Pierre. 1775, Saint-Louis, Missouri.
LUREKEN, Léonard. 1675, Québec, Séminaire, École du Cap Tourmente.

MADOX, Daniel-Joseph. 1730, Montréal.
MALLET, Denis. 1690, Québec : Séminaire, école du Cap Tourmente, Saint-Joachim, église des Jésuites; Montréal.
MALO, Joseph. Montréal, 1819, *armoire.*
MALOUIN, Sieur. Montréal, 1717, *prie-dieu du Gouverneur.*
MARCHETEAU (dit Desnoyers), Joseph. 1747-1778. Cakokia, Saint-Louis, Missouri.
MARCHETERRE, Sieur. Les Cèdres, 1782, *chaire.*
MARIER, Charles. Québec, 1820, *boiseries.*
MAROIS, Prisque. 1839, Québec, Confrérie de Sainte-Anne.
MAROY, Sieur. Québec, 1718, Hôpital-Général, *buffet, prie-dieu.*
MARQUETTE, (dit Benoît), Pierre-Salomon. 1824-1831, Belœil, Saint-Roch-l'Achigan. Apprenti de Louis Quevillon.
MARTEL, I. 1839, Québec, Confrérie de Sainte-Anne.
MARTIN, François. 1820, Saint-Benoît. Apprenti de Louis Quevillon.
MÉNÉCLIER, Louis. 1821, Vaudreuil. Apprenti de Louis Quevillon.
MERCIER, Amable. 1821, Québec, Confrérie de Sainte-Anne.
MÉTIVIER, Étienne. 1821, Québec, Confrérie de Sainte-Anne.
MICHON, Jean. Montmagny, 1797, *meubles.*
MILETTE, Alexis. 1830, Yamachiche, Berthier, Louiseville; Séminaire des Trois-Rivières. Apprenti de Louis Quevillon.
MINVILLE, Pierre. 1660, Québec, Confrérie de Sainte-Anne.
MOISAN, Pierre. 1822, Longue Pointe. Apprenti de Louis Quevillon.
MONDOR, Joachim. 1821, Québec, Confrérie de Sainte-Anne.
MORIN, Pierre. 1753, Saint-Pierre I.O.

NADEAU, Joseph. 1758 Saint-Charles de Bellechasse.
NADEAU, Louis. Saint-François I.O., 1767, *balustrade, chœur.*
NADEAU, Simon. 1791-1801, Saint-François I.O., *bancs d'œuvre.*

NARBONNE, Louis. 1840, Saint-Rémi, Louiseville.
NOBLESSE, Martin. 1699, Montréal, École des Frères Charon.
NOEL, Joseph. 1820, Québec, Confrérie de Sainte-Anne.
NORMAND, François. Trois-Rivières, 1817, Ursulines, *console;* Batiscan, Bécancourt, 1824-1827, *autels.*

PAGET (dit Carcy), Raymond. 1660, Québec, Confrérie de Sainte-Anne.
PAQUET, André. 1835, Sainte-Croix de Lotbinière, Deschambault; 1837, Québec. Élève de Thomas Baillairgé.
PARENT, Sieur. Montréal, 1691, *armoire.*
PARENT, Léandre. 1830. Apprenti de Thomas Baillairgé.
PARISEAU, Joseph. Saint-Martin, 1833, *chandeliers.*
PÉPIN, François. 1805, Longue Pointe. Neveu et apprenti de Joseph Pépin.
PÉPIN, Jérôme. 1818, Longue Pointe. Apprenti de Louis Quevillon.
PÉPIN, Joseph. 1801, Saint-Vincent-de-Paul, Boucherville; 1808-1823, associé de Louis Quevillon; 1819, Saint-Roch l'Achigan, *consoles;* Les Cèdres, *console.*
PÉRÉ (dit Carpentras), Joseph. Menuisier, camarade de Charles Chaboillez, Montréal.
PERREAULT, Chrysostome. 1793-1829, Saint-Jean Port Joli; L'Islet, *banc d'œuvre.*
PERRIN, Nicolas. 1800-1823, Sainte-Scholastique. Apprenti de Louis Quevillon.
PERRIN, Pierre. 1800-1823, Sainte-Scholastique. Apprenti de Louis Quevillon.
PETIT, François. 1730, Montréal.
PICHÉ, Joseph. Les Écureuils, 1792, *chaire.*
POULIOT, Pierre. 1779, Saint-Laurent, I.O.

QUEVILLON, Jean-Baptiste. 1749, Sault-au-Récollet, père de Louis Quevillon.
QUEVILLON, Louis-Amable, (1749-1823). Saint-Vincent-de-Paul, Sault-au-Récollet, Lavaltrie, Notre-Dame de Montréal, etc.
QUEVILLON, Pierre. Saint-Vincent-de-Paul. Frère de Louis Quevillon.

RACINE, Pierre. Québec, 1715, *chaises, armoires, lits.* Hôpital-Général, Québec.
REICHE, Sieur. Québec, 1715, *armoires.* Hôpital-Général, Québec.
ROBERT, François-Xavier. 1820, Verchères. Apprenti de Louis Quevillon.
ROCHON, Antoine. 1820, Sainte-Thérèse de Blainville. Apprenti de Louis Quevillon.
ROLLIN, Paul. 1819-1829, Lachenaie. Apprenti et associé de Louis Quevillon.
RONDARD, Sieur. Varennes, 1745, *chandeliers.*
ROUSSEL, Joseph. 1743, Québec, Confrérie de Sainte-Anne.

ROUSSILLE, F.-Noël. Lachenaie, 1842-1843, *tombeau de l'autel.*
ROY, Joseph. Lachenaie, 1801, *chandeliers.*

SAINT-AMAND, Damase. 1833, Bécancourt.
SAINT-GAUDARD, Sieur. 1705, Québec.
SAINT-JAMES, René. 1831, Rivière des Prairies. Associé de Louis Quevillon. Saint-Mathias, Saint-Eustache, Saint-Sulpice.
SAINT-YVES, Sieur. 1702, Montréal, Notre-Dame de Montréal.
SAMSON, Joseph. 1820, Québec, Confrérie de Sainte-Anne.
SAMSON, Olivier. l'Ange Gardien, 1845, *chaire.*
SÉGUIN, Pierre. Montréal, Saint-Pierre, 1823-1825, *banc d'œuvre.*
SHINDLER, Jean. 1821, Québec, Confrérie de Sainte-Anne.

TAPHORIN, Guillaume. 1743, Québec, Confrérie de Sainte-Anne.
TATTOUX (dit Brindamour), Joseph. 1820, Montréal. Apprenti de Louis Quevillon.
TISON, Jean-Baptiste. 1791-1805, Saint-Louis, Missouri.
TONDREAU, Sieur. L'Islet, 1735-37, *chaire.*
TREMPES, Sieur. Berthier-en-Haut, 1788, *bancs.*

TURCAULT, Joseph. 1812, Sainte-Jeanne de L'Ile Perrot; 1819, Les Cèdres.

VALADE, François. 1819, Saint-Martin (I.J.). Apprenti de Louis Quevillon.
VALIN, Jean, (1691-1759). Québec, Saint-Augustin, 1734, *lustres et tabernacle.*
VALLIÈRE, Romain. 1839, Québec, Confrérie de Sainte-Anne.
VAUCOURT, Jacques. 1743, Québec, Confrérie de Sainte-Anne.
VERDON, Joseph. Canada, 1734; Saint-Louis, Missouri, 1813.
VÉZINA, Charles. Neuville, 1728-30, *balustres, retable;* Les Écureuils; 1732-1740, Saint-Pierre I.O., *décors;* Charlebourg, 1742-1747, *retable;* Saint-Augustin, 1755, *retable;* Saint-Pierre, Ile d'Orléans.
VIAU, Pierre. 1820, Lachenaie. Apprenti de Louis Quevillon.
VIGER, D. XVIIIe siècle. Saint-Denis-sur-Richelieu, *autels.*
VILLIARD, Germain. XVIIIe siècle. Québec, *meubles.*
VINCENT, F. Sainte-Marie de Beauce, 1783, *tabernacle et chaire.*

VOISEUX, Pierre. Batiscan, 1824, *façon d'autel.*

LISTE DES MENUISIERS ET ÉBÉNISTES VENUS D'ANGLETERRE ET D'ÉCOSSE

Liste des menuisiers et ébénistes venus d'Angleterre et d'Écosse, vers la fin du XVIIIe et le début du XIXe siècle, dont les noms et la profession sont mentionnés dans les annuaires, almanachs et journaux.

ASQUITH, John. 1820, Montréal, *Joiner and Cabinet-maker.*
BENNET, James. 1819, Montréal, *Cabinet-maker.*
BLACK, James. 1806, Québec, *meublier.*
CAHILE, Thomas. 1820, Montréal, *Cabinet-maker.*
CAIN, John. 1820, Montréal, *Cabinet-maker.*
CAMELL, William. 1819, Montréal, *Cabinet-maker.*
COBOURNE, Thomas. 1819, Montréal, *Cabinet-maker.*
CODD, John. 1819, Montréal, *Cabinet-maker.*
COLE, William. 1820, Montréal, *Cabinet-maker.*
DODGE, C. Montréal, *Chair maker.*
DOW, William. 1790, Québec, 18, St. Peter St. Lower Town, *Cabinet-maker.*
DRUM, William. 1835-1860, Québec.
EDIE, James. 1792, Québec, *faiseur de meubles.*
FERGUSON, Thomas. 1802, Montréal.
FRASER, William. 1792, Québec, *faiseur de meubles.*

FALL, Benjamin. 1805, Québec.
GRIFFIN, William. 1799, Montréal.
HENDERSON, William. 1810, Montréal, « qui fait toute espèce de meubles dans le dernier goût », *Gazette de Québec,* 14 juin 1810.
HUNTER, David. 1798, Montréal.
McCUTCHEN, John. 1790, Garden St., Upper Town (*Directory for the City and Suburbs of Quebec,* 1790).
ORKNEY, James.
PARK, Samuel. 1799, Montréal, *Cabinet-maker.*
PETRIE, Frederick. 1790, Québec.
RAY, Joseph. 1810, Montréal.
RHODE, Antoine. 1798, Montréal, *Cabinet-maker.*
SMITH, Samuel. 1798, *meublier* (Dénombrement de la Paroisse, Mgr Plessis).
SWIFT, Tabez. 1808, Montréal, *Cabinet-maker.*
WILSON, Hugh. 1805, Québec, *ébéniste.*

LISTE DES MAÎTRES-SERRURIERS
ET SERRURIERS

Quelques noms de maîtres-serruriers et serruriers ayant fabriqué, en principe, des garnitures pour les meubles.

AMIOT, Pierre. 1733 : Québec, *loquets de porte, fiches, couplets,* Notre-Dame des Victoires.

BEAUPRÉ, Pierre. 1735 : Québec.

DENIS, Jean. Québec. (Jean Denis estampillé sur *fiches d'armoires*).

DESLAURIERS, Sieur. 1772 : Château Richer : *fiches.*

FOURREUR (dit Champagne), Pierre. 1744 : Québec.

GILBERT, Augustin. 1727 : Québec.

LEBLOND, François. 1744 : Québec. (Leblond estampillé sur *fiches d'armoires*).

LEMERCIER, Louis. 1688 : Québec. (1716, *pour garnitures d'armoire,* église Beauport).

LETOURNEAU, François. 1783 : Québec, inventaire : *fiches d'armoires.*

LETOURNEAU, Jean-Paschal. 1783 : Québec, *fiches d'armoires.*

LOZEAU, Jean, 1741 : Québec, *maître-serrurier.*

MASSÉ, Martin. 1699 : Montréal, *maître-serrurier.*

MERCIER, François. 1730 : Québec.

MONTMAIGNIER, Charles. 1710 : *maître-serrurier,* Sainte-Anne de Beaupré : *cinq ferrures, targettes, fiches.*

PRUD'HOMME, Pierre. 1690 : Québec.

QUENET, François. 1727 : compagnon d'Augustin Gilbert, *serrurier* à Québec.

SÉDILLOT (dit Montreuil), Joseph. 1796 : Rivière Ouelle : *crochets, ferrures, serrures.*

TRUDEAU, Bertrand. 1729 : Varennes.

VOYER, Alexis. 1691. Apprenti de Louis Lemercier.

LISTE DES COLLECTIONNEURS

Les numéros qui suivent les noms des collectionneurs sont ceux du catalogue raisonné et correspondent à ceux des illustrations.

ALLAN (M. et Mme M.M.). Baie d'Urfée, Québec : 407.

ARCHIVES PUBLIQUES DU CANADA. Ottawa : 496.

ARTS APPLIQUÉS (Institut des). Montréal : 100.

BARBEAU, Marius. Ottawa : 348, 359.

BARRET, Russell J. Baie d'Urfée, Qué. : 528, 531, 583.

BERTRAND, Claude (Dr et Mme). Outremont, Qué. : 128, 142, 180, 270, 276, 370, 371, 372, 390, 573, 575.

BLOOM, L.S. (Mme). Westmount, Qué. : 143, 341, 436, 470, 498, 508, 529, 552, 571, 574.

BREAKEY, John (M. et Mme). Breakeyville, Qué. : 495.

BREITMAN, S. (Antiquaire). Montréal : 175, 234.

BULOW, Mlle Karen, Préville, Qué. : 10.

BURGER, Roger (M. et Mme) (Antiquaires). Belle Rivière, Sainte-Scholastique, Qué. : (voir jaquette et page 196).

CANADAIR LIMITÉE. Saint-Laurent de Montréal : 60, 68, 83, 84, 196, 397, 435.

CANADA STEAMSHIP LINES. Tadoussac, Qué. : 28, 32, 33, 36, 39, 44, 46, 47, 48, 52, 56, 57, 67, 85, 86, 104, 110, 120, 122, 125, 129, 131, 134, 138, 145, 156, 164, 172, 194, 200, 201, 205, 226, 227, 239, 240, 241, 249, 258, 281, 285, 311, 312, 313, 321, 324, 325, 326, 327, 328, 330, 332, 334, 349, 352, 353, 388, 400, 402, 403, 404, 406, 408, 426, 445, 455, 448, 454, 464, 476, 502, 542, 564, 568, 578.

CARBOTTE, Marcel (Dr et Mme). Petite Rivière Saint-François, Qué. : 420.

CARON, Wilfrid (Dr et Mme). Cap Rouge, Qué. : 58, 147, 264.

CAVERHILL, Thomas (M. et Mme). Montréal : 77, 479, 480, 481, 482.

CHATEAU DE RAMEZAY. Montréal : 115, 211, 222, 284, 287, 302, 305, 368, 517, 548, page 374.

COLE, J.N. (M. et Mme). Montréal et La Malbaie, Qué. : 12, 13, 19, 89, 178, 179, 193, 237, 271, 286, 288, 289, 295, 296, 297, 298, 306, 354, 419, 425, 561, 569, 570.

CORBEIL, Gilles. Saint-Hilaire, Qué. : 38, 492.

CORBEIL, Maurice (M. et Mme). Boucherville, Qué. : 244.

COSGROVE, Stanley (M. et Mme). Montréal : page 102.

COSTELLO, Richard R. (Mme). Sainte-Agathe des Monts, Qué. : 20, 109, 139, 161, 202, 221, 236, 261, 273, 318, 350, 351, 416, 422, 437, 458, 473, 530, 560, 585.

COUTURE, Charles (M. et Mme). Québec : 430, 431.

CULVER, A.F. (M. et Mme). Montréal et Pointe au Pic, Qué. : 41, 188, 203, 462, 511, page 328.

CULVER, Bronson (M. et Mme). Montréal : 566.

DAVIDSON, Edgar (M. et Mme). Montréal : 29, 30, 31, 96.

DHAVERNAS, M.A. Saint-Sauveur des Monts, Qué. : 176.

DETROIT HISTORICAL MUSEUM. Détroit, Mich. E.U. : 500.

DETROIT INSTITUTE OF ARTS. Détroit, Mich. E.U. : 9, 27, 103, 174, 230, 255, 265, 339, 375.

DOBELL, Curzon (Mme). Montréal : 486.

DOBELL, Peter et William. Lac Memphrémagog, Qué. : 342, 440.

DONNACONA PAPER CIE LIMITÉE. Québec : 49, 119.

DRURY, Victor, M. (M. et Mme). Lac Anne, Québec et Montréal : 80, 81, 82, 160, 235, 344, 428, 444, 546.

DUBUC, Antoine (M. et Mme). Chicoutimi, Qué. : 97, 183, 184, 185, 405.

DUBUC, Jean. Québec : 53, 106, 228, 303, 349.

FLEET, Robertson (M. et Mme). Montréal : 536.

FLOOD, H.C. (M. et Mme). Saint-Sauveur des Monts, Qué. : page 140.

FROSST, Eliot (M. et Mme). Westmount, Qué. : 505, 584.

GAGNÉ, Georges-Etienne (M. et Mme). Neuville, Qué. : 4, 214, 217, 218, 229, 535, 554.

GERMAIN, Alexis. Deschambault, Qué. : 166, 336.

GILLESPIE, A.R. (M. et Mme). Montréal : 487, 488.

GLEN, W.L. (M. et Mme). Baie d'Urfée, Qué. : 376.

GODBER, H.J. (M. et Mme). Sainte-Agathe des Monts, Qué. : 171, 197, 579.

GOUIN, Paul. Montréal : 22, 198.

GOUIN, Paul (Mme). Montréal : 337, 432, 433.

GOUIN, Pierre (M. et Mme). Saint-Sulpice, Qué. : 35, 78, 151, 191, 199, 233, 333, 460, 522.

HART, Larry (M. et Mme). Senneville, Qué. : 513.

HART, E. Thornley (Mme). Sainte-Agathe des Monts, Qué. : 14, 427, 469.

HART, W.I. Sainte-Thérèse de Blainville, Qué. : 465.

HASLETT, Leslie W. (M. et Mme). Sainte-Marguerite, Qué. : 113, 515.

HAWKINS, Paul (M. et Mme). Chambly, Qué. : page 54.

HAYS, Anthony (M. et Mme). Londres, Angl. : 417.

HINGSTON, H.W. (M. et Mme). Montréal : 483.

HÔPITAL GÉNÉRAL (des Sœurs Grises). Montréal : 8, 92, 374.

HÔPITAL GÉNÉRAL (des Sœurs Grises, Chapelle). Montréal : 438.

BIBLIOGRAPHIE SOMMAIRE

Liste des principaux ouvrages et des sources de renseignements que j'ai consultés pour la rédaction de cet ouvrage. Pour une bibliographie plus complète sur le mobilier traditionnel, on pourra se référer au Manuel de folklore français contemporain d'Arnold de Van Gennep. Paris, Auguste Picard, 1938, tome IV, pp. 892-923.

BARBEAU, Marius. *Au cœur du Québec.* Montréal, Les éd. du Zodiaque, 1934.

BARBEAU, Marius. *Confrérie des menuisiers de Madame Sainte-Anne.* Montréal, Fides, 1946, pp. 72-96 (Les Archives de Folklore, vol. I).

BARBEAU, Marius. *J'ai vu Québec.* Québec, Librairie Garneau, 1957.

BARBEAU, Marius. *Les Le Vasseur, maîtres-menuisiers, sculpteurs et statuaires.* (Québec circa, 1678-1818). Montréal, Fides, 1948, pp. 35-52 (Les Archives de Folklore, vol. III).

BARBEAU, Marius. *Maîtres artisans de chez-nous.* Montréal, Les éd. du Zodiaque, 1942.

BARBEAU, Marius. *Québec où survit l'ancienne France.* Québec, Librairie Garneau, 1937.

BOISON, J. *L'industrie du meuble.* 4e éd. mise à jour par F. Débat, G. Rouest, L. Malclès. Paris, Dunod, 1949. (Bibliothèque de l'Enseignement Technique).

BOUCHER, Pierre. *Histoire véritable et naturelle des mœurs et productions du pays de la Nouvelle-France.* Paris, Florentin Lambert, 1664.

CHAMPLAIN, Samuel de. *Les Voyages de la Nouvelle-France occidentale, dicte Canada, faits par le Sieur de Champlain, Xainctongeois, etc.* Paris, Pierre Le Mur, 1632.

CHARLEVOIX, Pierre-François-Xavier de, S.J. *Histoire et description générale de la Nouvelle-France.* Paris, Giffart, 1744, 3 vol.

COLLECTION CONNAISSANCE DES ARTS, vol. III : *Le XVIIe siècle français.* Paris, Hachette, 1958.

COLLECTION CONNAISSANCE DES ARTS, vol. I : *Le XVIIIe siècle français,* Paris, Hachette, 1956.

DIDEROT ET D'ALEMBERT. *Encyclopédie ou dictionnaire raisonné des sciences, des arts et des métiers.* Paris, Briasson, 1751.

DREPPERD, Carl W. *Handbook of Antique Chairs.* Garden City, N.Y. Doubleday and Company, 1948.

ÉDITS, ORDONNANCES ROYALES. *Édits, ordonnances royaux, déclarations et arrêts du Conseil d'Etat du roi concernant le Canada. Revus et corrigés d'après les pièces originales déposées aux Archives provinciales.* Québec, Fréchette, 1854-1856, 3 vol.

FAUTEUX, Jean-Noël. *Essai sur l'industrie au Canada sous le régime français.* Québec, Proulx, Imprimeur du Roi, 1927.

GAUTHIER, Joseph Stany. *Le mobilier des vieilles provinces françaises.* Paris, Ch. Massin, 1933.

GAUTHIER, Joseph Stany. *La connaissance des meubles régionaux français.* Paris, Ch. Moreau, 1952.

GOSSELIN, Abbé Amédée. *L'instruction au Canada sous le régime français.* Québec, Laflamme et Proulx, 1911.

HAVARD, H. *Dictionnaire de l'ameublement et de la décoration depuis le XIIIe siècle jusqu'à nos jours.* Paris, Quantin [1890], 4 vol.

JAMBON, Dr J. *Les beaux meubles rustiques du vieux pays de Rennes.* Rennes, Librairie Générale Plihon et Hommay, 1927.

JANNEAU, Guillaume. *Les beaux meubles français anciens.* Ch. Moreau, éd., Paris, 1923.

JEANTON, Gabriel. *Le mobilier de la Bresse et du Mâconnais.* Publié sous les auspices de la Société des Amis des Arts et des Sciences de Tournus. Mâcon, Renaudier, 1938.

JÉSUITES. *Le Journal des Jésuites.* Publié par MM. les abbés Laverdière et Casgrain. Québec, Brousseau, 1871.

JUCHEREAU DE SAINT-IGNACE, Mère. *Les annales de l'Hôtel-Dieu de Québec.* [Québec] à l'Hôtel-Dieu de Québec, 1939.

KALM, Peter. *Voyage de Kalm en Amérique.* (Traduit de l'anglais de John Reinhold Forster. *Travels into North America*). Montréal, Société Historique de Montréal, 1880. (Mémoires, vol. VII et VIII).

LA POTHERIE, Bacqueville de. *Histoire de l'Amérique septentrionale.* Paris, Brocas, 1753, 4 vol.

LA TOUR, Bertrand de. *Mémoires sur la vie de M. de Laval.* Cologne, Jean-Frédéric Motiens, 1761.

LEROUX, André-Paul. *Les meubles cauchois,* 3e éd. Fécamp, Les Frères Banse, 1924.

LESCARBOT, Marc. *Histoire de la Nouvelle-France.* 3e éd. Paris, Adrian Perier, 1618.

MARIE DE L'INCARNATION. *Lettres de la Vénérable Marie de l'Incarnation, première supérieure des Ursulines de la Nouvelle-France.* Paris, Louis Billaine, 1681.

MASSICOTTE, E.-Z. *L'ameublement à Montréal aux XVIIe et XVIIIe siècles*. Bulletin des Recherches Historiques. Lévis, vol. XLVIII, février 1942, pp. 33-42; mars, pp. 75-86.

MAUMENÉ, Albert. *Les beaux meubles régionaux des provinces de France*. Paris, Ch. Moreau, 1952.

MAUMENÉ, Albert. *Vie à la campagne*. Paris, Hachette. (Numéros spéciaux sur le mobilier traditionnel. 1920-1938).

MORIN, Sœur Marie. *Annales de l'Hôtel-Dieu de Montréal*. Société Historique de Montréal, 1921. (Mémoires, vol. XII).

MORISSET, Gérard. *Coup d'œil sur les arts de la Nouvelle-France*. Québec [l'Auteur], 1941.

MORISSET, Gérard. *L'architecture en Nouvelle-France*. Québec [Charrier et Dugal], 1949. (Collection Champlain).

NUTTING, Wallace. *Furniture Treasury*. New York, The Macmillan Company, 1954.

OGELSBY, Catherine. *French Provincial Decorative Art*. New York-London, Charles Scribners' Sons, 1951.

RIVIÈRE, Georges Henri. *Réflexions sur le mobilier rural traditionnel en France*. In *Art et Industrie*, III, Paris, avril 1946, pp. 11-16.

RIVIÈRE, Georges Henri. *Le mobilier traditionnel en France*. Cours professé à l'École du Louvre, Paris, 1943. (Manuscrit.)

ROY, Antoine. *Le coût et le goût des meubles au Canada sous le régime français*. In le *Cahier des Dix*. Montréal, «Les Dix», 1953, vol. 18, pp. 228-239.

ROY, Antoine. *Les lettres, les sciences et les arts au Canada sous le régime français*. Paris, Jouve, 1930.

SAINT-THOMAS, Mère. *Les Ursulines de Québec, depuis leur établissement jusqu'à nos jours*. Québec [par Mère Saint-Thomas et l'abbé Georges Lemoyne], Darveau, 1863-1866, 4 vol.

SCHWARZ, m. d., Herbert T. *La commode bombée de la Nouvelle-France*. In Revue *Vie des Arts*. Montréal, n° 21, Noël, 1960, pp. 30-37.

SÉGUIN, Robert-Lionel. *L'équipement de la ferme canadienne aux XVIIe et XVIIIe siècles*, Montréal, Ducharme, 1959.

SPENDLOVE, F. St George. *The Furniture of French Canada*. In *The Connoisseur Year Book*. London, 1954, pp. 61-67.

SPENDLOVE, F. St George. *Collectors' Luck*. Toronto, Ryerson Press, 1960.

TARDIEU, Suzanne. *Meubles régionaux datés*. Paris, Éditions Vincent, Fréal, 1950.

TESSIER, Mgr Albert. *Les forges Saint-Maurice*, 1729-1883. Trois-Rivières, Éd. du Bien Public, 1952.

TRAQUAIR, Ramsay. *The Old Architecture of Quebec*. Toronto, Macmillan, 1947.

VAILLANCOURT, Émile. *Une maîtrise d'art en Canada*, 1800-1823. Montréal, G. Ducharme, 1920.

VAN RAVENSWAAY, Charles. *Creole Arts and Crafts of Upper Louisiana*. In *Missouri Historical Society Bulletin*. St. Louis, Missouri. April 1956. Vol. XII, n° 3, pp. 213-248.

VERLET, Pierre. *L'art du meuble à Paris au XVIIIe siècle*. Paris, Presses Universitaires de France, 1958. (Coll. « Que sais-je ? »)

VERLET, Pierre. *Les meubles français du XVIIIe siècle*. I - *Menuiserie*, Paris, Presses Universitaires de France 1956. (Coll. « L'Œil du Connaisseur »).

VERLET, Pierre. *Les meubles français du XVIIIe siècle*. II - *Ébénisterie*, Paris, Presses Universitaires de France, 1956. (Coll. « L'Œil du Connaisseur »).

WINCHESTER, Alice. *French Canadian Furniture*. In *Antiques*, New York, May 1944. Vol. XLV, n° 5, pp. 238-241.
The Armoires of French Canada. In *Antiques*, New York, June 1944. Vol. XLV, n° 6, pp. 302-305.

ABRÉVIATIONS

A A M	*Archives de l'Archevêché de Montréal.*	A P C	*Archives Publiques du Canada.*
A H Q	*Annales de l'Hôtel-Dieu de Québec.*	A P Q	*Archives de la Province de Québec.*
A H M	*Annales de l'Hôtel-Dieu de Montréal.*	A S M	*Archives du Séminaire de Montréal.*
A H G Q	*Annales de l'Hôpital-Général de Québec.*	A S Q	*Archives du Séminaire de Québec.*
A J M	*Archives Judiciaires de Montréal.*	B R H	*Bulletin des Recherches Historiques.*
A J Q	*Archives Judiciaires de Québec.*	I O A	*Inventaire des Œuvres d'Art.*
A N C	*Archives Nationales Colonies.*	R A P Q	*Rapport de l'Archiviste de la Province de Québec.*
A N D M	*Archives de Notre-Dame de Montréal.*		

PETIT LEXIQUE
DES TERMES CANADIENS

Babiche (de l'algonquin) : Lanière de peau d'orignal, de caribou ou de chevreuil, utilisée pour les raquettes, les fonds de chaises, etc.

Banc du quêteux : Le banc-lit qu'on offre au mendiant de passage.

Banc-lit : Meuble semblable au banc-coffre breton à la différence que le siège et la façade se rabattent par terre et forment une boîte dont on se sert comme lit.

Bec de corbeau : Lampe à huile en fer forgé qu'on accroche à une poutre (la lampe d'âtre à harpon).

Berce : Patin courbe d'un berceau, d'une chaise berceuse.

Berceuse, Berçante : Chaise berceuse, chaise berçante. Chaise ou fauteuil dont les pieds reposent sur des patins courbes.

Bœuf illinois : Bison d'Amérique, buffalo.

Bottes canadiennes : Hautes bottes de cuir mou. Genre de mocassins sans semelle et dont la tige est ornée de ganses.

Boutonnue (couverture) : Couverture de lit avec ornements de laine bouclée.

Cabane : Lit-clos canadien du début de la colonie.

Cabarouet : Petite voiture à deux roues et siège unique.

Carriole (lit) : Lit « bateau » du Languedoc, de style Fin Empire. Il rappelle par sa forme le traîneau d'hiver canadien, *carriole*, monté sur patins.

Catalogne : Aux XVIIe et XVIIIe siècles : couverture de lit en laine, tissée à la main. Appelée aussi « Couverte de Normandie ». Au XIXe siècle, des couvertures de lits et des tapis furent tissés de chiffons de coton ou de laine de couleur.

Chanteau : Patin courbe d'un berceau, d'une chaise berceuse, rappelant, par sa forme, la planche courbe du dessus d'un tonneau.

Chevreux : Chevreuils.

Clair de nœuds : Net de nœuds, sans nœuds.

Côte : Route de campagne bordée par les habitations des colons. Rappelons que les premières routes côtoyaient le fleuve Saint-Laurent. Le mot *rang*, de l'anglais « range », n'apparaît qu'au XIXe siècle.

Couvert : Couvercle.

Couverte : Couverture de lit.

Créendieu : Expression employée dans le comté de Charlevoix pour qualifier une personne dont l'honnêteté est remarquable.

Crocheté (tapis) : Tapis fait au crochet.

Embouveté : Assemblé à rainures et à languettes.

Fournil : Pièce de la maison rurale, attenante à la cuisine, munie d'un foyer ou d'un large poêle pour chauffer l'eau de la lessive. Parfois, le fournil comprend un four où l'on cuit le pain.

Grand-père, horloge (de l'anglais grandfa her clock) : Horloge dont la gaine est élancée et haute.

Habitant : Nom donné, au début de la colonie, à celui qui s'établissait sur sa terre et y demeurait, par opposition au *coureur de bois* qui préférait la vie nomade des Indiens. Le mot *habitant* est encore usité au Canada français de préférence au mot paysan.

Maskobina (de l'indien) : Sorbier des oiseleurs.

Passée (peau) : Peau repassée, préparée, accommodée.

Pièce sur pièce : Procédé de construction : billes de bois équarries à la hache, se chevauchant les unes les autres.

Pigeonnier : Casiers d'un secrétaire.

Plaine : Érable rouge.

Plancher d'haut : Le plafond de la maison qui sert de plancher au grenier.

Planches (être sur les) : Se dit des morts que l'on expose sur une table de planches posées sur des chevalets.

Pointes de gâteaux : Dans un panneau, triangles dessinés par la croix de Saint-André.

Pruche : Tsuga du Canada.

Quenouille (lit de) : Matelas bourré de soies de massette.

Rabat : Banc-lit.

Rassades : Graines, perles de verroterie de couleur, servant autrefois de marchandise de traite auprès des Indiens.

Vitrau : Buffet vitré, à un ou à deux corps.

PETIT GLOSSAIRE

Agrafe : Ornement placé au sommet d'un cintre, mais en forme de console reliant les demi-arcs.

Anse de panier : Arc surbaissé en forme d'ellipse.

Appliqué (motif) : Motif rapporté et non sculpté ou réservé en plein bois sur la surface qu'il décore.

Baguette d'angle : Moulure ronde, qui décore les angles des montants d'un meuble.

Balustre : Pièce verticale à panse élargie et col aminci.

Baroque : a) Style qui apparaît en Italie au XVIᵉ siècle et qui est une dérivation des styles classiques; b) Se dit aussi d'un meuble sculpté sur toute sa surface; c) Dans un sens péjoratif : curieux, bizarre.

Câble : Ornement courant en forme de torsade, rappelant les cordages.

Campane : D'un dessin en forme de cloche. La campane renversée peut orner les ceintures de commode.

Canaux, canneaux : Entailles rondes creusées dans la surface plane ou courbe d'une pièce.

Cannelure : a) Synonyme de canneaux; b) Ensemble de canneaux.

Cartel : Petit cartouche ornemental, surtout de style rocaille et souvent ajouré.

Chevron : a) Pièces de bois assemblées à angle aigu. b) Ornement parfois sculpté en lignes parallèles et se rejoignant à angle aigu.

Cordon : Moulure ronde, courante, le long d'une bordure.

Coups d'ongle : Ornement courant en forme d'écailles.

Crosse : Spirale de l'extrémité antérieure d'un accoudoir.

Crossette : Ornement courant de style Régence et Louis XV. Petits enroulements de fleurs ou de feuillage se terminant en forme de crosse.

Dents de scie : Ornement courant dont les pointes rappellent les dents d'une scie.

Denticules : Suite de reliefs en forme de dents carrées, séparées par des vides égaux.

Dormant : Pièce centrale fixe du bâti d'un meuble sur laquelle viennent battre les vantaux. *Faux dormant :* Dormant factice faisant partie d'un des vantaux.

Doucine : a) Profil qui se compose de deux courbures de mouvement contraire, l'une concave, l'autre convexe; b) Profil de forme onduleuse.

Duchesse (lit à la) : a) Ancien nom de la chaise longue. b) Lit sans quenouille, avec un baldaquin d'où pendent les courtines.

Entrelacs : Ornement courant formé de motifs courbes qui se croisent et s'entrelacent, ou dessinant des cercles insérés l'un dans l'autre.

Faux-palier : Buffet vaisselier normand sans vantaux dans le corps inférieur, mais ouvert, avec tablettes pour ranger les seaux et les marmites.

Feston : Motifs décoratifs identiques et régulièrement répétés.

Flots : Ornement courant appelé aussi *postes* et dessinant des crêtes de vagues.

Frettes : Ornement courant formé de lignes brisées.

Frise : a) Décoration en relief d'un entablement; b) Cartouche long et étroit d'une traverse supérieure d'armoire.

Galette : Moulures concentriques en forme de disques.

Godron : Ornement en relief, en forme de cosse.

Guillochis, guilloché : Ornement de fond, formé de courtes lignes droites ou courbes qui se croisent.

Molette : Petite rouelle en forme de meule, sculptée et dentée.

Ove : Ornement en relief, en forme d'œuf.

Palmette : Motif décoratif, composé de plusieurs tiges en forme de pétales allongés ou de feuilles en éventail.

Pan coupé (à) : Surface plate remplaçant l'angle abattu de deux pans qui se rencontrent.

Pastille : Ornement en relief et courant, en forme de petits disques.

Pied-de-biche : Montant galbé terminé par un sabot.

Pilastre : Partie décorative d'une façade de meuble reproduisant à plat le style d'une colonne.

Plate-bande : Moulure plate.

Postes : Synonyme de flots.

Quadrilobé : Ornement en forme de rosace à quatre feuilles; le quartefeuille gothique.

Rais de cœur : Ornement en forme de cœur et de feuillage innervé.

Rinceau : Décor composé de tiges fleuries et de feuillage qui s'enlacent en enroulement.

Rocaille : Décor asymétrique inspiré de coquillages, de rochers et de plantes.

Rococo : a) Terme employé particulièrement en Allemagne, en Autriche et en Italie pour désigner le rocaille; b) Terme péjoratif qui désigne une exagération du rocaille; c) Objet de formes affectées.

Rococo canadien : Expression créée par M. Ramsay Traquair, dans son ouvrage *The Old Architecture of Quebec,* pour désigner le rocaille trop lourd et surchargé de certains sculpteurs canadiens.

Rosette : Ornement en forme de fleur à pétales multiples, vue en plan.

Rosace : Motif décoratif, occupant le centre d'un panneau ou d'un caisson et formé d'un bouton entouré de feuillage.

Rudentures : Tiges ou baguettes en forme de roseau, placées dans les canneaux d'un pilastre ou d'une colonne.

Saucissons : Nom donné à un tournage à étranglements réguliers.

Sinusoïde : Combinaison de courbes contrariées.

Tombeau (lit en) : Lit du XVIIᵉ siècle dont la courtine tombe obliquement du baldaquin vers le pied.

Toupie : Bulbe court. Extrémité du pied des sièges ou des tables de style Henri IV-Louis XIII.

Volute : Courbe en forme de spire ou de crosse s'enroulant sur son axe.

INDEX

406

DESCRIPTION DE CERTAINES PLANCHES

CHAMBRE A COUCHER. FIN XVIIIᵉ SIÈCLE.

Poutres apparentes, murs de crépi, plancher de pin. Lit à quenouilles tournées de la fin du XVIIIᵉ ou du début du XIXᵉ siècle, avec tour de lit. Coffre d'influence anglaise, avec soubassement en console. Petite encoignure du XVIIIᵉ siècle. Petite chaise à la capucine, tapis de *catalogne* aux multiples couleurs et peau de mouton.

(Maison de M. et Mme Roger Burger, Belle-Rivière, Sainte-Scholastique, Qué.).

PAGE 196

COFFRE ORNÉ DE LOSANGES. COULEURS D'ORIGINE. DÉBUT XIXᵉ SIÈCLE.

Coffre orné de losanges, ayant conservé ses couleurs d'origine. A l'arrière-plan, on aperçoit le revers d'une porte à panneau chantourné. Plancher de pin et tapis *crocheté*.

L. 3' 6''   H. 2' 2½''   P. 1' 8''
107 cm   67 cm   51 cm

BOIS : pin

PROVENANCE : Saint-Gervais de Bellechasse

(Coll. Mme Nettie Sharpe, Saint-Lambert, Qué.).

PAGE 30

ARMOIRE A POINTES DE DIAMANT MULTIFORMES. COULEUR D'ORIGINE. MILIEU XVIIIᵉ SIÈCLE.

Armoire à deux vantaux ornés de moulures saillantes, de pointes de diamant multiformes. Un ornement ondulé encadre le bâti ainsi que chaque panneau. Fiches et entrées de serrure d'époque. La corniche, la base, ainsi que les pieds, ont été restaurés et remplacés. Des traces de la couleur verte d'origine subsistent. Milieu XVIIIᵉ siècle.

L. 4' 4¾''   H. 6' 3½''   P. 1' 9''
134 cm   192 cm   54 cm

BOIS : pin

(Coll. M. et Mme Paul Hawkins, Chambly, Qué.).

PAGE 54

ARMOIRE A PANNEAUX SUPÉRIEURS CHANTOURNÉS. COULEURS D'ORIGINE. FIN XVIIIᵉ SIÈCLE.

Armoire à deux vantaux, ornés chacun de trois panneaux; ceux du haut sont chantournés, d'inspiration Louis XV. Fiches d'époque. Couleurs d'origine. Fin XVIIIᵉ siècle.

L. 4' 3¼''   H. 6' 3¼''   P. 1' 7¾''
130 cm   191 cm   50 cm

BOIS : pin

(Coll. M. et Mme Stanley Cosgrove, Montréal).

PAGE 102

BUFFET BAS, A DEUX VANTAUX ORNÉS DE CROIX DE SAINT-ANDRÉ, RAPPELANT CEUX DU SUD DE LA LOIRE. XVIIIᵉ SIÈCLE.

Meuble rappelant ceux du sud de la Loire et de la région de Guérande. Ferrures d'époque, plateau remplacé. Couleur d'origine. D'esprit Louis XIII. XVIIIᵉ siècle.

L. 4' 2''   H. 3' 2½''   P. 1' 7¾''
127 cm   97 cm   50 cm

BOIS : pin

(Coll. M. et Mme H.C. Flood, Saint-Sauveur des Monts, Qué.).

PAGE 140

CHAMBRE A COUCHER. FIN XVIIIᵉ SIÈCLE.

Chambre d'une maison construite en 1775. Plancher original en planches de pin, assemblées à rainures et à languettes. Mobilier : couchette à quatre quenouilles (XIXᵉ s.) tournées; buffet bas à tiroirs et vantaux ornés de pointes de diamant (couleur d'origine); fauteuil paysan à piètement chanfreiné et à siège foncé d'écorce d'orme; petite chaise à la capucine; petit berceau de poupée décoré de dessins géométriques. Sur le buffet : coffret de pin, avec serrure; petit cheval de bois (jouet) et bougeoir de fer-blanc.

(Maison de Mme Nettie Sharpe, Saint-Lambert, Qué.).

PAGE 180

SALLE DE SÉJOUR D'UNE, MAISON MODERNE, DÉCORÉE DE MEUBLES TRADITIONNELS.

Salle de séjour d'une maison moderne, inspirée d'un intérieur ancien. Lambris et poutres, provenant d'une ancienne maison. Tous les meubles ont été décapés, y compris l'encoignure, qui vient de l'ancien presbytère de Saint-Louis de Lotbinière. Mobilier : fauteuil os de mouton, aux accoudoirs garnis; fauteuil de l'officiant, de l'ancienne église de Louiseville de Maskinongé; tables à pieds galbés. Tapis *crochetés* et, au mur, tapis aux dessins naïfs et appliqués.

(Maison de Mlle Barbara Richardson, Sainte-Agathe des Monts, Qué.).

PAGE 224

ARMOIRE A DESSINS GÉOMÉTRIQUES MULTIFORMES. DÉBUT XIXᵉ SIÈCLE.

Armoire de mariage, d'esprit *art populaire*. Panneaux des vantaux, d'inspiration Adam. De nombreuses rosettes et des cœurs appliqués, symboles du mariage, décorent sa surface. Des rubans, des sinusoïdes, des cannelures, des stries, des coups d'ongle, des dents de loups et des festons à la corniche, ornent à profusion ce meuble. Les stries parallèles opposées rappellent celles du mobilier bressan et même celles de la céramique huronne ou iroquoise. Une de nos plus originales armoires canadiennes. Charnières d'époque. Début XIXᵉ siècle.

L. 4' 3¼''   H. 6' ¼''   P. 1' 7''
130 cm   184 cm   48 cm

BOIS : pin

PROVENANCE : Sainte-Geneviève de Pierrefonds, Qué.

(Coll. M. et Mme Peter Laing, Montréal).

PAGE 264

VANTAUX D'ARMOIRE, D'ESPRIT LOUIS XV. COULEURS D'ORIGINE. FIN XVIIIᵉ SIÈCLE.

Vantaux amputés d'une armoire, ornés de panneaux chantournés, d'inspiration Louis XV. Les panneaux ont conservé leurs couleurs d'origine, quoique détériorés par le temps. Ils sont décorés de fleurs et d'un cœur transpercé d'une flèche, symbole de l'amour.

BOIS : pin

(Coll. M. et Mme A.F. Culver, Pointe au Pic, Qué.).

PAGE 328

SALLE COMMUNE.

Salle commune de l'ancienne maison Marcil, construite en 1775 et faisant autrefois partie de la paroisse de Longueuil. Mobilier : Armoire-placard d'origine, à panneaux chantournés; table à abattant; coffre à panneaux. Fauteuil paysan, chaises d'enfant, boîte à sel, lanternes, lampes d'âtre à harpon; *catalogne* et tapis *crochetés*. Tous les meubles ont conservé leur couleur d'origine.

(Maison de Mme Nettie Sharpe, Saint-Lambert, Qué.).

PAGE 358

CUISINE. XVIIIᵉ SIÈCLE.

Cuisine du XVIIIᵉ siècle, à Montréal. Cheminée et accessoires : chenets, pincettes, soufflet, marmite, grilles, trépieds, tourne-broche activé par un chien dans le cylindre fixé au mur (reconstitution). Bancs à seaux, rouet, baratte, seaux de bois, casseroles, *bombe*, boîte à sel, lanternes. Mobilier : buffet deux-corps à pointes de diamant, table à bascule, fauteuil à piètement tourné et à dossier orné de balustres, d'inspiration Louis XIII, chaise à balustres, chaise du type « Ile d'Orléans » à pieds tournés. *Catalognes* et tapis *crochetés*.

(Reconstitution de la cuisine du Château de Ramezay, à Montréal).

PAGE 374